『十四五』时期国家重点图书出版专项规划

中国考古发掘报告提要

报告提要

明 清 卷

刘庆柱 ◎ 总主编

丁晓山 ◎ 主编

中国文史出版社

序

记得是在 2013 年初夏的一天，首都师范大学丁晓山先生因公事到六里桥中华书局来找我。办完公事后我们就坐在中华书局一楼大厅里聊了会儿天，晓山先生告诉我，他想编《中国考古发掘报告提要》。我深表赞同，但又觉得兹事体大，任务繁重，恐怕会和许多听上去不错的想法一样，最终也只能停留在策划阶段，无疾自终。没有想到时隔不到两年，晓山先生竟抱着十几册书稿来找我写序了。按说考古方面的著述本不该由我来写序的，但我首先是被晓山先生的实干精神所感动，感到没有理由拒绝如此埋头苦干的后辈学者；其次从考古与文献的结合角度，也还确实有些话想说，便欣然答应了下来。

夜深人静，我翻阅着堆满了小半个书桌的书稿，当然最先翻看的是我比较感兴趣的隋唐五代卷。真的是如入宝库，目不暇接。记得曾有学者讲过，考古是坐在前排看戏。的确如此，考古是跟古人直接对话，你会看到古人穿着什么样的盛装出现在社交场合，你会触摸到古人曾经喝过酒的酒盏，你会站立在当年宫女们居住的寝室，你甚至会行走在一千年前古人曾经走过的街道上……借用时下流行的词语讲，真的是让人有"穿越"之感了。这是阅读古代文献很难获得的一种体验。

正是因为考古资料如此无可替代，20 世纪 20 年代王国维先生就提出了"二重证据法"，以考古资料与传世文献相印证，并将此提高到了方法论的高度。20 世纪 60 年代，沈从文先生甚至说过要想做好学问，最好"老老实实去故宫各库房学三五年文物"①的话。然而，结果又如何呢？约 30 年前，张光直先生就指出："考古学与历史学不能打成两截，那种考古归考古，历史归历史，搞考古的不懂历史，搞历史的不懂考古的现象，是一种不应有的奇怪现象，说明了认识观的落后。"②李学勤先

---

① 沈从文：《花花朵朵坛坛罐罐——沈从文文物与艺术研究文集》，外文出版社，1994 年版，第 76 页。
② 见《中国社会科学》杂志社编《未定稿》，1988 年第 4 期。

生在约 20 年前讲："我们学术界的习惯，是把历史学和考古学截然分开。""学历史的专搞文献，学考古的专做田野，井水不犯河水，大多不相往来。我看这对历史学、考古学双方都没有好处。"①10 年前，石兴邦先生还引用张光直先生的话讲："中国古史研究与考古学的发现成果的间距，比海峡两岸的距离还远。"②时至今日，这一状况应该说，有所改观，但恐怕还不好说已有了实质性的改观。

那么，怎么才能让历史学、考古学双方都有好处呢？这就需要沟通。而考古发掘报告，恰恰是双方有望沟通的一个很好的现实选择。从考古学来说，考古发掘报告是发现、发掘、整理、研究这一系列考古活动的最后结晶，是考古发掘过程中必不可少的关键一环。从历史学的角度看，考古发掘报告几乎是认识考古发掘的唯一文字凭证，历史学者不可能老是如同考古学者一样坐在前排看戏，他们在绝大多数情况下，只能通过发掘报告，来了解他们关心的考古事实（或许以后还可以通过网播、专题片等视频来了解）。应该说，考古界、史学界双方都很重视考古发掘报告。

然而，考古发掘报告似乎并不是准备给考古圈以外的人看的，专业词汇触目皆是，叙述过程长篇大论。不用说厚度令人生畏的考古详报，就是所谓考古发掘简报，也是动辄几十页，简报不"简"，难以卒读。李学勤先生曾谈到，早在 1955 年《考古》杂志开第一次编委会时，夏鼐先生就郑重其事地提出办刊的四项任务。头一条任务居然是"普及"③。我理解这个"普及"，不仅仅是向群众普及考古知识，提高文物意识，也理应包括向非考古专业的其他学科学者，介绍考古成果，传播相关信息。也早有学者呼吁，考古发掘报告专业性太强，必须加以改进，"使学科内、学科外的读者都可以直接阅读和使用可靠资料"④。也曾有学者强调"考古界应该更快地从迷恋于资料信息的占有，转入对资料信息的共享、共商、共研"⑤，而《中国考古发掘报告提要》所做的，不正是这样一种"普及"和改进工作吗？不正是这样一种"共享、共商、共研"吗？

说实话，如果说考古学和中国传统的金石学还勉强沾上点边的话，那么考古发掘报告，可就是完完全全、百分之百的舶来品了。中国传统文献里没有这种写法，也难怪国人读起来不太熟悉。而提要，则是我们十分熟悉的写法了，姚名达先生甚至说中国古代目录"优于西洋目录者，仅恃解题一宗"⑥。打个比方，如果说考古发

① 李学勤：《走出疑古时代》，辽宁大学出版社，1994 年版，第 62 页。
② 张得水：《"文明探源：考古与历史的整合"学术研讨会综述》，《中原文物》2006 年第 1 期。
③ 《〈考古〉50 年笔谈》，《考古》2005 年第 4 期。
④ 谢尧亭：《从〈天马——曲村〉谈考古资料的整理和报告的编写》，《考古》2005 年第 3 期。
⑤ 张忠培：《中国考古学：九十年代的思考》，文物出版社，2005 年版，第 5 页。
⑥ 《中国目录学史》，上海古籍出版社，2002 年版，第 346 页。

掘报告是道洋味扑鼻的"西餐"，而"提要"则有如"西餐中做"。《中国考古发掘报告提要》煌煌十卷本，收录自1928年至2015年80多年间出版和专业刊物上的考古发掘报告13000多种，超过《四库全书总目》收书10000出头的规模了。而每种发掘报告，又力求用最简洁的语言，讲清楚发现、发掘的时间、地点，发现的过程，发掘出什么，属于什么时代或年代，墓主身份，遗址的性质，遗物的价值等。其实非专业学者，也许只需要了解这些基本信息就够了。其写法，又像是《四库全书简明目录》的路数。考古发掘报告这道"西餐"，经过中国传统目录学的改造，终于比较适合国人的胃口，能够满足读者的初步诉求了。

翻阅一过，却又感到《中国考古发掘报告提要》所包含的信息十分丰富。如编者比较注重趣味，一般人感兴趣的信息会予以收录。编者比较注重考证，凡有通过与文献对读并由此得出结论的部分，大多予以保留。编者还比较注重信息，尽可能多地提供了一些相关学术信息。在细节上，有些地方也做得很好。如某篇发掘报告是否有照片（彩照还是黑白照片）、拓片，如出土有墓志等是否转录全文，都一一予以交代。这些都是做得不错的地方，是为本书加分的地方。

说完为本书加分的地方，也应说说为本书减分的地方。主要是工程浩大，书出众手，各人取舍标准有宽严之别，难免会出现漏收、误收现象；对内容的把握有高下之分，也会有该"提"的"要"而未"提"或错"提"的情况。至于录校方面的漏网之鱼、分卷方面的可议之处等等，还在其次。但扪心自问，不论是谁来编纂这样一部大书，上述问题几乎可以说是在所难免。

当然，学术型工具书也如同学术专著一样，最大的"加分"还在创新。如《中国丛书综录》（上海古籍出版社1959年版、1982年版），收录丛书2797种，遗漏错讹甚多，以至有阳海清先生的《中国丛书综录补正》（广陵书社1984年版）问世。日后又扩充成《中国丛书广录》（湖北人民出版社1999年版）上、下两册，声称收录《综录》未收或与《综录》有所不同的丛书3279种。施廷镛先生的《中国丛书知见录》（北京图书馆出版社2005年版）6册，共收丛书近2000种，据称其中700种是《综录》失收的。当然这几部书是"知见"性质，与《综录》是依托图书馆藏书的"目睹"性质有所不同。尽管《中国丛书综录》有着种种不足和缺憾，甚至被人讥笑为"大跃进"的产物。但效果如何呢？公道自在人心。可以说，《中国丛书综录》的问世，极大改变了丛书的利用状况。以往即便是学问大家，都很少利用丛书；而此后哪怕是一篇普普通通的毕业论文，都会用到丛书。因为要用什么丛书，一查便知，十分方便。晓山先生和我讲过一个观点，我很赞同。他说学术积累到一定程度，会促使相关工具书的出现；而一部优秀的学术工具书，反过来又会促进学术的发展。

丛书的利用是如此，考古发掘报告呢？我们期待也是如此。

《中国考古发掘报告提要》的创新之处，在我看来，主要就在为中国考古发掘报告算了次总账。台湾"中央研究院"院士周法高先生讲，他研究学问，用的是"结账式的研究方法"。周先生所编《金文诂林》《金文诂林补》和《金文诂林附录》计22册，500万字，就是将容庚《金文编》所收18000多个例字原来的出处一一查出，并登录原出处的句子、器名和器号。这是非常费时劳神的工作，等于是替金文研究贡献了一部"算总账"式的著述，且已成为研究金文不可或缺的工具书。据悉已有数位博士、硕士生以此为题来作学位论文。一部工具书居然有人来写学位论文，可见内涵十分丰富。事实上，各个学科、各个门类都应有这种"算总账"的著述才好。而《中国考古发掘报告提要》，不正是在这一领域的一部"算总账"式的工具书吗？

在开学术会议时，我私下曾请教过考古界的朋友：已发表的考古发掘报告到底有多少？结果说法不一，相差甚远，从几千到上万个都有。而《中国考古发掘报告提要》却首次给出了一个数字，这个答案当然还不能说是标准答案，但至少是向最终答案"逼近"和"靠拢"了一大步。在这一点上，编者是有首创之功的。季羡林先生曾讲过："专就学术界而言，编纂目录或者索引，就是积累功德。"①在我看来，这种花了大力气的"算总账"式的工具书，可真是积了大功德了。

对于这部功惠学界的书应如何利用呢？除了通常的查阅和翻阅外，我想至少还有以下几种读法。

其一，通读。即老老实实、认认真真地一本一本、一篇一篇地把《中国考古发掘报告提要》通读一过，这当然要费上一番功夫，花上一点时间。但这么读下来，对全国从史前到明清的主要考古发掘成果都会大致有个印象，这不也算是前辈学者提到的"遇到问题会冒出来"的底子吗？晓山先生有一比，他说《中国考古发掘报告提要》，就好比是地下的《四库全书总目》提要。我倒是很欣赏这个提法。其实，不要说《四库全书总目》提要，如果能够认认真真地把《四库全书简明目录》通读一过，脑子里不就有了3000多种书的信息吗？如果再把《中国考古发掘报告提要》通读一过，脑子里不就又有了13000多条考古信息了吗？二者相加，差不多是小20000条信息了，"存储量"不可谓不大。遇到什么问题，"数据库"里总会调出几条相关信息。这也应算是一种学术功底吧。

其二，对读。所谓的"对读"，当然是指传世文献与考古材料的对读。但以往似乎是以传世文献为本的成果多一些，王国维先生的大作、陈直先生的《汉书新证》，

---

① 季羡林：《西文中国学研究图书目录·序》，王树英编。《季羡林序跋集》，新世界出版社，2008年版，第757页。

都是如此。如果把考古材料比作"六经"，把传世文献比作"我"，以往大多是"六经注我"。我们在这里提倡的"对读"，是"我注六经"，即用文献来诠释、印证考古材料。或许还可以借用陈佩斯、朱时茂的小品《主角与配角》来打比方：以往我们一般是以传世文献来充当主角，以考古资料来当配角；而今应该倒过来，让考古资料来当主角，以传世文献来当配角，以传世文献来诠注考古资料。而欲这么做，考古资料总得有个文字凭证才行，而这个文字的凭证，只能是考古发掘报告。

其三，核读。"核"是核校的意思。我们可以拿考古发掘报告原文，甚至用出土遗物原件来核校，我们还可以用其他考古研究成果来核校。攻其过，补其阙。最终也形成如同余嘉锡先生的《四库提要辨证》，胡玉缙、王大隆先生的《四库全书总目提要补正》那样的成果，使《中国考古发掘报告提要》更趋完善。当然在这个过程中，自己的学术水平也终会得到提高。

其四，译读。现在不少青年学子都很重视英语。眼下考古发掘报告，往往都有英文书名或刊名，甚至还有英文的内容简介。这样我们不妨通过译读，一方面学习考古知识，一方面提高英语水平。即一边读一边将书名、篇名和内容译成英语，再与专家译的进行比较，在比较中看到自己的不足，达到学习考古、英文的双重目的。据说英国考古学家格林·丹尼尔 (Glyn Daniel) 讲过"未来的世界考古学要看中国"[①]一类的话，中国青年学子要向世界介绍中国考古学成果，当然免不了要谈到考古发掘报告。

其五，解读。《中国考古发掘报告提要》已尽量少用隐晦难懂的专业词汇，但仍然难免有一些词语非专业读者难辨其意。如青铜器名称、墓葬形制等，这就需要解读。可以上网搜一搜图片；还不清楚，有条件的话可以上博物馆看一看实物；如果有点绘画基础的话，可以试着自己画一画复原图、示意图。一个难点一个难点地去克服，一个词语一个词语地去弄懂。学问也会在这个过程中一点一滴地积累起来了。

其六，走读。这个"走读"，不是指改革开放之初"走读大学"那个"走读"，而是指依照《中国考古发掘报告提要》的方位指引，实地去踏察一番。考古仅仅坐在家里是不行的，一定要走出书斋。何况有些事情真的是只可意会无法言传，写得再好的报告，也无从传达。只有去实地看一看，才能更多地理解先民传递给我们的信息。

其七，群读。可以通过兴趣小组、QQ、微信群等方式组织起来，一起来攻读某一类、

---

① 转引自对俞伟超先生的访谈，见《考古与文化续编》，曹兵武编著，中华书局，2012 年版，第 348 页。

某一地甚至某一篇考古发掘报告。这也可以说是一种集体研读。好处是可以互相学习，相互激励。

行文至此，我想到了一个词：落地。考古与文献相结合说得很不少了，历史与文物相对应也喊了很多年了，大方向当然是没有问题的，但为什么一直效果不是那么明显呢？原因之一，恐怕就在于缺少一个"抓手"，而《中国考古发掘报告提要》，不正是这样一个"抓手"吗？它有助于将考古与文献相结合，扎扎实实地落到实处。当然，这还仅是第一步，甚盼日后有《中国考古发掘报告提要补正》《中国考古发掘报告提要·补编》《中国考古发掘报告提要·续编》等陆续推出，如同《四库提要》一样形成一个系列。这就需要众人拾遗补阙，共襄盛举。

最后想到的一个词，在文章开始时已提到过，那就是：感动。这部书的篇幅不小，隐藏在其后的工作量更大。听晓山先生介绍，每篇考古发掘报告，要经过初选、确认、撰写、审定、分卷和汇总共6道程序。一篇报告，要翻来覆去地看好几遍，阅读量之大，可以想见。更难能可贵的是，晓山先生没有申报任何一级课题，而是不等不靠，先干起来再说。近日偶然读到兰州大学历史系赵俪生先生的集子，赵先生说："我们这些干了一辈子的人的眼睛是比较清楚的，知道谁在搞腐败，谁在规规矩矩地干活计。"[1]的确，我们这些人是知道的。

拉杂写来，暂且就说这些，是以为序。

傅璇琮[2]

2015 年 1 月于北京

[1] 赵俪生：《赵俪生文集》第一卷，兰州大学出版社，2002 年版，第 119 页。
[2] 傅璇琮（1933－2016），浙江宁波人，历任中华书局总编辑、国务院古籍整理出版规划小组秘书长、副组长，清华大学古典文献研究中心主任等职，博士生导师。

本书说明

一、编纂《中国考古发掘报告提要》的目的，在于为读者提供了解中国考古成果的简便途径。从这一意义上讲，或可视其为"地下的《四库全书总目》提要"（见本书"序"）。

二、《中国考古发掘报告提要》，收录 20 世纪 20 年代至 2015 年 1 月在中国大陆正式出版的考古详报和考古专业核心期刊登载的考古简报，共计收书 1008 部、文 12242 篇，合计 13250 种。

三、考古发掘报告，包括以书籍形式出版的考古详报，以文章形式发表的考古简报。仅限中文报告，外文报告不收；仅限中国境内，涉及外国不收；仅限出土文物，征集、捐献等无明确出土地点的不收。

四、每一报告，给出作者、出处（出版社及出版年、刊物名称、期数），述其所在地点、发现经过、发掘时间、主要发现、重大价值等。

五、《中国考古发掘报告提要》共计 10 卷：

史前卷

夏商西周卷

春秋战国卷

汉代卷

魏晋南北朝卷

隋唐五代卷

宋·西夏卷

辽金元卷

明清卷

综合卷

六、涉及两个或两个以上时代内容的报告，收入"综合卷"。

七、另有《总目》一册，包括目录汇总、参考文献和后记等内容。

八、详情请参阅各卷前的"本卷说明"。

本卷说明

一、此卷为《中国考古发掘报告提要》中的明清卷，共收录以书籍形式出版的考古详报 42 部，以文章形式发表的考古简报 598 篇，二者合计 640 种。

二、本卷分为上、下编，上编收录考古详报，下编收录考古简报。

三、上编下依 34 个省级行政区排列，省级行政区下依出版年为序。同一出版年的，依文物出版社、科学出版社、中国大百科全书出版社及其他出版社的顺序排列。涉及两个或两个以上省市自治区的考古详报，列于 34 个省级行政区之前。

四、下编下依 34 个省级行政区排列，每一省、自治区下再列地级市（州、盟）及省、自治区直管市。涉及两个或两个以上地级市（州、盟）的考古简报，列于该省、自治区之首。

五、其他相关事宜，请参阅"本书说明"。

目录

山西省

内蒙古自治区

辽宁省

吉林省

黑龙江省

上海市

江苏省

浙江省

安徽省

福建省

江西省

山东省

河南省

湖北省

湖南省

广东省

广西壮族自治区

海南省

重庆市

四川省

贵州省

云南省

西藏自治区

陕西省

甘肃省

青海省

宁夏回族自治区

新疆维吾尔自治区

香港特别行政区、澳门特别行政区、台湾省

下编 考古简报

北京市

内蒙古自治区

阿拉善盟

辽宁省

沈阳市

大连市

鞍山市

抚顺市

本溪市

丹东市

锦州市

营口市

阜新市

辽阳市

盘锦市

铁岭市

朝阳市

葫芦岛市

吉林省

长春市

吉林市

四平市

辽源市

通化市

白山市

黑龙江省

徐州市

常州市

苏州市

南通市

连云港

淮安市

盐城市

扬州市

镇江市

泰州市

安徽省

福建省

山东省

河南省

焦作市

鹤壁市

新乡市

安阳市

濮阳市

许昌市

漯河市

三门峡市

南阳市

商丘市

湖南省

广东省

广西壮族自治区

海南省

重庆市

四川省

贵州省

青海省

果洛州

玉树州

海西州

宁夏回族自治区

银川市

石嘴山市

吴忠市

固原市

中卫市

新疆维吾尔自治区

乌鲁木齐市

克拉玛依市

吐鲁番地区

哈密地区

和田地区

阿克苏地区

喀什地区

克孜勒苏柯尔克孜自治州

巴音郭楞蒙古自治州

昌吉回族自治州

博尔塔拉蒙古自治州

伊犁哈萨克自治州

塔城地区

阿勒泰地区

石河子市

阿拉尔市

图木舒克市

五家渠市

香港特别行政区、澳门特别行政区、台湾省

参考文献

后记

上编 考古详报

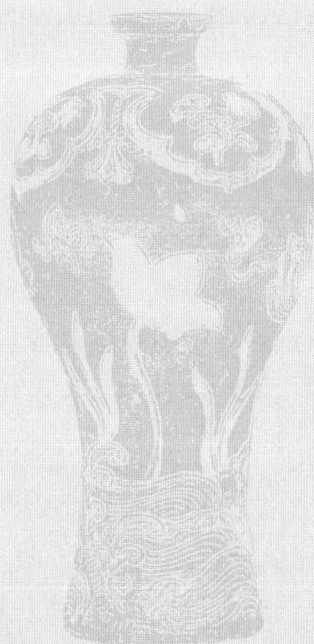

北京市

1.定陵

作　者：中国社会科学院考古研究所、定陵博物馆、北京市文物工作队　编著

出　处：文物出版社 1990 年版

该书为 8 开精装上、下两册，是 1956～1958 年北京十三陵中定陵的发掘考古报告。定陵位于北京北郊昌平县内，是明代神宗万历皇帝的陵墓。除明神宗外，同葬的还有孝端王皇后和孝靖王皇后。报告介绍了墓葬的结构以及陵墓建筑遗迹的分布情况，棺椁、葬式、随葬器物的分布概况，对出土的大量遗物分类进行了详细的叙述。文后还附有大量的表格与遗物的鉴定报告。定陵的发掘，是中国 20 世纪 50 年代重大考古发掘项目之一。出土的珍贵遗迹、遗物，为研究明代后期的政治、经济、文化的发展状况，以及皇帝、皇后的丧葬制度和冠服制度诸问题提供了丰富的实物资料和科学依据。

另有长陵发掘委员会定陵工作队编著的《地下宫殿定陵》（文物出版社 1959 年版）一书，32 开一册，文字 31 页，插图 28 幅。文物出版社 1958 年还出过一同名书籍，16 开，仅有图版 12 页。以上两书均是北京明十三陵定陵的考古发掘的初步介绍，可参阅。另外，庞中威先生《定陵发掘亲历记》（学苑出版社 2002 年版）一书，补充了不少细节。欲全面了解明代帝王陵墓，刘毅先生《明代帝王陵墓制度研究》（人民出版社 2006 年版）、邵旻先生《明代宫廷服装色彩研究》（东华大学出版社 2017 年版）、胡汉生先生《明朝帝王陵》（北京燕山出版社 2001 年版）等书均可供参考。

2.圆明园长春园含经堂遗址发掘报告

作　者：北京市文物研究所　编著

出　处：科学出版社 2006 年版

该书为 16 开精装一册，正文 156 页，文后有彩色图版 36 版、黑白图版 56 版。

2000～2004 年，北京市文物研究所在圆明园遗址内做了一系列的考古调查、勘察和发掘工作，本书即是这几年发掘的考古详报。计分五章：

第一章，对遗址的概况进行了简介。

第二章，分区布方与地层堆积，对在含经堂遗址内的布探方情况和遗址内的地层堆积进行了报道。

第三章，遗迹。是该书之重，书中按照自南而北的顺序依次介绍了含经堂自苑三路建筑和周围有关附属建筑遗迹的情况。

第四章，遗物，对遗址中出土的各类遗物进行了详尽的介绍，

第五章，结语，对遗址发掘的意义进行了总结。

圆明园遗址的发掘，是圆明园被毁后140余年来首次开展的具有历史意义的科学考察工作，不但对研究圆明园的历史、造园技艺，进而透视清代社会经济、文化背景及生产力发展水平等，具有很高的资料价值和历史价值，而且对于制定当前和今后圆明园遗址的保护规划及合理利用方案等，也具有重要的科学价值和参考意义。

3.毛家湾：明代瓷器坑考古发掘报告

作　者：北京市文物研究所　编著

出　处：科学出版社 2007 年版

该书为16开精装本两册，正文共计86万字。

毛家湾因林彪曾在此居住而闻名。该书是北京市文物研究所2005年发掘的毛家湾明代瓷器坑的考古详报。书中系统介绍了瓷器坑内出土的唐至明代中期的瓷器，包括景德镇窑、磁州窑、龙泉窑、钧窑等窑口，其中以明代中期景德镇窑瓷器最为丰富。在统计和分析的基础上，对出土的明代景德镇窑、磁州窑、龙泉窑瓷器进行了年代探讨，为深入了解明代时期制瓷手工业及各窑瓷器在北京地区的行销状况提供了宝贵资料。

4.北京奥运场馆考古发掘报告

作　者：北京市文物局、北京市文物研究所　编著

出　处：科学出版社 2007 年版

该书为大16开精装两册，正文共682页，约122万字，文后附有彩色图版122页、黑白图版8页。

在2008年北京奥运会的竞赛场馆及其配套工程的建设过程中，相关文物考古研究机构开展了大量的文物保护和抢救性考古发掘工作，取得了丰富的研究成果。该考古发掘详报集中介绍了13处奥运重点工程，其中包括国家体育馆、国

家体育场、北京射击场、五棵松篮球馆等主要场馆的考古发掘成果。涉及的内容主要是从西汉到明清各代的墓葬 700 座，出土文物 1500 多件。这批墓葬以明、清两代为主，是中华人民共和国成立以来有关明、清墓葬资料最丰富的一部专业性考古报告。该详报中报道的北京射击场明代太监墓是目前发表的关于太监墓葬最为重要的资料，对研究明代历史具有重要的学术价值。

5.圆明园长春园宫门区遗址发掘报告

作　者：北京市文物研究所　编著

出　处：科学出版社 2009 年版

该书为 16 开精装一册，是 2001 ～ 2004 年对圆明园长春园遗址宫门区及澹怀堂遗址的考古发掘详报。简目如下：

绪论

第一章　遗址概况与发掘经过

第二章　分区、布方与地层堆积

第三章　建筑遗迹

第四章　遗物

第五章　结语

今有王道成先生《圆明园研究四十年》（中国人民大学出版社 2020 年版）一书，可参阅。

6.北京工商大学明代太监墓

作　者：北京市文物管理所　编著

出　处：知识产权出版社 2005 年版

该书为 16 开平装一册，系 2002 年北京工商大学校区内 3 座明代太监墓的考古发掘详报。附有《明御用太监赵西漳墓志考》《北京明墓出土的青铜罍试析》等文。

7.历史遗踪——正福寺天主教墓地

作　者：明晓艳、魏杨波　主编

出　处：文物出版社 2007 年版

该书为 16 开精装一册，主要介绍了清代、民国时的北京正福寺天主教墓。简目如下：

第一章　1730～1949 年的正福寺

第二章　1949～2005 年的正福寺

第三章　正福寺石刻艺术

第四章　正福寺墓碑、墓碑拓片录文及注释

附有《正福寺所存留的第一批和 1900 年之后墓碑名录》等文章 10 篇。

8.北京皇家建筑遗址发掘报告

作　者：北京市文物研究所　编著

出　处：科学出版社 2009 年版

该书为 16 开精装一册，系对北京市残存的明、清两代皇家建筑遗址考古发掘报告的汇编。共收录报告 13 篇，简目如下：

前言

故宫西河沿遗址

北京香山静宜园来青轩遗址

普渡寺遗址

地铁四号线圆明园车站御道遗址

圆明园北夹墙遗址

圆明园正觉寺天王殿遗址

畅春园大宫门建筑遗址及西花园石桥遗址

国子监遗址

清净化城塔院大殿遗址

清代恭王府银安殿基址

恭王府遗址

外交学会院内高台建筑遗址

明十三陵文物库房工程

后记

迁都北京和北京城营造方面的研究，可参阅（日）新宫学先生《明代北京迁都研究》（中译本，外文出版社 2021 年版）、李燮平先生《明代北京都城营建丛考》（紫禁城出版社 2006 年版）等。

天津市

9.天津市明长城资源调查报告

作　者：天津市文物局　编著

出　处：文物出版社 2012 年版

该书为 16 开上下两册，系统介绍了天津市境内明长城墙体、敌台、烽火台、关堡及附属设施。对重点墙体、敌台等绘制了线图，拍摄了照片。简目如下：

壹　概述

贰　遗迹

叁　遗物

肆　结语

附有《天津市明长城防御体系研究》《天津市明长城资源调查与测量工作报告》。

10.明蓟镇长城 1981 ～ 1987 年考古报告

作　者：郑绍宗　编著

出　处：文物出版社 2012 年版

该书为 16 开精装，全 10 册，为大型多卷本考古详报。第一次完整记录了 20 世纪 70 年代明长城九镇的全部遗迹、遗物情况。所记载的遗迹不少今日已不存。详情可参见沈旸等著《明长城蓟州段的历史建造及保护》（东南大学出版社 2013 年版）。此 10 卷简目如下：

第一卷　山海关

第二卷　黄土岭

第三卷　义院口

第四卷　界岭口、刘家口

第五卷　徐流口

第六卷　喜峰口、洪山口

第七卷　马兰峪、黄崖关

第八卷　墙子路、将军关

第九卷　金山岭、古北口

第十卷　白马关

相关研究，有赵现海先生《明代九边长城军镇史》（社会科学文献出版社2012年版）上下两册、刘景纯先生《明代九边史地研究》（中华书局2014年版）、李严、张玉坤、解丹先生《明长城九边重镇防御体系与军事聚落》（中国建筑工业出版社2018年版）、肖立军先生《明代中后期九边兵制研究》（吉林人民出版社2001年版）等。

河北省

11.河北省明长城资源调查报告（涞源卷）

作　者：河北省文物局、河北省古代建筑保护研究所、河北省明长城资源调查
　　　　队 编著

出　处：文物出版社 2010 年版

该书为 16 开精装上下两册。河北省明长城资源调查，以县为单位进行。2006 年2 月启动，2008 年底完成。报告第一次发表了调查勘察测绘成果，调查时注意将实地与文献记载对照，并注意与历史照片进行比对。简目如下：

上册

前言

第一部分　涞源县明长城资源概况

第二部分　长城资源调查主要成果

第三部分　结论

第四部分　附录

下册

河北省明长城分布图

河北省涞源县明长城分布图

历史文献图

长城历史及现状照片对比

长城抗战照片

长城现状照片

长城资源调查重大事件照片

按：上册附录中有《明代边墙大事记》，十分实用。另，河北省文物局长城资源调查队还编有《河北省明代长城碑刻缉录》（科学出版社 2009 年版）上下两册，也很实用。

山西省

内蒙古自治区

12.内蒙古自治区长城资源调查报告（明长城卷）

作　者： 内蒙古自治区文化厅（文物局）、内蒙古自治区文物考古研究所　编著

出　处： 文物出版社 2013 年版

该书为 16 开精装上下两册，全面、翔实地记载了内蒙古自治区明长城资源的调查结果。包括明长城墙体、敌台、烽火台、马面、关堡等，对其历史沿革进行了梳理。有分布图和多幅照片。简目如下：

第一章　概述

第二章　乌兰察布市、呼和浩特市明长城大边

第三章　乌兰察布市、呼和浩特市明长城二边

第四章　鄂尔多斯市明长城

第五章　乌海市明长城

第六章　阿拉善盟明长城

第七章　内蒙古自治区明长城保护与管理现状

第八章　结论

此后又按地区出版了数卷。如《内蒙古自治区长城资源调查报告（鄂尔多斯、乌海卷）》《内蒙古自治区长城资源调查报告（阿拉善卷）》等，此两卷均为文物出版社 2016 年版。

辽宁省

13.辽宁省惠宁寺迁建保护工程报告

作　　者：辽宁省文物考古研究所、河北省古代建筑保护研究所　编著

出　　处：文物出版社 2007 年版

该书为 16 开精装一册，正文 242 页。

惠宁寺位于辽宁省北票市下府蒙古族自治乡三府村，为一藏传佛教寺院。始建于清乾隆三年（1738 年），占地面积约 1.2 万平方米。具有藏、汉、蒙古、满四个民族风格。因修建水库进行迁建。规模大于三峡库区张飞庙的迁建。简目如下：

总论篇

一　蒙古族地区藏传佛教发展概述

二　项目概述

三　惠宁寺总体建筑布局及迁建工程范围与内容

四　迁建保护的目的和意义

维修篇

一　惠宁寺迁建保护工程总结

二　惠宁寺迁建保护工程大事记

三　惠宁寺迁建保护工程重要组织机构及人员名单

附有《惠宁寺蒙文碑译文》等。

吉林省

14.扶余明墓：吉林扶余油田砖厂明代墓地发掘报告

作　者：吉林省文物考古研究所　编著

出　处：文物出版社 2011 年版

该书为 16 开精装一册，系吉林省白城市扶余县油田砖厂明墓的考古发掘详报。1992 年发掘。简目如下：

前言

墓地概况

单位墓葬详述

墓葬综论

结语

附有多种表格。

据介绍，该处明墓为明代东北海西女真部平民墓地，墓主人贫富差距不大。

黑龙江省

上海市

15.上海明墓

作　者：上海市文物管理委员会　编著

出　处：文物出版社 2009 年版

该书为 16 开精装一册。宋建先生所作序称："自 1949 年以来，上海发掘的明代墓葬有 400 多座，几乎都是在各种各样大大小小的事件中被动清理的。"该书简目如下：

概述

第一章　纪年墓

第二章　佚年墓（以区排序）

第三章　征集墓志

第四章　墓葬形制初探

第五章　出土文物初探

第六章　主要墓主人简介。

附有《上海明代墓葬统计表》。

纪年墓下列了 66 座明墓，佚年墓按区排列。第五章涉及墓志、买地券、铭旌、铜镜、品官、命妇服饰、松江布、度牒、说唱本、文房用品等。

江苏省

16.宝船厂遗址：南京明宝船厂六作塘考古报告

作　者：南京市博物馆　编著

出　处：文物出版社 2006 年版

该书为 16 开精装一册，系 2003～2004 年南京市明代宝船厂遗址的考古发掘详报。共发掘、清理出各类造船遗迹 34 个，出土各类文物 500 余件。附录有出土木材、出土油泥、出土彩色土样的鉴定报告等。

今有《明代海船图说》（山东科学技术出版社 2020 年版）一书，可参阅。

浙江省

17.杭州蒋村古钱币窖藏

作　者：杭州市文物考古研究所　编著

出　处：文物出版社 2013 年版

该书为 16 开精装一册，是 2010 年杭州市西湖区蒋村某建筑工地古钱币窖藏考古发掘详报。据介绍，共出土 1000 余公斤，37 万余枚古钱币，窖藏时间为明代。此书简目如下：

概述

彩版

资料

后记

彩版部分，收入 485 枚古钱币彩照。

安徽省

福建省

18.泉州留府庭七部棺考证

作　　者：吴　堃　编著

出　　处：晋江文献委员会 1946 年版

该书为 32 开平装一册，计 46 页。对泉州天主教堂停厝唐七部棺椁的考证。考证了七部棺之时代，棺主人之姓名、略历、未葬之原因等。书前有罗尔纲先生的序、作者序及迁棺经过，有照片。

19.漳州窑：福建漳州地区明清窑址调查发掘报告之一

作　　者：福建省博物馆　编著

出　　处：福建人民出版社 1997 年版

该书为 16 开精装一册，是福建省漳州地区明清时代漳州窑的考古调查发掘详报。简目如下：

第一章　漳州窑窑址的发现与分布

第二章　重要窑址的考古调查资料

第三章　平和县南胜、五寨窑址的考古发掘报告

第四章　对漳州窑的初步研究

附有《华南沿海对外陶瓷技术的交流和福建漳州窑发现的意义》等文章。

20.福建木拱桥调查报告

作　　者：龚迪发　著

出　　处：科学出版社 2013 年版

该书为 16 开精装一册，对福建省木拱桥的造桥木匠与世家、造桥技艺与习俗、建桥董事与资金、造桥合同等均详细阐述。该书简目如下：

前言

第一章　木拱桥造桥世家与造桥木匠

第二章　木拱桥建桥董事与桥约

第三章　木拱桥营造技艺与习俗

第四章　木拱桥的保护与管理

第五章　木拱桥的人文内涵

第六章　福建木拱桥谱

第七章　木桥的种类与衍变

有《参考书目及资料》，另附《福建木拱桥表》等 4 种，从该表看，现存木拱桥绝大多数为明、清时所建或重建。

江西省

21.景德镇出土明代御窑瓷器

作　者：北京大学考古文博学院、江西省文物考古研究所、景德镇市陶瓷考古
研究所　编著

出　处：文物出版社 2009 年版

该书为 16 开精装一册，计 216 页。系明代景德镇御窑遗址出土瓷器的图录，汇集了 20 世纪 80 年代以来，尤其是 2002～2004 年发掘的明代景德镇御窑精品 120 余件。分年代介绍，也介绍了建筑材料、窑具、试料器等。

最早的研究著作，有英国人白兰士敦写的《明初官窑考》，1938 年由北京法文图书馆印制发行，仅印 650 册。今有《景德镇明代御窑遗址出土瓷器分析研究》上下册（科学出版社 2011 年版）、江建新先生《明洪武官窑研究》（文物出版社 2018 年版）、《明代官窑瓷器研究——以御窑厂遗址出土遗物为中心》（文物出版社 2020 年版）等书，均可参阅。

22.江西明代藩王墓

作　者：江西省博物馆、南城县博物馆、新建县博物馆、南昌市博物馆　编著

出　处：文物出版社 2010 年版

该书为 16 开精装一册，是中华人民共和国成立以来江西明代藩王墓的考古发掘成果汇集。这些墓大多被盗挖过但还是留下了不少历史信息。此书不包括明代宁靖王夫人吴氏墓的资料（另有专刊发表）。简目如下：

前言

一、宁藩王系墓（收 37 文）

二、淮藩王系墓（收 4 文）

三、益藩王系墓（收 11 文）

四、有关问题的探讨

附有《宁献王朱权生平史料辑录》《益端王朱祐槟生平史料辑录》《益端王墓碑

《益庄王神道碑》共 4 篇文献。

据该书第三页云："上世纪 50 年代以来江西发现了近 50 座明代藩王系墓……在数量上和多等级方面，江西发现的藩王墓是全国其他封藩地的考古发现不可比拟的。"

今有刘毅先生《明代藩王陵墓的考古学研究》（科学出版社 2021 年版）一书，论及有明一代全国各地藩王陵墓甚详，可参阅。又有《明代淮王府遗址出土瓷器》（科学出版社 2020 年版）一书，也可略见明代藩王府收藏瓷器之精美。

山东省

23.蓬莱古船

作　者：山东省文物考古研究所、烟台市博物馆、蓬莱市文物局　编著

出　处：文物出版社 2006 年版

该书为 16 开精装本一册，正文 218 页，文后有彩色图版 56 版，黑白图版 16 版。

该书分上、下两编，上编报道了 2005 年古船的发掘成果，主要有地理环境和历史沿革、古船发掘和研究概况、二号船和三号船情况、古船木材分析与保护、古船的保护、古船的宣传和利用，以及古船的复原和研究、相关检测报告等。下编收录了山东蓬莱水城清淤与古船发掘、蓬莱古战船及其复原研究、山东蓬莱水城与明代战船和蓬莱水城出土古船考 4 篇文章，全面反映了蓬莱水城小海一号船的发掘和研究成果。

蓬莱古船的发掘，为研究中国古船类别及造船技术、海防史和古代海上交通工具等提供了十分难得的实物资料。

本书简目如下：

四 古船发掘

1. 古船的出土与形制

（1）首柱

（2）龙骨

（3）舱壁与舱

（4）船板

（5）榄座

（6）舵承座

（7）其他构件

2. 船内出土文物

3. 关于船的年代、产地、用途等问题

（1）船的年代与产地

（2）船的类别与用途

（3）沉船的原因和价值

五 出土遗物

1. 锚

2. 石网坠

3. 陶器

4. 瓷器

5. 兵器

6. 货币

7. 其他

六 结语

蓬莱古战船及其复原研究

山东蓬莱水城与明代战船

蓬莱水城出土古船考

24. 汶上南旺

作 者：山东省文物考古研究所、中国文化遗产研究院、济宁市文物局、汶上
县文物局 编著

出 处：科学出版社 2011 年版

本书为 16 开精装一册，正文 386 页。

南旺分水龙王庙，位于汶上县城西南19公里南旺镇北，面对汶水运河交汇处，故有"分水"之称。庙始建于明永乐年间，明清两代多有扩建，占地55000平方米。

本书为2007～2008年度山东省汶上县南旺分水枢纽工程及分水龙王庙古建筑群的考古调查和发掘成果，较完整地总结了工作过程、技术手段和所取得的阶段性成果，并增加了遥感探测、精密GPS测量和探地雷达等空间信息技术的应用以及公众考古学实践等内容，还收录了以京杭大运河山东段为主的有关运河文献的汇编和研究成果简目。报告采用图文并茂方式，并使用了大量碑文题刻照片、拓片和释文等，资料性较强，对于运河研究和文物保护，均有参考价值。简目如下：

绪言

第一章　概述

第二章　南旺分水枢纽工程遗址调查

第三章　南旺分水枢纽工程遗址发掘

第四章　分水龙王庙古建筑群的发掘

第五章　相关空间信息技术的应用

第六章　汶上南旺大运河保护公众考古实践

第七章　结语

此遗址与漕运有关，可参阅鲍彦邦先生《明代漕运研究》（暨南大学出版社1996年版）一书。

25.鲁荒王墓

作　者：山东省博物馆、山东省文物考古研究所　编著

出　处：文物出版社 2014 年版

该书为16开精装上、下两册，系山东省邹城市北明代鲁荒王墓的考古发掘详报。鲁荒王朱檀，为朱元璋第十子，洪武二十二年（1389年）薨。他的葬事，系明代亲王丧葬的首事。"文化大革命"时因盗掘被发现，1970～1971年发掘。该书简目如下：

第一章　概述

第二章　鲁荒王墓园

第三章　鲁荒王墓

第四章　鲁荒王墓出土器物

第五章　鲁荒王妃戈氏墓

第六章　明代理王世系与鲁藩圹志

第七章　结语

上册为文字，前有谢治秀、蒋英炬、鲁文生先生序，后附登记表、世系表、圹志一览表及鉴定报告，《兖州钜野庄宪王、永福温僖王墓》《明鲁王朱檀墓发掘追记》等文，下册全部为图版。

河南省

湖北省

26.梁庄王墓

作　　者：湖北省文物考古研究所　编著
出　　处：文物出版社 2007 年版

该书为 16 开精装一册，有正文 386 页，文后有彩色图版 219 页。

梁庄王墓是明代梁庄王与其继妃的合葬墓，墓葬规格仅次于明代皇陵定陵，墓内出土随葬品的种类和数量极为丰富，且十分精美，包括玉器、瓷器、金银器等。该墓是继定陵发掘以后，我国明代考古的又一重大发现。该书即为这一考古发现的发掘详报，为研究明代历史提供了重要的实物资料。

欲了解明代宗族方面的背景知识，可参阅常建华先生《明代宗族研究》（上海人民出版社 2006 年版）一书。

27.张懋夫妇合葬墓

作　　者：湖北省文物考古研究所　编著
出　　处：科学出版社 2007 年版

该书为 16 开精装一册，系湖北省武穴市（原广济县）明代张懋夫妇合葬墓的考古发掘详报。简目如下：

一、引言
二、明代义宰张懋夫妇合葬墓发掘报告
三、明代义宰张公夫妇墓志铭
四、明代张懋墓中彩印佛塔、佛像及发愿文考释
五、明代张懋墓中出土之《法被图》
六、我们的初步理解和看法
七、中国科学院院士、北京大学季羡林教授对张懋夫妇合葬墓出土梵文资料的评价
八、法被释补
附有《广济桂玉山出土明代古墓与墓主张懋的有关资料》《关于明代义宰张懋

的有关情况》《张懋古尸和随葬遗物及有关古尸的知识》3 篇文章。

"义宰"，是一种荣誉官衔。此墓出土的印度梵文字画，是中华人民共和国成立以来出土的唯一完整的梵文版佛经，出土的丝织衣衾等也非常珍贵。从出土墓志看，张 懋生于明正统三年（1438 年），卒于明正德十一年（1516 年），死时已八旬开外，又过了 1 年半才与妻子何氏一同下葬，但尸体经 400 多年仍保存完好，防腐技术十分高明。

28.郢靖王墓

作　者：湖北省文研所、荆门市博物馆、钟祥市博物馆　编著
出　处：文物出版社 2016 年版

该书为 16 开精装一册，为明代郢靖王 2005～2006 年考古发掘详报。计分五章：

第一章　概述
第二章　陵园建筑
第三章　墓葬形制
第四章　出土器物
第五章　结语
后有附录 5 种。

湖南省

广东省

广西壮族自治区

29.桂林靖江昭和王陵考古发掘清理报告

作　者：广西文物保护与考古研究所、桂林市靖江王陵文物管理处、桂林市文物工作队　编著

出　处：科学出版社 2014 年版

该书为 16 开精装一册，为桂林靖江昭和王陵的考古发掘详报。简目如下：

第一章　桂林靖江王陵概况

第二章　昭和王陵考古发掘清理

第三章　相关问题的研究

所谓"相关问题"，涉及风水、石像、窑场、石料场等。

靖江王，为明代亲王，是明太祖朱元璋首批分封的 10 个藩王之一，此王陵位于桂林市七星区东郊尧山西南麓，南北长 15 公里，东西长 7 公里。除了王陵，还有将军、宗室等墓葬 30 余座。现已查明，此处埋葬着 11 代靖江王，位于桂林城工的尧山之麓，自 20 世纪 60 年代以来开展了多次调查、勘探。

明代一些藩王是信奉道教的，靖王即为其中一位。可参阅王岗先生《明代藩王与道教：王朝精英的制度化护教》（上海古籍出版社 2019 年版）一书。

海南省

重庆市

30.忠县石宝寨

作　者：重庆市文物局、重庆市移民局　编著

出　处：文物出版社 2012 年版

该书为 16 开精装一册。在简略介绍了石宝寨的基本情况后，主要阐述了对石宝寨古迹进行保护的工作全过程，包括可行性研究、立项、古寨设计、施工、监理、验收、移交等各个环节。对从事文物保护工作的读者，会有很重要的借鉴作用。

忠县石宝寨，位于重庆市忠县境内长江北岸，明代万历年间，即在石宝寨峰顶修建了天子殿，清代康熙、乾隆、咸丰年间曾预维修、重建。12 层、高 56 米的寨楼始建于清乾隆初年，嘉庆时重修，是我国现存体积最大、层数最多的木结构建筑。受三峡工程影响，长江水位上升至石宝寨门口，为此修建了围堤、交通桥。石宝寨成为长江之中一处"盆景"式奇观，其独特的保护工程设计，令人叹为观止。

四川省

31.射洪泰安作坊遗址

作　　者：四川省文物考古研究院、遂宁市宋瓷博物馆、射洪县文物管理局　编著

出　　处：文物出版社 2008 年版

该书为 16 开精装一册，系四川省遂宁市射洪泰安明清酒作坊的考古发掘详报。该处作坊历史悠久，据称始建于唐代，考古人员发掘出明、清时期堆积层，厚逾两米，其中可修复遗物逾 100 件。简目如下：

第一章　前言

第二章　地层与文化堆积

第三章　遗迹分类

第四章　出土遗物

第五章　堆积单位分述

第六章　遗存分期与年代

第七章　结语

据介绍，此系一酒店后坊的遗址，书末附有多种表格。

32.水井街酒坊遗址发掘报告

作　　者：成都文物考古研究所、四川省文物考古研究院、四川省博物院　编著

出　　处：文物出版社 2013 年版

该书为 16 开精装一册，为成都市水井街遗址 1999 年发掘的考古详报。简目如下：

第一章　绪言

第二章　发掘区与文化堆积

第三章　遗迹现象

第四章　出土遗物

第五章　遗址分期与年代

第六章　相关问题的初步认识

附有《水井街酒坊遗址研究资料索引》等 7 种附录。

水井街酒坊的时代系由明至清，是国内首例对古代酒坊遗址进行全面揭示的考古发掘工作，具有填补学术空白的价值，是 1999 年全国考古新发现之一。

相关研究，可参阅史学家王春瑜先生《明朝酒文化》（商务印书馆 2016 年版）一书。

贵州省

33.水族墓群调查发掘报告

作　者：贵州省文物考古研究所　编著

出　处：科学出版社 2012 年版

该书为 16 开精装一册，是对分布在黔南、黔东南水族聚居地区明清时代水族墓考古调查、发掘的详报。简目如下：

第一章　概述

第二章　水甫墓地发掘与调查

第三章　其他水族墓群调查

第四章　零散典型墓葬与藏品

第五章　水族丧葬礼仪调查

第六章　水族墓葬的年代、艺术及民族文化特征

附有《出土人类骨骼与水族体质人类学研究》一文。

席克定先生为该书所作序称："《水族墓群调查发掘报告》是贵州省正式出版的第三本考古发掘报告，也是第一本关于民族考古方面的专题报告。"水族有四十多万人，主要聚住地在贵州省，水族人数虽不多，但有自己的文字——水书，墓葬也极具民族特色。

云南省

34.云南元阳六蓬墓地发掘报告

作　　者：云南省文物考古研究所、红河哈尼族彝族自治州文物管理所、元阳县
　　　　　文物管理所　编著

出　　处：文物出版社 2012 年版

该书为 16 开软精装一册，正文 148 页，系对云南省元阳县六蓬墓地的考古发掘
详报。该墓的年代，大致相当于明万历至清康熙年间。墓主人应为傣族，出土陶器、
青釉瓷器具有地方特点，出土白釉瓷器应为景德镇民窑产品。该书简目如下：

第一章　绪论

第二章　墓葬

第三章　葬具

第四章　随葬品

第五章　结语

附有《墓葬出土器物记录表》《墓地出土器物记录表》《墓葬分类表》共三种。

35.景东傣族陶氏土司墓地

作　　者：云南省文物考古研究所、普洱市文物管理所、景东县文物管理所　编著

出　　处：云南美术出版社 2014 年版

该书为 16 开一册，是云南景东县陶氏土司墓地 1988 年、1996 年、2000 年、
2003 年四次发掘的考古详报。

该书简目如下：

第一章　绪论

第二章　出土器物类型分析

第三章　墓葬形制及出土器物

第四章　结语

附有出土宝石的检测报告及研究文章多篇。

据该书第 67 页介绍：此墓地的年代大致为 1390 ～ 1857 年，已发掘的 6 座墓，大致在明正德至明万历年间。

今有龚荫先生《〈明史·云南土司传〉笺注》（云南民族出版社 1988 年版）一书，可参阅。

西藏自治区

陕西省

36.大荔李氏家族墓地

作　者：陕西省考古研究所　编著

出　处：三秦出版社 2003 年版

该书为 16 开精装一册，共 236 页，文末有黑白图版 117 幅。

清代李氏家族墓地位于大荔县八鱼乡八鱼村。从出土的墓志铭看，此家族是明代时从山西被强行迁来的。陕西省考古研究所于 2001 年 2 月对李氏家族墓地 5 座石室墓进行了抢救性发掘，并对整个墓地进行了考古调查和勘探。该报告即重点报道了被抢救性发掘出的 5 座石室墓（M1～M5）的资料。另外，还介绍了已试掘的其他 6 座石室墓（M6～M11），以及在八鱼村征集的一批石刻文物资料。文末附有附表，对八鱼井（八鱼）李氏家族语系、墓地部分家族成员官品与封阶等进行了介绍。

大荔李氏家族墓地的大规模勘探与发掘，是陕西地区明清时期大家族墓葬方面的一个重大考古发现。该墓地规模之大，墓葬结构之独特，数量之多以及石刻工艺之精湛，在全国范围内并不多见，系用富平青石套合成院、庭、室完整布局的建筑。它为研究清代地方大家族的兴衰、墓葬制度、民间雕刻艺术，乃至当时社会的政治、经济、文化、官僚制度等都提供了重要的实物资料。

该书简目如下：

第一章　概述

第二章　一号石室墓

第三章　二号石室墓

第四章　三号石室墓

第五章　四号石室墓

第六章　五号石室墓

第七章　墓地调查与勘探

第八章　流散石质文物

第九章　结语

37.西安南郊明墓

作　　者：陕西省考古研究院　编著

出　　处：三秦出版社 2012 年版

该书为 16 开精装一册，系西安南郊明代墓葬的考古发掘详报。

该书简目如下：

第一章　概述

第二章　西安广电中心明墓

第三章　翠竹园二期明墓

第四章　西安南郊明上洛县主墓

第五章　西安南郊曲江观邸明墓

第六章　陕西省考古研究院收藏明代墓志

第七章　结语

附有登记表及相关文章 2 篇。

甘肃省

青海省

38.青海省明长城资源调查报告

作　者：青海省文物管理局、青海省文物考古研究所　编著

出　处：文物出版社 2012 年版

该书为 16 开精装一册，系对青海省明长城资源的全面调查报告。报告探讨了青海省明长城主线的修建背景、修建时间，将实地勘察与文献记载对照，介绍了烽火台的分布、功能与年代，还就关堡的功能、明长城的保护等问题，进行了讨论。

该书简目如下：

第一章　青海省明长城资源分布区域地理环境与历史沿革

第二章　文物调查、数据测绘、报告编写概述

第三章　长城本体与其他墙体及壕堑遗存调查成果

第四章　单体建筑调查成果

第五章　关堡调查成果

第六章　结语

后附《青海省明长城资源调查工作大事记》。

宁夏回族自治区

39.银川沙滩墓地

作　者：宁夏文物考古研究所、银川市文物管理处　编著
出　处：科学出版社 2006 年版

本书为 16 开本一册，共 114 页，彩色图版 8 幅。

该墓地位于银川市内一住宅小区内，为明代一带有家族墓地色彩的穆斯林墓地。2003 年宁夏文物考古研究所和银川市文物管理处对银川沙滩墓地进行了考古发掘和清理，并将其整体迁移。本书即是关于此次发掘的考古详报。书中对发掘清理的 18 座墓葬的形制及结构进行了分析，并与福建泉州发现的伊斯兰墓葬进行了比较研究，对于宗教和考古学研究有重要参考价值。

40.盐池冯记圈明墓

作　者：宁夏文物考古研究所、中国丝绸博物馆、盐池县博物馆　编著
出　处：科学出版社 2010 年版

本书为 16 开精装一册，为 1999 年宁夏盐池县花马池镇冯记圈村 3 座明代砖室墓考古发掘详报。

该书简目如下：

第一章　概述
第二章　1 号墓
第三章　2 号墓
第四章　3 号墓
第五章　结语

附有登记表等 6 种表格及《明杨钊墓志考略》《明代兽纹品官花样小考》《从出土文物看明代丝织技术》《冯记圈杨氏家族墓三号墓出土两件丝织品名物考》等文章 6 篇。

据该书第 126 页，M2 有墓志，下葬时间为嘉靖乙卯年（1555 年），M1 应为 M2 杨钊的兄弟辈，下葬时间大致相同，M3 下葬时间应在明万历年间。墓志计 764 字，知杨钊为明代昭毅将军（正三品）。

新疆维吾尔自治区

香港特别行政区、澳门特别行政区、台湾省

41.香港大埔碗窑青花瓷遗址：调查及研究

作　者：区家发、周世荣、曾广亿等　著

出　处：1979 年印本

该书为 16 开一册，是 1995 ～ 1996 年香港碗窑乡大埔碗窑的考古调查详报。该遗址是一处从明代中叶至清末民初的窑场。附有周世荣《海滨瓷都：香港大埔碗窑青花瓷的初步研究》一文。

42.十七世纪荷西时期北台湾历史考古研究成果报告

作　者：（台湾）"国立历史博物馆"历史考古小组　编著

出　处：（台湾）"国立历史博物馆"2005 年印制

该书为 16 开精装上下两册，上册为《北海岸》，下册为《宜兰县》。
该书简目如下：
上册
第一章　绪论
第二章　研究区域背景
第三章　文本回顾与考古学研究之发展史
第四章　地表调查
第五章　考古发掘
第六章　结论与探讨
下册
第一章　绪论
第二章　研究区域背景

第三章　文本回顾与考古学研究发展史

第四章　田野调查

第五章　考古发掘

第六章　结论与探讨

最后有《引用书目》、图版及附录等。

下编 考古简报

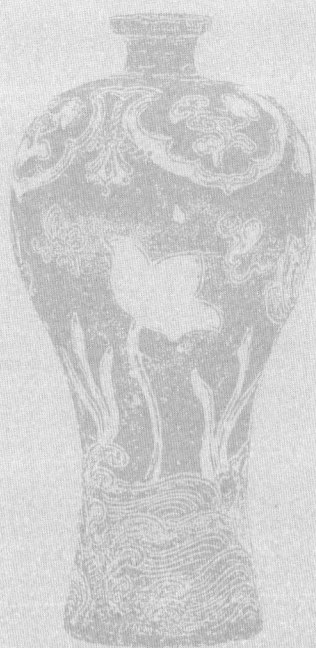

北京市

1.北京慈因寺出土的明代锦缎

作　者：魏松卿

出　处：《文物》1959 年第 2 期

1958 年夏末，北京寺庙管理委员会拨给故宫博物院 4 件明代锦缎，是北京西城慈因寺出土的。简报配以照片予以介绍。

简报介绍，首先，最大的 1 块是白地云龙织金缎，它是以本色丝为地，用淡明金，即片金织作穿云对舞的升降龙的图案，除一、二处稍有残渍外，整幅如新。其次是紫地织金五彩吉祥图案的月牙形残片，是用酱紫丝线与紫赤明金织成叠胜万字锦地，填五彩吉祥八宝纹样。虽然弧形边沿部分已朽，但其余部分仍很新。再次是本色素纺绸 1 方，四角与中央有朱红色梵文，正中处霉烂，其余部分完整。最后 1 件是蓝闪白机头缎，背面钤四印，2 方朱红印，字迹已模糊，不能辨识。印文简报录有全文，中多缺字。简报推断这 4 件锦缎是明万历（1573～1619 年）年间织造的。

简报称，近年来出土的明代丝织品虽然不少，但像这样完整如新的很少见。

至于北京的明代寺院，今有何孝荣先生《明代北京佛教寺院修建研究》（南开大学出版社 2007 年版）一书，可参阅。

2.定陵试掘简报（续）

作　者：长陵发掘委员会工作队

出　处：《考古》1959 年第 7 期

简报上接《考古通讯》1958 年第 7 期，下分：六、帝后葬式，七、出土器物，八、结语，共三个部分，有照片。

据介绍，孝靖后王氏、孝端后王氏的葬式似无定式。出土器物"大部分都保存得不好"。简报分为冠服、金银器、玉器等五类予以介绍。

3.北京西郊小西天清代墓葬发掘简报

作　　者：苏天钧

出　　处：《文物》1963 年第 1 期

1962 年 7 月，北京师范大学拟在德胜门外小西天西南角修建房屋，占用耕地一块。此地俗称姑娘坟，传说为清初某户埋葬其家族未出阁姑娘的茔地。大部分墓葬封土已平，仅存用坚硬的三合土砌成的高大封土两处。在北师大用地范围内，查出墓葬 5 座（1 座已被破坏，未予发掘）。考古人员于 1962 年 7 月 10 日前往清理，至 8 月 3 日全部清理完毕。简报分为：一、墓葬形制，二、随葬器物，三、结语，共三个部分，有照片。

据介绍，四座墓葬皆为砖室墓，按墓葬顺序编为 1 ～ 4 号。墓 1 为火葬墓，由圹志知死者为"清故淑女黑舍里氏"。其祖父索尼、父索额图《清史稿》均有传。2 号墓为土葬墓，尸体着单、夹、棉等 7 层衣服。颈部、左右手满是金饰，不缠足，应是满族女性。金饰品十分精致，图案有明代遗风。经检测死者约为 50 岁女性。3 号、4 号墓均为火葬墓，死者似为 2 岁左右婴儿。

4.万历五彩洗

作　　者：北京市文物工作队　苏天钧

出　　处：《文物》1964 年第 8 期

1964 年 4 月，北京安定门外大屯村公社农民在平整土地时发现了 5 座清代墓葬。简报配以彩照予以介绍。

据介绍，这几座墓葬均为火葬墓，都是用砖砌成正方形的墓室，四面平铺着石板。其中 1 座墓室较大的，可惜在 1949 年前被盗掘过。此墓东西两壁镶有壁龛，壁龛内随葬品早已被盗空。墓室中央有棺床，上置嘉靖官窑骨灰坛 1 个，棺床四周放置有康熙铜钱数枚，棺床下南侧中央放置万历五彩洗 1 个，色泽鲜艳，秀雅可爱。外底中心楷书 2 行 6 字款"大明万历年制"。此洗可称万历五彩之佳品。

5.北京南苑苇子坑明代墓葬清理简报

作　　者：北京市文物工作队

出　　处：《文物》1964 年第 11 期

1961 年 6 月，北京市文物工作队在南苑苇子坑清理了 1 座明代墓葬。由于该墓的结构严密完整，故墓室内的遗物保存完好。但因椁内盛满积水，所出土之丝织品色彩已全部脱落。简报配以手绘图予以介绍。

据介绍，墓内有木棺 2 口，为 1 男 1 女，出土遗物多在棺内。在两棺前，各出一件白釉粗瓷小罐，棺内遗物多为丝织的衣袋之类，共 83 件。在女尸头部发现金嵌宝石花钗 7 支，脚部发现银质塞金霞做坠子 1 件。在男尸的头部，发现玉笄 1 件，腰部发现玉带 1 条，带板为素面白玉，共 20 块。两棺的棺盖上皆有一层棺幕，棺幕上均撒有铜钱，其中有"元丰通宝""太平通宝""至道通宝""熙宁通宝"等宋钱及元末朱元璋的"大中通宝"。此墓曾被盗，墓志被挖走。推测盗墓者仅挖到墓碑，未进入墓内。查考古队现存的墓志，有 1959 年由南苑东铁匠营四道口村运回 1 方墓志盖及 1 盒买地券，券后写明付给夏儒收执。而志铭部分已不知下落，志盖上刻"明故昭勇将军锦衣卫指挥使夏子献之墓"。据此，再结合出土的买地券（简报附有券文），知该墓为夏儒夫妇合葬墓。

夏儒，《明史》有传，而收集到的墓志盖，简报怀疑是夏儒长子夏助的墓志。

6.北京出土的几件明代青花瓷器

作　者：光　林
出　处：《文物》1972 年第 6 期

简报配以照片，介绍了"文化大革命"期间北京出土的几件明代青花瓷器。

据介绍，出土地点共计 8 处：一是明永乐青花梅瓶，1970 年在石景山地区一座明代雍王墓中出土；二是明宣德青花梅瓶一对，1969 年海淀区香山大队出土；三是明正德青花人物盖罐，1966 年朝阳区八里庄出土；四是明嘉靖青花海龙寿字大盖罐，两件（其中一件缺盖），1971 年 3 月朝阳区南磨坊公社报觉寺出土；五是明嘉靖青花象耳瓶，两件，形制、花纹均相同，1964 年通县永乐店出土；六是明万历青花寿字大盖罐，1971 年东城区新中街出土；七是明万历青花卧足小碗，1971 年永定门外出土；八是明嘉靖五彩鱼藻罐，1967 年朝阳区和平里出土。

简报称，上述瓷器基本上代表了明代前、中、后三个时期的青花瓷器。其胎质、釉色和花纹图案等方面的特点，为研究明代青花瓷器的制作、工艺等方面提供了新的实物资料。

7.北京市郊明武清侯李伟夫妇墓清理简报

作　者：张先得、刘精义、呼玉恒
出　处：《文物》1979 年第 4 期

　　1977 年 10 月，北京市文物管理处在海淀区八里庄清理 1 座明代武清侯李伟夫妇合葬墓。墓地位于海淀区八里庄慈寿寺塔西北约 1 公里。慈寿寺早已无存，寺塔原名永安万寿塔，系万历皇帝朱翊钧的生母李太后在万历四年（1576 年）所建。李太后即李伟的女儿，李伟曾于万历三年（1575 年）三月"请价自造生茔"，李太后建寺塔于此或与此墓有关。简报配以拓片、照片、手绘图予以介绍。

　　据介绍，该墓为南北向的竖穴土坑墓，葬制为 1 棺 1 椁。男椁东，女椁西，2 椁均已腐朽。出土器物有银器、金器、玉器、铜钱等。墓志 2 合，男墓志铭文 50 行，志合下方残损 1 字。女墓志铭文 43 行，简报均未录全文。

　　简报称，王氏棺中出土的大银元宝，每件都刻有文字。棺中金锭标明"七成色金"，经化验实测为 66%，银盆与银洗均标明"慈宁宫""万历壬午年御用监造"及用银重量，证明王氏与李太后来往密切。

　　李伟，字子奇，生于明正德五年（1510 年），死于明万历十一年（1583 年），原籍山西平阳府翼城县，其曾祖李政，永乐初年随靖难军，占籍顺天府漷县永乐店。

8.北京市郊出土一件明嘉靖青花十六子盖罐

作　者：北京市文物工作队　高桂云
出　处：《文物》1982 年第 9 期

　　1980 年夏，朝阳区洼里公社龙王堂大队农民在挖沟取土时，出土 1 件明嘉靖青花十六子盖罐。简报对该罐予以介绍。

　　据介绍，整个器物构图严谨，纹饰繁密清晰，青花色彩鲜艳，浓处稍泛蓝黑色，白釉泛青。底部有"大明嘉靖年制"楷书青花 6 字款。

　　该器物的造型与纹饰等特点，简报推断当是明代的优秀作品。简报称，明代青花瓷，北京地区过去曾有出土，但这样精美的明代嘉靖青花瓷花盖罐，还是不多见的。

9.北京市崇文区出土清代台湾总兵官印

作　　者：张先得

出　　处：《文物》1982 年第 11 期

1980 年 5 月，北京市崇文区后池西街（原龙须沟）施工中，在距地表 2.8 米的黑色淤土中发现 4 颗清代关防铜印。简报配以照片予以介绍。

据介绍，4 印分别为：一、　"监督四川夔关关防"，雍正六年（1728 年）十一月铸造；二、"分理清查松江府属钱粮之关防"，雍正七年（1729 年）正月铸造；三、"钦差官员关防"，乾隆十六年（1751 年）五月铸造；四、"镇守福建台湾等处总兵官之关防"，光绪三年（1877 年）五月铸造。

简报称，4 颗铜印均为礼部铸造，黄铜质，印文为满、汉两种文字合璧，汉文为篆书，印背及印的两侧镌刻满、汉两种文字的关防名称、铸造年月及编号。这批印为研究清史尤其是我国台湾省的历史，提供了珍贵实物资料。

10.北京市出土明隆庆青花鱼藻盘

作　　者：高桂云

出　　处：《文物》1983 年第 4 期

1982 年 11 月，北京东直门外香河园三号水源一厂工人挖菜窖取土时，在距地表 1 米深左右发现明隆庆年间(1567 ～ 1572 年)款青花鱼藻盘 1 件,出土时盖在骨灰罐上。

据介绍，此盘釉质细腻光润，釉色白中泛青，盘内外均有青花纹饰。盘底有"大明隆庆年制"楷书青花六字款。到目前为止，在北京地区发现的明代青花官窑盘作为骨灰罐盖的，并不多见。

11.北京市大兴县出土清代"七二银饼"

作　　者：北京市文物工作队　高桂云

出　　处：《文物》1983 年第 1 期

1981 年 4 月，大兴县红星公社南羊大队社员在基建工地距地表 0.7 米深处，发现银饼 19 枚及银质包金双鱼坠饰 1 件，并见腐朽木片残渣等伴出，原应是用木匣盛装的。简报配以照片予以介绍。

据介绍，"七二银饼"是清代道光年间（1837 年左右）浙江省地方商号发行的一种银币，制作比较原始，保留贵金属铸块的特征，但开始确定以库纹七钱二分为"一元"的货币重量单位，具有铸币的雏形了。

简报称，彭信威《中国货币史》下册仅著录"七二银饼"一枚，戳印为"鄞县""敦裕"。施嘉干《中国近代铸币汇考》英文版中亦只提到两种。马定祥的《泉币大观》集拓"七二银饼"17 枚，錾有乌程、仁和、浦江、萧山、会稽、嵊县、开化、汤溪、金华、兰溪十县和一个名为"金吉"的银号。这次出土的银饼补充的县名有 15 个之多。据现有资料统计，发行"七二银饼"的银号有振昌、协丰、性诚、敦裕、金吉五家，涉及的浙江省县名有 25 个。这些县名，似并不表示铸造银饼的地点，而是作为发行数量或流通范围的某种表示。可见此次发掘可补以往货币史研究之阙。

12.北京出土清"千叟宴"银腰牌

作　者： 高桂云

出　处： 《文物》1983 年第 6 期

北京市第三建筑公司在海淀区皂君庙基建施工中发现零散文物，有琥珀珠 35 颗、素银镯 1 对、银腰牌 1 件。简报配图予以介绍。

据介绍，银腰牌呈椭圆形，长 14 厘米、宽 8.5 厘米、厚 0.3 厘米，重 350 克。牌上端作云头纹饰，两侧有小圆孔。牌正面四周双龙戏珠纹饰，中间开光横书"御赐"，直书"养老"。牌背面光素，中间阴刻楷书"乾隆五十年千叟宴"，侧刻"重十两"。

简报称，"千叟宴"是清朝皇帝举行的盛大宫廷宴会，参加宴会的人年龄 65 岁以上，人数有一千多人，所以称为"千叟宴"。据史载，清朝举行这类宴会一共 4 次：

第一次是康熙五十二年（1713 年），康熙帝六十寿辰，在畅春园宴请各省来京祝寿的耆老。

第二次是康熙六十一年（1722 年）春正，从此始定为"千叟宴"。

第三次是乾隆五十年（1785 年），在乾清宫举行，有三千余人参加。

第四次是乾隆六十一年即嘉庆元年（1796 年）春正，在宁寿宫皇极殿举行，有五千余人参加。

此次所发现的腰牌应是第三次"千叟宴"颁发之物。

13.明十三陵边墙山口查勘记

作　者： 王岩

出　处： 《考古》1983 年第 9 期

明十三陵位于北京昌平县北 10 公里处的天寿山。据史籍记载：天寿山自永乐七年（1409年）修建长陵起，因山为城，山口砌城堞，水口垒水门，南面地势平坦修筑边墙，中建大小红门以通出入，周长六七十里。设置情况《明会典》《明史》具不载。《昌平山水记》《帝陵图说》虽有记载，但不具体。考古人员为此专程查勘，简报分为十二个部分，有照片。

据介绍，十三陵周边原有边墙，共十三个口如大红门、西山口、榨子口等。陵区东、北、西三面环山，因山为城，山势陡峭，环山建十口，除东山口外，皆有垣有门。山口狭窄，砌城堞，垒水口。边墙建筑坚固，蜿蜒曲折颇类长城。敌楼、城堞均已不存，边墙所砌条石多于1958年修水库时拆毁。南面平旷，筑边墙以护陵寝，设大小红门通出入。现存边墙总长约12公里。十口相连环山约34公里。入清后，特别是清末多被拆毁。

14.北京寿皇殿正脊上的宝盒

作　　者：高桂云

出　　处：《文物》1984年第3期

寿皇殿在北京景山北麓，建于清乾隆十四年（1749年），是供奉清皇室祖先影像之处，后为北京市少年宫。1983年5月，景山公园维修寿皇殿，发现正脊中间安置一锡宝盒，盒内贮有鎏金银币24枚、元宝（金、银、铜、铁、锡）5锭以及谷物、丝线等，均用红绫哈达包裹。银币正面铸汉文"天下太平"，背面为满文同义字，谷物种类以及丝线的颜色均已不能辨认。简报称，寿皇殿正脊宝盒中的24枚满汉文"天下太平"银币，可能指农历一年二十四节气；五锭元宝，指金、木、水、火、土五行；腐烂的谷物可能是稻、黍、稷、麦、菽五谷；丝线可能为青、赤、黄、白、黑五色。从盒中这些贮品可以看出，宝盒在建造宫殿时置于正脊脊筒中，象征天下太平、金银满库、五谷丰登之兆。

15.北京出土的几件明清青花瓷罐

作　　者：赵光林

出　　处：《文物》1986年第6期

明清两代是我国青花瓷器发展的鼎盛时期。1949年以后，在北京基本建设工程中，出土了大量的陶瓷器，其中以青花瓷器最多。简报配以示意图、照片予以介绍。

一、明宣德青花大罐。1972年3月朝阳区太阳宫出土。

高36厘米，口径25厘米，底径24.5厘米。肩部有"大明宣德年制"六字铭款，颈部饰缠枝卷草纹，肩部与器下部饰莲瓣纹，器身满饰缠枝西番莲。造型端庄大方，是明宣德瓷器中的珍品。

二、明嘉青花人物罐。1980年朝阳区酒仙桥出土。高28.5厘米，口径15厘米，腹径28.5厘米，底径18厘米。罐直口广肩，器身呈八瓣瓜棱形。颈部饰如意云纹，肩部饰覆莲纹，器下部饰仰莲纹，器身以云纹为地、饰"八仙过海"神话故事，人物下部饰海水江牙。底部有"大明嘉靖年制"六字铭款，款外环以双蓝圈。底部有旋削痕迹，微泛火石红斑。造型端庄古朴，构图严谨，所画人物生动，是嘉靖青花瓷器的代表作品，在北京30多年来出土的青花瓷器中仅此1件。

三、明万历青花人物罐。1983年朝阳区十里河出土。高43厘米，口径18.5厘米，底径23厘米。器盖有桃形莲瓣钮，钮上饰弦纹两道。盖四面开光，内饰桃和牡丹，开光之间饰锦地纹。罐直口卷沿。颈部饰锦地花卉四组。器肩饰莲瓣纹一周，莲瓣内分别为轮螺伞盖花罐鱼长八宝图案。器身饰"渭滨访贤图"，图内共有12个人物，人物之间及其下部为小桥山石和树木花草。器下部饰海马4匹，其间饰以云纹和海水江牙。器身及器下部图案间有弦纹三道。器内施青白釉。这种造型和纹饰的瓷器应为明代万历时期制品。

四、清初青花罐。1976年12月朝阳区十里铺出土。高34厘米，口径20厘米，腹径34厘米，底径21.5厘米。罐直口广腹，颈部饰山石纹，花纹上下各饰一周弦纹，器身满饰缠枝牡丹，牡丹间有大小狮子两对，生动活泼，各持一姿。器物造型及施釉技巧尚保留明代晚期风格，应属于清初制品。这种清代初期的青花瓷器，在过去出土器物中并不多见。

五、清康熙青花人物罐。1982年北郊六铺坑出土。高63厘米，口径19.6厘米。盖有五色画彩狮形钮，盖面饰云头纹。器颈部饰山水人物，肩部饰花卉菱形纹，纹饰上下各饰两道弦纹。器身绘昭君出塞图，昭君于马上手抱琵琶，前后4人骑马，4人徒步，另有3狗1鹿。砂底内饰青白釉。这种造型和纹饰的青花罐应属清代康熙时期制品。

简报指出，以上这些明清青花瓷罐，制作工艺精细，花纹装饰艺术性较高，多出土于清初墓葬中。考古发掘材料证明，当时的显贵人家，多以此类瓷罐作葬具存放骨灰，埋于墓中。

16.北京香山明太监刘忠墓

作　　者：北京市文物工作队　郁金城等

出　　处：《文物》1986年第9期

1980年6月，北京市兴建香山饭店时发现1座明代太监墓。据墓志记载：墓主为明御马监太监署乙字库事刘忠。简报配以照片、拓片、手绘图予以介绍。

据介绍，刘忠号栖岩，广东人，生于成化二十三年（1487 年），弘治八年（1495 年）9 岁选入内廷，卒于嘉靖三十三年（1554 年）。在宫廷中作了 59 年太监，曾任明孝宗、武宗、世宗三朝皇帝的近侍太监。这座墓曾被盗，木棺、遗体及随葬品已残毁缺失，但墓室建筑、彩绘及室内石雕、陈设均保存完好，具有浓厚的道教色彩。此墓位于香山南侧山崖下。墓葬依山凿石并用砖石混合砌筑而成。由墓道、甬道、前室、过道、后室和棺穴组成。棺穴内的木棺及遗体等已腐朽。由于早年被盗，棺穴内仅存墓志 1 合，小石狮子 2 个。简报未录志文全文。

简报指出，在近年发现的明代太监墓中，刘忠墓是比较独特的。其地势的选择，棺穴的安排，墓室彩绘、题刻及石雕的陈设都具有浓厚的道教色彩。这和当时皇帝的习尚是有密切关系的。刘忠曾在嘉靖年间作过 33 年太监。嘉靖帝极力崇奉道教，经常斋醮、祷祀，甚至 20 多年不理朝政，一意修道求仙。许多大臣近侍也纷纷逢迎效仿。刘忠墓葬就是仿照想象中的"神仙洞府"来修建的。此墓的发现，对于研究当时道教的流行及明代中期石雕工艺提供了宝贵的资料。

今有胡丹先生《明代宦官制度研究》（浙江大学出版社 2018 年版）一书，可参阅。

17. 北京延庆发现明代马上佛朗机铳

作　者：程长新

出　处：《文物》1986 年第 12 期

1984 年 5 月，北京市延庆县永宁一段长城上发现两门大小相同的明代马上佛朗机铜铳，现藏北京文物研究所。简报配以照片予以介绍。

据介绍，两门佛朗机铳皆为子铳，长 15.4 厘米，口径置四道箍。半圆形尾座外侧都刻有"嘉靖庚子年兵仗局造"字样；尾部刻铸造号，一为"马上佛朗机铳贰千肆百肆拾号重壹斤拾两"，另一为"马上佛朗机铳贰千伍百伍拾柒号壹〔斤〕拾贰两"。

简报称，明代泛指葡萄牙、西班牙为佛朗机，并称其人所用铳炮为佛朗机铳。此次发现的两门铳尾座刻有"嘉靖庚子年兵仗局"字样，应为嘉靖十九年（1540 年）京师兵仗局所造。是少见的马上佛朗机铳，可连发。在我国兵器史上有研究价值。

今有戴裔煊先生《〈明史·佛郎机传〉笺正》（中国社会科学出版社 1984 年版）一书，可参阅。

18.北京地区长城航空遥感调查

作　者：曾朝铭、顾　巍

出　处：《文物》1987年第7期

北京是一座已有两千多年历史的文化古城，地上、地下蕴藏着极为丰富的文物古迹，长城，就是其中重要的古迹之一。采用航空遥感技术进行长城现状调查这一国家重大文物调查项目，主要任务是查明北京境内长城的分布状况，了解长城的损坏程度，计算长城长度及城台数等。目的是为长城的保护、维修、管理以及科学研究提供现状资料和科学数据。调查从1984年4月开始，至1985年3月结束。简报分为：一、调查的方法和步骤，二、副镇、宣府镇长城及其他几段长城分界和走向，三、障墙、营盘、圆台及坡顶城台，四、长城毁坏因素，共四个部分，有照片。

据介绍，这次调查选用的基本方法是：航空遥感图像目视解译及地学相关分析——野外检查、验证——再解译（修正最初解译成果）——抽样验证——长度测量、综合分析及成图。

调查主要分三个阶段进行：

第一阶段　首先在比例尺1∶67000的彩色红外像片上进行概查，宏观了解北京地区长城分布概况，建立解译标志，制订损坏程度划分方案，抽取一定数量样点进行野外检查、验证，为全面解译进行技术准备。此外，还概略估算了长城的损坏程度。

第二阶段　主要使用比例尺1∶25000的彩色红外像片进行全面解译，并在比例尺1∶25000的地形图上标示出长城的走向、分布、损坏程度等级、城台位置及分类等。对于特殊类型的城墙、损坏殆尽的长城段落，采用地学相关分析方法判定位置后转绘到地形图上。

第三阶段　主要进行室内整理，编制成果图件，量算长城长度，清点城台数以及编写报告等。

这次航空遥感调查取得的主要成果是：编制了三种图件，即北京长城分布图、北京长城现状图、北京长城剖面图；查明了长城空间分布格局、长城损坏现状，进行了长度测量等；此外还有一些新的发现和认识，摸索出了一套长城普查方法。

据调查，北京地区长城，呈半环状分布在北京地区的北部山区，从东到西横跨平谷、密云、怀柔、延庆、昌平5个县及门头沟区。

这次调查成果表明，北京地区长城总的分布格局为东西、北西两个体系。二者在怀柔县旧水坑西南分水岭上会合，北结合点位于东经116°30′6.3′，北纬40°28′55′；南结合点位于东经116°29′38.9′，北纬40°27′45′。其中南结合点对于了解北京地区长城分布格局、研究北京地区两大长城体系，都具有十分重要的意义。为了便于今后称呼，特将此结合点命名为"北京结点"（简称"北京结"）。尤以八达岭（包括居庸关——八达岭——黄楼洼——广坨山一线）、北京结（包括黄花城——北京结——莲花池一线）以及金山岭，是北京地区长城保存最为完好、城墙最为壮观的三个段落，应该成为今后维修和开放的重点。

简报称，这次调查，量测出北京地区长城全长为629公里，全线共有城台（包括墙台、敌台或战台）827座，关口71座，发现圆台5座，坡顶城台1座，营盘及古遗址8座。

简报指出，这次调查发现的一些明以前的长城，均已严重毁坏，而明代长城则比较完好。这是因为在建筑材料和建筑质量上，明以前长城构筑比较简易，材料以泥石为主，结构粗糙，容易遭受风化破坏，而明长城以条石为基，砖包墙体，以优质灰浆灌注，结构谨严，不易遭受破坏。然而，在明代长城中，随着修建时间不同、隶属关系不同以及地区不同等，其质量也各有差异。如宣府镇辖长城质量就远逊于蓟镇辖长城，而简报最后归纳说：蓟镇的早期、中期长城远不及八达岭、黄花城、金山岭等晚期长城质量好。

在空间分布方面，长城所处地形可归纳为山脊、平原及河道三种地区。在山脊地区主要受自然力破坏，平原地区以人类破坏比较突出，河道地区则河流及人类破坏两种因素都有。

相关研究，首推《北京延庆明代长城研究》（新华出版社2011年版）一书。

19.北京市门头沟区发现清代墓葬壁画

作　者：刘义全
出　处：《文物》1990年第1期

1987年3月，北京市门头沟区色树坟乡南港村1座清代墓葬被盗，墓室内绘有多幅壁画，门头沟区文物部门接到报告后，派考古人员进行了调查。简报分为：墓葬概况、收集文物、墓室壁画和小结，共四个方面并配以照片予以介绍。

据介绍，墓葬坐落在南港村东0.5公里的高坡上，背靠九龙山，面临永定河，墓室为舟蓬式，墓室内东、西、北三壁绘壁画。简报称，墓内原随葬器物数量不详，现仅追回以下零星器物：玛瑙鼻烟壶1个，无盖；烟袋锅2个，烟袋嘴1个，均系黄铜制作；琉璃珠2个；铜簪饰1个，铜扣6个；扇骨1件；铜钱23枚，其中年代最早的是北宋"祥符通宝"，最晚的是清"嘉庆通宝"。

简报指出，我国墓室壁画历史久远，已发现从汉代至明代的墓室壁画数量众多，题材广泛。但目前出土的所有清代墓葬，包括王室、官僚乃至平民墓中，似未见墓室壁画。因此，门头沟清墓中的墓室壁画，为这一方面的研究提供了宝贵的实物资料。此墓墓主人生活在较偏僻的山区，壁画描绘的是民间流传广泛的吉祥图题材，人物服饰具有明显的戏剧化特点。全部画面表现出较强的装饰性。

20.北京圆明园含经堂遗址 2001 ~ 2002 年度发掘简报

作　者：北京市文物研究所圆明园考古队　靳枫毅、王继红等
出　处：《考古》2004 年第 2 期

圆明园遗址位于北京市海淀区海淀乡西苑村，南连燕园（北京大学），东南接清华园（清华大学），西南与颐和园毗邻，北面为上地信息产业基地。圆明园是闻名中外的清代皇家园林，在世界园林史上占有非常重要的地位。其大规模兴建始于清康熙四十八年（1709 年），后又历经雍正、乾隆、嘉庆、道光、咸丰 5 代皇帝 150 余年的不断扩建和经营，最终建成了圆明、长春、绮春三座大型皇家御苑，统称圆明园。三园东西总长 2620 米、南北总宽 1880 米、周长 11000 米，共占地 3.5213 平方公里，其中陆地面积 2.284 平方公里，水面面积 1.2373 平方公里，共有园林风景组群 108 处，总建筑面积约 17 万平方米。

含经堂遗址位于圆明园东部长春园的中央大岛上，四周山水环绕，风景幽雅。总占地面积 6 万余平方米，建筑遗迹面积（含南区广场）近 3 万平方米。该建筑建于清乾隆十年至三十五年（1745 ~ 1770 年）。历史上的含经堂，为长春园中心区规模最大的一组寝宫型建筑景群，内设广场、牌楼、毡帐、宫门、影壁、垂花门、大型宫殿、小型斋室、看戏殿、扮戏房、戏台、敞厅、回廊、亭棚、假山，还有买卖街等各类建筑景点 30 余处。含经堂是这组建筑景群的统称。经发掘，遗址南部为一个广场，中间为正殿院落，北部为寝宫。各类遗迹以南北中轴线作东西对称布局。遗址内出土了近千件文物。简报分为四个部分予以介绍，有彩照、折页手绘图等。

简报称，此次发掘除了搞清楚了含经堂遗址的宏观布局等问题外，一些"小"的发现也很有价值：

例如，含经堂遗址宫殿内发现的供暖设施：20 余座各种形式的连地炕遗迹，证实了含经堂宫苑的性质确实为清皇室的御园寝宫。遗址各区域内发现的多处排水设施石沟漏与石沟门及沟漏盖，以及南区广场上的铺地纹及带有铺地纹的圆形和长方形毡帐遗迹，还有成排树坑遗迹的发现等，这些考古资料不但表明含经堂当初的设计与营造十分周详和考究，而且从若干具体的侧面填补了清代文史典籍中有关含经堂御园寝宫记载的遗漏与空白。

又如，含经堂遗址中出土的近千件文物，尽管绝大多数为残件，但其中亦不乏有一定历史价值者，如《淳化阁帖》汉白玉石刻和乾隆款和田墨玉钵等，它们都是长春园含经堂宫苑建筑景群建于清乾隆时期、含经堂宫苑即为清乾隆帝寝宫的实物证据。

再如，发掘过程中，在大多数宫殿基址及其周围地面都发现有被大火焚毁的已经酥碎、泛红的砖面和迸裂的石材遗迹。在戏台地井中，更发现了厚厚的炭灰和被烧焦的黑色柏木戏台地板的遗迹，有的大殿柱础石的柱窝里，至今尚残存着木炭等火烧遗迹，这些都是含经堂宫苑在 1860 年 10 月惨遭英、法侵略军抢掠并纵火焚毁的具体罪证。

21.北京毛家湾明代瓷器坑发掘简报

作　者：北京市文物研究所、北京市西城区文物管理所　李永强、韩鸿业等
出　处：《文物》2008 年第 4 期

毛家湾明代瓷器坑位于北京市西城区前毛家湾 1 号院内。为配合中央文献研究室的基建工程，2005 年 7 ~ 8 月，考古人员进行了抢救性的考古发掘，清理了 1 个瓷器坑（编号为 K1）和 3 个灰坑（编号为 H1 ~ H3），出土了大量的瓷器残件。简报分为：一、地层堆积，二、遗迹，三、遗物，四、结语，共四个部分，有彩照、手绘图。

据介绍，出土了大量的瓷器残片，简报称有"100 万余片"，大部分是明代中期的产品，也有少量唐、辽、金、元时期的瓷器残片。根据瓷器坑中出土的纪年款瓷器，可确定该坑形成于明正德年间。同时发掘情况表明，该坑是以填埋废弃瓷片为主的垃圾坑。简报指出，该瓷器坑出土了大量的瓷器，釉色品种丰富，为研究元、明时期的瓷器提供了珍贵的实物资料，具有重要的研究价值。

22.北京市朝阳区明赵胜夫妇合葬墓发掘简报

作　者：北京市文物研究所　刘风亮　张中华等
出　处：《文物》2008 年第 9 期

2007 年 4 月，北京市朝阳区奥运村地区发现一座古代墓葬（M1），北京市文物研究所闻讯即派员赶赴现场勘查，并在 M1 东南侧发现另有 1 座小型砖室墓（M2）。随后对这两座墓葬进行了抢救性发掘，其中 M1 为明代昌宁侯赵胜夫妇合葬墓，为近年来北京地区发掘的明代墓葬中级别较高的墓葬。简报分为：一、墓葬概况，二、

出土器物，三、结语，共三个部分，配以拓片、手绘图等，先行介绍 M1 的发掘情况。

据介绍，M1 位于北京市朝阳区奥运村绿化隔离带内，南邻北五环路，北邻清河东路，东邻林翠路。为砖石混砌墓，平面呈曲尺形。由前室、中室、后室三部分组成，用石板封顶。该墓早期曾被盗扰。出土劫后的金器、银器、瓷器、玉器、铜器等，前室中还出土有墓志一合及较多铜钱。铜钱中以宋钱居多，种类多达 18 种。

据志文介绍，赵胜字克功，河北迁西县大黑汀村人，伯父因功封百户，战死无后，由赵胜之父袭升千户，后在指挥使任上去世。赵胜袭职，天顺年间（1457～1464 年）因"夺门"功升职，成化年间（1465～1487 年）拜将军，出延绥御寇。成化四年（1468 年）充总兵，镇辽东，后进左都督，加太子太保，成化十九年（1483 年）封昌平伯，后加太保兼太子太傅。最后因营造万贵妃茔时坠崖而死，赠侯，谥壮敏。简报指出，赵胜墓为近年来北京地区发掘的明代规格较高的少数墓葬之一，其墓葬形制、葬俗和随葬器物可作为明前期高等级墓葬的重要标尺之一，为研究明代的葬制、官制、军事和经济等提供了新资料。另外，志文纠正了《明史》《明实录》《明名臣琬琰录》中诸多讹误，对研究赵胜的生平及赵氏家族世系也具有重要作用。

简报未录志文全文。同刊同期有贾利民、张中华先生《明赵胜墓志考》一文，录有志文全文，可参阅。

23.北京市丰台区明李文贵墓

作　者：北京市文物研究所　刘风亮
出　处：《文物》2008 年第 9 期

2007 年 9 月 11 日，北京西站南广场地下车库及商业工程施工过程中发现古代墓葬 1 座，北京市文物研究所随后对该座墓葬（编号 M1）进行了考古发掘。墓主人为明代万历皇帝舅父中军都督府左都督李文贵。简报分为：一、墓葬概况，二、出土器物，三、结语，共三个部分，有照片、拓片、手绘图。

据介绍，李文贵墓位于北京市丰台区北京西站南广场的东南部。该墓葬大部分已被破坏。墓口距地表深 1.1 米，墓底距地表深 2.6 米。墓室内残留有 1 棺 1 椁。棺内骨架及随葬品已被扰乱，头向及葬式均不明。棺底铺一层铜钱，墓志 1 合已被置于墓外，木棺后端挡板前发现随葬银元宝 1 件，填土中还出土有玉带板、玉花、玉饰件、金玉耳坠、金玉珠宝花簪、金耳坠、金耳钉、金花饰件、银元宝和珍珠等。

简报称该墓系竖穴土坑墓，有棺有椁，规格较高。应为李文贵及其原配俞氏合葬墓。据墓志，李文贵卒于 1588 年，李太后痛惜其中年早逝，大兴土木，1611 年才下葬，该墓的完成年代当不晚于 1611 年。

据墓志记载，李文贵字德清，别号敬山，漷县人（今通州漷镇），生于嘉靖壬寅年即嘉靖二十一年（1542 年），卒于万历十六年（1588 年）。他先是因为外戚的身份被授锦衣指挥，据《明史·职官志》，为世官九等中的第一等。万历十二年（1584 年）加升中军都督府左都督，据《明史·职官志》，朱元璋初设行枢密院自领兵事，又置诸翼统军元帅府，不久罢枢密院，改置大都督府，洪武十三年（1380 年），始改都督府为五军都督府即中、前、后、左、右军都督府，每府设左、右都督各 1 名，官居正一品。其后，李文贵又被诰封为特进荣禄大夫，据《明史·职官志》，"特进荣禄大夫"为武职散阶三十等中的第二等，正一品初授特进荣禄大夫，升授特进光禄大夫。简报结合墓志及史籍，编有《李氏家族世系表》。简报录有墓志全文，并认为《明史录》《明史》有关记载可能有误。

简报指出，李文贵墓的发掘，对研究明代皇亲国戚的墓葬形制及埋葬习俗来说，是不可多得的考古资料，也为研究明代时期社会生活及手工业水平提供了非常珍贵的资料。墓志对研究明代官制、兵制、李氏家族都极具价值。

天津市

24.河北宝坻菜园村明墓群

作　者：天津市文化局考古发掘队　魏克晶
出　处：《文物》1965 年第 6 期

墓群坐落在大口屯镇菜园村南 0.5 公里，东临绣针河，隔河半里为长牌庄。由于墓地地势较高，当地百姓经常在此取土。1962 年 4 月中旬，取土时发现了 1 座明墓。经考古队前往调查，于 5 月 31 日至 6 月 8 日清理了 4 座，连同前 1 座共为 5 座。墓 3 在北，墓 1 和墓 4 居中，余两座在南，墓 1 与其余四座的间距各约 5 米。简报配以拓片、照片、手绘图予以介绍。

据介绍，这些墓上的封土均已无存，距地表深 10～30 厘米即发现墓砖，其顶部结构均有不同程度的塌陷现象，室内充满淤土和碎砖。根据墓形与结构的不同，可分三种类型：3 座为四角攒尖砖室墓；1 座为圆形攒尖砖室墓；另 1 座为竖穴土坑墓。5 座墓中除墓 2 为单身葬，余均为合葬墓。墓 4 因骨架已乱无法辨认，其余合葬者都有 1 具骨架为二次葬，其棺南北向放置，墓 1 的两具骨架置于 1 棺内；墓 3 为直肢葬有棺，二次葬无棺。一般随葬品多置于棺侧，铜钱置棺内，但有的墓在棺内放置陶罐或釉陶瓶。墓 2 在墓门外有殉葬狗架 1 具。5 座墓共出土器物 24 件，铜钱 105 枚。

简报称，根据墓中出土的铜钱，可知为明墓，虽然有的墓未出明代铜钱，但各墓是按顺序排列的，因之均推断为明代墓。4 座砖室墓的墓室结构和随葬器物，可能代表着当时一般砖室墓的墓葬形制。

25.天津市出土老沙皇所立"纪念塔"奠基石

作　者：宋效忠
出　处：《文物》1979 年第 4 期

天津市第一商业局储运公司运输部所在地，是 20 世纪初叶俄国花园的旧址。1970 年 6 月，营建部门在这里施工，挖出了当年老沙皇侵略天津时，为被义和团战士打死的侵略者修建的所谓"纪念塔"的奠基石，以及"纪念塔"奠基石的银牌铭文和 7 枚俄币。简报配以照片予以介绍。

简报介绍，纪念塔奠基石呈正方形，表面凿有 1 个四方形石槽，石槽中央放有 1 银牌。银牌上阴刻俄文。银牌背后，有一小石槽，石槽内放有 7 枚俄币。据验定，7 枚俄币中有 5 枚金币、2 枚银币，共 40 卢布 30 戈比。简报录有银牌阴刻俄文内容全文。简报称，这个"纪念塔"奠基石是老沙皇在八国联军侵华期间，残酷镇压义和团运动，掠夺我国财富和屠杀天津人民的罪证之一。

26.天津蓟县城关镇明敦典墓

作　　者：天津市文化遗产保护中心　盛立双

出　　处：《北方文物》2008 年第 2 期

2004 年 4 月，因建设工程需要，考古人员对位于蓟县城关镇东北隅村东县文化局少年宫建设工程征地范围进行了考古勘探，发现墓葬 1 座。4 月 28 日～5 月 2 日，该中心对墓葬进行了抢救性发掘。简报分为：一、墓葬概况与形制结构，二、墓志，三、随葬品，四、志文及墓葬分析，共四个部分，有拓片、手绘图。

据介绍，发掘地点已夷为平地，墓葬为长方形土坑竖穴墓，长 3.3 米，宽 1.9 米，双木棺，夫妻合葬。东侧棺葬男性，西侧棺葬女性，棺木及尸骨保存较好。男性仰身直肢，头枕板瓦；女性尸骨凌乱，应为后来迁葬所致，胸部压有写朱砂符咒的板瓦。在两具木棺北侧各出土双系灰陶罐 1 件，男性木棺内出土铜钱 6 枚。在墓室东南角有墓志 1 合，志文楷书，计 780 字，简报录有全文。据志文知，墓主人为敦典，字叙之，蓟州人。生于明成化丙戌年（1466 年），卒于明嘉靖壬寅年（1542 年）。墓志记述了敦典的生平世系。其祖父、父均科举入仕，但他本人屡试不中。至明嘉靖甲午年（1534 年）时，敦典已近 70 岁高龄，官府授予他"儒官"这样一个荣誉性的官衔，应是地方对其家族社会地位的认可，说明敦氏家族在当时蓟州城应有一定的名望，这无疑与其祖父、父亲以科举入仕有关。

值得一提的是，1987 年，考古人员曾在离此墓不远处发掘过 1 座明墓，墓主人就是敦典之父敦信。未见有发掘简报，仅在文物出版社 1988 年出版的《中国考古学年鉴》上有简单报道。从报道看，其父的墓葬规模、随葬品等应是一介穷儒，与敦典墓是无法相比的。

关于明代底层士人生活，可参阅刘晓东先生《明代的塾师与基层生活》（商务印书馆 2010 年版）、《明代士人生存状态研究》（吉林文史出版社 2002 年版）及与赵毅先生合著的《晚明基层士人社会生活谫论》（吉林人民出版社 2006 年版）等。

27.天津蓟县吴庄明代墓葬考古发掘简报

作　者：天津市文化遗产保护中心、前县文物保护管理所

出　处：《北方文物》2014年第2期

2013年3月，蓟县渔阳镇吴庄村附近1座墓葬遭到盗掘，天津市文化遗产保护中心闻讯后前往调查。为保护文物、避免盗掘行为再次发生，报请市局与国家文物局批准后，于3月25～29日对被盗墓葬进行了抢救性考古发掘，并对墓葬周边区域进行了重点考古勘探，排除了附近区域存在其他墓葬的可能。墓葬清理情况简报分为：一、墓葬概况与形制结构，二、出土遗物，三、结语，共三个部分，有彩照、手绘图。

据介绍，该墓葬位于蓟县渔阳镇吴庄村北、大星峪村西南的山前坡地上，由于墓葬遭到严重盗扰，出土遗物有陶罐1件、铜管1件、铜钱4枚、买地券1方，此外还有板瓦等遗物。

从出土的买地券与铜钱，简报推断墓葬年代应为明代。

河北省

石家庄市

28.石家庄市郊陈村明代壁画墓清理简报

作　者：石家庄市文物保管所　孙启祥、李胜伍
出　处：《考古》1983 年第 10 期

1980 年 5 月，石家庄市西北郊陈村一队农民在整修麦场时，发现 1 座壁画墓。考古人员于 6 月 4 日至 5 日对该墓进行了清理。简报分为：一、墓室结构，二、壁画和雕砖，三、出土遗物，四、结语，共四个部分，有照片、拓片、手绘图。

据介绍，这座壁画墓位于陈村西约 0.5 公里的台地上。清理时，墓顶已拆毁，仅存下部墓室部分，墓内积满淤土。墓室为砖结构，略呈方形。墓室内南北向放置棺木 1 具，位置已扰动，保存尚完好，棺内保存人骨架 1 具。该墓曾被盗，出土遗物不多。随葬品中瓷器可能是定窑产品。墓室保存的夫妇对坐图、母子图、升天图、执幡图彩绘壁画，及九块雕砖都有一定的艺术价值，是我们了解明代这一地区丧葬习俗的宝贵实物资料。墓中 1 块雕砖上阴刻题记"真定府真定卫左所城西三十里地名城村乡今于大明弘治陆年四月十九日营工修砌闲堂一所住墓人刘福通妻李氏继妻武氏子五人营匠吴荣张福才吴泰"等字。由题记知墓主人是刘福通，葬于弘治六年（1493 年）四月十九日。城村即今陈村。

29.河北正定发现清梁维本印三枚

作　者：陈银凤、赵永平、王巧莲
出　处：《文物》1995 年第 2 期

20 世纪 70 年代，正定县北圣板梁家坟地修建农场，施工中发现 1 古墓。该墓发现时，现场破坏严重，出土有 3 枚印章及"陈用卿制造"紫砂壶 1 件，从印章推测该墓墓主为梁维本。出土文物均归正定县文物保管所收藏。简报配以照片予以介绍。

据介绍，3印分别为：一、梁维本印，青玉。印面为正方形，印面刻"梁维本印"4字，白文。二、梁维本印，水晶。印面为正方形，上刻"梁维本印"4字，白文。三、谏议大夫之章，水晶。印面为正方形，印面刻"谏议大夫之章"6个字，白文。

简报称，3印的质地分别为玉、水晶，印文形式为明清之际盛行的仿汉印，刊刻较粗糙，估计非生前实用印，应是墓主随葬物。此外，"谏议大夫之章"1印，从刻工和印章质地而视，与前2枚殉葬印相类，亦当是殉葬物。按：宋以来殉葬专用印一般只刻历任官名。据此，3印可能皆系明器。梁维本（1620～1691年），河北正定县人，明进士，授翰林院庶士。入清后，官至保和殿大学士。为梁梦龙长子次孙，梁清标之父。

关于明代科举及进士的家境，可参阅王凯旋先生《明代科举制度研究》（万卷出版公司 2012 年版）、王红春先生《明代进士家状研究》（上海书店出版社 2017年版）。

30.正定发现纪昀篆盖的杨宜崙墓志

作　者：正定县文物保管所　刘友恒、樊瑞平
出　处：《文物》2000 年第 8 期

1996 年 6 月，河北省正定县文物保管所自县城东北 5 公里处的西洋村征集到清杨宜崙墓志 1 合。据了解，该墓志近年出土于西洋村西北的杨家坟。简报配以拓片予以介绍。

据介绍，墓志为汉白玉石质，正方形，素面无纹饰。中部阴刻篆书"皇清诰授中宪大夫江南高邮州知州加三级灵寿杨公墓志铭"8 行 25 字。简报未录志文全文。

简报称，杨宜崙，《清史稿》无传。从志文所记可知，其字宾圃，一字存朴，别号耐园，直隶灵寿人。生于清雍正四年（1726 年），卒于乾隆五十六年（1791年）。初为江南武进县奔牛镇巡检，迁震泽垂，后晋武进、南汇县知县，移知震泽、吴县，官至高邮知州。志文记述最多的，是其在江南为政期间兴修和治理水利方面的功绩。

杨宜崙墓志由戈源撰文，管干珍书丹，纪昀篆盖。纪昀（1724～1805 年），直隶献县人，字晓岚，一字春帆，晚号石云。乾隆十九年（1754 年）进士，授编修，再迁左春坊左庶子，贵州都匀府知府，擢翰林院侍读学士。乾隆三十八年（1773 年）以刘统勋荐为四库全书总纂，后迁翰林院侍读学士，文渊阁直阁事，累迁兵部侍郎、左都御史，官尚书，历礼、兵二部。嘉庆十年（1805 年）至协办大学士，加太子少保。

其才思敏捷，学识广博，诗文雅正，旁通百家，是清代知名的才子。纪昀的书法主要师承董其昌，传世作品不多。因其善对对联，在不多的传世之作中楹联占有相当比例，而以篆书书体出现在墓志上的作品实属罕见。

唐山市

31.河北遵化县发现一座明墓

作　　者：遵化县文物管理所　刘震　刘大文
出　　处：《考古》1997 年第 4 期

1991 年 3 月，遵化县苏家洼镇阎家沟村农民挖井时在距地表 2.8 米深处发现明墓 1 座。县文管所闻讯后，立即赶赴现场进行了调查，调查情况简报配以照片予以介绍。

据介绍，墓葬位于遵化县苏家洼镇阎家沟村村北台地上，为南北方向，券顶砖室墓，壁厚 0.4 米，为磨制青砖错缝平砌，墓室完好。平面为长方形，中间摆一柏木棺，木棺已被破坏。随葬器物有黑釉陶罐 1 件、白釉陶罐 1 件、汉白玉石花 1 对、买地券 1 方。青陶瓦制，梯形。券文楷书阴刻，填朱，地券记载该墓营建于明正统十二年（1447 年）。

秦皇岛市

32.河北抚宁县出土明代火铳

作　　者：邸和顺
出　　处：《考古》1992 年第 3 期

1984 年 9 月 10 日，河北省抚宁县庄河乡城子峪村农民在村北明长城处劳动时，在倒塌的兵器楼砖墁地板下填土层内，距砖面 70 厘米的地方发现了火器。

城子峪位于抚宁县东北 80 多公里处。城子峪因建有城池而得名。至今那里的城池遗址完好，城南门洞尚存。1959 年夏，山洪暴发被冲毁。水门已不存在，但可见河床两岸长城连接处。在城子峪村北 100 米处顺山势及其走向由西向东建有明代长城、兵器楼、火药库等。1958 年也曾有人们拾到过火铳，当地人都叫它"母猪炮"，小的叫"猪崽子"，都没有保存，当废铜卖了。简报配以手绘图、照片予以介绍。

据介绍，这次出土的"胜字"铳，共计母铳3支，子铳24个，为黄铜铸造而成。统管正面刻有"嘉靖二十四年（1545年）造"及3支分别为"胜字一千一百四十八号""胜字二千三百四十八号""胜字四千二百五十九号"的铭文。铳管正面修孔上前方刻有"隆庆四年（1570年）京运"。铳尾刻有铭文。大部分子铳上的铭文字迹清楚，只有一小部分子铳上的铭文斑驳漫漶。此铳应系兵士随身携带武器。

简报称，该铳使用时，将子铳装入母铳修孔内，用1截尺寸为1.6厘米×0.7厘米、略带斜度的钢锁板（原物亡佚）插入母铳锁板孔，压住子铳偏舌，以防燃放时，子铳后退或外跳。钢锁板用弓弦等物系于铳尾铸耳上，以防丢失。射击完毕，抽出钢锁板，取出子铳，装回子铳袋，以备再用。简报经考证调查，胜字火铳是我国出土的最早的小型子母炮（枪），它的发现，填补了我国兵器史上一项实物空白。此外，子母铳的出土对我国铸造工艺的研究及蓟镇管辖之长城城防、战争情况都有一定的科学价值。

邯郸市

33.河北邯郸出土明刑部尚书张国彦夫妇合葬墓志

作　者：邯郸市文物保管所　陈光唐、刘东光等
出　处：《文物》1986年第9期

1980年10月，考古人员清理了明刑部尚书张国彦夫妻墓。墓地位于邯郸市西郊莲花岗，原有封土、石碑、石牌坊、石人、石马等，规模可观，可惜早被毁坏，仅留个别碑座残迹。墓室是在基建工程中暴露出来的，墓顶距现地表约0.4米，方向正北，三室并列，由东向西分别编为M1、M2、M3。简报配以照片予以介绍。

据介绍，3墓都曾遭盗扰或施工破坏，遗物不多，但张国彦墓志及其妻蔚氏墓志尚存。张国彦墓志2700余字，蔚氏墓志1600余字。简报未录志文全文。据墓志，知M1为张国彦墓，M2为其妻蔚氏墓，M3为其妾杨氏墓。

简报称，张国彦官至尚书，但仅见于《明史·七卿年表》，《明史》无传。《畿辅通志》《邯郸县志》虽有传，但有些记载与墓志有出入。如《畿辅通志》记载张国彦"父早没，事祖母杨、母赵至孝"。根据墓志，张国彦丧父是在兵科给事中任内，这时他已年过四十。其祖母为赵氏。其父原娶李氏，续娶郑氏，张国彦为郑氏

所生。又如《畿辅通志》载，张国彦为襄陵知县时曾为民求雨，而据墓志此事在其任顺天府尹时。再如《邯郸县志》记载，张国彦任户部侍郎，总督仓场晋右都御史后，曾连疏极谏史锦等倡言开矿。据墓志，此事是在其任副都御史时。《邯郸县志》记载张国彦死于万历戊午年，据墓志则为戊戌年。上述记载不同处，自应以墓志为准。张国彦墓志的出土，纠正了地方志书的讹误，为研究明代边务、矿政方面增添了资料。

刑部与法有关，今有王伟凯先生《〈明史·刑法志〉考注》（天津古籍出版社2005年版），可参阅。

邢台市

34.邢台南宫普彤塔明代铜造像

作　者：邢台市文物管理处、南宫市文物保管所　李　军、李恩琦等
出　处：《考古学报》2008年第2期

普彤塔位于邢台南宫市西北1.5公里，旧城村东北约200米处，原普丹寺内。1966年，邢台大地震时从普彤塔上震落观音铜造像3尊（NW006，NW040，NW047）。1990年，河北省文物局拨款对四层以上普彤塔进行落架重修时在塔身佛龛内又发现一批铜造像。简报分为：一、普彤塔，二、铜造像，三、结语，共三个部分，有彩照、拓片、手绘图。

据介绍，普彤塔始建于汉明帝永平年间（58～75年），唐贞观四年（630年）重修，明嘉靖对普彤塔维修时增置了铁质塔刹，现存普彤塔1990年曾经维修。该塔历史悠久，比著名的洛阳白马寺，还早100多年。铜造像颜面端庄、比例匀称，衣饰流畅。据铭文纪年应为明嘉靖十五年（1536年）的作品。

简报指出，造像铭文详细记叙了献佛人村庄隶属府、州、县及师承关系，为研究明代历史沿革等提供了翔实资料。更为重要的是观音像NW006的发现，铭文铭记普彤塔始建于东汉明帝永平十五年（72年）正月十五日，唐文宗太和四年（830年）海公和尚重修，这无疑为探索普彤寺建寺时间提供了依据。另外，这批造像铸造工艺娴熟，做工精美细致，为研究明代冀州铸铜业及造像工艺提供了依据。

保定市

35.保定出土明代西夏文石幢

作　者：河北省文化局文物工作队、中国科学院民族研究所　郑绍宗、王静如等
出　处：《考古学报》1977 年第 1 期

保定韩庄出土的明代西夏文经幢石刻两座，是 1962 年 9 月原河北省文化局文物工作队根据原河北省民族事务委员会提供的线索，派人前往出土地点进行调查发掘的。韩庄在保定市北郊，距市区约 2 公里。庄的西口路南有一方形台地。台地每边长约 150 米，台南高出现地面约 2 米。台地附近散布不少明清时代的残砖碎瓦。采访当地老人得知此处原有古代寺院，俗称"大寺"或"西寺"。清末尚存山门、院墙、东西配殿和大殿。殿内塑九阁君和三肖女像，故又称它为"奶奶庙"。庙内有喇嘛教宝瓶式白塔 1 座，所以又有"塔寺"之称。两座石幢原立于"大寺"内。民国时代，寺院荒废，两幢倾倒，埋入寺院北面的路沟中。近年因雨水冲刷，露出幢身的一角。沿幢身两侧进行发掘，发现了此幢的顶盖和基座（二号石幢）。又在它的南边 1 米处，发掘到另 1 座（一号石幢）。从台地遗留迹象观察，两幢出土地点应在寺院北垣。两幢相距很近，推测距离原来立幢的地点不会太远。简报分为四个部分予以介绍，有照片。

据介绍，两幢形制相同，都由顶盖、幢身、基座三部组成，平面均作八角形。两幢大小相差不多。一号幢顶盖高 42 厘米、幢身高 158 厘米、基座高 63 厘米、通高 263 厘米。二号幢顶盖高 36 厘米、幢身高 143 厘米、基座高 49 厘米、通高 228 厘米。两幢的幢身八面均刻楷书西夏文"尊胜陀罗尼经"，幢文首末还夹以汉字年号和刻工姓名。

简报指出，明代中叶，保定住有大批西夏人。蒙古成吉思汗军灭西夏后，西夏党项贵族成了附属蒙古统治阶级的色目人。元代京师大都近畿西北大道的关隘，曾置有西夏党项（唐兀）军，驻守居庸关附近，用以捍卫京师。在宿卫诸军中，也设有"唐兀卫"，直接充当元皇室的禁卫。明成祖迁都北京后，西藏喇嘛教徒又大量涌入。经保定府进入北京。明代的西夏人和元代一样，仍依附藏人喇嘛教。保定城内兴善寺建于元代，依明代碑文所记，显然属于喇嘛教。明弘治时，曾颁布废除番僧宗教秘术的法令，但是，西夏僧人死后，仍可以为之建幢，而且用西夏文书写，助缘随喜的西夏人竟有近百人，可见西夏贵族迟至明代中叶尚有一定的势力。

此次发掘在文字学上也颇有价值。两幢镌刻的"尊胜陀罗尼咒",和元末至正五年（1345 年）居庸关东壁所刻同一咒文基本相同，只缺第 1 字和咒尾 82 字。居庸关咒文今已残缺，两幢咒文亦漫漶不全，三者对校互补，可窥全貌。罗福成曾转录居庸关咒文旧抄本，可惜所抄夏文多误，当为原本不清所致。今以罗抄居庸关咒文校两幢咒文，再以梵、汉文对比，看出幢文和居庸关咒文差异很多，而和梵文接近。说明幢文非抄袭居庸关西夏文，应另有所本。罗抄西夏字笔画有时写错，亦为改正，以便校补。校录西夏咒全文，还有西夏梵对音问题。西夏文不是拼音文字，读音问题一直是研究者的繁难工作。西夏文和梵文咒文对音是帮助读音的好资料。现在西夏文语音可以说是基本解决，但留下的问题仍然不少。如果重读这些夏梵对音，对近人所拟西夏文语音似应有所帮助。

36.明两京司礼监太监牛玉墓发掘简报

作　者：保定地区博物馆　徐明甫

出　处：《文物》1983 年第 2 期

牛玉墓位于河北省涿县北 10 公里东鹿头村东南 150 米处，俗称"老公坟"。地上建筑已无存。1976 年 4 月，农民平整土地时发现墓门，考古人员进行了发掘。简报配以照片、拓片、手绘图予以介绍。

据介绍，该墓坐北朝南，由墓道、天井、甬道、垂直花式浮雕门楼墓门、前室、后室等部分组成。全长 16.8 米，未被盗掘过。出土有铜镜、瓷灯碗、石砚、毛笔、铁犁头、长明灯等。有墓志，简报附有墓志全文。据墓志记载，牛玉，字廷圭，别号退思居士，京师涿州（今河北省涿县）人。生于永乐七年（1409 年），永乐十一年（1413 年）入宫，在朝近 80 载，经历了明王朝 7 个皇帝，卒于弘治十三年（1500 年）。《明史》牛玉无传，仅在《宪宗吴废后》传中曾提及其被谪一事。

37.定州开元寺塔塔刹发现一批文物

作　者：定州市博物馆　贾敏峰

出　处：《文物》2004 年第 10 期

位于河北省定州市城内的定州开元寺塔，始建于宋真宗咸平四年（1001 年），因建于唐开元寺内而得名（寺现已无存），又因当时在军事上可发挥登高瞭望敌情之用，亦名"料敌塔"。塔高 83.7 米，是我国现存最高的砖塔。塔为第一批全国重点文物保护单位，有"中华第一塔"之誉。

据介绍，塔为八角形楼阁式建筑，由基座、塔身、塔刹三部分组成。塔身十一层，从下至上逐层收分。塔刹高 8.56 米，由砖雕莲花瓣底座、束腰仰覆莲纹铁钵、两个铜制宝珠和一个铜制宝顶组成。1985 年，有关部门开始对开元寺塔进行全面复原维修。2001 年 5 月，当维修到塔刹部分时，于宝顶、宝珠内发现了一批文物。简报配以照片、拓片予以介绍。

据介绍，发现有铜佛坐像、铜鎏金菩萨坐像、铜人物杂宝纹镜、铅合金经函、铜鎏金佛坐像以及汉、唐、宋、金、明、清铜钱，没有发现元代铜钱。上述铜造像、铜镜，经鉴定均为明代文物。

有明一代，至少对开元寺塔维修过 4 次。简报认为上述文物有可能是万历四十五年（1617 年）维修时放入的。

张家口市

38. 河北怀来县出土明代火器

作　者：李鼎元

出　处：《考古》1992 年第 11 期

1987 年、1988 年怀来县分别出土了两组明初火器。简报配以手绘图、照片予以介绍。

据介绍，1988 年 4 月，怀来县东水泉村农民宗宜径，在村北挖树坑时，发现了 3 件铜子铳，随后通过乡政府，交到了县图书馆。这 3 件铜铳，两件形制相同，较大；一件较小。较大的 2 件，铳重 8.05 千克。铳前膛外壁分别阴刻"先字一万六百三十五号""永乐十六年九月日造"两行铭文。较小的一件铳重 2.4 千克。尾銎外壁阴刻"胜字三百四十七号""正统九年三月日造"两行铭文。

1987 年 6 月，怀来县长安岭村农民李生苍在村边取土时，发现了 3 件火器，随后将文物交到县图书馆。长安岭村，明代为驿站，有着较重要的地理位置。现存一个古代城址。这 3 件火器，1 件为铜碗铳，1 件为铜子铳，另 1 件为铁炮。碗口铳有铭文，铜子铳和铁炮均无铭文。

这 3 件火器与前述 3 件铜子铳相比，做工较糙，且火器内壁均呈喇叭状。从铸造技术和造型看，它们应较永乐铳落后一些。这 3 件火器的铸造年代，简报推断应早于永乐年间的明代初期。

39.河北宣化发现明吴宽书宣平王夫人张氏墓志

作　者：刘海文

出　处：《文物》1995 年第 6 期

1974 年，张家口市宣化区文化馆在春光乡四方台村征集到墓志 1 方。据介绍，该墓志 1970 年出土于一砖室墓中，与墓志同时出土的有铜、瓷器等随葬品。墓葬当时即被破坏，随葬品不知去向。出土时为志盖和墓志扣合，用铁箍两道捆扎，现志盖已失。1992 年河北省文物鉴定组鉴定，这块墓志被定为国家二级文物。简报配以拓片予以介绍。

据介绍，志石为大理石质，方形。志文楷书，29 行，满行 32 字。共计 710 字。简报未录志文全文。

据志文，墓主张氏，为宣平王朱永继室。生于宣德乙卯（1435 年）十一月十二日，卒于弘治十六年（1503 年）三月十一日，在世 69 年。宣平王朱永，字景昌。万全都司朱谦之子。成化十四年（1478 年）加太子太保，明年冬进爵保国公，弘治四年（1491 年）监修太庙成，进太师。弘治九年（1496 年）卒，追封宣平王，谥武毅。宣平王朱永曾于宣府、大同一带，多次平乱、讨寇、屡建战功，前后八佩将军印。其事迹见于《明史·朱谦传》。

墓志撰文者刘健，书丹人吴宽，篆盖人闵珪《明史》均有传。其中吴宽为明代著名书法家，此碑是他在离世前一年所书。

明代藩王、贵族、公卿等官员谥号，可参阅田冰先生《明代官员谥号研究》（中国社会科学出版社 2012 年版）一书。

承德市

40.河北省宽城县出土明代铜铳

作　者：宽城县文保所　陈　烈

出　处：《考古》1985 年第 8 期

1972 年，宽城镇邮电局院内打井挖出一明代铜铳。铳长 52 厘米，重 26.5 公斤，由铳管、药室和后座三部分组成。铳身无箍。铳管铸有阳文铭文，云为洪武十八年（1385 年）铸。简报配以拓片予以介绍。

据介绍，洪武是明开国皇帝太祖朱元璋年号，明王朝初立，都南京。元人北归，边塞不稳。宽城正处在长城重关喜峰口外。据《明史》，洪武二十年（1387年）"春正月癸丑，冯胜为征虏大将军……三月辛亥，冯胜率师出松亭关，城大宁、宽河、会州、富峪"。宽河即今宽城，冯胜筑后，率师继续北上，大败元丞相纳哈出，宽城出土的洪武十八年铜铳，简报推断很有可能是冯胜洪武二十年北征时的遗物。

41.河北宽城县发现明代铁炮

作　者：宽城县文物保护管理所　刘兴文

出　处：《考古》1987年第11期

铁炮出土于宽城县城东南铧尖村以东的河沟内，距县城50公里的长城脚下。简报配以照片予以介绍。

据介绍，铁炮分炮口、炮身、底座三个部分。炮身长303厘米、内口径11.5厘米、底座腹径142厘米，重2500公斤。距炮口25.2厘米处有凸起弦纹五道，炮身部位共有弦纹29道，底座为17道。炮身铸有铭文3行：天启六年总督□□门□」□解□□□□□」□年」。因腐蚀严重，字迹极为模糊。

简报认为，这尊天启六年（1626年）铸造的铁炮系明王朝在董家口设置的常规武器。它的出土表明宽城县境内的喜峰口、铁门关、董家口等处所，在军事上所处的重要位置。

沧州市

廊坊市

42.明代李松墓志铭介绍

作　者：刘化成

出　处：《文物》1996年第12期

1972年，于廊坊市大城县王香屯乡任庄子村南子牙河西岸河床中发现李松墓志，今为大城县文物保管所保存。简报配以照片予以介绍。

据介绍，志石方形，志盖双勾篆书"明通议大夫兵部左侍郎都察院右佥都御史李公墓志铭"，篆盖周边饰有阴刻莲花图案。志文为楷书，35行，阴刻，满行41字。

杨俊民撰文，傅好礼书丹。周边易阴刻莲花图案。撰文杨俊民、篆盖萧大亨、书丹傅好礼《明史》均有传。简报未录墓志全文。

据志文，李松，字子节，号小峰，大城县人。生于明嘉靖四年（1525年）。嘉靖四十一年（1562年）进士，曾任归安令、邓州判、滕县令、工部主事等职，后出任辽东兵备佥事。李松在辽东12年，与总兵李成梁协调配合，守边御敌，有勇有谋。李松对李成梁"全辽商民之利尽笼入己""输权门，结纳朝士""重赇中外要人为之左右""掩败为胜，杀良民冒级"（《明史·李成梁传》）等行为心存不满，然畏其权势。李松任辽东巡抚3年后即万历十三年（1585年），以继母王氏丧辞官返里，万历二十六年（1598年）卒，加封通议大夫。因李松镇守辽东功绩，朝廷封其父母，荫其三子。该墓志多处可与史书相互印证。

衡水市

43.河北阜城明代廖纪墓清理简报

作　者：天津市文化局考古发掘队　郭振山、王敏之
出　处：《考古》1965年第2期

廖纪墓位于河北省阜城县（曾在1958～1962年划归天津市交河县）西码头村西北约1公里处。墓地原有文官、武士、虎、羊、马、华表、牌坊和五供等石雕，现仅存一高4米的明嘉靖帝御祭石碑，该墓位于石碑以北100米处。1960年8月25日至27日，考古人员对该墓进行了清理。清理前，墓外封土已被刨平掘开，但随葬器物未经移动。简报分为：一、墓形与结构，二、随葬品分布情况，三、出土遗物，四、小结，共四个部分，有拓片、手绘图。

据介绍，该墓原来的封土范围现已不详。墓坑平面呈方形，坑内并列棺椁三具，棺盖距地表深约2米。石棺一具居中（即为主棺），长方形，长2.7米、宽1.15米，以8块汉白玉石板拼成（棺盖为3块石板合成），表面无纹饰。在主棺东、西两侧，有长方形砖椁木棺各1具。砖椁顶部已残塌，木棺均已朽损。3具棺内皆充满秽水，人骨架凌乱，葬式不明。在石棺西南1.1米处，另有放置随葬明器的葬坑1个。该墓出土有墓志1合，楷书，简报未录志文全文。

根据墓志，此墓为廖纪夫妇合葬墓。石棺所葬当为墓主人廖纪，两侧木棺当为廖纪妻郭氏与李氏。葬于嘉靖十三年（1534年）二月二十九日。廖纪是当时最高统治集团的一员，死后系由皇帝命工部营葬。因此，这批明器的出土，为了解明代工

部营葬的制度提供了可靠的资料。墓中出土的陶俑，形体较大，彩绘鲜艳，造型生动，别具风格，是明俑中不可多得的艺术品。因此，这批出土物，为研究明代雕塑艺术，提供了极为重要的资料。

廖纪《明史》有传，根据出土墓志，有些地方也可以补《明史》之不足。

山西省

太原市

44.山西太原七府坟明墓清理简报

作　者：山西省文物管理委员会　代尊德

出　处：《考古》1961 年第 2 期

太原北郊 5 公里，有七府坟村，村东约 0.25 公里的高地上有 1 座有封土的墓葬，当地人都称作"王墓"。1957 年 6 月中旬，进行了清理发掘。预先经过钻探，又发现在此墓的北面和南面，相距 10 米左右的地方，各有一地表无封土的砖室墓。通过发掘知 3 墓均已被盗掘扰乱，墓中均有石质墓志，保存完好。根据墓志记载，中间的 1 墓为明晋恭王第七子广昌王朱济熇之墓，北端 1 墓为其妃刘氏，南端 1 墓为其妃杨氏。简报分为：一、朱济熇墓，二、刘氏墓，三、杨氏墓，共三部分，有手绘图、照片。

据介绍，一、朱济熇墓。墓室条砖建筑，分前后室，曾被盗，随葬品有瓷缸（长明灯）、木俑、白瓷碗等，墓志 1 合，简报未录全文。由墓志知死者为朱济熇，明晋恭王之第七子。洪武二十七年（1394 年）七月十六日生，洪武三十五年（1402 年）九月初四日册为广昌王，宣德二年（1427 年）十月二十日以疾亡，年三十四，谥为悼平王，宣德三年（1428 年）六月初十日葬于龙泉山，即今七府坟村东高原。

二、刘氏墓。位于朱济熇墓北约 10 米处，墓室以条砖筑成前后二室，拱券顶。随葬品有瓷缸（长明灯）2 个、墓志 1 合，简报未录全文。墓志题铭为"大明广昌安僖王母刘氏圹志铭"。

三、杨氏墓。位于朱济熇墓南约 8 米，以条砖筑单室墓，拱券顶。墓中葬一人，葬式与位置均不明。随葬品有瓷炉、瓷缸各 1 件、墓志 1 合，简报未录全文。墓志题铭为"广昌悼平王妃杨氏圹志"。

简报称，据县志记载："广昌悼平王墓在县北 12 里尹家沟。"刘氏杨氏墓无记载。这次清理得知朱济熇与其二妃之墓均在今七府坟村东 0.25 公里而不在尹家沟。七府坟村名称的来历可能与此墓有关。

45.太原风峪口明墓清理

作　者：山西省文物工作委员会　代尊德、冯应梦
出　处：《考古》1965 年第 9 期

风峪口在太原市西南 20 公里，晋源镇西 1 公里的龙山脚下。1964 年 6 月，在该地清理了 1 座明墓，简报配手绘图予以介绍。

简报介绍，此墓封土高约 2 米，墓室以砖券为圆拱形。墓分前后二室，并设两门，前后室下部均砌砂石条三层，墓底以条砖横铺漫地。在后室内，并列棺棺两副，为夫妇合葬。人骨仰面，头向西，身着丝绸衣服均已腐烂。棺上施黑漆地并彩绘红绿牡丹、莲荷花卉，颜色鲜艳如新。棺头正中，朱书"明故奉训大夫醇庵李公灵枢"，左右各绘 1 执幡侍女。随葬器物部分散失，现存的有木俑 28 个、女僮 4 件、男僮 3 件、胥吏 5 件、皂隶 12 件。此外，还有 4 个木俑已腐朽不全。从放置的位置来看，估计原为 32 件。锡供器 5 件、石墓志 1 合。位于前室门内，简报录有全文。据墓志记载，死者名李希孟，字士醇，号醇庵，籍贯晋源，生于明嘉靖十四年（1535 年），隆庆丁卯（1567 年）科举人，任山东高唐州知州，卒于万历十六年（1588 年）五月二十九日。县志与李氏家谱均有同样记载。

46.明晋王陵园出土金锭

作　者：胡振祺
出　处：《文物》1991 年第 1 期

1972 年 10 月，山西省太原市郊黄陵村农民在明晋王陵园内取土时，在距地表深 1 米多处发现两枚金锭。山西省考古队当即派考古人员前往征集，后交山西省博物馆收藏。简报配以照片予以介绍。

据介绍，这两枚金锭的成色均为含金 95%，形制和大小基本相同。两端呈弧形，中部束腰，正面略小于底面，底面中心下凹。

简报介绍说，这两枚金锭出土于明晋王陵园之内，当为明晋王之物。据《明史·诸王传》："晋恭王棡，太祖第三子也。……洪武三年封。十一年就藩太原……然性骄，在国多不法。或告棡有异谋。帝大怒，欲罪之，太子力救得免。二十四年，太子巡陕西归，棡随来朝，敕归藩。"这两枚折收秋粮的金锭，是洪武二十四年（1391 年）三月进上的，此时也正是朱元璋欲加罪于朱棡之时。这两枚金锭被埋进陵园，或许同这一事件有关。

简报指出，这两枚金锭的发现，为我们研究金银货币发展史和明代衡制，提供了宝贵的实物资料。

大同市

朔州市

47.应县木塔发现的明永乐二十年大布告

作　者：郑恩准
出　处：《文物》1986 年第 9 期

山西应县佛宫寺释迦塔，即通称应县木塔，建于辽清宁二年（1056 年），高 67.31 米，是我国现存最古老最高大的木结构塔式建筑。1974 年，在木塔四层主佛——释迦牟尼塑像内发现一批辽代遗珍，同时在一层高约 11 米的大塑像侧墙顶端发现一份明成祖永乐二十年（1422 年）的大布告。这是目前所见最大的古代布告之一，弥足珍贵。简报配以照片予以介绍。

据介绍，布告纵 94.5 厘米、横 276 厘米。白麻纸，版刻墨印。每版印成 1 纸，第 1 纸横 95 厘米、第 2 纸横 89 厘米、第 3 纸横 92 厘米，3 纸粘连成一张大布告。每纸上方有 1 纸制提纽，似为张挂所用。布告前二、三行间盖有 3 处朱文篆书方印，一、二纸和二、三纸接缝处亦分别盖有此印各 1 方。五处朱印为发布布告的衙门官印——"山西等处提刑按察司印"。布告伤残多处，简报根据内容补入 37 个字（是否准确，有待进一步研究），录有全文。其主要内容是推行纸钞，不惜以杀头、抄家、充军来强制推行。

简报称，明成祖永乐二十年发布的这张大布告，虽有残缺，但经过修整，内容基本清楚。布告为版刻墨印，字体厚重工整有力，从字迹中尚可看到清晰的木纹，可见明永乐二十年版刻墨印已有相当高的水平。布告纸质厚实，似经过装裱，上有纸纽，可能原是张挂于县城城墙或通衢，以晓谕众人。这件大布告为研究明初经济和货币流通情况，提供了珍贵的史料。

48.山西省朔县发现明万历三年长城《碑记》

作　者：朔县文化局　雷云贵
出　处：《文物》1987 年第 3 期

1985 年 1 月，青岛市董耀会先生在徒步考查长城途中，于山西省朔县石湖岭村发现 1 块明万历三年（1575 年）修长城碑记。《碑记》1972 年春出土于村东北银盘山长城墩台附近，出土时距地表仅 10 厘米。简报配以拓片予以介绍。

据介绍，碑青石质，上端成弧形，下端留有榫头，作为插入碑座之用。碑首横刻 2 个大字"碑记"，下竖刻 9 行共 115 个小字碑文，简报录有全文。碑文可证、可补《明史·志六十七》中有关记载，对研究明代长城的修建有着重要的价值。

49.山西朔县出土明代法华塑

作　　者：雷云贵

出　　处：《文物》1987 年第 8 期

1980 年 6 月，朔县县城西关外发现一处法华塑窖藏。朔县崇福寺文管所闻讯后，即派人前往进行清理。简报分为三个部分，配以彩照予以介绍。

据介绍，窖藏地点距县城西门约 500 米，当地百姓称此处为大庙遗址。寺埋于地表下约 0.3 米处，均置于 1 只瓷罐内。部分法华塑出土时被挖碎，后经粘修已全部复原。计 17 件，有寿星 1 件、胡人乐舞伎 4 件、拍板乐伎、舞伎、麒麟等。

简报称，出土时表面蒙有一层烟熏黑垢，当为当时庙内之物。这批法华塑的色釉主要为孔雀绿釉、黄釉和紫釉，深沉古朴，素淡典雅，为明中期以后在晋南一带盛行的法华器所常见。寿星的造型、风格等也常见于明代北方瓷窑产品。根据造型、釉色、风格等判断，应属明代中期遗物。

简报介绍了相关工艺，认为这批法华塑制作时采用了模、塑结合的方法：有的先用陶土分块模印，脱出轮廓，再将对应的两块用细泥粘合修补，如座的底部就可看出明显的黏合痕迹，有的则将座、人物、所持物分别制好后，再黏合在一起，假山人物中人物的头、躯干则是分开制作，预先留下榫卯，然后安插。此外，在模、塑的基础上还使用了刀修的技法，这在人物的头顶、耳、子等部位表现得很明显。从施釉看，根据塑件不同部位的特点施以釉彩，人物的裸露部分则均露素胎，刷一层白粉，使肉体与服饰等形成了明显对比。

简报指出，这批法华塑造型生动，形神兼备，几组不同人物的不同形象、性格都得到了充分体现，有较高的艺术价值。

忻州市

50.山西宁武发现明代铁盔

作　者：南　宁
出　处：《考古》1994年第1期

山西宁武县文化馆收藏两件铁制头盔，系1980年修建县政府大楼时出土。简报配以照片予以介绍。

据介绍，头盔均呈椭圆形，包括盔身、盔沿和盔顶，由5块铁甲片组成，素面。前后纵置盔脊，底四周嵌12枚铁钉，前有护眉罩伸出，顶竖置缨座，上置竖形铁管。重1.8公斤。头盔均出土于原清宁武府内，其址曾为明成化所建宁武关城总兵府所在。头盔形制与清代或近代盔风格不尽相同，具有明盔特征，简报推断为明代铁盔。

阳泉市

晋中市

吕梁市

51.山西文水苍儿会寨峁调查简报

作　者：洛阳市文物考古研究院、文水县文物旅游局　李　雁、刘　斌、梁建忠
出　处：《文物世界》2013年第1期

在山西省文水县西部山区苍儿会乡的三道川地区，沿河谷两侧的山顶上分布着大小十余座用石块和石片垒筑而成的石头寨堡，居高临下，视野开阔，当地人将这些石头寨堡称作"寨峁"。这些寨峁形状不一，或圆或方，均依山势地形而建，面积从四五百平方米至两三千平方米不等。三道川地区北部与属交城县的四道川交界，西部与离石吴城交界，东西走向，西端向南转，地势东低西高，共有17个村庄，分

布寨峁 141 个，几乎每个村都有一个寨峁。该地区位于自然保护区，分布着大片原始森林，多数寨峁分布在这些原始森林内，人迹罕至。为了搞清楚这些寨峁的面貌以及功能，考古人员对其进行了一次系统的调查和清理。简报分为：一、概况，二、调查及清理情况，三、年代、性质及意义，三个部分，有手绘图。

据介绍，目前现存有 10 余座寨峁，因为建造年代久远，又历经战乱，所有寨峁的顶部已经全部明塌无存，其中不少寨峁的原有格局已经被破坏，有些寨峁的墙体已经坍塌到底。但有一部分保存较好的寨峁，原有格局保存基本完整，墙体保存尚可，内部的石室也保存了下来，如李家庄寨峁、岳家庄寨峁、龙兴寨峁、刘家章寨峁、军村寨峁等。

2009 年 5 ～ 6 月，调查人员深入原始森林对这些寨峁进行了调查和清理，并对其中保存较好、较有代表性的李家庄寨峁、岳家庄寨峁、龙兴寨峁、刘家章寨峁、军村寨峁进行了清理，取得了第一手材料，对这些寨峁的性质有了一个初步的认识。其余各寨峁破坏较为严重，有的已经坍塌到底，不再赘述。

简报认为，三道川的这些寨峁很有可能修建于北齐时代，而到了北汉时期又被沿用，至明代由于防御蒙古人的需要又继续使用，并修补或增建了这些寨峁。

长治市

52.宝岩寺明代石窟

作　者：杨　烈

出　处：《文物》1961 年第 12 期

宝岩寺又名金灯寺，位于山西平顺与河南林县交界处太行山脉的林滤山麓。

去石窟途中，经过一座独立山峰，俗称"南天门"，门内有可容数百人的天然山洞。三面深渊，只有一面通道。洞外立壁间雕凿数百尊"千佛"，形态如一，一般均在 10 厘米上下，排列齐整。由其技法和风格来看，当是明代遗物，可惜头部全毁，不能窥其全貌了。由此往前约 3 里便是石窟的东门。宝岩寺坐北面南，依崖壁开凿而成。故东西长、南北狭，形成长条形的平面。全寺由东往西共分 7 个内院，各院均有殿堂建筑自成一局，石窟就造在北侧岩壁之间。简报配以照片、手绘图予以介绍。据介绍，共计 14 个洞窟、8 个浅龛。题记中有明嘉靖、弘治、正德等年号。简报推断此处至明代中后期才开始大量开窟造像，清代亦有建筑及补雕。

晋城市

临汾市

53.山西襄汾县出土明洪武时期的木床

作　　者：襄汾县文化馆　陶富海
出　　处：《文物》1979 年第 8 期

1978 年 2 月，山西省襄汾县文化馆在永固公社南董大队配合农田基本建设，清理了 1 座古墓。墓为攒尖顶单室砖墓。另有 1 张木床，置于北壁砖床之上，保存较好。简报配以照片予以介绍。

简报介绍，木床榫卯结合，结构严密，造型大方。正面两腿作云头足，腿卯入框，腿架转角施花牙子，框架四周起单线为边，架内施 3 根横木，上复厚 1.5 厘米的床板，栏柱正面 4 根，后面 2 根，以八楞栏杆和档板相连成围栏，正面中间留出入口。

墓内出土洪武通宝铜钱，洪武以后的铜钱则 1 枚未见，据此，墓葬上限应为明初洪武，简报推断此墓为明洪武时期。这张木床为当时民间所用。它的出土，为研究元末明初的民间生活用具，增添了实物资料。

54.山西浮山出土一组彩釉陶瓷陪葬品

作　　者：张福有
出　　处：《文物》1985 年第 2 期

1980 年 4 月，山西省浮山县城东 1 公里东古同村的农民，在村住宅区的东南角窑顶上一片秋地里挖土时，发现用铁片箍在一起的 68 厘米见方两块石碑。简报配以照片予以介绍。

简报介绍，上面的一块刻："明故儒学生员李玉堂与侯氏合葬墓，时为康熙二十四年（1685 年）十月十六日。"墓口立有彩釉陶瓷男女侍俑各一。墓穴中，在男女合葬棺板前后左右有一组彩釉陶瓷陪葬品，共 15 件。

简报称，这样多的彩釉陶瓷陪葬品在一个墓葬中出土，在山西省是罕见的。这些陪葬品对研究明清社会风俗和陶瓷工艺有一定参考价值。

运城市

55.永济发现一块明代版画刻版

作　者：永济县博物馆　张青晋
出　处：《文物》1980 年第 6 期

山西永济县 1979 年在省级文物保护单位万固寺内，发现了 1 块明万历十年（1582年）木刻的版画原版。简报配以照片予以介绍。

据介绍，此版原是山西平阳府蒲州僧正司棲岩寺秉教看经法事沙门僧，为设荐水陆道场而刊行的功德版。版画与文字为两面阳刻。其保存于万固寺，当是以前由棲岩寺移来。棲岩寺位于万固寺西侧之中条山山巅。距万固寺约 2.5 公里。原为北周建德中创建，初名灵居寺，后改名棲岩寺。隋时重兴佛教，文帝曾将外国所贡玛瑙盏施寺为供。当时于该寺曾设水陆道场，隋仁寿二年（602 年）所竖立的《棲岩寺道场舍利碑》现仍在。此寺历代为佛教之名刹胜地，现还保存有唐、宋、辽、金、元、明各代砖亭、墓塔、碑刻、经幢等遗物多种。

简报称，此版原为万固寺僧人当作木板使用的，现由博物馆取回妥善保管。它对于研究我国木刻技术与版画发展，具有一定参考价值。

内蒙古自治区

呼和浩特市

56.内蒙古发现的明初铜火铳

作　者：崔　璿
出　处：《文物》1973 年第 11 期

1971 年秋，内蒙古自治区托克托县黑城公社黑城大队为修建学校，在黑城古城的南墙内，发现 4 尊明初的铜火铳。这四尊铜火铳都由前膛、药室和尾銎三部分组成。铳身呈节状，分为两节，一节特长，一节较短。药室上有一小孔，系药门，用以放药捻。其中 3 尊的铳身上有铭文字款。出土时，尾銎均有木柄痕迹，已腐朽。简报配以照片予以介绍。

这次发现的 4 尊铜火铳，其中 3 尊有铭文。每一尊上的铭文长达 30 多个字，记录了铸造铜火铳的地点、机构、人员、职衔、时间和火铳的重量。在国内已发现的铜火铳铭文都没有这么多，叙事也没有这么详细。由铭文知 3 尊有明确的铸造年代，二号与三号两尊皆系洪武十年（1377）铸造，一号系洪武十二年（1379）铸造，只有 1 尊没有铸造年代。这些铜火铳的铸造年代都比较早。

包头市

乌海市

赤峰市

57.内蒙古克什克腾旗出土明代铜铳

作　　者：刘志一
出　　处：《文物》1982 年第 7 期

1981 年 6 月，内蒙古自治区克什克腾旗达尔罕公社台里大队出土 1 支明代铜铳，长 44 厘米、铳口内径 5.2 厘米、外径 7.2 厘米、铳体均厚 0.7 厘米，重 8 公斤。简报配以照片予以介绍。

据介绍，铜铳由铳管、药室、引信及后座四部分组成。铳身铸有五道铜箍。药室呈瓮形，最大外径 9.5 厘米，上有一可开启关闭的长方形铜匣，用以安装和保护引信之用，匣内有一小孔与药室相通。铜匣上部亦安装一活动的小纽，可以关镇。统管中部阴刻"功字宣万捌千伍伯陆拾捌号"，年款为"永乐拾叁年玖月　日造"。

简报称，永乐为明成祖朱棣年号，永乐十三年即 1415 年。当时明朝建国不久，边塞地区还不十分稳定，为此，明太祖曾多次用兵，成祖朱棣亦曾北征。应昌，即元代应昌路。这支铜铳出土地点南距应昌路遗址百余里，而其铸造时间与史书中成祖北征之记载相隔九年，可能就是北征中所用武器。

简报指出，从铳体上的号码看，铸造数量很多，可见这种兵器在军队中已被广泛使用。

58.内蒙古巴林右旗出土金银葬具

作　　者：巴林右旗文物馆　韩仁信等
出　　处：《文物》1985 年第 1 期

1975 年 11 月，巴林右旗幸福之路公社包冷大队的牧民，在开挖灌渠时发现一批金银葬具。经当地政府及时搜集，多数文物得到保存。简报配以照片予以介绍。

据介绍，出土器有金银箱 1 件、大银箱 1 件、小银箱 1 件、银饰件 15 片、猫眼石 1 颗。另外，还有铜扣 2 个、料扣 4 个。

根据这批文物的质地、造型、纹饰，简报推断可能是清代蒙古贵族的葬具。

59.内蒙古赤峰市大明镇发现明初铜铳

作　者：项春松

出　处：《考古》1990 年第 8 期

1975 年以来，在宁城县大明镇先后出土 10 余件明初铜铳（筒），保存大多完好，其中 6 件铸有铭文，是近年来北方古代兵器的重要发现，对研究明初军事史及漠北军防史有所补益。简报配以照片、手绘图予以介绍。

据介绍，这批铜铳，按用途及形制可分手持铳（手铳）、碗口铳和铳座三类。手铳（筒）12 件，碗口铳 2 件，铳座 1 件，实重 13.37 公斤，有的有铭文。大明镇出土的 10 余件铜铳，简报认定是明初洪武年间，由江南明中都、南京附近的府、局、卫负责监造。简报认为铭文中监造机构、隶属及监造官、教官、军匠、火器本身的重量、纪年等款识一应俱全，不但可与《明史》地理志、职官志、兵卫志互补，也标志明初"卫所"兵制建立后，军权高度集中，组织严密，兵器制造要求甚严，在大明统一过程中曾经发挥过积极作用。

通辽市

鄂尔多斯市

呼伦贝尔市

60.鄂温克岩画

作　者：赵振才

出　处：《文物》1984 年第 2 期

1975 年，考古人员在呼伦贝尔盟（原属黑龙江省，今属内蒙古自治区）额尔古纳左旗敖鲁古雅鄂温克民族乡发现 1 处岩画。简报配以照片予以介绍。

据介绍，岩画绘在大兴安岭原始森林的一处峭壁上，多用赭石颜料描绘，可辨认的内容有动物如狍、鹿、驯鹿、追逐野兽的猎犬，还有反映集体狩猎、原始宗教内容的萨满教等。年代应为 17 世纪前，即明代之时。

巴彦淖尔市

乌兰察布市

61.明洪武二十八年"奉天诰命"和马林夫妇雕像

作　者：杜承武
出　处：《文博》1988 年第 5 期

1980 年 5 月，考古人员在卓资县征集到一件明朝洪武二十八年（1395 年）的"奉天诰命"。这件诰命是皇帝赐给马林夫妇的。马林夫妇的后裔——已年逾八旬的马五老人还拿出了马林夫妇的雕像。诰命和雕像是他家的传世珍宝，代代相传，年年奉祀，已保存了 570 余年。简报分为：一、"奉天诰命"的形式与内容，二、马林夫妇木雕坐像，三、几点认识，共三个部分，有照片等。

据介绍，"奉天诰命"是一件长 473.3 厘米、宽 31 厘米的五色织锦，黄、白、黑、蓝、红，每色自成一段，段段衔接，色色相连。正面与背面的颜色不同，正面为五种不同的颜色，背面统一为白色。诰命呈卷轴式，据称原有轴，今已失。在这件修长的五色织锦"诰命"上，只有黄、白二色两段上有文字，其余全是空白。有文字的部分又可分为两种，一是皇帝颁发诰命时织上去的成文，一是受诰命者加封袭职时分别填写上去的文字。织上去的成文在前，填写的文字随后。简报录有诰命全文。诰命是封建皇帝颁赐爵位所用的一种诏令。凡诰命，都有撰写定的文字内容，使用时，按品级爵位填写。此诰命为明洪武二十六年（1393 年）实施的颁诰制度，提供了最可靠的实物依据。从第一次填写的内容里可以清楚地看出，马林的祖父马德，是凤阳府人，与朱元璋是同乡。从诰命上所填写的战斗来看，与朱元璋的军事行动均相吻合。

兴安盟

锡林郭勒盟

阿拉善盟

辽宁省

62.明辽东镇长城东西两端的实地考察

作　　者：辽宁省文物考古研究所　薛景平
出　　处：《北方文物》1996 年第 3 期

辽东镇长城是明万里长城的最东段，它东起宽甸，西至绥中，中经 20 多个市县，长约 1000 公里，是明长城的重要组成部分。1990 年 2 ～ 5 月，考古人员对明长城进行了实地考察。简报配以手绘图予以介绍。

简报重点介绍了辽东镇长城的起点和终点。认为起点在今宽甸县虎山乡。考古人员在绥中县李家堡乡李家窝堡村荆条沟屯、松岭子屯共发现和考察了 7123 米的长城墙体，认为这就是明辽东镇长城西端的起点段，它的起点在荆条沟屯的西边头。

今有刘谦先生《明辽东镇长城及防御考》（文物出版社 1989 年版）、范熙晅、张玉坤、李严先生《明长城军事防御体系规划布局机制研究》（中国建筑工业出版社 2019 年版）等书，均可参阅。

沈阳市

63.辽宁省新民县境内清代柳条边遗迹踏查纪略

作　　者：安万明
出　　处：《北方文物》1986 年第 3 期

1982 ～ 1983 年，沈阳故宫博物院曾先后 3 次派人前往新民县西北部，对清代柳条边及彰武台边门遗址，进行了实地踏查和清理工作。

近年来，考古界和史学界对于清代柳条边及彰武台边门的设置、构造等问题产生了极大的兴趣和关注。为了深入探讨这些问题，考古人员在文物普查工作的基础上，对上述地区进行了实地踏查，取得了可靠的第一手资料。简报分为：一、新民县境内清代柳条边概况，二、彰武台边门遗址，共两个部分，有手绘图。

据介绍，辽河流域的柳条边分东西两段。东段自凤凰城至开原东北的威远堡；西段自威远堡至山海关。辽河流域柳条边周长1900余华里，名为"老边"，也叫"盛京边墙"。新民县地跨辽河中游两岸，县内这一段柳条边应属西段。这段边墙，始建于清顺治五年（1648年），顺治八年至十一年间（1651～1654年）柳条边的各边门才陆续建成。

彰武台边门（亦称养息牧门），位于养息牧河东1里。此河由彰武县，经新民县注入辽河。据《奉天通志》记载："杨柽木河，在彰武境会头，二、三道河及地河，名彰武台河。彰武台河经彰武台门，过柳条边入新民境。彰武台河流经门边，故门以河名。"彰武台边门创建于清顺治年间，毁于民国十九年（1930年）水灾中。

今有杨树森先生《清代柳条边》（辽宁人民出版社1978年版）一书，可参阅。

64.辽宁康平县出土铜钱

作　者：康平县文化馆　张少青
出　处：《考古》1986年第11期

1981年，辽宁康平二牛公社中学学生张凤永，在小齐大队下坎子村北50多米处土坑中玩耍时发现一批铜钱。据他讲："铜钱用黄褐色小罐盛装，上盖石板，罐已破碎。"出土铜钱由县文化馆征集贮藏。简报配以拓片予以介绍。

据介绍，经整理得知：有唐代钱、五代十国钱、两宋钱、金代钱以及日本"宽永通宝"钱共38种337枚，重1.42公斤。"宽永通宝"为日本宽永年间（1624～1644年）所铸铜币，相当于我国明代天启年间（1621～1627年）。据此推断，这批铜钱可能是明末清初，或更晚些时期的窖藏。

简报称，这批铜钱数量虽不算多，但品种可谓丰富，特别是北宋钱，除钦宗时期外，从太祖至徽宗时所铸钱币均有。这在辽北还是少见的。日本钱"宽永通宝"的出土，极为珍贵，也更引人注目。但这批铜钱中，没有明、清两代的铜钱伴出，这是值得重视与研究的问题。

大连市

鞍山市

65.鞍山倪家台明崔源族墓的发掘

作　者：辽宁省博物馆文物队、鞍山市文化局文物组　冯永谦

出　处：《文物》1978 年第 11 期

崔源族墓位于鞍山市东郊千山公社倪家台大队村东的山坡上，距市（立山）区 11 公里，鞍山至千山的公路由村中通过。1949 年前，崔源墓曾经被盗，在墓室上部封土中挖出"昭勇将军崔公墓志铭"1 合。此墓葬遗迹不明。文物普查过程中，发现残存的墓园，经过调查，确定此处即为崔源墓地。1975 年，考古人员对崔源族墓进行了发掘，从 6 月 10 日开始至 9 月 13 日结束，共发掘墓葬 19 座（编号为 15 号），出土墓志 9 合（连同崔源墓志共为 10 合），墓券 1 方及其他许多重要文物。简报分为：一、墓园建筑情况，二、墓葬概况，三、随葬器物，四、墓园的形成时间和葬制，五、出土遗物的一些特点，六、其他，共六个部分，有拓片、照片等。

简报重点介绍了有墓志出土的 7 座墓。墓群中出土墓志 9 合、墓券 1 方。它们是崔源、崔胜、崔胜妻李安、崔镒、崔镒继室、费氏、崔锴、崔哲、崔哲妻白氏、崔贤、崔世武。这些墓志，除崔镒、崔哲和崔贤志石断裂外，其余基本完好。墓志在墓室中放置没有固定形式。志石均用两道铁箍束紧，崔胜墓志更于铁箍隙处加以铁楔，使其牢固。墓志均为方形；只有崔源墓券和李安墓志抹去上方二角。志文均楷书阴文，志盖或篆或楷，文字大都清晰。李安与崔贤墓志，于刻字后涂墨，出土时墨痕犹新，这是其他墓志所没有的。崔源族墓出土瓷器，共 29 件（不计火葬骨灰罐），有碗、罐、瓶 3 种。这些瓷器俱为粗缸胎，系杂器窑产品，没有 1 件是明代瓷器。另有冠服饰等遗物。

简报称，崔源族墓的发掘结果证明，其形成时间起自明朝初年，直到明朝晚期，和整个明代相终始，墓葬大部分未经后世人为破坏，从考古发掘的角度来说，这是不多见的。有的为火葬，也值得注意。

简报介绍说，根据墓志，崔源（生于洪武二十五年，1392 年；死于景泰元年，1450 年）的先世仕元为安抚；后归顺明朝，家族就都在明辽东都司作官。崔源死后，其子崔胜为他建了这处墓园。墓园建成于景泰元年（1450 年），它的上限十分清楚。另外，从实际发掘结果看，崔源也是这一墓园中辈分最高的。但是，关于墓群最后全部形成，则应是经历了一个漫长的过程的；墓葬的埋葬序列，清楚地表明了这一

点。崔源墓在后部居中，然后向两侧排列，后部一排由崔源至崔贤；共埋葬了四代。第二排中部（崔源墓前方）为崔源五世子孙。

简报指出，崔源，《明史》无传。按：《明史》陶成和孙原贞传中，另外述及一个因镇压叶宗留起义而被杀的都指挥佥事崔源，考其事迹、时间、死因、地点，与此墓志之崔源非为一人。对于辽东崔源的记载，仅《明实录》中记崔源由总兵官、左都督曹义奏举，于景泰元年（1450 年）三月升都指挥佥事一条，和墓志"总戎诸大臣""交章以公荐，升佥都指挥"相吻合。此外崔源"九年征兀良哈"一事见于《明大政纂要》，其他多不见记载。正因为如此，墓志对于研究这一时期东北地区的历史，就很重要了。简报附有所出墓志志文。

今有《明代辽东都司》（中州古籍出版社 1988 年版）一书，述及辽东都司及二十五卫、辽东马市、边墙等。

抚顺市

本溪市

66.辽宁本溪县后金时期九龙山城的调查

作　者：辽宁本溪市博物馆　本溪满族自治县文和所　魏海波、乔　程等
出　处：《考古》2009 年第 4 期

辽宁本溪县九龙山城是后金时期修筑的 1 座城址。1981 年 5 月，第二次全国文物普查期间，考古人员对九龙山城进行了首次调查。2006 年 3 月和 2008 年 10 月，考古人员又先后两次对该城址进行了更详细的调查，并进行了实地测绘。简报分为：一、地理位置，二、山城形制，三、结语，共三个部分。

据介绍，九龙山城位于本溪满族自治区碱场镇九龙口村南约 1 公里。九龙山城保存较好，城墙为夯土筑造，依山就势，沿阶地边缘分布。山城呈不规则的四边形，周长 314 米，转角处有 4 个角台，西墙南部有一城门。门外为瓮城，在城址西墙和南墙外侧发现有护城壕，上宽 10 米，深约 8 米。

简报引《清实录·太宗实录》，说后金共修筑了四座城址，其中便有碱厂城，为了与附近的明代碱厂堡区分开，后又称"碱厂新城"。

简报称，碱厂堡原是明代辽东边防内的重要堡城，建于明代成化五年（1469 年）。

明万历四十六年（1618年），努尔哈赤发兵攻明，首攻抚顺，再下清河，占领碱场，并拆毁了城墙。15年后，为了戍守边防，后金在碱厂地区重新筑城，这应该就是九龙山城。《盛京通志·城池》分别记载了碱厂新、旧两座城址。旧城指的是明代碱厂堡，新城指的是后金时期的碱厂城。由此可知，九龙山城应该就是后金时期的碱厂新城。过去在对九龙山城的调查中，也曾采集有后金时期的瓷片。九龙山城是后金军事发展的实证，也是研究后金与明朝关系的重要遗迹。

丹东市

锦州市

营口市

阜新市

辽阳市

盘锦市

铁岭市

朝阳市

葫芦岛市

吉林省

长春市

67.吉林省榆树市上台子墓群发掘报告

作　者：吉林省文物考古研究所、榆树市博物馆　解　峰、王新胜、李　东
出　处：《北方文物》2010 年第 1 期

上台子墓群考古发掘是榆（榆树）——舒（舒兰）铁路建设中的一项文物保护项目，通过考古发掘共清理出土坑竖穴墓 8 座，墓葬排列有序，多为双人木棺合葬墓。出土了陶瓦、青花碗、铜钱、铜纽扣、玛瑙纽扣、银发簪等。简报分为：一、地层堆积，二、葬制与葬具，三、随葬器物，四、初步认识，有手绘图等。

据介绍，上台子墓群位于吉林省榆树市新立镇柞树村上台子组东南约 500 米的岗地上，该岗地呈东西走向，现已被开垦为耕地，地表是东西向田垄，散落有少量清代瓷片。通过考古发掘，可以获知上台子墓群是一处家族墓地。此处墓地排列有序，自岗上向下分三排分布：

最上一排有两座双人同穴合葬墓，分别为 M4、M5，土坑规模较大，其中 M4 的合葬是大小两型木棺，小型木棺俗称"火匣子"，是死者客死异地后、迁回合葬的一种方式。M5 则是大小基本一致的木棺，木棺较为宽大、厚重。

中间一排有三座合葬墓，其中最西边的 M6、M7 是异穴合葬，M7 没有发现葬具、随葬品和人骨。M2、M3 是双人同穴合葬墓，木棺的大小也很一致。

最下面一排有两座墓葬，分别是 M1、M8。其中 M1 为双人同穴合葬墓，M8 则是单人墓葬，这排墓葬上部均遭到不同程度的破坏。

大多数合葬墓的木棺应该是按男左女右放置，即使 M4 中迁葬回来的小型木棺也不例外。只有 M5 特殊，其木棺为女左男右，从出土的女性头顶发簪可以清楚判断出来，是何用意不清楚，但从 M5 的位置可以推断，该墓的主人是这个家族的显赫人物。在合葬墓中，M4 的形制也有些独特，其墓主在家族中的地位应仅次于 M5 的墓主。在 M4 的土坑中，男女木棺不是并排安放，而是女性木棺放置土坑中央，而迁葬的小木

棺则置放在其左侧，其右侧却留有很大的空间。另外，在 M2 和 M5 中分别发现有在男性木棺附近随葬板瓦的习俗，是否有特殊意义不得而知。

从随葬品看，这是清朝末年一个较为殷实家族的墓地。

吉林市

四平市

68.叶赫古城调查记

作　者：刘景文

出　处：《文物》1985 年第 4 期

叶赫是满族那拉氏的故乡。今天，叶赫故城尚矗立在吉林省梨树县叶赫公社境内，是吉林省重点文物保护单位。考古人员曾多次对叶赫故城进行调查。1983 年，又作了重点复查。作为多次调查结果的综合报告，简报分为几个部分予以介绍，有照片、手绘图。

据介绍，叶赫故城是明代海西女真扈伦四部之——叶赫部的都城，由东西两座古城组成。位于吉林省西南部，梨树县的南端，西北距四平市约 28 公里，南与辽宁省的昌图、西丰毗邻。叶赫东城位于叶赫公社叶赫大队河西屯西南 500 米，东距公社所在地 1.5 公里，西北 50 米为一条通往杨木林子的公路，西北 400 米许即是寇河支流，西南 2 公里隔寇河支流与叶赫西城相望。简报考证，叶赫两座古城的构筑时间，最晚也应在明万历十二年（1584 年）之前。简报指出，历尽战争艰辛的叶赫古城，是女真族后期叶赫部活动的历史见证，也是保存不多的女真族后期的古城之一，它对研究叶赫部的历史，乃至女真族后期的历史都具有一定的价值。

辽源市

通化市

白山市

松原市

69.扶余县明墓发掘简报

作　者：吉林省文物工作队　刘法祥

出　处：《黑龙江文物丛刊》1983 年第 3 期

1972 年秋，考古人员在扶余县伯都公社土城子屯配合基本建设发掘了明代墓葬 11 座。简报分为"位置""墓葬""遗物""几点认识"四个部分，有照片、手绘图。

据介绍，墓葬位于扶余县城西北约 8 公里，伯都公社所在地西南约 7 公里的一处耕地中，地势较高。墓地西侧紧靠大坎子的边缘，坎高约 25 米。坎下为平原，坎上为起伏的固定沙丘。11 座墓均为土坑竖穴墓，其中 9 座有木棺痕迹。9 具较完整的人骨，都是仰身直肢葬。绝大部分尸骨双手放在腹的两侧，只有 1 具双手交叉置于腹上，头向西。除一座小儿墓无任何随葬品外，其余 10 座墓都有一些随葬品，多者达 58 件，少者只有 3 件。随葬品的陈放位置，一般饮食用品置于头顶棺外，生产用具和军械置于手边。由于发掘前墓葬已多遭破坏，出土遗物 236 件，连同从当地人手中征集的 197 件，计 434 件。有铁器 117 件及瓷器等，大多来自内地，说明这里与内地交流频繁。此地靠近交通要道，人员往来频繁，附近应有一较大明代村落。明朝时期，这一带是海西女真的活动地区，三岔河卫即海西女真人所建，同时在这里居住的也有许多汉族人。此次所发掘的墓葬，其葬俗虽类似汉族，但也有明显的东北地方特点，这大约与民族杂居和文化交流的背景有关。

70.吉林扶余发现两座明墓

作　者：郑新城

出　处：《考古》1991 年第 10 期

1988 年 6 月 10 日，在吉林省扶余市松花江北岸 150 米处油库门前，挖排水沟时发现 2 座明代墓葬。考古人员进行了抢救性清理。但墓葬破坏严重，面目全非，遗物也被洗劫一空。在调查中得知，两座墓葬均为长方形土坑竖穴，西南、东北走向，棺木腐朽严重，只有少数地方能见到有木头的痕迹。棺底土质坚硬，似经夯打。两墓葬相距 10 米，墓底距地面 1.2 米。简报配以手绘图予以介绍。

据介绍，采集到的遗物有青花碗 2 件、精釉罐 1 件、铁镞 4 件、铁环 1 件、镀银带扣 1 件等。墓主人可能是驻守在明三岔河卫的士卒。

白城市

71.吉林通榆兴隆山清代公主墓

作　者：吉林省文物工作队、白城地区文管会、通榆县文化局　张　英
出　处：《文物》1984 年第 11 期

1982 年 6 月，考古人员在通榆县兴隆山乡同发屯清理了 1 座受到严重破坏的清代公主墓。出土的殉葬品有金冠饰、金银佩饰等 270 余件。墓地在同发屯东北 0.5 公里，东北距兴隆山乡 7.5 公里，东距通榆县城约 70 公里。当地人称为公主陵，四周原有陵园建筑，现已坍塌殆尽。公主墓（M1）位于享殿之下，其东侧 1 米处另有一墓（M2），墓主为女性，殉葬品不多，疑为公主生前亲侍之墓。简报分为：一、概况，二、一号墓，三、二号墓，四、关于一号墓主的推论，共四个部分，有手绘图、照片。

据介绍，一号墓墓主据简报推测应是一位下嫁外藩的公主。墓中出土有康熙、雍正和乾隆年号的铜钱，说明这位公主的下葬时间可能在乾隆、嘉庆年间。此墓的发现，为研究清代公主下嫁外藩的丧仪，提供了珍贵的实物资料。

延边州

72.吉林敦化哈尔巴岭发现依克唐阿碑

作　者：刘忠义
出　处：《黑龙江文物丛刊》1984 年第 3 期

哈尔巴岭是长白山支脉牡丹岭伸向东北的一条余脉，横亘于敦化、安图两县之间，长春—图们铁路线和内地通往吉林东部边境的公路都从岭上通过，是古今军事、交通要冲。1978 年夏，据大石头公社中学一位教师反映，在哈尔巴岭密林遮蔽处，发现 1 块石碑。同年 7 月 6 日，考古人员去哈尔巴岭大队调查，走访了几位老农，都说岭上有一条清代的官道，在分水岭处曾立有三四块碑。生产队派了一位知情的老农为向导，带领考古人员越过沼泽，沿着蒿草齐胸荒废多年的山道走了七八里，

爬上岭顶，见到了石碑。此地老农说是清代庙址，周边林木参天。

据介绍，共发现碑两块。均为清碑。系为依克唐阿所立功德碑。依克唐阿自同治八年（1869年）起，至光绪十五年（1889）正月，20年中历任墨尔根、黑龙江（瑷珲）、呼兰、珲春等地副都统，又以功授黑龙江将军在任6年，这先后二十五六年间，他一直在黑龙江和吉林东部中俄边境地区任职。此碑为研究东北近代史有一定史料价值。

黑龙江省

哈尔滨市

73.黑龙江省依兰县发现抗御沙俄侵略的拦江锁坠石

作　　者：依兰县文物管理所

出　　处：《文物》1976 年第 8 期

1975 年 11 月中旬，考古人员到依兰县城东北 15 公里清代靖边营遗址采访时，在该遗址北 1.5 公里松花江中通西端近水处，找到拦江锁坠石 1 块。简报配以照片予以介绍。

据介绍，坠石是用浅精色花岗岩制成。呈长方形，长 87 厘米、宽 63 厘米、厚 4 厘米，近二分之一处中央有圆孔一个，直径 15 厘米。据县志记载，清光绪九年（1883 年），清政府在依兰哈达地方建立了靖边营，驻兵 2500 名。又于光绪十一年（1885 年）建筑了汜澹通炮台，并在松花江中横放二道拦江锁。锁的两端用若干坠石坠沉于江中。用时将锁拉起，拦截船只，进行检查，战争时用以拦阻敌船，放炮攻击。拦江锁的一段现陈列在中国历史博物馆。

74.依兰县永和、德丰清墓的发掘

作　　者：黑龙江省文物考古工作队　史学谦、金太顺

出　　处：《黑龙江文物丛刊》1982 年第 1 期

永和村坐落在黑龙江省依兰县城西北 8 里处，今属依兰县迎兰公社永和大队。该村南距巴兰河 300 米，东傍松花江。由永和村往北 7.5 公里是德丰村，今属依兰县德裕公社德丰大队。1979 年考古人员在依兰县境普查时，发现了这两处墓葬。1980 年夏，对两处墓地进行了 1 个多月的发掘，共清理出墓葬 12 座。简报分为"引言""墓葬""随葬器物""结语"四个部分，有手绘图、照片。

据介绍，12 座墓皆为口底相当的土坑竖穴墓。东西向的 11 座，南北向的 1 座。

一般长度2～3米,发现有葬具的墓10座,无葬具的2座,可辨葬式的均为仰身直肢葬,多为单人葬,仅一墓为成人和两小孩共葬,一墓为二次葬。随葬器物共有300多件,分别出土在12座墓中。普遍的器类有瓷器、铁器、铜器、骨器。其他鎏金和银质的随葬品仅见于个别墓葬。时代为清代初年。

75.依兰巴彦通抗俄要塞调查报告

作　者： 张文彬、王建军
出　处：《北方文物》1995年第2期

　　巴彦通抗俄要塞遗址是黑龙江省人民政府1981年1月27日公布的省级文物保护单位。1990年9月,考古人员再次前往调查。简报分为:一、"要塞"的构成与分布,二、遗址现状,三、遗物,四、结语,共四个部分,有手绘图。

　　据介绍,巴彦通抗俄要塞位于松花江中、下游,巴彦通(白玉通)右岸的巴彦哈达群山之中。巴彦通抗俄要塞的主体部分包括"靖边营"和"炮台",另外,还附有跑马场、断魂桥、买卖街、刑场(断头台)、鬼王庙和海关(护江关)等相关设施。主体是"靖边营",包括前营、左营、中营、右营、后营,计5座大营;4个哨所分设周围,还有一个小营盘。即"五营、四哨、小营盘"。营区内现已辟为耕地,海关、鬼王庙、刑场、买卖街、老公馆、跑马沟子、打靶场均已辟为耕地,断魂桥现已荡然无存。遗物有铅制枪弹头、铜质衣扣。此要塞是清代东北边疆一处较大的江防军事要塞。

76.依兰清代抗沙俄靖边营要塞发现拦江铁索绞盘

作　者： 高国军、廖怀志
出　处：《北方文物》2008年第2期

　　2003年7月,考古人员在清代抗击沙俄要塞靖边营附近的原珠山乡哈山村发现一铸铁大圆盘。经查,此大铁盘是清代靖边营要塞为拦截沙俄侵略军的舰船侵犯、在松花江下游白玉通设置拦江大铁锁(又称拦江铁索)的绞盘。绞盘重约500公斤,直径2米。绞盘一面为平面,另一面外沿厚中间薄。外沿厚12厘米、沿宽20厘米,中间部分厚6厘米。绞盘中心有一直径30厘米的圆孔。四周厚沿部分有12个间距相等、直径为10厘米的圆眼,圆眼凹下去6厘米为长方形透孔。在绞盘中心圆孔处有一大裂口。简报配以手绘图予以介绍。

　　据介绍,拦江铁索由14根铁筋组成,直径约15厘米。铁索外用铁皮将铁筋紧紧箍住,重量可达1000公斤。拦江铁索在安装时,需将其在对岸用巨石固定住,再连结在粗钢丝上，然后盘在铁绞盘上。每台绞索机械应由两个绞盘组成，绞盘上的12个圆眼，安插有12根铁棒，连结两个绞盘。中间穿有30厘米粗的大铁轴，将圆盘架在铁支架上，其形状类似过去农村常见水井上的辘轳。绞盘两端安有摇把，绞铁索时，至少有10个人才能绞动沉重的铁索。平时无敌情时，可将铁索放松沉到江底。有敌情时，就用绞盘将拦江铁索绷紧，横在江面上，锁住航道，使敌船无法通行。为保险起见，拦江铁索共设3道。

齐齐哈尔市

77.黑龙江省齐齐哈尔市梅里斯音钦清代墓群调查简报

作　者：崔福来、辛　建
出　处：《北方文物》1989年第4期

1979年10月，齐齐哈尔市梅里斯区雅尔塞镇音钦村农民房俊都，在房东4米处挖窖时，发现1座墓葬并出土瓷器、铁器和铜器等多件。考古人员前往现场进行了调查清理。1980年5月，市文物管理站在梅里斯区东北部嫩江右岸进行文物普查时，对该墓葬做了复查。同时，又对附近地层做了铲探，发现并清理发掘墓葬2座（编号分别为M2、M3），出土了一批瓷器、铁器、桦皮器和银饰品等。1987年9月，房俊都在房东20米处再次挖窖时，又发现了1座葬墓（编号M4），出土了一批瓷器、铜器、银器及料项饰等，市文物管理站于1987年冬和1988年春调查了该墓葬情况。4座墓葬的调查清理情况简报分为：一、地理位置，二、墓葬结构，三、随葬品，四、小结，共四个部分，有手绘图、照片。

据介绍，这是一组清代早期墓群。出土随葬品171件。M1出土的器物中，有1件马蹬龙头，踏板面呈圆形，蓝地上有比较规矩的牡丹花图案等；马铃亦是蓝彩地，掐丝珐琅螭龙纹图案，当是康熙五十五年（1716年），清王朝赏赐来朝的外藩王、亲王、郡王、贝勒的精致的"鞍辔"之物。M2出土的瓷器，多为康熙年间的民窑代表作。M3仅出土葬具，主要是瓮棺。此墓出土器物少，墓葬年代不清。M4出土的随葬品达134件之多，以瓷器较为典型。从五彩碗的造型、胎釉、纹饰等的特点看，系康熙时期的制品无疑。

简报称，音钦墓群出土的这批瓷器、铜器等随葬品，为研究清代康熙、雍正年间的青花、五彩、素三彩、掐丝珐琅和金属器物的鎏金等制作工艺，提供了珍贵的实物资料。

78.黑龙江省讷河市学田乡工农村出土的清代墨彩小盘

作　者：王世杰

出　处：《北方文物》2004 年第 1 期

2002 年 8 月至 9 月，考古人员对讷河市学田乡工农村清代达斡尔族墓葬进行了为期 2 个月的考古发掘。墓葬位于村南 200 米处二级台地上，濒临尼尔基水库，属尼尔基水库淹没区。此次发掘共清理 18 座墓葬，发现数量较多的清代中晚期遗物，其中有瓷器、金银器、铁器和铜器。瓷器中发现 1 件精美的墨彩小盘。简报配以手绘图予以介绍。

瓷盘保存完好，盘内壁和器表主体呈白色，素面，内壁口沿处绘一圈水绿釉，宽 0.7厘米。内壁饰有题材丰富的图案，主要有山水、人物、花鸟。瓷盘纹饰的题材有冬夏常青之松树，万古不败之石林，七只大雁飞翔在蓝天，水上柳枝低垂。松树和柳树上施水绿彩，花卉点缀着粉彩，水面为淡淡的蓝色，虚无缥缈如入仙界。在瓷盘的右下方配以人物划船。这些主要纹饰都用墨彩工艺表现。墨彩，是清代瓷器中的一个重要的工艺，始于康熙，色似浓墨，面有釉光者为最佳。

简报称，达斡尔族墓葬中发现墨彩小瓷盘，在黑龙江省尚属首次。瓷盘用白地、墨彩手法来表现瓷器的图案纹样，细腻而流畅的线条，墨彩技术的完美和成熟，都说明了此盘之珍贵。这种瓷盘应产于景德镇。

79.黑龙江省首次发现清代"虎皮"三彩碗

作　者：张晓霞

出　处：《北方文物》2004 年第 4 期

2003 年 7 ～ 10 月，考古人员对讷河市学田乡工农村明清墓葬进行了为期 3 个多月的考古发掘。墓葬位于村南 200 米处的二级台地上，濒临尼尔基水库，属尼基尔水库淹没区。此次发掘共清理 37 座墓葬，发现 100 多件明清时期的遗物，其中有瓷器、铁器、铜器、金银器、宝石。瓷器中发现 1 件非常精美而珍贵的虎皮三彩碗。简报配以手绘图予以介绍。

据介绍，"虎皮"三彩碗保存完好。"虎皮"三彩为素三彩，其地色为浆白地，瓷碗的里壁和外壁兼有紫、黄、绿 3 种色釉。碗的烧制方法是在素烧过的白瓷胎上绘素三彩，如白地先绘黄颜色，然后上绿颜色，最后点缀紫色。低温烧成。碗底增加了蓝彩，沿着底部绘两道弦纹，中间饰方形押款。三色彩浓淡不一，深浅不同，别有风韵，独具风姿，素彩点缀的构思多变，别具匠心，显得斑驳璀璨。此次发现的"虎皮"三彩碗，工艺水平之高，堪称精品。白地三彩，是康熙早年的代表作品之一，在洁白光润的瓷器上用紫、绿、黄色绘画，然后再施釉烧制，有的在胎体未干时刻划底纹。

此次发现的"虎皮"三彩碗，是仿唐三彩制作而成的。表面呈斑片状，形似虎皮，故而得名。在清代墓葬中发现虎皮三彩碗，在黑龙江省尚属首次。简报称，此种碗产于景德镇，其年代当为清代早期。

80.黑龙江省讷河市学田乡工农村出土的清代青花诗文碗

作　者：徐秀云
出　处：《北方文物》2003 年第 2 期

2002 年 9 月，考古人员在讷河市学田乡工农村清理清代达斡尔族墓葬，发现数量较多的清代中晚期的遗物，其中有瓷器、金银器、铁器和铜器。瓷器中有 1 件精美的青花诗文碗。简报配以手绘图予以介绍。

据介绍，瓷碗保存完好。碗内壁呈白色、素面，外壁的一半绘有题材丰富的图案，主要有人物、山水、船、楼、松树、花草，还有月亮、星星、飞鸟。主体图案由人物和船组成，一人物端坐船的中间，两边各有一侍者。此碗人物刻画精细，色着淡雅，鲜而不艳。碗腹部的另一半用青花书写文字 8 行，每行 6 字，最后 1 行为 7 字，共 49 字。主要是 1 首七言诗，另有 5 个花押款，碗底有"陶生轩制"4 字。简报称，达斡尔族墓葬中发现的青花诗文碗，在黑龙江省尚属首次。瓷器的白地蓝花，有明净、素雅之感，具有中国传统水墨画的特点。这种瓷碗，当是景德镇生产的比较珍贵的物品。

81.齐齐哈尔市建华区红光村清代夫妻合葬墓发掘简报

作　者：齐齐哈尔市文物管理站　王大为、单丽丽、徐晓北
出　处：《北方文物》2005 年第 3 期

2003 年 11 月，齐齐哈尔市文物管理站接到建华区黎明派出所报告，在该辖区红光村东南、东邻双合土道 5 米的一条小道上，由于长期有重载车的碾压，该路段东南处地下有 1 座墓葬的券顶被压塌。考古人员赶往现场清理。简报分为：一、墓葬形制，二、出土器物，三、墓志解析，四、结语，共四个部分，有手绘图。

据介绍，该墓为土圹竖穴单室墓，墓室呈长方形，青砖券顶，未发现墓道。墓室内有两座南北向的木棺，为夫妻合葬，男东女西，头南脚北。从木棺的保存情况看，女性木棺保存较完整，男性木棺已经腐烂。据此判断女性墓主人应在男性墓主

人之后葬入。所以 16 件随葬品均出自扰动的杂土及杂物中。其中男棺中出土 12 件，女棺中出土 4 件。木棺前端有用满文书写的墓志。由墓志可知，该墓葬为清代满洲布特哈的四品官夫妻合葬墓。其墓主人的具体身份待查。该墓的发掘，为我们进一步了解清代的墓葬形制提供了实物资料。

82.黑龙江省讷河清墓中发现翡翠璧

作　者：赵湘萍

出　处：《北方文物》2007 年第 1 期

2002 年、2003 年夏季，考古人员对讷河市学田乡工农村明清墓葬进行了为期 3 个多月的考古发掘。这座清墓位于村南 200 米处的二级台地上，濒临尼尔基水库，属尼尔基水库淹没区。此次发掘共清理 57 座墓葬，发现 1000 多件明清时期的遗物，其中有瓷器、铁器、铜器、金银器及宝石装饰品。宝石中发现非常精美而珍贵的 1 对翡翠璧。简报配以手绘图、照片予以介绍。

据介绍，翡翠呈圆形，中间饰一圆孔，肉横截面为梭形。肉壁为三色，由白、黄、绿色组成，在半透明的白色肉壁上点缀着黄、绿色纹饰，其中黄色被称为"翡"，绿色被称为"翠"。三色浓淡不一，深浅不同，别有风韵，独具风姿。其外廓直径2.6 厘米、内径 0.9 厘米。在清代墓中发现翡翠，在黑龙江省尚属首次，其色彩艳丽，质地细腻，硬度高，是极为珍贵的随葬品。此次发现的翡翠，自然形成的素彩纹饰色彩美，在清代玉器中享有盛名。

83.黑龙江省发现清代碧玺首饰

作　者：徐秀云

出　处：《北方文物》2007 年第 2 期

2002 年、2003 年夏季，考古人员对讷河市学田乡工农村明清墓葬进行了为期 3 个多月的考古发掘。墓葬位于村南 200 米处的二级台地上，濒临尼尔基水库，属尼尔基水库淹没区。此次发掘共清理 57 座墓葬，发现了 1000 多件明清时期的遗物，其中有瓷器、铁器、铜器、金银器和宝石。金银首饰中发现非常精美而珍贵的碧玺首饰，其特点是把碧玺镶嵌在金首饰上。简报配以手绘图予以介绍。

据介绍，此次发现的金镶嵌碧玺首饰，其造型美观别致，加工精细，其年代断定为明末清初。简报介绍说，碧玺，宝石级电气石的俗称，因为天然内部多冰裂纹，其颜色鲜艳、美丽，自古以来深受人们喜爱，曾广泛用作镶嵌。它是仅次于祖母绿、变石的宝石之一。慈禧太后将粉红色碧玺评价为所有宝石的上品，在其殉葬品中，有 1 朵用碧玺雕琢而成的莲花，重 36.8 钱，时价为 75 万两白银。

84.嫩江左岸工农村发现清代金簪

作　者：孙雪松
出　处：《北方文物》2007 年第 3 期

工农村位于讷河市学田乡嫩江左岸的二级台地上。2002～2003 年夏季，考古人员对工农村明清墓葬进行了为期 5 个月的考古发掘。此次发掘共清理墓葬 57 座，发现 1000 多件明清时期的遗物，其中有瓷器、铁器、铜器、金银器和宝石。金银首饰中发现非常精美的金簪。简报配以手绘图予以介绍。

据介绍，计有龙簪 1 对、葫芦簪 1 对。两对金簪造型美观，制作考究，堪称精品。

85.讷河发现五子登科青花瓷碗

作　者：王世杰
出　处：《北方文物》2009 年第 3 期

2003 年，考古人员对讷河市学田乡工农村明清时期达斡尔族墓葬进行了为期 2 个月的考古发掘。墓葬位于村南 200 米处的二级台地上，濒临尼尔基水库，属尼尔基水库淹没区。此次发掘发现数量较多的清代中晚期的瓷碗、金银器、铁器和铜器。瓷器中发现 1 件明代精美的五子登科青花瓷碗。简报配以照片予以介绍。

据介绍，瓷碗保存完好，碗内壁和器表主体呈白色，内、外壁口沿处饰两周蓝色釉。外壁饰题材丰富的图案，主要有五子、花草图案。团花尤具特色，内饰五子戏图，把儿童刻画得生动活泼，稚趣可爱，是一幅古代儿童画的杰作，比较真实地反映了当时的儿童生活，为我们了解明代儿童形象及社会风俗等方面的内容提供了宝贵的实物资料。五子登科青花瓷碗产于景德镇，在黑龙江省发现明代五子登科青花瓷碗尚属首次。

86.清代五彩瓷碗

作　者：马秀慧
出　处：《北方文物》2010 年第 1 期

2003 年 10 月，考古人员在讷河市学田乡工农村清理明清时期的墓葬，发现数量较多的遗物，其中有瓷器、铁器、铜器、金银器。瓷器中发现1件非常精美的五彩瓷碗。简报配以照片予以介绍。

据介绍，瓷碗保存完整。内壁为白釉，素面。外壁由红、黄、蓝、绿、紫彩组成，分上下两层，上层底饰白釉，上饰点缀状红釉，其与梅花一起于口缘下形成1.5厘米宽的装饰带，该纹饰是"岁寒三友"中不可缺少的题材，突出体现了梅花不畏严寒、傲霜斗雪的高贵品格。下层底亦为白釉，腹部饰三朵荷花纹，其花朵饱满，花瓣肥厚，呈怒放状。花瓣周围布满花叶与叶须，给人以繁衍、连续的感觉。各色描绘鲜艳，釉上彩绘，呈凹凸不平的立体感。碗底饰"大清同治年制"年号款。简报称，此次发现的瓷碗，属于工艺技术较高的五彩瓷器，反映出清代制瓷业的最高艺术水平。清代墓葬中发现如此精美的五彩瓷碗，在黑龙江省尚属首次。这种碗产于景德镇。

87.黑龙江省讷河市都拉本浅清代墓葬

作　　者：黑龙江省文物考古研究所　魏笑雨、赵哲夫
出　　处：《北方文物》2010年第2期

为配合尼尔基水利枢纽工程的建设，2003年9月8日，考古人员在讷河市尼尔基水库淹没区发掘了1座清代达斡尔族墓葬（编号为2003NDM1）。墓葬位于学田乡光明村都拉本浅屯东北1.1公里处，东依大架山缓坡，西临嫩江，南距清代威远将军墓约200米，北面为耕地。简报分为：一、地层堆积情况，二、墓葬形制及葬具，三、葬式，四、出土随葬品，五、结语，共五个部分，有手绘图、照片。

据介绍，该墓封土已不存，墓顶部已成一条道路，为土坑竖穴墓。葬具为1棺1椁。木棺内发现人骨，保存情况不好，根据仅存肢骨和头骨分析，墓主可能为男性，葬式为仰身直肢一次葬，头向东北。随葬品有烟具、瓷器、铜锅等。

简报称，讷河在清代是达斡尔族的聚居地。通过以前的发掘工作，对达斡尔族的埋藏制度已经有了一定程度的了解，本次发掘主要收获有以下两点：一是达斡尔族的葬具多为1棺1椁，但本次发掘的墓葬较为特殊，木椁只有盖顶而无四壁，这种情况的出现可能与死者的政治地位或经济条件有关，以后者的可能性较大。二是随葬器物中一般在棺内椁外脚下的位置随葬铜锅和瓷器。

简报指出，本次发掘的墓葬由于埋藏方式较为特殊，铜锅和瓷器的随葬方式也较为特殊，故有进一步研究的价值。

88.黑龙江省富裕县依克明安旗遗址考古调查报告

作　者：吉林大学边疆考古研究中心、黑龙江省文物考古研究所　冯恩学、郝军军、陈永婷

出　处：《北方文物》2014 年第 3 期

2013 年 7 月 13 ～ 23 日，考古队对黑龙江省富海镇大泉子村的依克明安旗遗迹展开考古调查。根据村民的回忆和考古探查，基本确定了依旗遗迹的类型和分布位置，依旗遗址由旗府遗址、大智寺遗址等组成。本次调查重点探查了旗府、大智寺遗址的位置。简报分为：一、旗府遗址调查，二、大智寺遗址调查，三、其他发现，四、结语，共四个部分，有彩照、手绘图。

据介绍，通过考古调查，依旗遗址由旗府遗址、大智寺遗址等组成，本次重点调查了旗府、大智寺遗址的位置。旗府内发现了 3 处岗楼遗迹和武库弹药，大智寺遗址出土了 1 件鎏金镂空铜饰、3 件铜油灯等遗物。此外，在遗址周边还发现了铁马镫、大型石座与抱鼓石、门枕石、清末地面勘界石碑等。简报推断遗址年代为清末、民国时期。

鸡西市

鹤岗市

89.黑龙江省绥滨县发现一批明代墓葬

作　者：张泰湘

出　处：《北方文物》1992 年第 3 期

1991 年 10 月，考古人员在绥滨县绥东镇东胜村发现并抢救性清理了一批古墓葬，计发掘墓葬 14 座，出土文物达 140 余件。据初步推测，这批墓葬应是明代兀狄哈人（赫哲族前身）的氏族公共墓地。简报指出，此前，黑龙江省极少发现明代的文物。这批墓葬的发现，填补了黑龙江省考古学上的空白，同时为研究明代兀狄哈人的民族源流、历史变迁及风俗习惯，提供了一批实物资料。

今有《明代奴儿干都司及其卫所研究》（中州书画社 1982 年版）一书，述及奴儿干都司及其属下 188 个卫所的地点。

双鸭山市

大庆市

伊春市

90.伊春市乌云河船棺墓调查清理简报

作　者：王东甲、万大勇、刘西元
出　处：《北方文物》1994 年第 4 期

1985 年 7 月 20 日，翁翠林场一青年猎人报告，在乌云河右岸山崖洞中发现古代墓葬。考古人员前往调查。山洞位于伊春市北部嘉荫县境内，南距汤旺河区翁翠林场 35 公里，为一船棺葬。简报分为：一、地理位置与周围环境，二、出土的主要文物，三、认识与讨论，共三个部分，有手绘图。

据介绍，在一天然山洞中发现 1 只被零乱的桦树皮覆盖着的木船，长 280 厘米，中间宽 80 厘米，尾部露出洞口的部分已被山火烧烤。仰身直肢单人葬的墓主人为一身高 1.7 米男性，虽能辨出葬式，但已非原位。头无存，胸脊椎骨连同皮上衣已经斜倚在船帮一侧，另一侧搭放着皮甲衬，骨盆与腿骨上肢基本在原位，小腿骨 1 肢落在船外边。洞口内外和船棺上下散落着桦树皮及已朽的麻绳头和铁甲片。腰刀已离位，下肢骨大部被船中淤泥湮没。考古人员对墓葬进行了简单清理。是年 12 月进行了复查，趁冰雪封山用马爬犁将船棺等文物送回市内。主要遗物除船棺及桦树皮外，还有铁甲片、骨佩环、砺石等。简报认为墓主人当是鄂伦春族；按船、渔具、鹿茸、骨器等推断，墓主人生前从事渔猎生活。铁甲片大宗是在船棺尾部，甲片和带铐又都有断了的皮条，而甲衬的细布衣袖又是马蹄袖，从这些推断，墓主人当是参加了清初统一东北或进关的战斗，故而穿皮衣又有细布的马蹄袖（赐品），甲片没穿在身上仅是随葬品。按地理情况推测，墓主人有可能生前是由当时的毕拉尔路治所（今逊克县乌云河上游）由乌云河往嘉荫河或黑龙江两岸传递公文、书信的差人。若是随满族进关而又返籍的新满洲就更趋合理了。该船棺下限应在清康熙二十四年（1685 年）左右。

佳木斯市

91.同江市街津口赫哲族墓葬群调查简报

作　者：刘　炽
出　处：《北方文物》2005 年第 3 期

1999 年春，考古人员在同江市进行文物普查时，根据百姓提供的线索调查了 1 处墓群。墓群已被破坏，其上已建民房，出土的骸骨及其随葬品被村民进行了异地掩埋。考古人员对其进行了清理。简报分为：一、墓群的地理位置，二、葬式，三、出土遗物，四、结语，共四个部分，有手绘图。

据介绍，墓群位于同江市街津口赫哲族自治乡政府所在地，东南距乡政府约 500 米，西北距莲花河约 750 米。由于该墓群已被严重破坏，其葬式只能据当事人的介绍。墓葬分为东、西两组，相距 3.5 米，每组由两座墓组成，均为土坑竖穴墓。棺木均已朽烂，死者均为仰身直肢，头东脚西，随葬品置于棺木中。清理出随葬品 14 件，计铁器 7 件、铜器 3 件、瓷器 1 件等。瓷器为清嘉庆时遗物。该墓群的时代，应为清代，墓主人应为赫哲族人。

七台河市

牡丹江市

黑河市

92.瑷珲富明阿墓出土的一批清代文物

作　者：姚玉成、李　玲
出　处：《北方文物》1994 年第 4 期

《黑河学刊》1984 年第 2 期发表了景爱先生的一篇文章，介绍瑷珲富明阿墓的发掘、墓室结构等有关情况，限于当时条件，没有详细介绍其中出土的文物。1990年11月26日，富明阿墓出土的100多件文物由黑龙江省文物考古研究所拨交黑龙江省博物馆收藏。简报分为：一、金银器，二、玉石器，三、其他出土物，共三个部分，着重介绍了此墓出土遗物，有手绘图。

据介绍，出土遗物中较重要的有：锡杖形金簪、扁长金簪、金耳环、银头饰、扁银簪、基金圆银簪、碧玉洗、翠扳指、玛瑙鼻烟壶、褐色玉饰件、紫晶饰件、蓝色水晶坠、琥珀朝珠（残）、圆形雕花白玉饰件、陶火罐、木雕花、铁头饰、铜烟袋锅等。不少遗物具有满族民族特色。

满人入关后，不少汉代文化不深的人做官后不得不使用汉人辅助。美国学者白德瑞先生有《清代县衙的书吏与差役》（广西师范大学出版社2021年版）一书，读来饶有兴趣。

绥化市

大兴安岭地区

93.大兴安岭地区出土的一面铜镜

作　者：李文武
出　处：《北方文物》2002年第4期

2000年10月28日，呼玛县兴华乡村民吴宝福在兴华村呼玛河渡口南2公里河套翻地时发现1面铜镜，出土时完好无损。

据介绍，镜面直径14厘米。镜背有半球式桥状钮，有12个乳钉，乳钉之间铸有子、丑、寅、卯、辰、巳、午、未、申、酉、戌、亥12个地支铭文。铸有2个较大汉字，右边的1字已辨认不清，左边的1字为"贵"字。如果左边的为贵字，那么右边的字就可能为"富"字。

此镜现藏于呼玛县文物管理站。简报认为此镜为明代铜镜，为仿汉规矩镜。

上海市

94.上海市卢湾区明潘氏墓发掘简报

作　者：上海市文物保管委员会
出　处：《考古》1961 年第 8 期

1960 年 8 月，上海市文物保管委员会在卢湾区肇家滨路发掘了 3 座明墓。这 3 座墓保存较好，出土了大批木俑及木制的生活用具明器。据墓志铭记载，主人系明代上海的大族潘氏的一家，这批材料对于研究明代上海的社会生活，具有重要的参考价值。简报分为：一、潘惠夫妇墓，二、潘允徵夫妇墓，三、潘允修夫妇墓，共三个部分，有手绘图、照片。

据介绍，潘惠夫妇墓穴用大石板掩盖，石板下用长石条为墙，石板盖下为土夯建筑，下面木椁，椁内是木棺，其妻王氏一穴的结构及葬式与之相同。棺内遗物 10 余件，墓志铭 1 合。上刻"明敕进承德郎浙江温州府通判淞涯潘公墓志铭"。简报录有墓志铭文全文。潘允徵夫妇墓穴的结构基本上和潘惠的墓穴结构相同，葬具 1 椁 1 棺，棺盖上只能看出"光禄寺掌署监事……"几个金色的字迹，出土木俑共计 125 余个，墓志 1 合，简报录有墓志铭文全文。潘允修墓在三四十年以前就被挖过，这次清理的结果只有一些碎木棺及人骨架等，故埋葬情况不明。在墓穴的前面也发现了墓志铭 1 合，简报录有墓志铭文全文。

95.上海市郊明墓清理简报

作　者：上海市文物保管委员会　孙维昌、倪文俊
出　处：《考古》1963 年第 11 期

1962 年 9 ~ 10 月间，考古人员清理了 2 座明墓。其中松江县的 1 座，结构很大，为上海地区明墓中所罕见。此外，还有部分随葬器物如纸折扇以及服装等，也甚为珍贵。简报分为：一、松江县诸纯臣夫妇墓，二、上海县顾守清、张永馨道士墓，共两个部分，有照片、手绘图。

据介绍，诸纯臣夫妇合葬墓是 1962 年 10 月下旬清理的。墓在松江县城西南部，

当地人习称"诸家坟"。墓葬曾受部分破坏，封土以及用糯米浆三合土筑成的墓顶、原来砌在墓顶上以及墓穴前端铺的青石条已被搬走。经清理了解，该墓原系1座规模很大的石结构墓，分东、西两个穴。墓穴基本是用糯米浆三合土筑成，在墓穴内，并有石椁和用方砖砌成的砖椁，此外还有一层木椁，木椁内置有楠木葬具。在糯米浆三合土墓穴外壁，围砌有一排大青石条。该墓东面1穴葬的是男性，即诸纯臣；西面1穴葬的是他的妻子杨氏。出土有折扇、朝服、铜镜、玉发钗、买地券等。

据诸氏买地券记载：死者诸纯臣，别号午泉，松江府华亭县风泾乡人，生于嘉靖十一年（1532年），卒于万历廿九年（1601年）。生前曾任文林郎及河南府推官。又据《河南通志》《松江府志》记载："诸纯臣系隆庆四年举人，曾任河南府推官。"据杨氏买地券记载：死者系诸门杨氏，松江府华亭县人，生于明嘉靖丙申（1536年），卒于天启甲子（1624年）。

1962年9月中旬，吴会镇仁济道院废址后面发现了1座明墓。该墓东面一穴已被挖开，出土文物大部散失，仅保留明正德二年（1507年）纸本度牒1件。该墓系1座糯米浆三合土板筑的砖圹结构，棺外套有一层木椁。经向挖开时目睹者了解，在刚启棺时，尸体尚未腐朽、纸折扇发现在衣袖内，铜镜钉在死者足部的棺"和"上，度牒原来覆盖在死者胸前。根据度牒上记载：死者是一道士，名张永馨。这张度牒，保存甚为完好，是明正德二年（1507年）礼部祠祭清吏司发给张永馨的。西边1穴与东面1穴完全相同，出土有描金漆匣、木梳、缎制赤色服装等，有木买地券1方。文字为朱砂书写，可惜字迹已甚模糊，尚可辨认死者名顾守清，为仁济道院院主，也即张永馨之师。

96.上海发现一批明成化年间刻印的唱本、传奇

作　　者：上海市文物管理委员会考古组

出　　处：《文物》1972年第11期

1972年7月，考古人员收到上海书店转交嘉定县城东公社明墓出土明成化年间北京永顺堂刻印的唱本《花关索传》等11册，传奇《刘知远还乡白兔记》1册。经过几次去嘉定县调查，这批唱本的出土地点是城东公社澄桥大队宣家生产队西北的宣家坟。这1处墓葬群，占地10余亩，其东、北、西三面有水环绕，名叫宣坟滨，当地人呼为老坟泾。墓道前原有石坊、翁仲、石兽等，历年来已陆续拆除。墓后原有半圆状土堆，俗称"托山"。托山前为主墓，主墓东西两旁还有墓3排。1967年生产队为平整土地，建造猪棚，陆续进行挖掘，发现了这批唱本。

据介绍，这批墓葬结构都是石椁外包版筑的糯米浆三合土，石椁上复盖的独幅大石板极为巨大，为市郊常见的明代大墓形式。这些墓葬出土的墓志石现存十余块（连盖），死者都为宣氏一门，墓志上所记生卒等年号，最早为宣德，最迟是正德，均属明代中叶。这批唱本，究竟在哪一墓中出土，由于事隔多年，说法不一。根据回忆以及文献资料来推断，可能是当过西安府同知的宣相夫妇的随葬品。这批说唱词话的发现，填补了宋元以来词话文献的空白。

今有《明成化说唱词话丛刊》（上海书店出版社 2011 年版）、《明代戏曲与文化家族研究》（中国社会科学出版社 2016 年版）等书，可参阅。

97.上海市出土外国银币和清代银锭

作　者：孙维昌等
出　处：《文物》1983 年第 1 期

1978 年 6 月中旬，上海市黄浦区清洁管理站在大沽路成都浴室附近扩建化粪池工程中，发现了 2 缸外国银币和清代银锭。上海市文物保管委员会闻讯后，即派考古人员前往现场调查和清理。这批银圆和银锭，都埋在离地面深约 80 厘米处，1 缸在池的东壁，另 1 缸出土于池的西南壁，两者之间距离约 4 米。缸口均填满泥土。简报配以拓片和照片予以介绍。

据介绍，经整理鉴定，东壁陶缸内出土的银币，共计 1300 枚。银币上面铸有墨西哥国徽，是墨西哥银圆，通称鹰洋。其中铸造年代最早的是 1846 年。从1854～1886 年，除个别年份外基本上都可连贯，尤其 1865 年铸的 1 枚是货币史上较罕见的。在西南壁陶缸上面出土有 2 只清代晚期银锭，各重 50 两。每只银锭上戳印一段阳文："新昌县道光八年正月伍拾两匠卢陵""南昌县咸丰叁年拾贰月伍拾两匠朱泰"。在银锭下面还有西班牙银币 1001 枚。银币上面铸有查理三世、四世或费迪纳七世的头像。这种银圆，通称本洋。其中铸造年代最早的是 1773 年，最晚是1811 年，在这期间各个年份铸的银币都可连贯齐全。在这批银圆中，还发现 1 枚铸有"1963"字样的罕见的错版银币。根据陶缸的形制，敞口、卷唇，器身呈直筒形，上酱褐釉，可断定系近代之物。又 2 缸出土银圆，分属不同国家和不同年代，推断它可能是两个时间窖藏的遗物，埋藏年代最早不会超过 1886 年。

简报指出，根据文献记载，从明代起，由于对外贸易和西方殖民主义势力的东渐，外国银圆开始大量流入我国，并在国内许多地区流通。

简报说，这批外国银圆的出土，为我们研究中外经济、贸易交流和帝国主义侵华史，增添了一份新的实物资料。

98.上海浦东明陆氏墓记述

作　者：上海博物馆　王正书

出　处：《考古》1985年第6期

陆氏门第是明代中期上海地区的名门贵族。黄浦江流经外滩与吴淞江汇合后，折而向东形成一沙嘴，世称陆家嘴，即由陆氏居地的声望而得名。陆氏墓地坐落在今陆家嘴轮渡东南海兴路典当弄附近。这里未建民宅之前，墓道排列着翁仲、石马、石羊等高大石雕，气势十分壮观。1969年正值"文化大革命"时期，该地人防施工，于夜间擅自掘墓清理，至使明代"词臣"陆深及子陆楫的夫妇合葬墓遭到彻底破坏。陆深其人，《明史》有传，且墓葬出土了较多的金、银、玉等文物，简报配以彩照予以介绍。

据介绍，出土的器物中有墓志1合，志文54行，满行55字，通体小楷。简报录有志文全文。陆楫买地券1块，木质朱书。据墓志记载，陆深卒于嘉靖二十三年（1544年），时年68岁（1477～1544年），其妻寿终当于此不远。从买田券看，子陆楫在嘉靖二十一年（1542年）38岁时便早夭了，从而墓中出土的万历元年（1573年）铜镜应是陆楫其妻的随葬物。从嘉靖二十一年至万历元年（1542～1573年），又历31年时间，加上神宗一朝在位48年，简报推断陆楫其妻当卒于万历年间（1573～1620年），为这批文物年代的下限提供了依据。

99.上海郊区出土明代金花银

作　者：王正伟

出　处：《文物》1987年第3期

1984年3月，上海市金山县松隐乡牌楼村农民开河施工时，在明代潘家宅基下出土明代"金花银"5锭。简报配以照片予以介绍。

据介绍，这些银锭均方铤束腰，分大小两类，均有戳印：1."作头喻谦""欠三分"，重1.82公斤。2."王益素"，重1.85公斤。3."欠二分"，重1.82公斤。4."金花银"，重0.9公斤。5.戳印2行，均为"金花银"，重0.9公斤。

简报指出，我国历史上的白银在明代之前只起一种辅助的支付作用。据顾炎武《日知录》，明代初期，"国初所收天下田赋，未尝用银"，直到英宗以后，明朝政府才根据江南巡抚周忱的建议，凡田赋可以银准纳。其制：每两当米四石，以江西、浙江、湖广、福建、广东、广西米麦共400余万石折银100万余两，入内承运库，叫作"金花银"（《续文献通考》）。"金花银"的征收是封建田赋史上继两税征收钱钞之后的又一次大变革。这次出土的"金花银"为研究上海地区明代中期田赋制度提供了实物资料。

100.上海陕西北路发现清墓

作　者：上海博物馆考古部　王正书

出　处：《文物》1987 年第 9 期

1984 年 6 月，工人在陕西北路挖地下水道时发现 2 座清代墓葬。考古人员进行了清理。简报配以照片予以介绍。

据介绍，一墓为夫妇合葬墓，一为单人葬墓。尸体均已腐烂。单人墓未见随葬品，双人墓出土有金银器、玉器等，均较精美。还出土有西班牙查理四世（1788～1808 年）银圆 1 块。简报推断该墓年代应在清道光、咸丰年间。

101.上海松江李塔明代地宫清理简报

作　者：上海文物管理委员会　何继英等

出　处：《文物》1999 年第 2 期

李塔，又名礼塔，位于上海市松江县城西南，黄浦江上游横潦泾畔的李塔汇镇。塔平面正方形，高 41 米，是 1 座四面七级砖木结构楼阁式塔。1995 年 12 月中旬，为配合李塔维修工程，考古人员对李塔地宫进行了抢救性发掘清理。简报分为：一、地宫的建筑结构，二、出土文物，三、结语，共三个部分，有彩照、手绘图。

地宫位于底层塔心室内正中位置，地面青灰色条砖错缝铺砌。由塔室地面向下揭去三层平铺的砌砖后，于中心部位露出 1 块方形石板。石板四周仍为平铺的青砖。再将石板周围的青砖揭掉，石板完全暴露出来。揭掉石板，露出地宫，石板为地宫的盖板。地宫口距塔心室地面深 56.5 厘米。地宫正方形，边长 78 厘米、深 58.5 厘米，四壁条砖错缝平砌。地宫北部砌有上、中、下三层阶梯式供台，供台与地宫壁面浑然连为一体。出土有阿育王铁塔、琉璃高炳炉、银鼎、银舍利塔、水晶杯、石钵、芙蓉石弥勒佛、青金石饰件、玉器等一批珍贵文物。地宫与李塔始建于明天顺年间，清代进行过修缮。

102.上海打浦桥明墓出土玉器

作　者：上海博物馆　王正书

出　处：《文物》2000 年第 4 期

1993 年，上海肇嘉洪路打浦桥建房工地发现 7 座明代浇浆木椁墓（编号 93 打 M1～7）。这些墓葬虽无墓志出土，但排列有序，而且在棺盖上都覆有锦罩，其中

4 穴锦罩上的文字尚可辨识，故可确认，这是 1 处上海县志曾作记载的明代中晚期顾姓族葬地。这次发掘出土了一批有年代可考的玉器，对进一步了解和研究明代用玉及玉作业情况提供了新的实物资料。简报分为三个部分予以介绍，有彩照。

据介绍，出土玉器较丰富的如 93 打 M4。男棺锦罩文字为"明故太医院御医东川顾君之枢"。顾东川，名定芳，县志载其精通医理，嘉靖年间（1522～1566 年）"世宗建圣济殿，召为御医"。此墓为夫妇合葬，出土玉器 28 件。简报称，此次出土的玉雕飞天、玉雕童子等，对于研究明代玉雕工艺及明代人思想观念，均有重要价值。

103.上海市松江区明墓发掘简报

作　　者：上海博物馆考古研究部、上海市松江博物馆　何继英、宋建、林晓明等
出　　处：《文物》2003 年第 2 期

1996 年，为配合上海市西南部的松江工业区的开发工程，考古人员先后在工业区内的古林纸工公司、新州印刷包装公司、科贝特公司的建筑工地抢救性发掘清理明代墓葬 5 座 15 穴，出土文物近百件。简报分为：一、墓葬形制及保护现状，二、出土文物，三、问题讨论，共三个部分，有照片、手绘图。

据介绍，这批明墓发掘前均遭不同程度的毁坏。新州印刷包装公司的一墓双穴残毁较甚。古林纸工公司发现的 1 墓有 4 穴，其中的 3 个穴室被民工从侧面打开，拖出尸骨，拿走随葬品。追回及劫余出土的遗物有玉器、木器、锡器、纺织品、铜镜、钱币等，其中明器家具、白布、白布服饰等值得注意。

简报称，科贝特公司工地的瓮罐火葬墓，墓穴同棺椁葬的穴位一样大，在空大的穴室内，仅置一边长 45 厘米的方木箱，箱内置装满骨灰的釉陶瓮。这种葬式，在已发掘的上海明墓中比较少见。参考史料，知火葬为明代松江地区重要葬俗之一且十分流行。另外，松江明墓随葬品的放置有一定规律，家具明器置棺椁间，饮食器置棺盖上，梳妆器置尸骨头部，铜镜置脚下，服饰、纺织品置尸骨一侧。

104.上海浦江花苑遗址清理简报

作　　者：上海博物馆考古研究部　何继英、陈　杰、梅国强
出　　处：《文物》2003 年第 2 期

浦江花苑遗址位于上海市闵行区南部，南临黄浦江。遗址于 1998 年 4 月在基建施工时发现，考古人员进行了抢救性发掘清理，发现了 1 处水边建筑遗迹和大量瓷片。简报分为：一、地层堆积与遗迹，二、出土遗物，三、结语，共三个部分，有照片、

手绘图。

　　据介绍，遗址应为明代黄浦江边 1 处码头遗址，出土瓷器残碎片数万片，主要为青花瓷。简报称，浦江花苑遗址位于今上海市闵行区东南部，旧称"老街"，是清末至民国时期较繁荣的集镇。然根据本次发掘的遗物分析，该集镇的形成上限最晚在明代初期。它的兴起当与黄浦江的形成和演变有很大的关系。出土瓷器可修复的约 300 件，为未经使用的新瓷。以民窑青花瓷为大宗，次为青瓷及白瓷。瓷器中绝大部分为景德镇民窑青花瓷，景德镇仿龙泉窑青瓷及景德镇民窑白瓷，少量为福建地区烧制的民窑青花和白瓷，应该是从江西景德镇、福建地区海运到上海闵行码头，卸船时，完整器分运到上海及周边地区，损坏的就地丢弃，成为今天的瓷器遗址堆积。

　　简报指出，这批瓷器，为上海地区已发现的瓷器中最大的一批，特别是民窑青花瓷，也是我国已发现的景德镇民窑青花瓷中数量较大的一批。

江苏省

南京市

105.明代南京聚宝山琉璃窑

作　者：南京博物院　张正祥
出　处：《文物》1960 年第 2 期

聚宝山位于南京中华门外现称雨花台处，早在 1928 年春，刘敦桢先生就曾来此调查，怀疑此处为《明会典》所称聚宝山官窑。1958 年大炼钢铁时，发现这里的大量玻璃瓦片碾碎后可作耐火砖。考古人员及时清理了两座残窑，采集了一批较完整的砖瓦。1959 年又进行了 1 次小规模发掘。考古人员在现场发现的残窑遗迹有 60 多处，《明实录》中曾提到洪武年间这里建了 72 座窑，从勘查情况看并非虚构。简报分为：一、琉璃窑的所在地点和发现，二、窑的构造，三、原料的来源，四、遗留下来的产品，五、从遗物中看到的有关烧造技术，六、窑的兴废，七、窑厂的组织，八、琉璃窑的发现和发掘的意义，共八个部分，有照片、手绘图。

据介绍，窑为圆形的柴窑，产品供南京明故宫、南京大报恩寺琉璃塔、北京坛庙宫殿使用。

106.南京江宁县明沐晟墓清理简报

作　者：南京市文物保管委员会　　陈贤儒
出　处：《考古》1960 年第 9 期

1959 年 5 月 27 日～6 月 17 日，考古人员在江宁县东善人民公社清理了明定远忠敬王沐晟墓。此墓位于江宁县印塘村观音山南麓，西距牛首山下的水阁汽车站约 3 公里，东距沐英墓（沐晟父）约 200 米。简报分为：一、墓室结构，二、出土遗物，三、结语，共三个部分，有手绘图等。

据介绍，墓室全长 10.89 米，为大砖建筑的复室拱顶墓。由封土、甬道、前室、中室、双后室组成。出土有青花梅瓶、铁剑、陶器等遗物，有沐晟墓志和程氏墓志出土，未录志文全文。沐晟是沐英的第二子，耿氏所生。沐晟正统四年（1439年）卒，其妻程氏是宣德六年（1431年）卒。其夫人程氏据志文生于洪武七年（1374年），死后与丈夫合葬。在《明史》上沐晟无传，有关他的事迹是附在他父亲沐英传内的（《明史》卷126列传14）。他的随葬品如青花瓶和武器等都是十分珍贵的，像这样大的、坚固的明代地下建筑，在南京还是首次发掘，是研究南京附近明代砖结构建筑的重要资料。为了保存这样的地下建筑物，在清理工作结束之后，经过整修，仍然把它封埋了。

简报附带介绍了沐英墓，发现沐英续房耿氏墓志，节录有志文。沐英墓曾被盗，未发现随葬品，发掘后也予以掩埋。

107.江宁县方山发现太平天国壁画

作　者：郭存孝
出　处：《文物》1962年第9期

1953年3月19日，在南京举办的太平军攻占南京100周年纪念展览会上，江宁县文教科反映，距南京30里的江宁县方山下乐村有壁画。1956年南京市文物保管委员会进行初步调查，1961年考古人员又再次进行了调查。简报配以照片予以介绍。

简报介绍，壁画在江宁县东山公社方山大队下乐村乐家大厅旧宅，现在的国营方山酒厂内。乐家大厅现有两进，壁画在第二进大厅东西两面墙上，共三幅，为单色水墨画，无题款及画者署名。

东壁第一幅完整、清晰，为太平军《守城图》。西壁第三幅画一人手执大球，逗引一条不成形的龙，左有展翅蝴蝶，中绘七支铁叉。形象、线条与东壁两幅相同，显系出自一人之手。

简报称，根据史料，证实太平军确曾驻过方山，壁画可能就是此时所绘。再从壁画看，其笔触、构图酷似安徽绩溪曹氏支持太平天国攻城壁画，第1幅的旗帜更是前所未见。画上的特大蝴蝶，太平军北伐部队在天津杨柳青所绘制的年画上也有类似形象。根据上述调查、文献等资料，简报认为方山壁画确系太平天国壁画无疑。但其艺术构思、笔墨技巧远不如南京城内的几处壁画，显然，这是出自一位略有文化的太平军士兵之手。

108.南京中华门外明墓清理简报

作　者：南京市文物保管委员会　李蔚然
出　处：《考古》1962 年第 9 期

　　该墓位于中华门外郎宅山（明代叫"雷家山"）的西麓，在南北长 39 米、东西宽 35 米的范围内，南北分布着圆形土墩 3 个。墩前 80 米的地方，左右各有墓碑 1 通，左为"西宁侯"宋晟墓碑，系其子"驸马都尉"宋瑛所立；右为追封"西宁侯"宋朝用墓碑，系其玄孙宋恺所立。墩右不远的地方即明"天介寺"旧址，墩左相距 500 余米，为明"宁河王"邓愈之墓。考古人员于 1960 年 2 月 21 日至 3 月 27 日发掘了这 3 个土墩，共清出墓葬 6 座。根据排列的次序、墓志和碑文的记载来看，中间土墩为宋朝用和他的夫人的墓葬（M3、M4），北面土墩为宋晟两个夫人丁氏、许氏的墓葬（M1、M2），南面土墩为宋晟和叶氏的墓葬（M5、M6）。简报分为七个部分，有照片、拓片、手绘图。

　　据介绍，这 6 座墓除 3 号墓外，其余 5 座均为拱顶砖室墓，所用墓砖，与南京明代城砖的大小、重量相同。墓内用砖或木隔成 2 室或 3 室。此处应为宋氏家族茔地。

　　宋晟，《明史》有传，字景阳，安徽定远人，随父朝用、兄国兴参加朱元璋的反元斗争，历任建宁、江西、大同、陕西四都司指挥使，后升右军都督府金事，永乐初升后军都督府左都督，授平羌将军，委以西北边务，其二子宋琥、宋瑛均为明成祖朱棣驸马。永乐三年（1405 年）封西宁侯，前后在凉州 4 次，计 20 余年。《明史》本传称："帝以晟旧臣有大将材，专任以边事，所奏请辄报可。御史劾晟自专。帝曰：'任人不专则不能成功，况大将统制一边，宁能尽拘文法。'即敕晟以便宜从事。"由此可知，宋晟是明代初年统治西北的重臣。

　　根据墓碑、墓志的记载，可知丁氏生于元至正元年（1341 年），卒于明永乐十年（1412 年）；宋晟生于元至正二年（1342 年），卒于明永乐五年（1407 年）；叶氏生于元至正十六年（1356 年），卒于明永乐十六年（1418 年），许氏生于元至正二十二年（1362 年），卒于明永乐十九年（1421 年）。这一墓群的发掘，不仅对研究明代统治阶级生活和丧葬制度有一定参考价值，同时对研究当时手工业的发展，特别是制瓷工艺的发展，也提供了可靠的实物资料。

109.南京市三汊河附近明代宝船厂遗址中又发现盘车构件

作　　者： 江苏省文物管理委员会　张子祺、邢惠龄
出　　处： 《文物》1965 年第 10 期

南京市汉中门和挹江门之间的三汊河附近江东公社中保村地区，是明代洪武初年开厂造船的地方，可能是宝船厂址，大约在嘉靖时改称为龙江船厂。现在遗址上分布着六汴塘、文家大塘等许多水塘。1965 年 5 月 18 日，江东公社中保大队中保村第二生产队在村里的文家大塘采藕时，在塘中离东端 80 米处，捞摸出一段总长 222.5 厘米的木头，一端为方形，一端为圆形。简报配以照片、手绘图予以介绍。

据介绍，据文献记载和船工辨认，此为大船上用的盘车绞关木。此木至少为四人用盘车上的组件。简报称，在这附近，1953 年发现 10 米多的方形无孔木，1957 年发现长 11.07 米的巨型舵杆木（现藏北京中国历史博物馆），这次发现船上的绞关木要算是第 3 次了。这些实物的发现，为研究我国造船史提供了实物资料。

110.南京明汪兴祖墓清理简报

作　　者： 南京市博物馆　李蔚然
出　　处： 《考古》1972 年第 4 期

1970 年 10 月，考古人员清理了明初的东胜侯汪兴祖墓。简报配以照片、手绘图、拓片予以介绍。

据介绍，汪兴祖墓是一座长方形阁楼式券顶砖墓。它位于市区北郊中央门外一小土山南麓，西距张家洼 500 米，南距中央门 2500 米。此墓因土方工程量很大，只清理了墓室内部。木棺已腐朽无存，人骨架仅一些骨屑和个别牙齿，随葬器物 74 件，其中有石墓志 1 合，7 行 42 字，志文 23 行，满行 23 字，楷书。

汪兴祖少时为朱元璋部将张德胜养子，改姓张氏，以后又复姓汪氏。关于他的事迹，在《明史》上附于张德胜传内（《明史》卷 133 列传 20）。今据墓志和《明史》等记载，他是庐州（今安徽合肥）巢县人，生于元至元四年（1338 年），死于明洪武四年（1371 年）。其父张德胜随朱元璋渡江南进后，于至正二十年（1360 年）六月在和陈友谅的一次战斗中死于龙江。他继承父职，追随朱元璋南征北战 10 余年，在建立明帝国的活动中，立下了许多战功，官至荣禄大夫、同知大都督府事，死后赠开国辅运推诚宣力武臣、荣禄大夫、柱国、东胜侯，食禄 1500 石，成为明初新兴封建贵族。

简报称，墓室结构为阁楼式仿木建筑式样的券顶砖室建筑，是以往发现的明墓中所罕见的。随葬的雕镂精美的玉带饰，显示了当时江南地区的高度艺术水平。值得指出的是，1 件绘有细颈三爪龙纹和菊花纹样为特征的青花瓷碗，为研究元末明初的青花瓷器提供了新的资料。

111.南京明故宫出土洪武时期瓷器

作　者：南京博物院

出　处：《文物》1976 年第 8 期

1964 年春，南京市疏浚环绕明故宫内宫宫墙的玉带河，南京博物院在西段（今教练场西）长约 400 米范围内距西岸地表下深 1.4 ～ 1.7 米的河底淤泥中，发现大量明代残瓷，其中明景德镇窑青花最多。特别在西段的北首，发现一批洪武时期瓷器，民窑的较多，官窑的少。长期以来，由于洪武瓷发现不多，已发现的又易和元瓷混淆，在陶瓷史研究上，这一段是个缺环。这一批材料内容丰富，简报分为"民窑瓷""官窑瓷"等几个部分，有照片等。

据介绍，简报介绍了洪武时期民窑、官窑的出土遗物，分析了其釉质、坯体、胎色、釉色、窑病、品种等，对于填补陶瓷史研究的这一空白具有很大帮助。

112.明徐达五世孙徐俌夫妇墓

作　者：南京市文物保管委员会、南京市博物馆　袁俊卿、阮国林等

出　处：《文物》1982 年第 2 期

自明太祖朱元璋选定钟山之阳的独龙阜为其葬地以后，明代除明太祖的妃子和部分宠幸的宫女外，其他人包括开国文武功臣在内，大都葬在钟山之阴（今太平门外）或中华门外一带。其中就有徐达、常遇春、李文忠、吴祯、吴良、仇成等人的墓葬。中山武宁王徐达墓在距太平门约 1 公里的板仓村东侧土山上，现神道石刻尚保留完整。1977 年 5 月 13 日至 20 日，在配合基本建设中，南京文管会发掘了徐达的五世孙徐俌夫妇合葬墓。简报分为几个部分予以介绍，有手绘图、照片。

据介绍，徐俌夫妇墓位于徐达墓神道以东约 100 米处，坐北朝南，与徐达墓基本为同一方向。根据墓志和《明史·徐达传》的记载：徐俌，字公辅，凤阳人，生于景泰元年（1450 年）十月，卒于正德十二年（1517 年）七月十二日，享年 68 岁。成化元年（1465 年）袭魏国公；成化十五年（1479 年）掌南京左军都督府事，奉祀孝陵；弘治九年（1496 年）守备南京，掌中军都督府事；正德五年（1510 年）七月

加太子太傅。根据徐俌墓志记载：徐俌元配朱氏，系太师成国庄简公之女，与继室王氏"并封魏国夫人"。元配朱氏与夫合葬。由于墓志部分因年代久远无法辨认，不知朱氏生卒年月，根据对骨架的判断，年约三四十岁，死亡较早。后徐俌又娶继室王氏。王氏为何人之女，无法查考。离合葬墓约1米的右前侧，有一小型砖室墓，虽未见墓志，但出有不少贵重金饰件，从位置来看，应为继室王氏墓。

简报称，徐俌夫妇合葬墓为一长方形砖室墓，有2个墓穴，内各有1椁1棺，男左女右。椁系樟木，棺系楠木，十分坚固，保存完好。徐俌棺在棺盖上覆盖紫红色棺罩，其四周用金粉描缠枝莲纹和饰有八宝的幡状纹。棺盖下为子盖，上蒙一层丝绸。棺内积深0.48米的淡黄色溶液（实为无色，可能是黄色丝绵被面泛起之故）。棺液与空气接触后，在几分钟内变成青黑色，并由清变混浊，有浓郁的似樟木或樟脑香气味，对人的皮肤有刺激作用。被子、衣服、尸体和文物等全浸泡在棺液中。上层盖丝绵被，面呈黄色，颜色鲜艳，绸质，被下有一层折叠整齐的丝绸衣服，再下为尸体。尸体保存基本完好，头戴乌纱帽，身穿黄色朝服，腰系白玉革带，脚穿白色布靴，左侧放1条金镶碧玉革带，右手拿1顶瓜皮帽和1串佛珠，左手握1包麦子等。头枕木枕，头与木枕间铺黄色绸质幡信，上书"明南京守备掌中军都督府事太子太傅魏国徐公柩"21字。头旁置纸钱。木枕下放银质日月牌，左日右月。尸体四周均用卷筒宣纸裹紧塞满。尸体下铺大量的灯芯草，再下垫12个石灰包。

简报指出，徐俌夫妇墓出土的丝织物，为我们研究明代中期南京云锦的织造方法、图案纹饰，以及服饰制度等提供了珍贵的实物资料。墓中出土的金饰件，尤其是1对金凤钗，造型精美，都是当时巧匠们的精工杰作。出土的徐俌墓志、朱氏墓志各1方，简报均未录志文全文。朱氏墓志已基本难以辨认。

113.南京太平门外岗子村明墓

作　者：南京市文物保管委员会　李蔚然
出　处：《考古》1983年第6期

岗子村在太平门外紫金山之阴，距太平门1公里左右，这一带是明早期封建贵族墓葬比较集中的地区。1957年清理的吴忠墓（M1）和1965年清理的吴良墓（M2），位于紫金山阴的西北麓，在岗子村东南约400米的地方，2墓相距约80米，都是明代早期的墓葬。简报分为：一、吴忠墓，二、吴良墓，共两个部分，有拓片、手绘图。

据介绍，2墓均为砖室墓。吴忠墓保存较好，但葬具、尸骨已不存。出土有陶器、铁甲、铁灶、铁锁、铜灶、铜火盆、小铜锣、金蝴蝶、玉带及服饰等共计800余件随葬品。墓志1合，上书"故靖海侯吴忠之墓"8字，志文已模糊不清。吴良墓出土有象牙笏板、银钱（"洪武通宝"）、陶器、锡器等。墓志1合，志文49字，简报录有全文，中多缺字。

吴忠为明靖海侯吴祯之子，祯原名国宝，凤阳定远人，朱元璋赐名祯。洪武十二年（1379年）吴祯死，其原配夫人李夫人所生子吴忠承袭父亲的爵位。洪武二十三年（1390年），已死的吴祯被追论为胡惟庸党，其子吴忠爵位被除。吴良，乃吴祯之兄，封侯。洪武十四年（1381年）死。

简报称，吴良、吴祯都是明代初年知名的人物，其家族墓葬的发现和清理，无疑对研究明代封建统治阶级的丧葬礼俗有重要的参考价值。

114.南京明代吴祯墓发掘简报

作　者：南京市博物馆　朱兰霞
出　处：《文物》1986年第9期

1983年9月，考古人员在南京市郊岗子村南京电影机械厂内发掘清理了明海国公吴祯墓。岗子村位于太平门外紫金山西北麓，距太平门约1公里。附近有不少明初功臣墓，如开平王常遇春、中山王徐达、岐阳王李文忠等均葬于此。简报分为三个部分，有照片、拓片、手绘图。

据介绍，墓葬为砖室券顶结构，平面呈"日"字形，分为前、后两室，室内通长6.96米、宽2.87米、高2.82米。发现时墓室中充满积水，排水后淤泥厚0.25米。出土有瓷器、陶器、玉器、水晶器、银器、铁器、铜器、锡器等。墓志1方，已残。简报未录志文全文。

简报指出，从随葬的1条镶金玉带、1件玉璧、1副铁甲、1把铁刀等看，墓主为身份较高的明代武将。此墓北面为1957年发掘清理的吴忠（吴祯之子）墓，南面是1965年发掘的吴良（吴祯之兄）墓，3墓均位于紫金山西北麓，成"一"字形，相距最远不超过80米。此墓处于吴良、吴忠墓之间，墓主很可能也是吴氏家族成员。从墓志来看，志盖上的墓主官名谥号"□开国辅运□□宣力武□□进光禄□□□柱国□□□谥襄□"，与《皇明文衡》卷七十二"大明敕赐开国辅运推诚宣力武臣征南副将军靖海侯追封海国公谥襄毅神道碑铭"（吴祯神道碑铭）所载大体相似，墓志残文中记载墓主与《明史·吴祯传》所载吴祯事迹相吻合；墓志残文记载墓主"子男五人长坚……次端……"与上述吴祯神道碑中"吴祯有男坚、忠、端、洪等五人"的记载亦相符。据此，简报认定此墓墓主为明海国公吴祯。

据《明史·吴祯传》，吴祯为安徽凤阳定远人，原名国宝，朱元璋赐名祯。吴祯及其兄吴良均为朱元璋部将，曾屡建战功。洪武三年（1370年）吴祯被封为靖海侯，十一年（1378年）奉诏出定远，因病还京，十二年（1379年）卒，追封为海国公，谥"襄毅"。

简报指出，吴祯及其家族墓的发掘清理，为研究明初历史提供了实物资料。

115.南京尹西村明墓

作　者：南京市博物馆　华国荣
出　处：《江汉考古》1989年第2期

1986年9～10月，考古人员在雨花区铁心桥乡尹西村发掘了3座明墓。3墓成东西向排列，方向基本相同，这是当地基建队在施工中发现的。其中以M3最为完整，且随葬品丰富。简报分为：一、墓葬结构，二、出土遗物，三、结语，共三个部分，有手绘图。

据介绍，墓葬为并列双室墓，前有一封门墙，长360厘米、高285厘米。上有二券顶门洞，正对着两室墓口。两墓室的结构完全一样，平面为长方形，拱形券顶。墓门由两块青石板拼成，门槛、门帽均用青石条凿成。墓室左、右、后三壁均有券顶壁龛，后壁龛稍大。在墓室后部中央各有一砖台，平面方形。砖台为束腰状，中间有一方孔直通墓底黄土，孔见方18厘米。整座墓除封门墙及壁龛券顶外，均用长29厘米、宽13厘米、厚4厘米的青砖砌成。两室之合壁有一空心花纹砖相通，地面铺地砖一层。M3规模虽小，但出土随葬品数量丰富，且非常完整，大都是成对地出土。两室的随葬品数量及种类基本相同，主要有黑釉带盖罐、骨筷、陶器、铜钱等。墓为明初火葬墓。

116.明中山王徐达家族墓

作　者：南京市博物馆　阮国林
出　处：《文物》1993年第2期

明代徐达家族墓地位于南京太平门外板仓村，宁沪公路北侧，西距太平门1公里，东距栖霞山15公里。1965～1983年，为配合南京天文仪器厂等单位基本建设，在徐达墓神道石刻后的东、西两侧，相继清理了其家族墓葬11座（编号M1～M11）。其中有徐达第三子徐膺绪夫妇墓、长孙徐钦夫妇墓、五世孙徐俌夫妇墓（M4、M5）。余者因无墓志，墓主不明。但从出土的器物和铜钱分析，这片墓地在时代上基本上贯穿了明王朝。简报分为：一、墓葬形制，二、出土器物，三、结语，共三个部分，有照片、拓片、手绘图。

据介绍，徐达，字天德，《明史》有传，明初开国功臣。徐达在协助朱元璋推翻元王朝、建立明王朝的战争中，屡建功勋，深得朱元璋的信任和重用。死后追封中山王，谥武宁，赠三世皆王爵。赐葬钟山之阴，御制神道碑文。配享太庙，肖像功臣庙，位皆第一。至今徐达墓前石刻仍是南京地区保存最为精美完整的1组明代功臣墓神道石刻。徐达有4子3女。长子辉祖，袭魏国公，后明成祖时被削爵。次子添福早卒。三子膺绪，官中军都督府佥事，世袭指挥史。四子增寿，明成祖时追封定国公。长女为成祖皇后。次女代王妃。三女安王妃。在明初的诸功臣中，唯有徐达子孙有二公，分居南、北两京，和明王朝相始终。除已发表的M4、M5外，其余9座墓葬墓室均用长30～42厘米、宽13～20厘米、高4.5～12厘米的大青砖砌成。出土遗物丰富。遗物中不乏精品。

徐达家族墓的发掘，为研究有明一代历史、工艺、丧葬等均有重大价值。如9座墓葬共出腰带5条，分别为雕花白玉腰带、素面白玉腰带、金镶玉腰带和铜镶木腰带4种。明代初期，文武官员的舆服有严格的等级制度。徐达家族墓出土的腰带，从一个侧面反映了当时的等级制。明洪武时期，"腰带一品玉或花或素，二品犀，三品四品金荔枝，五品以下乌角"（《明史·舆服三》）。徐钦为徐达长孙，世袭魏国公。墓中所出的金镶玉腰带，从其身份看，与《明史》记载相符。徐膺绪虽为徐达第三子，官中军都督府佥事，官职不高，所出的铜镶木腰带，与其身份也是相符的。

徐达家族也属外戚，可参阅叶群英先生《明代外戚研究》（中国人民大学出版社2018年版）一书。

117.江苏南京发现明代太监怀忠墓

作　者：南京市博物馆　周裕兴

出　处：《考古》1993年第7期

1987年8月，南京市化工轻工公司天堡桥仓库于施工中发现砖石墓1座。考古人员进行了清理发掘。简报配以照片、手绘图予以介绍。

据介绍，该墓位于南京雨花台区天堡桥，东北距南京中华门约10公里，墓即葬于此处一东西走向的岗地上。此墓平面呈长方形，墓顶用四块石板覆盖。墓后壁砌有一方形壁龛。墓底用青砖在黄土上铺设"目"字形棺台。木棺及骨架均已朽烂。墓门外清得石质墓志1合，上合为志盖，盖面刻有大字篆书4行，共16字——"钦差南京守备司礼监太监怀公墓志铭"，字缘刻有一圈蔓草花纹。下合为墓志铭全文，楷书，计719字，简报附有全文。随葬品有白瓷梅瓶1件（上有楷书"内府"2字）、镀金铜托墨绿玉带板20块、玉珠1粒、小料珠6粒。

由墓志知，墓主人名怀忠，死于天顺七年（1463年），为明南京宫府太监。墓志云：怀忠"正统己巳奉敕镇守山西，声誉益振"。明代遣宦官出外监军，并成惯例，始于永乐八年（1410年）。正统己巳，即1449年。是年，也先率瓦剌军人犯大同等地，威逼京师。八月，"土木之变"发生，英宗被俘，明官军死伤数十万。怀忠适时身为镇守山西的监军，当为此事件的经历者，然墓志所称"声誉益振"显属隐讳溢美之词。墓志又云：怀忠于"天顺三年冬，奉敕守备南京，综理内外政务，训练军马，护守城池"。南京守备为明代宦官机构之首——司礼监的重要外差。洪熙元年（1425年），郑和为首任南京守备。其职责是监督南京百官，同时管理在南京的宦官衙门，权力甚大。

墓志还提到位于南京仪凤门狮子山的天妃宫，这是研究郑和下西洋的1处重要史迹，现遗址尚存。关于该祠的始建年代，历有争议。《康熙江宁府志》《金陵玄观志》等书，均将明成祖朱棣所撰《天妃宫碑》的年代（永乐十四年〈1416年〉）误作天妃宫所造年代。墓志中"永乐初年，奉敕创建"的记载，有力佐证了《皇明大政记》所述天妃宫始建于"永乐五年"的说法是正确的。另外，《金陵玄观志》所载《天妃宫重修碑记》（撰于明正德十二年〈1517年〉），讳言了该神祠因"厄于回禄"（即毁于火灾），曾于天顺年间（1457～1464年）"鼎新盖造"的事实，此亦为了解天妃宫的变迁沿革提供了新的线索。

简报称，该墓出土的白瓷梅瓶，造型端庄，特征明显，并烧有"内府"专款，不失为1件研究明代前期景德镇官窑瓷器的珍贵实物。明代景德镇官窑御瓷的烧造，曾在正统、景泰、天顺时期出现过低潮，流传于世的此阶段具有时代风格的精品为数很少，带有官款的瓷器则更为罕见。此梅瓶出土于明代纪年墓中，其年代的下限不晚于天顺七年（1463年），故不失有较高的文物研究价值。

可参阅李建武先生《明代镇守内官研究》（天津古籍出版社2016年版）一书。

118.江苏南京市明黔国公沐昌祚、沐睿墓

作　　者：南京市博物馆　阮国林、葛玲玲
出　　处：《考古》1999年第10期

墓葬位于南京市中华门外江宁县殷巷乡陈墟村的将军山南麓，北距中华门约10公里，西距牛首山约4公里，东北距江宁县城约7公里。将军山，原名观音山，

后因其地埋葬着明代开国功臣、明太祖朱元璋的养子沐英及其世代家族墓而得名。中华人民共和国成立国初期，沐英墓曾被盗掘，后追回部分文物，著名的"萧何月下追韩信"青花大梅瓶即出于此墓。1959年，考古人员发掘了沐英次子定远王沐晟墓，并对已遭盗掘的沐英墓进行了清理。1974年和1979年，又先后发掘了沐英第十世孙沐睿和第九世孙沐昌祥的墓葬，分别编号为74JJSM3、79JJSM4（以下简称为M3、M4），出土了一批极为珍贵的历史文物。2座墓葬的清理情况简报分为：一、沐昌祥夫妇合葬墓（M4），二、沐睿墓（M3），三、结语，共三个部分，有手绘图、拓片、照片。

据介绍，此次报道的两座墓葬，墓主分别是沐昌祥、沐睿，为明代黔宁王沐英的第九、第十世孙。据史书记载，沐昌祥于隆庆五年（1571年）袭黔国公，万历十二年（1584年）九月加太子太保，万历二十三年（1595年）因病免爵，由其子沐睿袭黔国公。万历三十七年（1609年）沐睿因罪入狱废爵，沐昌祥复袭黔国公，卒于天启五年（1625年）。M4所出墓志中，沐昌祥墓志文已全部风化缺失，但其妻墓志尚可看出"配今太子太保世陆上公沐昌祥"等文字，由此可推断该墓为沐昌祥夫妇合葬墓。

沐睿于万历二十三年(1595年)袭黔国公，后因罪下狱而废爵。万历三十七年(1609年)死于狱中。M3中所出墓志文大部分风化缺失，但从残存文字中尚可看出墓主的身份及家世生平。值得注意的是，因沐睿墓志残损较甚，无法准确判断其卒年和下葬时间。据《明史》记载，沐睿于万历三十七年（1609年）死在狱中，在该墓出土器物中发现有1枚"天启通宝"压胜钱。由此可见，沐睿在万历年间（1573～1620年）因罪死于狱中后，可能并未马上归葬祖茔，其下葬年代晚至12年后的天启年间。

沐昌祥、沐睿墓的发现，为进一步了解明代的历史，探讨当时的工艺及丧葬制度等，提供了重要的实物资料。

119.江苏南京市邓府山明佟卜年妻陈氏墓

作　者：南京市博物馆、雨花台区文管会　华国荣、姜林海、魏杨菁
出　处：《考古》1999年第10期

1987年秋至1988年春，南京市公交总公司在城南邓府山建设第四停车场，在施工过程中发现了一批六朝至明、清时期的古墓葬。南京市博物馆及时进行了抢救性发掘，共发掘六朝墓葬20座、宋墓1座、明代成化年间孝贞皇后王氏家族墓地1处，以及零星的明、清墓葬。其中的29号墓（编号为87YDM29，以下简称M29）未遭盗扰，出土文物丰富且较具价值。简报分为：一、墓葬形制，二、出土遗物，三、

结语。

据介绍，该墓为单室砖砌墓，券顶，墓中共出土金、银、玻白、瓷、铜等质地不同的随葬品 139 件（套），另见铜钱 1 枚及石墓志 1 合，墓志志文为楷体，共 29 行，每行字数不等，尚可见 698 个字，简报录有志文。

简报说，此墓虽有墓志出土，但由于志文缺失不全，难以判明确切的下葬年代。据墓中出土"顺治通宝"铜钱及志文内容，简报仍可确定墓葬年代为清初顺治年间（1644～1661 年）。墓主陈氏，与其夫佟卜年同为辽阳人。

据志文中记有"万历己丑四月二十三日"，简报推测当为陈氏之出生年月，即当万历十七年（1589 年），由陈氏死时享年 58 岁，则可推出其死于 1647 年，即清初顺治四年。

简报称，陈氏自夫君受冤起，生活动荡，携家多次迁徙。从山东登莱至湖北江夏和浙江宁波。死后几经迁移，最后葬于金陵象鼻山（今南京邓府山）。

120.江苏南京市明蕲国公康茂才墓

作　者：南京市博物馆　周裕兴、顾苏宁、李　文
出　处：《考古》1999 年第 10 期

1967 年 8 月，南京市中央门外小市镇安怀村一队的村民，在平整耕地时发现 1 座砖砌券顶的明墓。1974 年 4～5 月，经有关部门批准，考古人员对该墓进行了发掘，编号为 74MK，清理结果简报分为：一、墓葬形制，二、出土遗物，三、结语，共三个部分予以介绍，有手绘图、拓片、照片。

据介绍，明代蕲国公康茂才墓，位于今南京市中央门外"幕府山"南麓一带，该墓共出土随葬器物 44 件（套），包括金、银、铜、铁、锡、玉、陶、木等不同质地，此外还见有铜钱及石墓志。墓志正面阴刻楷书志文共 22 行，每行 22 字，简报录有志文全文。据志文，康茂才生于延祐二年（1315 年），卒葬于洪武三年（1370 年），康茂才于元末结义起兵，归附朱元璋后在征伐陈友谅、张士诚的战争中立有功绩。洪武改元后，又跟从大将军徐达经略中原、抚绥晋陕，最终病死于移征汉中的还军道中。

简报称，墓中出土的木俑虽朽腐较甚，但姿态犹存，而木俑在南京已发现的明墓中尚属仅见；另外，康茂才墓志的形制亦较特殊，其整体风格粗犷厚重，显然与此后明代墓志的形制有所不同。

张德信先生的《明代开国功臣传》（黄山书社 1998 年版）是严肃的史学著作，可参阅。

121.江苏南京市南郊两座大型明墓的清理

作　者：南京市博物馆　王志高、张九文、周维林
出　处：《考古》1999 年第 10 期

1994 年 7 月，南京市江宁县东山镇石马村一私营窑厂在取土时发现 1 座大型明墓（编号 94JDSM1，以下简称 SM1）。根据出土墓志，墓主为明代长兴侯夫人陈氏。次年 5 月，雨花台区板桥镇三山砖瓦厂在施工中又发现 1 座大型明墓（编号 95YBZM1，以下简称 ZM1），出土墓志表明墓主为明代驸马都尉赵辉。简报分为：一、长兴侯夫人陈氏墓（SM1），二、驸马都尉赵辉墓（ZM1），三、结语。

据介绍，2 墓在结构上有不少共性，如皆为砖砌前、后室券顶结构。SM1 墓早年被盗，仅见墓志、金管及一些锡质明器。墓志志文楷书，共计 420 个字，简报录有志文全文。ZM1 因遭盗扰，墓葬中仅出土墓志、陶罐、铜钱等遗物。志文楷书，共 1300 余字，简报录有志文全文。据出土墓志记载，长兴侯夫人陈氏生于元至顺癸酉年（1333 年），明洪武三十五年（1402 年）六月二十三日卒，享年 70 岁，同年八月初九葬于江宁县安德乡麻田村。赵辉，系宋宗室之后，卒于明成化戊戌年，即成化十四年（1478 年）正月，享年 81 岁，赵辉为驸马 65 载，以皇亲历侍 7 朝，极尽荣华富贵。

122.江苏南京市戚家山明墓发掘简报

作　者：南京市博物馆、雨花台区文化局　贾维勇、马　涛
出　处：《考古》1999 年第 10 期

1978 年 11 月至 1979 年 6 月，为配合南京晨光机械厂人防工程的施工建设，考古人员在戚家山北坡相继发掘了明代虢国公俞通海之弟南安侯俞通源墓及俞通海夫人于氏墓，分别编号为 78NJXM1、79NJXM2（以下简称 M1、M2）。戚家山位于南京市城南中华门外 1 公里，雨花台西北侧，古代属石子岗的一部分，现为南京晨光机械厂的职工宿舍区。两墓的发掘情况简报介绍如下：一、俞通源墓（M1），二、于氏墓（M2），三、结语。

据介绍，M1 墓为长方形券顶砖室墓，共出土随葬器物 34 件。墓志志文楷书，文凡 18 行，满行 19 字，简报录有志文全文。根据墓志记载，俞通源当生于元至正五年（1345 年），卒于明洪武己巳年（1389 年）二月二十九日，葬于同年五月初二，享年 44 岁。

M2 墓为长方形砖室墓，此墓共出土随葬器物 5 件，包括瓷器 4 件、金器 1 件。墓志志文楷书，文凡 16 行，满行 18 字，简报录有志文全文。根据墓志记载，于氏生于元文宗天历元年（1328 年），卒于洪武二十一年（1388 年），享年 60 岁，同年九月二十六日下葬。

简报称，俞通海、俞通源兄弟都是明初著名的将领，此次俞通源及俞通海夫人于氏墓的发掘，对研究明代统治阶级的丧葬礼俗具有重要的参考价值。另外，墓中出土的磁州窑白釉黑彩瓷瓶，龙泉窑青瓷梅瓶、暗花影青瓷盘、暗花影青瓷碗等均为明代初期瓷器中的精品，为研究明代瓷器提供了珍贵的实物资料。

123.江苏南京市唐家凹明代张云墓

作　者：南京市博物馆、雨花台区文化局　王志高、王　泉、张金喜
出　处：《考古》1999 年第 10 期

1992 年 8 月，南京市南郊雨花台区铁心桥镇在新建厂房施工时发现 1 座大型明代砖室墓，编号 92YTTM1（以下简称 M1）。墓葬位于铁心桥镇铁心桥村唐家凹队西南面的一个土坡上，北距中华门约 4.5 公里。考古人员对此墓进行了抢救性发掘。据出土墓志，墓主为明代浙江都指挥佥事张云，墓中出土有龙泉窑青釉玉壶春瓶等珍贵文物。清理情况简报分为如下三个部分：一、墓葬形制，二、出土遗物，三、结语。

据介绍，此墓为前后室券顶结构，该墓出土有瓷、铜、铁、银等不同质地的器物 9 件，还见有石墓志 1 合。志文为竖行楷书，局部已漫漶不清，大半仍能辨识，计 23 行，满行 24 字。简报录有志文全文。据出土墓志所记，墓主为昭勇将军佥浙江都指挥事张云。张云其人，史籍失载，其生于元代元统丙子年，但经查考，元统年间并无丙子年，实际情况或为至元二年（1336 年）之误；卒于洪武乙亥年（二十八年，即公元 1395 年）闰九月，享年 60 岁。其生前多年在东北征战，屡建战功，这方墓志记载了张云于洪武二十八年（1395 年）带兵船出海捕倭，为文献记载提供了佐证。

124.南京市两座明墓的清理简报

作　者：南京市博物馆　顾苏宁
出　处：《华夏考古》2001 年第 2 期

20 世纪的六七十年代，考古人员先后发掘了一批古墓，其中有两座带纪年的明代墓葬。简报分为：一、蒋王庙明代薛显墓，二、板桥明代縠城郡主墓，共两个部分，

有拓片、手绘图。

据介绍，薛显墓是 1974 年 5 月于南京市太平门外发现的，编号为 74NJJWMM1（简称 M1），它距明岐阳王李文忠墓约 300 米，为双室拱顶墓。墓中出土瓷器、铁器、铜器、玉器、墓志等共 34 件。除墓志置于前室外，其余多放在后室壁龛内，简报录有志文全文。薛显墓从未被盗掘，但所出随葬品不仅数量较少，而且制作水平与工艺均很普通，似与薛显这一明朝开国重臣的地位不相称。简报认为原因有二，一是明朝建国之初，国力尚不强盛，国库亦不很富足充盈；二是朱元璋吏治甚严，曾多次严惩贪官，加之大杀功臣，搞得文武百官噤若寒蝉，人人自危，因此大多廉洁自律，以保平安。

板桥明代縠城郡主墓是于 1969 年 11 月，由上海梅山冶金公司在雨花台区板桥工地施工时发现的（编号为 69NJBQM1，简称 M1），为券顶双室墓。该墓随葬器物有瓷器、铜器、锡器、金器、墓志等计 12 件，简报录有志文全文。其中有官制宣德白瓷祭器，十分珍贵。根据墓志与《明史》等文献记载，此墓为明郢靖王朱栋女儿的墓葬。据《明史》记载，朱栋是朱元璋第二十四子，洪武二十四年（1391 年）封藩于湖广安陆州，有女 4 人，此为其次女。縠城郡主生于明永乐八年（1410 年），宣德五年（1430 年）与湖广都司指挥佥事鲁曾第四子鲁信成婚，卒于正统九年（1444 年），时年 35 岁。

125.南京市明代四川右布政使倪阜墓的发掘

作　者：南京市博物馆
出　处：《华夏考古》2002 年第 1 期

1995 年 4 月 28 日，考古人员在南京市东山镇腰二村将军山东坡，清理发掘了 1 座古墓。该墓保存完好，系以俗称的"三合土"浇筑而成的明代墓葬，十分坚固。墓葬平面呈长方形，拱顶，长 2.25 米，宽 0.70 米，内高 0.95 米，底、顶及四壁浇浆厚 15～30 厘米不等，内壁修整光滑。墓室内部干燥，面积很小，仅能容纳 1 具木棺。木棺基本朽腐，骨殖尚在。棺底铺设一层黑炭用以隔潮。除墓前发现的 1 合石质墓志外，墓内未出土其他文物。简报分为：一、墓葬概况，二、墓志，三、关于倪阜家世等几个部分，有手绘图等。

据介绍，此次发掘主要收获就是墓志。墓志为石质，长 62.5 厘米，宽 62.5 厘米，高 9.5 厘米。志盖篆书"大明故四川等处承宣布政使司右布政使倪公墓"3 行 20 字。志文楷书阴刻，基本清晰，竖行左读 29 行，满行 37 字，总计近千字，简报录有志文全文。

据志文，墓主倪阜，《明史》无传，但其父为"南京礼部尚书，赠太子少保，谥文信公"，兄为"太子少保，吏部尚书，赠荣禄大夫，谥文毅公"。其兄《明史》有记载，文毅公倪岳，字舜咨，上元人，天顺八年（1464年）进士，"为一时名臣"，弘治十四年（1501年）十月卒。其父文僖公倪谦，字克让，正统四年（1439年）进士，曾奉使朝鲜，终南京礼部尚书。倪氏一门三进士，荣耀之极，诚如墓志言为"江表衣冠望族"，《万历上元县志》亦云"衣冠之盛，为南都第一"。今白下区南起大光路北至八宝东街名尚书巷者，据传即因吏部尚书倪岳居此而得名。此志的出土，对研究明代江南望族等均有价值。

126.南京明故宫午门勘测简报

作　者：南京市文物研究所　王国奇
出　处：《文物》2007年第12期

明故宫午门位于南京市白下区中山门内明故宫遗址公园南端，面对御道街，坐北朝南，是明故宫内现存的1座重要建筑物，现为国家重点文物保护单位。由于自然与人为的原因，午门建筑仅存下部拱券部分，顶上的构筑物与向前伸出的雁翅楼已无存。2004年，为修缮这一珍贵的建筑遗构，南京市文物局委托南京市文物研究所首先对午门进行了全面勘测。简报分为：一、午门建筑历史沿革，二、午门建筑形式与尺度，三、这次勘测的意义，共三个部分，有手绘图。

据介绍，1367年10月，新宫建成，南北中轴线上，由南向北第1道门即为午门。永乐年间迁都北京后，明故宫日渐败落。今仅存遗址，但午门还幸存。

简报称，午门原平面为"U"字形，正面为3门，东西两侧各有1掖门，并各向南伸出1座雁翅楼，顶部建有构筑物。民国初年，午门前的雁翅楼被拆除。现在只能看到东西1排5个三券三伏拱券门洞和20世纪80年代添加的两侧登城马道。据实测，午门南面总宽105.38米、北面总宽105.57米、南北进深28.25米。中门洞南面宽4.92米、北面宽5.1米。从这些遗迹现象可以知道，午门南面有向前伸出的雁翅楼类建筑物，其下有门道且有2道闸门。由于砌筑马道系用旧城砖，所以，我们在马道两侧的墙体上还能看到不少砖上保留有明代烧制时刻印的砖文，砖文涉及18府29县城墙砖烧造与提调信息。这些砖文是研究南京明城墙建造历史的重要资料。显而易见，今日北京紫禁城便是以南京故宫为蓝本建造的，只是比南京故宫更加恢宏壮丽。

今有《金陵明故宫图考·南京明故宫制度与建筑考》（南京出版社2021年版）二书合为一册，可参阅。

127.南京西善桥明代长春真人刘渊然墓

作　者：南京市博物馆　岳　涌
出　处：《文物》2012 年第 3 期

2010 年 12 月，南京市博物馆在南京市西善桥一处施工工地抢救性发掘了 1 座明代砖室墓（编号 M1）。M1 位于雨花台区西善桥街道梅山村，北侧为南京绕城高速公司。发掘表明，M1 保存完整，出土墓志显示墓主为明代早期道教领袖长春真人刘渊然。发掘主要收获简报分为：一、墓葬形制，二、出土器物，三、结语，共三个部分予以介绍，有照片、手绘图、拓片。

据介绍，此墓为 1 座明代单室券顶砖墓，从出土墓志可知墓主为明代早期道教领袖长春真人刘渊然。墓室内出土铜炉、铜烛台、铜瓶、铜尖状器、漆碗、石地券及墓志等，墓志楷书，可辨 33 行，简报录有墓志全文。墓志虽残存百余字，但对文献记载有所补正。简报称，此墓的发现对于研究明代墓葬制度、道教礼仪等具有重要的学术价值。

128.南京市祖堂山明代洪保墓

作　者：南京市博物馆、江宁区博物馆　陈大海、周维林
出　处：《考古》2012 年第 5 期

洪保墓位于南京南郊江宁区祖堂山南麓，因南京市祖堂山社会福利院的扩建工程而发现。考古人员于 2010 年 6 月 18 日～ 7 月 28 日对其进行了抢救性发掘，并对墓葬周围环境进行了深入调查，发掘情况简报分为：一、墓葬位置和墓地，二、墓葬结构，三、出土遗物，四、结语，共四个部分，有彩照、拓片、手绘图。

据介绍，该墓为竖穴土坑砖室墓，是南京地区常见的前、后室结构的明代大型墓葬，墓前还发现坟寺遗存。该墓曾被盗，墓中仅出土寿藏铭、玉环、水晶串饰以及铅锡明器等遗物 20 件（组）。寿藏铭 1 合，楷书，共 741 字，简报未录全文。寿藏铭记载了墓主洪保的生平事迹，以及与郑和下西洋相关的资料。

129.南京江宁将军山明代沐斌夫人梅氏墓发掘简报

作　者：南京市博物馆、南京市江宁区博物馆　周保华、祁海宁
出　处：《文物》2014 年第 5 期

2008 年，考古人员在南京市西南郊一处基建工地内抢救性发掘了 3 座明代大型

砖室墓（编号 2008JJM14 ～ M16，以下简称 M14 ～ M16）。据出土墓志可知，M16 为明代沐氏家族第二代黔国公沐斌及夫人张氏、徐氏合葬墓，M14 为沐斌夫人梅氏墓。M15 虽墓志漫漶，但从墓葬形制、规格等方面，可以确定同属于沐氏家族。保存较好的 M14 发掘情况简报分为：一、墓葬位置，二、墓葬形制，三、出土器物，四、结语，共四个部分，有彩照、拓片。

据出土墓志可知，M14 墓墓主为明代沐氏家族第二代黔国公沐斌夫人梅氏，墓志志文楷书，37 行，满行 38 字，简报录有志文全文。墓葬为前后室券顶砖室墓，出土大量金器、银器及部分陶器、铁器、锡器等，其中包括一套完整的明代头面。

简报称，此次发掘为复原明代头饰的组合关系以及研究明代贵妇的冠带舆服制度提供了重要资料。

130.江苏南京白马村明代仇成墓发掘简报

作　者：南京市博物馆　邵　磊
出　处：《文物》2014 年第 9 期

1965 年 11 ～ 12 月，考古人员在南京太平门外岗子村辖域内的白马村明代墓神道石刻的后部抢救性发掘了 1 座砖室墓（编号为 1965NJGM4，以下简称 M4），出土墓志显示，墓主为明代开国功臣、卒赠皖国公的安庆侯仇成。仇成墓的考古发现情况简报分为：一、神道石刻与墓葬形制，二、出土器物，三、结语，共三个部分，有彩照、拓片。

据介绍，M4 出土陶、瓷、玉、银、金、铜、铁器等各类器物共 73 件（组），墓志 1 合，志文楷书，20 行，满行 20 字，简报录有志文全文。出土墓志表明，墓主为明代开国功臣、卒赠皖国公的安庆侯仇成。2012 年底至 2013 年初，南京市博物馆对仇成墓的发掘资料进行了整理，并对现存神道石刻进行了调查测绘。该墓神道石刻尚存石马与控马官、石羊、石虎各 1 对以及神道左侧的石武士，墓葬形制为长方形券顶砖室墓。

简报称，该墓的发掘为明代初期历史提供了重要资料。

龚贤先生有《明代公务员管理》（光明日报出版社 2014 年版）一书，系从现代公务员管理角度，重新审视明代官员选拔、任用、监察、考核、薪俸、退休等，可参考。

无锡市

131.江阴县出土的明代医疗器具

作　者：江阴县文化馆

出　处：《文物》1977 年第 2 期

在江苏省江阴县长泾公社泾东大队桥西生产队，出土了一批明代的医疗器具。这是当地的农民在桑树地里整地时，从一座明代的浇浆墓里发掘和清理出来的。简报配以照片予以介绍。

据介绍，出土的医疗器具有：一、柳叶式铁质外科刀 1 把。二、牛角柄铁质圆针（与"术妙刀圭"的"圭"不同）2 把。三、铁质小剪刀 2 把。四、铁制和铜制钗各 1 把。五、平刃式铁质外科刀 1 把。六、猪鬃毛穿牛角柄药刷 2 把。七、木质药罐 2 只，用坚韧木质车制而成。八、木质针棒 1 根，用坚韧木质削制而成，光滑细腻，犹如骨针。九、霁蓝细嘴瓷壶 1 把，器形和现代眼科用的玻璃洗眼壶相似，腹部有 2 个对称的穿带耳，应系投药淋洗壶。十、冰裂纹瓷熏罐 1 只，无盖，在罐肩上有对称的圆眼 4 个。和医疗器具同时出土的还有毛笔、墨、砚、象棋、围棋、双陆、龙泉窑瓷茶壶、锡灯台、锡灯盏和锡烛杆等日常生活用品，以及木制的盘碗明器等。

简报称，据出土的圹志记载，墓主夏额，江阴习礼墅（今长泾公社的习礼桥）人，生于元至正八年（1348 年），卒于明永乐九年（1411 年），享年 63 岁。他出身于拥有"佃仆僮奴"的地主家庭，本人"明于医疗碱艾之术"。这些医疗器具说明，墓主生前能做小疮外科开刀手术，懂得中医外科和针灸。这些医疗器具反映了明代初期医药技术的一个侧面，对了解和研究当时医药技术的发展提供了宝贵的实物资料。

132.江苏省江阴县出土的明代剪纸艺术折扇

作　者：江阴县文化馆

出　处：《文物》1979 年第 3 期

1965 年冬，江阴县长泾公社泾东大队农民在平整土地时，发现明代浇浆墓 1 座，埋葬男尸 1 具，出土物品有折扇、收粮簿等。收粮簿已破烂不堪，封面上"正德十年"字样犹可辨认。折扇 1 把，扇面以剪纸艺术品作为装潢，由于保存仔细，未受损伤。

1977 年秋，该扇交江阴县文化馆收藏。简报配以照片予以介绍。据简报介绍，扇面的制作，看来是：第一层被丝绵纸，第二层粘贴剪纸艺术，第三层再覆上丝绵纸，正好把艺术构图置于两层纸的中间。虽然扇子表面呈素色，但使用时把扇子打开，用以遮阳，在阳光的照射下，全部图案就看得很清楚。

简报称，这把折扇的特点是以剪纸艺术为画面，不同于书画家的题扇和画扇，是一件精美的民间美术工艺品。

133.江苏省江阴县出土一件医疗器具"疝气托"

作　者：江阴县文化馆
出　处：《文物》1979 年第 4 期

1974 年 4 月，江苏省江阴县华士公社华明大队的农民在平整土地时，发现了 1 座明代的浇浆合葬墓。简报配以照片予以介绍。

据介绍，这个墓的随葬品大部分保存比较完好。值得注意的是在男尸大腿骨和盆骨之间的 1 件"圆锥形银丝罩"。锥形罩高 11.5 厘米，罩口直径 11.5 厘米。编制银丝相当于标准线规 20 号，净重 51.4 克。这件器物可以看出是生前使用，死后作为随葬品入棺的。这件文物的发现是比较罕见的。该墓葬没有发现墓志铭。简报称，男尸的致死原因无法知道。从"圆锥形银丝罩"的放置部位和该器物使用过的情况来看，可以认为死者生前是患有小肠疝气。使用罩子是起到医疗上的辅助作用。该器也可名为"疝气托"。这座明墓中"疝气托"的发现，不仅证明了当时人们对这种疾病有了一种行之有效的方法，同时也反映了明代医疗技术水平的不断发展和提高。它为研究我国医学技术增添了新的实物例证。

结合涂丰恩先生《救命：明清中国的医生与病人》（商务印刷馆 2017 年版）一书来看这一考古发现，别有意趣。

134.江苏省江阴县明墓出土戗金漆盒等文物

作　者：孙宗璟、姚世英
出　处：《文物》1985 年第 12 期

1972 年 3 月，江苏省江阴县长泾乡发现 1 座明代墓葬，因损坏严重，只收集到部分文物。简报配以照片予以介绍。

据介绍，出土遗物有一对戗金人物花卉漆盒，据铭文应为明成化元年（1465 年）制造。银胎竹丝编漆碗 2 件、青花瓷盖罐 3 件等。墓中还出土墓志 1 合，简报未录志文全文。据志文记载，墓主夏彝，字良贵，号惩庵，授泰宁知县，封文林郎。明正统二年丁巳（1437年）十一月初二日生，正德八年癸酉（1513年）九月初五日卒。

135.江苏无锡县明华师伊夫妇墓

作　者：无锡市博物馆、无锡县文物管理委员会　冯普仁、吕兴元等
出　处：《文物》1989年第7期

1984年7月，江苏省无锡县甘露乡彩桥村东萧塘坟发现1座古墓。同年8月，考古人员进行了发掘清理。根据墓志，此墓系明代华师伊夫妇合葬墓。墓葬保存基本完好，出土了一批具有重要价值的文物。简报分为：一、墓葬概况，二、随葬器物，三、结语，共三个部分，有照片、拓片、手绘图。

据介绍，华师伊夫妇墓位于无锡县甘露乡萧塘明华察家族墓地，华氏墓地规模较大。墓园建筑早已破坏无存，神道前原尚有石坊，神道两侧有碑、羊、马、翁仲等石刻，"文化大革命"中大多被毁，现仅存石马和龟趺座各1对。此墓发掘前地面封土高约3米。为竖穴式砖石结构浇浆墓，平面略呈方形，墓圹四周以长方形青砖砌成墓壁，中间有砖砌隔墙，宽约40厘米，将墓分成左右并列双穴。左穴为华师伊墓（编号为M1），右穴为华师伊妻张氏墓（编号为M2）。2穴葬具均为1棺1椁，棺内外均用生漆涂封，棺外髹红漆。出土时两具棺内均有积水，散见大量圆形纸质冥钱，上有"往生中□"4字，还有长方形冥钞。此墓共计出土随葬品51件，包括茶具、食器、梳妆用品、文房用品及取暖、消暑用品等，其中紫砂壶为时大彬的佳作。时大彬为宜兴紫砂壶四大名家之一时朋之后，所制壶人称"归壶"。所出放置私印的漆盒、景德镇民窑青花瓷等均堪称佳品。

此墓墓志虽为1合，但作为志盖的1块既有篆书标题，又有楷书志文，且将志石划分成上下两栏镌刻。这在目前已发掘的明墓中尚属罕见。据志文，华师伊，字公衡、号涵狱。其祖父华察为进士，为朝官。华师伊应生于嘉靖四十五年（1566年），卒于万历四十七年（1619年），终年54岁。其妻张氏，详情不知。华师伊自入殓至下葬，间隔了10年，十分罕见。

说到私印，今有朱琪先生《新出明代文人印章辑存与研究》（西泠印社2020年版）一书，可参阅。

136.江阴长泾、青阳出土的明代金银饰

作　者：江阴博物馆　唐汉章、翁雪花
出　处：《文物》2001 年第 5 期

20 世纪 70 年代，在江苏省江阴长泾、青阳两地相继出土两批明代金银饰。这两批金银饰不仅种类全、式样多，而且工艺精湛、题材丰富，充分显示了明代金银饰的特点，为研究和了解明代金银器提供了可贵的实物资料。简报分为：一、器物介绍，二、结语，共两个部分，有彩照。

据介绍，长泾金饰系 1972 年出土。当时，农民平整土地时在九房巷住基后石柱坟发现 1 座明代夫妻合葬墓，出土 50 余件金饰和其他文物，部分被破坏。其中 28 件金饰辗转被江阴博物馆收藏，3 件青花瓷盖罐被苏州博物馆收藏，其他散失。青阳金银饰系于 1977 年农民平整土地时发现的一明代古墓中出土。该墓为竖穴单人葬浇浆墓，结构不详，女尸出土时保存较好。仅知出土金银饰 25 件，连同 1 合墓志均收藏在江阴博物馆。

简报称，江阴博物馆收藏的两批金银饰包括各类金簪、耳坠、手镯等，种类全、式样多。在工艺上继承了古代金银器制作的传统，运用了累丝、镶嵌、锤鍱、錾刻，辅以掐丝、填丝、编丝、焊接、炸珠等各类金银细工。在造型和图案上，表现如意吉祥、宝贵幸福、世代昌旺、多子多孙的观念，也有反映仙人驱毒等民俗风情或生态景观。另外，长泾出土金饰中有 1 件如意金簪上锤錾"张八郎千分金造"的字样，既有工匠名又有金成色。这类款识，为宋元以来金银器上所常见。而一些标明成色印记的金器更说明了其经济价值。充分体现了金银器的商品性，反映了明代民间金银制造业的繁荣。

至于墓主人，简报介绍说，长泾金首饰 1972 年出土时，据悉有 1 合墓志，可惜已丢失。幸有《习礼夏氏宗谱》（民国 13 年〈1924 年〉岁次甲子重修本）可以查阅对照，从《习礼夏氏宗谱》所载墓图看，此明墓应为夏彝夫妇合葬墓，这批金首饰当为夏彝妻蒋宜人所用。《习礼夏氏宗谱》载夏彝"生于正统丁巳（1437 年）十二月二日""卒于正德癸酉（1513 年）九月五日""夏彝配湖塘蒋敬夫公女，例封宜人，生卒佚，葬合兆"。据卷四十六《墓志铭》载夏彝系"甲戌冬十二月十四日启蒋宜人之兆而合葬焉"，那么蒋宜人应先于夏彝而亡。由此分析长泾这批金首饰的制造年代不会晚于正德八年（1513 年）。

与青阳金银饰同时出土的还有 1 合墓志铭，盖面刻"太学生夏元贞妻邹令人墓"，由当时在无锡主办二泉书院的著名书法家、文学家邵宝（《明史》有传）撰志文。但墓志部分文字漫漶不清，所幸有《习礼夏氏宗谱》两相对照，可知其墓主人姓邹，

无锡泰伯邹智卿之女。生于成化甲辰年（1484年），卒于正德辛巳年（1521年），嫁与江阴习礼夏氏（邹夏两家皆为当地望族）。其夫夏谅，字元贞，由邑库生例贡入太学，授福建建宁府瓯宁县主簿致仕。虽然墓志称呼邹氏为令人，但参照《习礼夏氏宗谱》中夏元贞重侄夏从寿所写《秋涯公配邹孺人行状》及邹氏之兄邹益所撰《祭亡妹邹孺人文》，知其应为孺人。

关于明代学校与科举，可参阅赵子富先生《明代学校与科举制度研究》（北京燕山出版社1995年版）一书。

137.无锡南禅寺出土的明代紫砂器

作　者：无锡市博物馆　朱建新

出　处：《文物》2002年第4期

1991年11月，无锡市南禅寺发现了10多口明清时期的土井。土井集中在南禅寺妙光塔的北侧和西侧，大部分已遭破坏。其中1号井北距妙光塔100余米，出土明代紫砂壶、罐各1件，陶瓶2件，青花瓷碗2件及一些青花瓷残片；2号井西距妙光塔40余米，出土明代紫砂壶1件。简报分为：一、形制特点，二、制作工艺，三、历史年代，四、研究价值，共四个部分，有照片。

据介绍，计有鼓墩形四系紫砂壶1件、圆形紫砂小壶1件、单把带流紫砂罐1件，均为明代遗物。简报称，明代紫砂器，国内目前出土较少，无锡南禅寺出土的这3件紫砂器尽管有残损，但有明确出土地点，由同出瓷器看，时代也较为单纯，基本上归属于明代正德、嘉靖年间。这3件明代紫砂器的出土，从一个侧面反映了明代中晚期民间使用紫砂器的实际情况，为研究宜兴紫砂早期历史提供了实物资料。

138.江苏江阴明代薛氏家族墓

作　者：江阴市博物馆　邬红梅、孙　军等

出　处：《文物》2008年第1期

薛氏家族墓位于江阴市云亭镇花山村西南的花山东麓，东距锡澄高速公路和花山夏商古文化遗址约300米，在平整土地时被发现。2002年8月，考古人员对该墓进行了抢救性清理发掘。简报分为：一、墓葬形制，二、随葬器物，三、结语，共三个部分，有照片、手绘图。

据介绍，两座墓错位排列，由北向南编号为1号墓、2号墓。两墓相距0.6米，为竖穴土坑浇浆墓，采用了先浇后葬的方法。构筑时先在山坡上挖 1 个 2 米多深的土坑，然后用三合土浇筑墓圹，下葬之后，再在墓圹上部浇 1 层三合土浆。出土遗物以服饰为主，另有木梳、金挖耳勺等。M1 出土墓志一合，简报未录志文。

据志文，MI 的墓主是薛鏊与其夫人陈儒人。据墓志记载，薛鏊，字子珍，官至宁海州判。生于明成化十六年（1480 年），卒于嘉靖四十四年（1565 年）。次年正月，薛鏊葬于由里山（即花山之东，亦称"妯娌山"），与早先辞世的夫人陈儒人同穴而葬。薛鏊祖籍河东，为唐代少保薛稷之后。其族人散居凤阳、吴淞，以定居江阴者最为著名，先祖在明初曾任监察御使。薛鏊与夫人陈氏育有六子，其中第二子是薛如淮。据光绪《江阴县志》记载：薛如淮（1506～1558 年），字东卿，明嘉靖七年（1528 年）中乡举，嘉靖二十九年（1550 年）中进士，补为南京刑部主事。其在任职期间，办案公道，廉洁执法，不畏强暴，为民申冤平反，百姓称"薛公在事民无冤狱"。2 号墓没有出墓志铭，但根据墓内出土的器物，特别是由墓主所穿的补子官服推断，墓主应当就是薛鏊之子薛如淮。

简报指出，从墓葬形制来看，墓葬结构较为简单，似乎与墓主的官职不甚相称。薛如淮双穴单葬，不知是何原因。但官服似又有僭越之处。在随葬的大量衣物中，男子墓中的主要随葬品都是丝绸质地的衣物，薛鏊夫人陈氏随葬的则均是棉、麻布类织物。2 座男性墓出土了 2 件带补子的官服，图案分别为仙鹤和孔雀。据《江阴县志》记载，薛鏊的最高官阶是宁海州判，官居从七品，后因为其子如淮，被封为承德郎刑部主事，居正六品。在明代官制中，仙鹤和孔雀是一品和三品文官常服。薛家祖上最早在明初做过监察御使，属从五品。这两件补服的随葬令人费解，似有僭越之嫌。

另外，薛夫人陈氏墓中随葬 1 条缀有 81 枚"太平通宝"的垫被，81 可能暗喻死者的享年，铜钱组成 3 组"太平"字样，喻义后辈"太平有钱"。这种葬俗在江阴其他同时代的明墓中亦有出现。

当然，此次发掘最大收获还是出土的纺织品，花色种类非常丰富，有如意、梅花、花卉杂宝纹等，织造方法也多种多样，为研究当时江南的织造工艺提供了实物资料。

另外，薛氏家族官位不高，属中下层官员。今有朱声敏先生《明代州县官司法渎职研究》（天津古籍出版社 2017 年版）一书，可参阅。

139.江苏江阴叶家宕明墓发掘简报

作　　者：江阴博物馆　高振戚、周利宁等
出　　处：《文物》2009 年第 8 期

2008 年 8 月，在江苏省江阴市长泾镇南约 2 公里处的叶家宕村长文河南岸，发现了 1 处明代墓葬群。考古人员进行了抢救性发掘。简报分为：一、墓葬形制，二、出土器物，三、结语，共三个部分，有彩照、手绘图。

据介绍，该墓葬群呈东西方向排列，共发现墓葬 7 座。北边两座（M1、M2）已被严重破坏，从残存痕迹看，为石椁浇浆单室墓，石椁内放置木棺。在 M1、M2 东南约 5 米处，发现 1 座保存完好的浇浆单室墓（M3）。在 M1、M2 南面约 3 米处，发现并排的 2 座墓。其中东边的墓（M4）保存完好，为石椁浇浆单室墓；西边的墓（M5）为砖室墓，内有木棺，已被破坏。M2 西边约 6 米还有 2 座墓（M6、M7），也被破坏，仅存破碎棺木。简报重点介绍了保存完好的 M3、M4。M3 为长方形竖穴浇浆单室墓，出土器物包括织物、铜器、瓷器、银器、锡器、竹木器和纸质文书等。织物中的衣物按质地分为棉、麻、线三种，种类有袍、裤、裙、袜、鞋、寝单等。M4 为长方形石椁浇浆单室墓，出土器物包括铜器、锡器、木器等。年代简报推断为明代早期，系当地周姓家族墓地。

简报称，从 M3 随葬的衣物、书匣、信札来看，墓主是一个文人雅士。随葬信札在明墓中极为少见。M3 出土的信札是门生周溥写给老师的一封信，内有不能列入信札内容的 3 个"具"字，与信中的"具"字笔迹相同，系出于 1 人之手。简报认为这可能是未发出的草稿，墓主可能就是周溥本人。M3 主要随葬棉、麻衣物。根据出土的衣物疏记载，墓主应该还随葬绫质的裙、袄等衣物。清理时发现墓主腰间缠有棉线 1 根，纸质文书、檀香上也有几根棉线，应是衣物疏所写的"蓝束带"和"香袋"的位置，可见这两件随葬品已经腐朽，仅存缝合的棉线。另外，M3 随葬的衣服出土时大多未完全缝合，以青布大裥为例，衣身、衣领和两袖的各幅衣料已分离，在接缝处可见最窄为 7 厘米的针脚痕迹，可能当时用丝线简单缝合后即入殓。

简报指出，叶家宕明墓的发掘，为研究明代早期普通士人的着装及葬俗提供了实物资料。

140.江苏江阴出土清代窖藏印

作　　者：江阴博物馆　武宝民
出　　处：《文物》2014 年第 6 期

正顾山镇位于江苏省江阴市东南，与张家港、常熟毗邻。明代，这里已经形成北角市集，清代时是重要埠口，水运发达，贸易繁荣。1982 年 12 月，当地民工在沿东清河施工取土时于距地表 1 米处挖出一件圆腹陶罐，内藏 20 枚印章。出土后印章即遭哄抢，陶罐也被打碎丢弃。后由水利局和镇文化站追回印章 17 枚，其中 16 枚为石质，1 枚为瓷质。每章简报配以彩照予以介绍。

据介绍，印章根据有无边款分为两类。无边款印 9 枚，有边款印 8 枚。简报从款识中得知，这批窖藏印的年代上限应为清初，最晚的在嘉庆、道光年间。简报称，这批印章的出土，为研究清代篆刻艺术提供了宝贵的实物资料。

徐州市

141.徐州富庶街明代遗址的发掘

作　　者：徐州博物馆　盛储彬、刘尊志等
出　　处：《考古学报》2004 年第 3 期

徐州市富庶街明代遗址位于市中心彭城广场以北，东至彭城北路，西至中山北路，北至富庶街。2000 年 4 月，徐州国际商厦进行施工中，于地下 4.5 米处发现大量的砖、石建筑遗存，局部已遭破坏，考古人员对其进行了抢救性发掘，发掘出房址、道路、灰坑、水井等，出土基本完整的器物 300 余件，各类陶、瓷片近 2 万片。发掘自 2000 年 5 月上旬开始，至 2000 年 9 月 10 日结束。简报分为：一、地层堆积，二、遗迹，三、遗物，四、结语，共四个部分，有照片、手绘图。

据介绍，首次发现的房屋建筑、道路、水井、垃圾坑等遗迹均位于地表以下 4.5 米左右，在它们的上部叠压着 1 ～ 2 米的淤泥。这些淤泥的形成显然与故黄河泛滥有关，并且是一次性淤积而成。房址的下层没有清理。简报认为这次发现的部分建筑、道路等遗迹应属于明代晚期徐州城内建筑，毁埋于明天启四年（1624 年）的黄河大水。

简报称，根据对徐州明、清古城墙的调查，富庶街明代遗址处于明代徐州城的中心，此次发现的西区的 1 组建筑，应为官署；东区的建筑显系民居，部分房屋兼有手工作坊性质。东西区之间的石板路应为当时的建筑。

简报指出，徐州市历史上屡遭水患，市区淤积严重，地表以下 10 米为历史时期多次建城叠压。这次发掘历时 3 个多月，发掘面积之大、出土遗迹遗物丰富，在以往的徐州城市考古中是不多见的。这次发掘，探明了明代晚期徐州城内的道路、水井、垃圾坑的位置。出土文物数量丰富，有瓷器、铁器、铜器、锡器、陶器、木器、骨器、石器、围棋子、棕鞋等。出土的陶瓷器来源复杂，有景德镇窑、龙泉窑，还有钧窑、磁州窑等北方窑系，有安徽的界首窑，江苏宜兴的紫砂等。出土瓷器中的青花瓷器部分，尽管都是民窑的产品，但对于明代各个时期的青花瓷器研究有很重要的参考价值。

简报称，此次发掘出土的大部分器物虽然不是非常精美，但是因其出土于古代城市居住址，涵盖了当时日常生活的方方面面，更加接近当时人们的现实生活，可以帮助我们更多地了解真实的明代城市的社会经济状况。

142.徐州市时尚大道明代遗址调查发掘简报

作　者：徐州博物馆　原　丰、李　祥
出　处：《华夏考古》2014 年第 3 期

时尚大道明代遗址位于徐州市中心古彭广场南侧，淮海路与中山路交叉路口，总面积约 1.2 万平方米。2005 年 3 月 31 至 4 月 20 日对遗存较为丰富的区域进行了抢救性考古发掘，发掘面积 150 平方米，清理总面积约 400 平方米。发现有房址、道路、灰坑和水井等遗迹，出土完整及可修复的器物 80 余件，各类陶、瓷片近千片。对该遗址明代遗存的发掘情况，简报分为：一、地层堆积，二、遗迹，三、遗物，四、结语，共四个部分予以介绍，有彩照、拓片、手绘图。

据介绍，对市区内时尚大道的古代遗址进行了抢救性考古发掘，发现了较为丰富的明代遗存。简报推断：时尚大道遗址发现的房屋建筑、道路等明晚期的徐州城内建筑，应为明代遗存，毁埋于天启四年（1624 年）的黄河大水。

简报称，此次时尚大道遗址发现的统一北街及街道两侧的房屋建筑为我们研究明代徐州的城市布局、经济状况以及人们的生活情况提供了重要的资料。

常州市

143.江苏武进发现一块有关太平天国的碑石

作　者：肖梦龙
出　处：《文物》1980 年第 7 期

1977 年 11 月，考古人员在武进县进行考古调查时，发现 1 块有关太平天国史事的碑石，是同治七年（1868 年）清朝统治者为被太平军消灭的以江正会为首的森庄一带地主团练所竖的墓碑。墓早已被百姓铲平，碑亦倒陷，这次发现时正被砌作水塘边码头。碑文除个别字迹漫漶不清外，大体能辨认清楚，计 13 行，行 39 字，共500 余字。简报配以照片予以介绍。

据介绍，碑文主要记叙了两件事：

一是咸丰十年（1860 年）正月，太平军自金陵发兵南下，常州州同刘允清倡捐团练。四月太平军攻常州，刘允清督团与太平军战于碌碡坝，相持不下。太平军采取了迂回战术，分兵攻克常州郡城，从后路包抄碌碡坝，从而消灭了碌碡坝的地主团练。常州州同刘允清也在这一战斗中被击伤，在逃往江北途中死去。

二是地主团练江正会等人，在碌碡坝一战后，招集溃散，又组织了一支武装，据守在森庄的芦滩内，依仗塘大滩广的地势继续对抗太平军，一直到清同治二年（1863 年）五月十三日，终于被太平军全部歼灭。

简报称，苏南封建地主的反革命团练武装，是太平天国的死敌。从 1860 年 5 月太平天国进军苏、常建立苏福省，到 1864 年 5 月常州沦陷，从而丢失整个苏南地区，前后经历了四年的时间。在此期间，苏南地主团练从未停止反抗，此碑所记述的两件事情，直接反映了太平天国进军苏、常以及建立苏福省后，与苏南地主团练所进行的你死我活的斗争历史。简报附有碑文全文。

144.常州发现的太平天国官印

作　者：常州市博物馆　李奇雅、谈幼怙
出　处：《文物》1987 年第 6 期

1979 年夏，常州市新坊桥小学校长丁正培老师在修缮市内兴隆巷 47 号住房时，在第三进第一间南花窗下半墙内，发现太平天国木质官印 1 方。1985 年 10 月，捐献给常州市博物馆收藏。简报配以照片予以介绍。

据介绍，木印完好无损。印长21厘米，宽10厘米，高3厘米。宋体印文，文为"太平天国天朝九门御林开朝勋臣璇天豫黄学德"。印文周边刻江山云龙纹，线条流畅。印文背面上方阴刻一"正"字。

简报称，太平天国的典印，都有比较统一的格式：印文在爵、职衔前冠以"太平天国"或"天父天兄天王太平天国"国号全称，列有爵称的必列姓名，不列封爵而只列职衔的不列姓名。凡封爵衔的典印，由礼部统一刻制，都有比较统一的图案，印文两侧刻双龙或双狮纹，印下端刻一统江山图案。印文都是宋体字。印的尺寸也比较统一。《文物》1959年第5期载福建平和县发现的"天父天兄天王太平天国开朝勋臣殿前忠诚叁佰陆拾捌天安廖深"印，与此印形制相近，只是封爵时间不同。受封人黄学德其人，简报认为是自幼投入太平军的广西人，年龄稍长后才受封，且等级较低。

据口碑传说，发现这方官印的兴隆巷47号和东侧的现常州市第二人民医院一带，是当年太平军克复常州后驻军的地方。现在医院内的赵氏花园一角，还存留着当年埋葬太平军将士的土墩。兴隆巷47号房屋共分三进，每进五间，坐南朝北，清式低平房。这样一所较简朴的房屋，作为一个享有豫爵的官员办公和居住的所在，是适合的。

145.江苏常州出土明代铜铳铜炮

作　者：徐伯元

出　处：《考古》1991年第7期

1977年5月，常州市小营前招待所在基建工程中于地表下1.8米深处，发掘出一批铜铳铜炮。这批铜质铳、炮数量较多，计有铜铳143件，铜炮8件。简报分为：一、铜铳，二、铜炮，三、小结，共三个部分，有照片、手绘图。

据介绍，在古代铜铳铜炮是一种先进的利器，使用者均很珍惜。随着战争的延续，战胜者的缴获重复使用和新生产的火器的不断补给，因而形成多时期多种型号火器的集聚，简报估计这批铜质铳炮的年代上限可到元代前期，下限延至明代洪武年间。常州历来多次驻重兵，建营房，扼守此"中吴"名城。从出土现场看，铜铳铜炮排列有序，铜炮还首尾衔接，特意掩住炮口，而器物周围的泥土中未见有砖瓦夹杂，说明绝非库房倒塌覆盖，而是有意掘坑窖藏。一下发现这么多型号多品种的铜铳、铜炮，其中有些是目前全国已报导材料中未见过的（包括文献图录资料），大大丰富了我国古代火器的类型，对研究我国以至世界古代金属火器的发展提供了珍贵的实物资料。

简报附有表格，列举了铜铳、铜炮的基本情况。

相关研究，可参阅冯震宇先生《明末西方传华火器技术研究》（山西经济出版社 2016 年版）等书。

146.江苏常州怀德南路明墓发掘简报

作　者：常州博物馆　谭杨吉、左树成、朱　敏、袁　予等
出　处：《文物》2013 年第 1 期

2005 年 6 月 17 日，考古人员对常州市区怀德南路某建筑工地发现的 2 座古代墓葬进行了抢救性发掘。简报分为三个部分，配有彩照和手绘图。

据第一部分"墓葬形制"介绍，两座墓葬已遭到不同程度的损坏。其中位于西边的墓葬（M2）已被损毁大部，棺盖揭开，棺壁倾倒，棺液外泻，暴露出 1 串木质念珠。东边的墓葬（M1）外椁揭开一半，其余基本完好。两座墓的顶部盖板和侧面石板均已被凿破，散落四周。根据墓葬摆放位置判断，这两座墓的墓主人应为夫妻，男墓编为 M1，女墓编为 M2。M1 为糯米浇浆石室木椁木棺墓，没有发现随葬品。棺内墓主被白色棉布包裹，头朝北，棺内有大量褐色液体。墓主人身上盖着 8 块长 0.3 米、宽 0.25 米、厚 0.02 米的木板，板与板之间有绳相连，绳已腐朽。身下垫着 1 条棉被，棉被下有 1 张草席，均已朽烂。墓主人头上插有 1 件鎏金发簪，棉被下有 1 件丝绸衣服，从胸口到脚上放着 8 件折叠整齐的棉质衣服，脚穿靴子。胸口放置的衣服下有 1 面铜镜，另有 1 块折叠整齐的布。M2 破坏严重，据残存的形制来看，应与 M1 的形状、大小一样。尸身已朽，在其头部位置发现数件发簪、1 件断成三截的大木梳和 1 件仅剩大半的木梳。在棺内中部发现 1 枚小铜镜和 1 串木质念珠。

第二部分"出土器物"云，两座墓共出土 39 件器物，种类有铜器、银器、木器、纺织品等。铜器 6 件，包括铜镜和鎏金发簪。银器 3 件，包括银锭 2 件、戒指 1 件。竹木器 8 件，包括毛刷、木梳、竹蓝、木念珠等。纺织品 22 件。印符、交领右衽布衣、合领对襟布衣、棉裤、缎面棉里靴子等。

第三部分为"结语"，推测墓主可能是明代中期当地的乡绅。简报提到怀德南路 M1 出土的钤有"九老仙都君印"的布符。九老仙都君是道教的重要尊神，在《真灵位业图》中列于第四左位，以他名号所制的印为各道派所重视。墓主带着"九老仙都君印"的印符，有在阴间免受鬼怪侵扰之意。

简报认为，怀德南路明墓 M1 是常州继毕宗贤墓之后发现的又 1 座重要的明代墓葬。该墓出土了大量的纺织品，为研究明代服饰增添了实物资料。

苏州市

147.苏州吴王张士诚母曹氏墓清理简报

作　者：苏州市文物保管委员会、苏州博物馆　王德庆、萧　鹿

出　处：《考古》1965 年第 6 期

1964 年 6 月下旬，苏州市盘溪小学扩建校舍，在划入该校基建范围内有大墓 1 座，考古人员进行了清理工作。自 7 月 7 日开始，至 7 月底结束。简报分为：一、墓葬结构，二、棺内情况和葬式，三、随葬遗物，四、小结，共四个部分，有照片。

据介绍，墓在苏州南郊盘门外吴门桥南向稍东，相距二三百米左右。高出地面 3.8 米，范围约 210 平方米，十分坚固。有盗洞一处，未打破浇浆的封土。墓圹为正方形，无墓道、墓门。圹内置棺椁 2 具，分靠东西两边。满椁填塞石灰包，具有一定的防腐性能。在男棺盖面上用金粉写"皇考宣王之柩" 6 个大字，女棺盖面上字迹已模糊。在两棺的前端各置哀（谥）册 1 部。

根据出土两部哀（谥）册上载述，此墓系元代末年一度割据姑苏的吴王张士诚的父母的合葬墓。按乾隆《苏州府志》《吴县志》等文献记载，张士诚母墓在盘门外，与此墓地望是完全相吻合。其母死于"至正二十五年乙巳岁次五月戊午朔十七日甲戌"，其父早年死，至正二十五年（1365 年）由泰州迁葬，至该年六月十五日与其母"合茔"。按《退庵笔记》《康熙十场志》等载，其父墓原葬泰州丁溪九龙口。这次清理，在男棺中仅发现下颚骨 1 片、脊椎骨二三节，说明可能是经过移葬的。此墓下葬第二年张士诚即为朱元璋所灭，但朱为收买人心，并未发掘此墓，有明一代保存完好。墓内随葬锦缎丝绸衣服，迄今已达 600 年之久，完好地保存下来，其纺织技术及图案花纹，都具有本地特色。苏州的丝织工业，早在唐代就已相当发达，元至正年间（1341～1368 年）已开始有了宫廷特设的织造局。这批遗物对研究苏州悠久的丝织工艺和传统技法，是一批有价值的实物资料。出土的金银器饰，制作精细，刻画云龙凤凰和牡丹缠枝等花纹，也可见当时苏州手工业之发达。

其实，谈到江南的纺织工艺，就不能不提及华强、罗群、周璞先生的《天孙机杼——常州明代王洛家族墓出土纺织品研究》（文物出版社 2017 年版）。据该书介绍，1997 年，在常州武进，发掘了明代中期贵族王洛家族墓，共出土遗物 157 件，其中纺织品 80 余件，大多保存完好。这批纺织品工艺之精、品种之多、图案之丰，

堪称举世无双。令人遗憾的是，"详细的考古报告迟迟未能面世"，世人只能暂且以此研究著作代替考古发掘报告，从中了解一些相关信息吧。

148.苏州发现清"织造局"图

作　者：苏州市文物管理委员会　廖志豪

出　处：《文物》1964 年第 9 期

1963 年 7 月夏天，根据江苏师范学院历史系反映，在新苏师小学有 1 块石碑埋在地下。苏州市文管会当即派人勘查，发现是 1 块清代"江西织造局图"。关于《苏州织造局志》已有单行本问世，对研究江南丝织业经济史、资本主义萌芽问题等用处很大，但缺少实物资料，故此图发现后，引起了有关单位的重视。

简报介绍，此碑上有题款，简报录有全文。此碑刻可以与苏州《织造局志》相互印证，并对研究清代苏州丝织业生产关系的形式与性质、织造部门的规模与概况提供了第一手资料。现此碑已移往孔庙碑林妥为保管。

149.苏州虎丘王锡爵墓清理纪略

作　者：苏州市博物馆

出　处：《文物》1975 年第 3 期

1966 年 12 月，苏州市郊虎丘公社新庄大队在平整工地时发现 1 座明墓，简报配以手绘图、照片予以介绍。

据介绍，该墓系明万历四十一年（1613）王锡爵夫妇合葬墓，位于苏州城西约 5 公里处。出土的随葬品有冠服、玉饰、明器等 161 件。另有墓志两合。

据墓志及《明史》等记载，王锡爵，字元驭，别号荆石，太仓人，生于明嘉靖十三年（1534），卒于万历三十八年（1610）。妻朱氏，死于万历二十六年（1598），万历二十九年（1601）建坟，万历四十一年（1613）合葬。

150.江苏吴县洞庭山发掘清理明许裕甫墓

作　者：南京博物院

出　处：《文物》1977 年第 3 期

1973 年 3 月，吴县洞庭山洞庭公社红光三大队农民发现古墓 1 座，考古人员对墓葬进行了清理。简报配以照片予以介绍。

据介绍，此墓为砖石结构，浇浆覆盖于墓室盖顶石之上。墓室分左、中、右三室，皆为长方形竖穴，中室有木棺 1 具，左、右两室未使用。棺中尸体为 1 老年男性，尚未腐朽。墓志 1 合，为申时行撰，此志文申时行《赐闲堂集》未收。简报未录志文全文。

据志文，墓主许志问，字裕甫，别号冲愚，生于明嘉靖十五年（1536 年），卒于明万历三十八年（1610 年），是一个屡试不中的地主文人。

随葬品有铜香炉 2 件，砖雕寿星 2 座，铜镜 2 件，折扇 3 柄，厌胜金钱 6 枚，发簪 2 件，银挖耳 1 件。折扇中有 1 柄乌木骨 12 股，泥金面，文征明书画；另 1 柄竹骨 12 股，泥金面，申时行书；另 1 柄为随葬明器。关于文、申二人书、画的扇面，请参见同期苏华萍先生的专文。

151.江苏昆山花桥公社赵家桥的"太平天国"石刻

作　者：昆山县文化馆
出　处：《文物》1978 年第 3 期

江苏省昆山县花桥公社赵家大队赵家桥桥面上，近年发现了"太平天国"4 字石刻。简报配以照片予以介绍。

据介绍，花桥公社位于昆山县东南部，和上海市的嘉定、青浦两县接界。赵家桥在花桥镇以西 2 公里，是一座具有当地特色的三孔石板桥。在南边 1 段中间 1 块石板的上端，刻有"太平天国"四字，正书，自左至右分两行写。此外，桥门洞上还有若干字，"集善桥，乾隆五十二年（1787 年）岁次丁未八月吴郡里人同立"等等，这是建桥时所刻。简报推断：赵家桥是 1781 年建造的，赵家桥的石刻，可能是太平军这次进军时留下的。

简报称，石刻"太平天国"的国字，不作"国"，而作"國"，这可能由于石刻系刚入伍不久的新人所刻，不熟悉太平天国的制度所致。赵家桥石刻，文字刻画甚深，粗壮有力，且由于石刻质地是花岗岩，比较坚固，故久经践踏，仍不磨灭。

152.《香山潘氏新建祠堂记》碑

作　者：张志新、施 磊
出　处：《文物》1981 年第 2 期

《香山潘氏新建祠堂记》碑，1980 年 4 月在江苏省吴县藏书公社社光大队下场潘家祠堂遗址上发现。该碑文系祝允明撰，文征明书并篆额，著名刻工章简甫镌刻，现藏吴县寂鉴寺文物保管所。简报配以照片予以介绍。

据介绍，此碑身高 167 厘米、宽 81 厘米，圆首。花岗石碑座高 57 厘米，较碑稍宽，顶部为重顶式。碑额上篆书"香山潘氏新建祠堂记"9 字。碑文楷书共 24 行，计 1034 字。碑文主要记述潘氏祠堂建成的情况，潘氏家族的成员组成，新建祠堂的缘由、经过和祠堂内"秩祠群神"的方法等，在后部以三分之一多的篇幅，对潘氏后代"以礼治家"和"礼者本心"等问题发表了议论。全碑除 10 余字因碑断裂而残缺外，其余字迹均很清晰。

简报称，碑文作者祝允明（1460～1526 年）字希哲，自号枝山，是明代著名的文学家和书法家。此碑之书法，是文征明 42 岁时所书。

153.周闻夫妇墓志铭

作　者：吴聿明

出　处：《文物》1985 年第 6 期

1983 年 10 月至 11 月间，江苏省太仓县发现周闻及其妻张氏墓志各 1 方。这 2 方墓志是与郑和下西洋有关的文物。简报配以拓片予以介绍，附有 2 方墓志志文全文。

据介绍，周闻墓志，楷书，计 669 字。由志文知周闻本姓尚，字声远，祖先为淮西合肥人。生于明洪武乙丑年（1385 年），卒于成化庚寅年（1470 年），享年 86 岁。曾任太仓卫百户、副千户。从永乐七年（1409 年）至宣德八年（1433 年）20 余年间，他 6 次随同郑和下西洋，其中 4 次抵达终点。铭文记录了这 6 次出海的时间，第 2、第 7 次出海时间与《明史》等不一致，具有较高的参考价值。张氏墓志记载了周闻元配夫人张善香的生平。张氏生于明洪武丙寅年（1386 年），卒于宣德壬子年（1432 年），享年 47 岁。志文中有如下记载："永乐七年，选安人之夫，部领军士，从内臣出使西洋诸番等国公干，凡经四往，历二十余载。"

简报称，据《太仓州志》记载，周闻夫妇墓原在太仓大北门外。原墓早在几十年前已被发掘，墓志在民间流散辗转多年，这次是在太仓公园"树萱斋"西壁墙内发现的。

154.苏州太仓县明黄元会夫妇合葬墓

作　者：苏州博物馆考古组、太仓县博物馆　吴聿明

出　处：《考古》1987 年第 3 期

黄元会夫妇合葬墓是 1 座明代墓葬，位于太仓县委东乡东郊镇东 0.5 公里处，距县城约 2.5 公里。1984 年 4 月 17 日，县水泥制品厂在扩建厂区平整土

地时发现了这处墓葬，考古人员进行了抢救性发掘。简报配以拓片、手绘图予以介绍。

据介绍，墓葬表土已被挖去，此墓为合葬墓，东为男棺，西为女棺。女棺外椁被打开，棺尚保存完好；男墓棺椁均完好。2套棺椁大小相同。打开椁板后可见2棺板上均复以素缎盖棺布，女棺盖棺布上正楷墨书："明江西按察司使阳平黄公元配诰封徐恭人枢"。另棺盖棺布上正楷墨书："嘉议大夫江西按察使阳平黄公枢"。掀去盖棺布，两棺棺盖前部各钉有地券板1块。尸体基本腐烂，衣服也局部腐烂。两尸各穿衣6件，外用白土布包裹，用15根布条捆扎，系成活结。棺内上部堆满装蚌片的布袋，中部堆满装香樟木的布袋，下部堆满装木炭的布袋，其作用可能是防腐吸潮。出土遗物女棺有铜镜、木质明器马桶、竹质明器脚桶、牛角梳、耳挖、发簪、玉鼻塞、腰带银饰片、折扇、银锭等。男棺有铜镜、银锭、小手炉、水晶印、腰带银饰片、发簪、玉坠、小石件等。两棺均有木板地券。据地券及水晶印，知其为黄元会与其妻徐氏合葬墓。黄氏生于万历五年（1577年），卒于天启七年（1627年）。其妻生于万历七年（1579年），卒于"崇祯癸亥"，应已入清，但不用满清年号。《太仓州志》卷十九载有"黄元会传"，可知黄元会，字经甫，幼孤，感奋为学，万历四十一年（1613年）进士，历任工部都水司主事、南昌知府、按察副使、提学副使、山东布政司参政、江西按察使等职，为官清正，卒年51岁，著有《仙愚馆集》一书。简报称，此墓出土文物对研究明代末年江南民俗，具有一定的价值。

南通市

155.南通发现古代煎盐工具——盘铁

作　者：南通博物馆
出　处：《文物》1977年第1期

南通地区历来产盐。1975年以来，南通地区南通县金西公社、唐洪公社，海门县刘浩公社，如东县九总公社、岔南公社等处先后发现古代煎盐用的盘铁多件，都已由南通博物馆采集入藏。由于南通地区海岸的不断伸展，这些盘铁的出土地点，距海都已较远，最近的约10公里，远的数十公里。简报配以照片予以介绍。

据介绍，这些盘铁都是不等边形的厚铁板，厚10厘米左右，最长超过1米。边上有一凸出部分，称"耳"。每块重 400 ～ 500 公斤不等。表面经锈蚀，凹凸不平。据地方志和有关史籍记载，1 副盘铁由几块这样的铁板拼合而成，面积很大，耳下用铁桩支撑。煎盐时，下面举火，烧热盘铁，将卤水浇在上面，能迅速成盐，1 昼夜可产盐 1000 余斤。由于盘铁厚大，难以烧热，因此每举火 1 次，常连续生产半个月左右，由若干户盐民轮流煎烧。明代中期以后，盘铁逐渐被淘汰。故这批盘铁，应为明中叶以前遗物。

连云港

淮安市

156.淮安县明代王镇夫妇合葬墓清理简报

作　者：江苏省淮安县博物馆　韦曾泽、刘桂山等
出　处：《文物》1987 年第 3 期

淮安县淮城东郊闸口村二组一带，当地百姓称为"大官荡"，为明、清时期墓葬区。1982 年 4 月，农民冯同成等人在这里整地时，发现并挖开了 1 座古墓。考古人员进行了清理。经清理得知，此墓为夫妇合葬墓，墓主王镇葬于明弘治九年（1496 年），其妻刘氏葬于弘治十六年（1503 年）。王镇尸体及随葬衣物保存完好，随葬品中有 25 幅元、明时期书画。此墓中发现的保存完好的古尸和纺织品，具有重要的文物价值。随葬的书画，艺术价值、文物价值都很珍贵，是我国书画史上的一次重要发现。简报分为：一、墓葬情况，二、随葬衣物，三、随葬书画，四、结语，共四个部分，有照片、手绘图。

据介绍，此次发掘最大收获是 25 幅书画，第二大收获是死者衣物。另有零星随葬品及墓志。志文计 417 字，简报录有全文。据墓志记载，墓主王镇，字伯安，祖籍扬州仪征，曾祖于明洪武年间迁来淮安。生于永乐甲辰年（1424 年），卒于弘治乙卯年（1495 年）。其人"家资颇为足用……古今图画墨迹，最为心所钟爱，终日披览玩赏……尤善识其真伪，收藏之顷，不计价值"。可见墓主生前酷爱收藏字画，而这批随葬字画，当为其收藏之精华。在这 25 幅字画中，有 11 幅题款中有"为景容写""为景容书""赠景容""景容……索写"等字样，景容（即郑均，见《墨菊图》中题款）是何许人，尚待考证，但许多书画名家为他题诗作画，至少也应是一位有

名的书画收藏家、鉴赏家。这 25 幅书画中，22 幅有名款，为 19 位画家所作。另外 3 幅佚名的画中，也有元末人的佳作，可称上品。在上述有名款可考的作者中，夏昶、马轼、李在、谢环、何澄、戴浩、夏芷、陈录等人都是明代前期享有盛名的画家，他们有的人作品传世很少，这次的发现可使我们更全面地了解他们的画风，弥补画史记载的不足。至于其他几位画史失载的画家，他们作品的发现，正可以补充画史的缺佚。简报指出，这批在地下埋藏近 500 年而保存完好的书画作品非常罕见，具有珍贵的艺术价值、文物价值，为我国古代书画史的研究增添了新的内容和可贵的实物资料。

157.江苏盱眙县明祖陵考古调查简报

作　者：南京博物院、盱眙县文化局　李虎仁、周海华、李则斌、刘　燕、马鸿宾、谢元安

出　处：《考古》2000 年第 4 期

明祖陵位于洪泽湖畔，地势低洼，现居江苏省盱眙县管镇乡明陵村，其东部有溜子河缓缓流过。据文献记载，此地原称杨家墩，明代初期在此建祖陵，埋葬有明太祖朱元璋的高祖、曾祖、祖父的衣冠冢及祖父的实际葬地。因历史局限和治水方针及措施的失误，明祖陵最终于清康熙十九年（1680 年）淹没于洪泽湖中。1962 年冬至 1963 年春，江苏省文物工作队在洪泽湖周围考古调查时，在明陵村东南 2 公里洪泽湖畔发现石像、柱础群和玄宫券顶，并经考证确认是明祖陵。1966 年，当地农民挖土取砖，玄宫券顶局部被破坏。1982 年，当地文管部门对玄宫遭破坏部分进行了初步清理，在距地面约 2 米深处发现砖砌拱券甬道 9 座。1998 年 3 月至 6 月，为探明明祖陵整体布局，南京博物院考古研究所对明祖陵进行了钻探，确定了明祖陵的总体布局，并大致掌握了明祖陵各类建筑遗存的基础状况。

简报分为：一、概况，二、钻探经过，三、地层堆积，四、明祖陵总体平面布局，五、陵区内遗迹概况，六、遗物，七、结语，共七个部分，有手绘图、照片。

据介绍，通过此次考古钻探，第一次科学地探明了明祖陵的总体平面布局，陵园的中轴线、皇城（享殿、配殿、金门）、金水河、金水桥、城门等遗迹都得到了确认，为明祖陵保护利用的总体规划的制定提供了最为重要的第一手资料。简报称，通过调查，已证明明祖陵外罗城已毁坏无存，现存陵园东部溜子河中的石构遗存不是外罗城的城墙，而是防水堤，与文献记载相吻合。

158.江苏南京市板仓村明墓的发掘

作　者：南京市博物馆　阮国林、张九文
出　处：《考古》1999 年第 10 期

1987 年 12 月 28 ～ 30 日，为配合南京市职业病防治所的工程建设，考古人员在南京市太平门外板仓村发掘了 1 座明代墓葬。该墓位于钟山之阴，东距明岐阳王李文忠墓约 150 米，西南距中山王徐达墓约 200 米。中华人民共和国成立以来，这一区域发掘了许多明代墓葬，这里是南京地区明代重要的墓葬区之一。发掘情况简报分为：一、墓葬形制，二、出土遗物，三、结语，共三个部分，有手绘图、拓片、照片。

据介绍，板仓村明墓采用的是砖壁石顶结构，出土文物近 100 件，器物的质地以金、玉、琥珀为主，美观精致，有的器物在南京地区还是首次发现。从出土文物的等级分析，墓主人生前应有相当高的地位，简报估计这座墓葬的主人很可能和徐达或李文忠的后代有关，其时代简报推断在明代晚期。

简报称，值得一提的是，该墓出土的金腰带正面使用跻龙作为装饰图案，龙皆四爪，应即所谓"五爪为龙，四爪为跻"的区别。

盐城市

扬州市

159.扬州十日的一块墓碑

作　者：耿鉴庭
出　处：《文物》1963 年第 1 期

在扬州东关街马监巷的清真寺内，有 1 口古井，井旁的墙上，嵌了 1 块"明故七位奶奶之墓，古元乘立"的墓碑。还有 1 块达元帧（子良）撰重修的说明。原来的井亭和门帽在 1949 年前被破坏。简报配以照片予以介绍。

据介绍，碑文介绍了扬州十日时自尽守节而死的 7 位女性，对研究那一段历史应有所帮助。

160.江都明墓出土时大彬六方紫砂壶

作　者：蒋　华

出　处：《文物》1982 年第 6 期

扬州博物馆于 1968 年在江都丁沟公社洪飞大队郑王生产队所属地域出土 1 件紫砂壶，同时伴出的有明代万历四十四年（1616 年）砖刻地券 1 方。简报配以拓片、照片予以介绍。

据介绍，这件紫砂壶身呈六角形，盖为圆形，盖上有小圆顶，顶上有对合的半弧纹。壶嘴为不规则六角形直流，壶把为五角形弯执。在壶的底部，顺着壶把至壶嘴的对直线上，刻有楷书"大彬"2 字。整个立身呈赭红色。我国明代的紫砂，是以独树一帜的姿态著称于世的。明代最早出现的紫砂名手，为正德年间（1506 ~ 1521 年）的金沙寺僧和供春，被尊称为紫砂工艺陶的始祖。到了万历年间（1573 ~ 1620 年），有一个叫时大彬的人，与李仲芳、徐友泉，被誉为"壶中妙手三大家"。江都明墓出土的这件六方紫砂壶，即是时大彬制作的。

简报称，时大彬虽为一代著名的紫砂宗匠，但留下的作品却很少。其早期作品，多模仿供春，作大壶，后来才改制小壶。江都出土的这件六方紫砂壶，即是一例。有确切年代为证的时大彬的作品，目前仅见于扬州博物馆所藏的这件江都出土的六方紫砂壶，它不仅有明代地券为证，而且壶底的"大彬"款识，也是时大彬作品的明证，对于研究紫砂工艺的历史，具有极重要的价值。

镇江市

161.镇江出土的明代火器

作　者：镇江市博物馆　史宝珍

出　处：《文物》1986 年第 7 期

镇江地区曾陆续出土明代铜铳、铜炮若干件，简报配以照片予以介绍。据介绍，出土的火器有：

一、铜铳 3 尊。都由前膛、药室和尾銎三部分组成。药室上有小孔，为药门，可置引火线。尾銎均中空，略呈喇叭形，可装上木柄。

二、铁炮。环箍凸腹蔚蓝色铁炮 17 尊、环箍厚尾式铁炮 3 尊、宽箍式铁炮 2 尊、大口式铁炮 1 尊，与铁炮同时出土的还有 1 件酱色橄榄形陶壶。

简报称，这批铁炮中有数尊炮体及后尾部炸穿或炸断，且出土时铁炮凌乱散置，出土地点东侧约100米即是南北向的古城墙旧址。因此推测这批铁炮当是守城的武器，有可能是城战的遗物。此批火器的年代，简报推断为明初建造。

简报指出，茅元仪在明天启年间所著《武备志》一书，详录了所见的明代中期各种火器，并画有器物图，但未见录有明代初期的火器。简报认为，由于明代生产力的发展，冶炼铸造技术的提高，火器制作有了很大进步，明初较为原始粗陋的炮铳逐渐被威力更大的火器所代替。因此明代初期的这类火器，就没有在茅元仪的著录中出现。

泰州市

162.江苏泰州市明代徐蕃夫妇墓清理简报

作　者：泰州市博物馆　黄炳煜、肖均培等
出　处：《文物》1986年第9期

1981年10月底，泰州市东郊鲍坝菜园五队农民建房挖地基时发现1座古墓，考古人员前往进行了清理。此墓墓主为明工部右侍郎徐蕃夫妇，由徐蕃之子徐嵩、徐岱于明嘉靖十二年（1533年）建造。墓葬保存完好，出土大量丝织品，具有珍贵的文物价值。简报配以照片、拓片予以介绍。

据介绍，徐蕃夫妇合葬墓1椁2棺，椁外六面浇浆，浇浆层及棺椁结构坚实，封闭完好。椁内2棺，男棺在东，女棺在西。2尸保存较好，且未被棺液浸泡，尸体及衣饰出土时较为干燥。女尸经X光透视，口中含有铜钱1枚。除了丝织品等文物外，还出土有买地券。

简报称，墓主徐蕃，《明史·列传第七十六》有传，明清时期的几部泰州地方志都有记载。清道光《泰州志》中记载："徐蕃，字宜之，号北屏，弘治六年（1493年）进士，初为南京吏部给事中，以论刘瑾，逮，杖几死，放为民。刘瑾被诛，又起，为江西参议、浙江提学副使。抑浮靡，崇理学，累仕为都御史，后官至工部右侍郎，提督易州厂。蕃性简淡，寡嗜好，居住衣馔取给而已，尝见其子治室颇整，恚之。"在这座墓葬中，徐蕃除随身衣物外，只有补服左边袖内有1块系银牙签的汗巾，别无其他随葬品，可见文献记载较为可信。徐蕃妻张盘龙是刑部郎中张存简之女。崇祯进士宫伟镠所著《春雨草堂别集》曰："存简夫人（梦）双蛇夹女，生女名曰'盘龙'，徐北屏公配也……北屏生小石，父子同时成进士，官俱中丞，为双蛇夹生之应。"

此墓地券所载"淑人张氏"当为蕃妻张盘龙。此外,《退庵笔记》《庭闻州世说》等文献中均有相关记载。此墓墓志未见。在夏荃编纂的《海陵文徵》里收录了徐蕃子徐嵩的墓志全文,由邑人沈良才撰写。此志文对于了解徐氏家族及徐蕃夫妇的生卒时间,提供了准确的资料。可参阅。

163.江苏泰州明代刘湘夫妇合葬墓清理简报

作　者：泰州市博物馆　叶定一等

出　处：《文物》1992 年第 8 期

1988 年 12 月 23 日,泰州市第三建筑工程公司三工区工人在东南郊鲍家坝粮食一队农田取土时发现古墓 1 座。墓葬位于市水泥制品厂后门东侧,护城河南岸的高坡上,口(岸)泰(洲)公路 3 公里里程碑西北 34.7 米处。这里地势较高,当地人称"刘家山子",又称"蜡烛台",古地名称城南莲花池,系刘氏家族祖茔。简报分为:一、墓葬情况,二、出土文物,三、结语,共三个部分,有照片、拓片、手绘图。

据介绍,墓葬坐北朝南,墓前 6 米处有石墓志 2 合,西为男棺墓志,东为女棺墓志。在男棺正前方 1.6 米处埋六棱青花瓷盖罐 1 件,此罐东 1.25 米处埋米黄地铁锈红绘人物瓷盖罐 1 件。墓由浇浆体、木椁和木棺组成,墓顶距地表约 1.5 米。出土遗物 66 件,以衣物为大宗。

该墓出土有墓志 2 合,简报均未录全文。据墓志记载,墓主刘湘,字澄夫,号渔溪,排行第四。其七世祖刘玉华为河南乡进士,元至元年间(1264～1294 年)在扬州任职,因见泰州民风淳朴,故举家迁居泰州。其父刘朴菴以捐粮得授闲官。

刘湘生于明弘治乙卯(1495 年)三月八日,卒于嘉靖辛丑(1541 年)十一月二十七日,享年 47 岁。其妻丘氏,讳淑贤,是刘湘表妹,生于明弘治丙辰(1496 年)正月八日,卒于嘉靖戊午(1558 年)七月朔日,享年 63 岁。刘湘外着米黄色花缎长袍,头戴方巾,外罩连帽披风,属道袍一类服装。有唐宋遗风。刘湘妻丘淑贤入殓时外着织狮子补服,内穿织麒麟补服。丘氏仅为处士之妻,服饰显然逾制。

简报指出,丝织品生产的规模、技术和产品的种类、质量,到明代已达到前所未有的程度,以江宁、苏州、杭州三地织造尤具代表性。泰州与这三个地区接近,此墓出土的衣服面料织造工艺之精,应能反映当时江浙一带丝绸的织造水平。出土的衣料中,缎制品最多,其中又以提花缎为主。纹饰主纹多为折枝莲花、牡丹、梅花、菊花组成的图案,花间有蝴蝶、蜻蜓、钱纹、方胜、如意、银锭、蕉叶、犀角等花纹,均采用提花工艺织成。这些提花缎制品的出土,可使我们对明代高度发达的提花织造工艺略窥一斑。

164.江苏泰州西郊明胡玉墓出土文物

作　　者：泰州市博物馆　黄炳煜

出　　处：《文物》1992 年第 8 期

1979 年 5 月 28 日，泰州市西郊乡唐楼村农民在田间挖水渠时，发现 1 座明代墓葬，出土明弘治三年（1490 年）会试试卷草稿、西方公据路引及服饰等。简报分为：一、墓葬简况，二、出土文物，三、结语，共三个部分，有照片、拓片。

据介绍，墓葬位于泰州市西郊九龙桥东，江（都）海（安）公路南 200 余米处的高地上，距地表深约 0.5 米。为竖穴木椁浇浆墓，椁外六面浇灌石灰糯米浆，内置棺。椁杉木，棺楠木，皆内外髹黑漆。用 6 整块楠木以榫卯拼制，内壁四周有一层厚 5 ~ 6 厘米的松香，松香外糊以麻布，布上髹漆。整个墓葬密封性能良好，棺内尸体未腐。墓主男性，仰身直肢。开棺时，尸体上满盖 1 张"往生净土"盖尸纸，脸上蒙 1 张"西方公据路引"纸，头戴乌纱帽，身穿补服，腰间围革带。尸体外用白布包扎置于棺中，下面散放 10 枚唐、宋时代的铜钱。棺内有随葬衣物 1 包和棕褐色棺液，尸体浸泡在棺液中。棺盖揭开后，农民把尸体从棺里拖出，致尸体及身着服饰变质腐烂，只存乌纱帽、革带各 1 件。但放在棺内的一包随葬衣服保存完好。随葬的 1 包衣物有长衫 2 件，布衫 1 件，围腰、百褶裙、夹裤、单裤各 1 条，鞋 1 双，蓝白相间花格布、黄布各 1 块。

简报称，该墓出土有墓志，志文 980 字，简报未录全文。由志文知墓主人为明四品官胡玉。胡玉，字伯坚，生于明正统戊午（1438 年）正月十二日，明成化丁酉（1477 年）以诗经领荐，辛丑第进士唱名二甲首，授礼部仪制主事，累迁仪制员外郎、精膳郎中、擢陕西布政司右参议，弘治十三年（1500 年）秋九月十六日卒于位。至于墓主人胡玉革带中的会试试卷草稿，是刘绅弘治三年所作，后被朝廷制作官员服饰时，用来衬垫在革带中。另外，不远处发现过胡玉之父的墓志，知此处为胡氏家族墓地。

165.江苏泰州森森庄明墓发掘简报

作　　者：泰州市博物馆　王为刚等

出　　处：《文物》2013 年第 11 期

2008 年 7 月，江苏省泰州市海陵区江州北路拓宽工程森森庄段发现 1 座明代浇浆墓，墓葬位于江洲北路大庆桥旁，南距大庆桥 50 米，东距江洲北路 20 米。泰州市博物馆随即对此墓进行了发掘，在墓葬北端（棺首）发现瓷器 2 件，未发现墓志。为保证出土文物的安全并对其进行有效保护，发掘人员将棺椁整体吊运回博物馆进行进一步清理。简报分三个部分，配有彩照、手绘图。

第一部分为"墓葬形制"，森森庄明墓为夫妇合葬墓，有木棺椁，墓底距地表约2米，未见地下水渗漏。具体做法是先挖竖穴土坑，然后在底部和四壁用木板顶托加固，注入底部浇浆，再放入棺椁，之后在外椁与周边木板之间注入浇浆，直到浇浆将外椁完全封闭。椁内双棺并列，其上覆盖铭旌。棺椁及两棺之间放置画翣，画翣的柄部被折断抛弃。两棺形制不一，男棺横剖面呈鼓形，女棺横剖面呈梯形，均为榫卯结构。棺盖内有一层盖板，棺板连接处敷以麻布。棺内通体髹红漆，墓主仅存骸骨，但衣物保存比较完整。据铭旌上的文字记载，两棺主人为夫妻，男墓主姓王，其妻姓许。

第二部分为"出土器物"。分男、女棺介绍：

男棺出土器物：素缎单袍1件、花缎夹袍1件、素绸单袍1件、帽1件、风帽1件、寝单1件、枕片2件、铭旌1件、绿釉罐1件。

女棺出土器物：花缎夹衫1件、素绸夹衫1件、花缎夹袍1件、花缎裙2件、花缎金钱裙1件、包头巾1件、风帽1件、鞋1叉、花绫巾2件、枕片2件、铭旌1件、花缎料1件、白瓷罐1件、画翣3件、扇骨1件、竹簪4件、银簪2件、包金银簪2件。

第三部分为"结语"。简报首先探讨了此墓大量明代服饰得以保存的原因，指出，过去较多强调的是包裹在棺椁外的浇浆层的密闭作用，即石灰糯米汁浇浆将棺椁整体包裹，形成一个与外界完全隔离的独立空间，浇浆层的杀菌和过滤作用将微生物和细菌阻挡在棺外。通过对泰州出土的明代墓葬的比较分析，简报认为古代的停枢习俗是遗体和服饰得以保存的一个重要因素。以泰州出土的明代棺木为例：棺内的空间一般很小，底部铺有厚10～15厘米的灯芯草，其上是絮有棉花的寝单，墓主身上穿着层层绸缎或棉质的服饰，为防止搬动棺木时遗体移动，在其周围再填充棉花和丝织品，一旦盖上棺盖，髹漆封固，入葬时随同尸体进入棺内的细菌、病毒会很快消耗掉棺内残存的氧气，使得棺内处于缺氧状态，能很好地抑制细菌的生长，减缓尸体腐烂的速度。置于香料袋中的香料和柏木棺椁也都具备一定的抑菌作用，这也是延缓尸体腐败的一个因素。由于棺内大量吸湿性材料的存在，棺内很快形成一个干燥、恒温、缺氧、少菌的环境，停枢时间越长，尸体脱水就越充分。在棺椁下葬后，由于石灰糯米汁浇浆以及棺木的密闭作用，棺木内继续保持原来的环境，尽管存在雨水的渗入，但渗入过程漫长而缓慢，经过浇浆层和柏木棺的过滤，棺液多呈弱碱性，使得古尸和服饰得以保存。泰州发现的明代墓葬只要出土服饰或古尸，其浇浆和棺木均保存完好。

由于没有发现墓志，森森庄明墓的准确年代难以确定，简报推测应在明晚期嘉靖年间前后。

简报说，覆盖在棺盖上的铭旌以往介绍不多。简报认为，铭旌又名"柩旌""明旌"，是旧时丧礼立在柩前以表明死者姓名的用具。铭旌在棺木下葬前立于柩前，下葬时将其覆盖在棺盖之上用以区分死者，然后封闭外椁，这可能是地方丧葬习俗。

简报还对画翣进行了探讨，认为这本为古代出的棺饰。画翣的材质有竹、木之分。森森庄明墓为1椁2棺，棺椁之间共3只画翣，而且画翣的长柄均被人为折断，其原因可能为画翣太长，无法置于椁内。画翣首部木质边框中空，上有白色黏接物，疑为黏接有画布或纸张，推测当是封椁时将原本护持在枢车旁的画翣按死者的位置放置在椁内，这也可能是地方丧葬习俗。

简报指也，森森庄明墓出土纺织品的织造方法既有经线起花，也有纬线起花；针法有缭针、回针、跑针和带针等。这批纺织品的出土，对研究明代中晚期的审美意识，缫丝、纺织、印染等纺织工艺，以及刺绣与服装裁剪等服饰文化、丧葬习俗和墓葬制度等具有重要意义。

宿迁市

166.明祖陵

作　者：张正祥

出　处：《考古》1963年第8期

明太祖朱元璋祖父的陵墓，原葬在凤阳府泗州城北门外6.5公里的杨家墩。清康熙十九年（1680年）泗州城沉入洪泽湖以后，明祖陵也常被淹没在水中，从此这座陵寝就不为人们所注意了。最近3年因为气候干旱，洪泽湖的水位下降了好几米，湖岸跟着后退，湖边大片土地露出水面。考古人员沿着洪泽湖的西岸寻访古徐国的遗迹，经过泗洪县孙大庄大墓头地方，发现长长的一列石像生卧倒在湖边，当为明祖陵所在。那天西风很大，湖水东退，石刻群刚出水不久，距水边只15米，湖滩上还很泥泞。由于发现的偶然，事先缺乏准备，因之未能详细测绘，仅根据步测记录。

简报分为：一、明祖陵的发现，二、明祖陵的现状，三、明祖陵的修建，四、明祖陵的淹没，共四个部分，有照片、手绘图。

据介绍，祖陵今属江苏泗洪县，在县东南约50公里洪泽湖西岸。神道两旁自南向北排列着石狮8对、石望柱2对、石马2对、控马者4对、石文武官和宦官6对，有的被湖水冲倒，倒卧在湖滩上，再往北为享殿遗址，最后有砖砌拱顶露头，可能是玄宫所在。明祖陵的修建，始于洪武十九年（1386年），清初泗州城被淹没以后，祖陵亦常年泡在水中。祖陵的石刻和建筑物，由于基础受湖水的冲刷而松动，因此都已倾覆和毁坏。冬季湖面的冰凌，对石刻的损害也是很严重的。

167.明祖陵述略

作　者：刘聿才、刘　新
出　处：《考古与文物》1984 年第 2 期

明朝开国皇帝朱元璋祖父的陵墓祖陵位于我国五大湖之一的洪泽湖西畔，东南距淮河 10 余里，在今江苏省泗洪县管镇公社东南 9 公里处。根据文献记载，可以认为祖陵当建于洪武十七年（1384 年）之后，洪武十九年（1386 年）秋享殿等主要建筑已竣工，其后断断续续修建，前后延续近百年。明代中期，黄河、淮河水患频至，泗洪城及祖陵时被淹于水中。清康熙十七年（1678 年），泗洪及祖陵皆没于水中，地面建筑俱毁，石刻倾倒水中，从此，祖陵石刻没于洪泽湖水中达 300 余载。1963 年，洪泽湖水位下降，祖陵部分石刻露出水面，以后湖水渐渐退去，祖陵遗址全部出水。1977 年至 1982 年江苏省考古文物工作者对祖陵石刻进行了全面整修复位，现已基本竣工，成为省级重点文物保护单位。简报分为三个部分，介绍了考古人员实地考察的情况，有手绘图、照片。

据介绍，现地面尚存石麒麟、石狮、石望柱、石马、石文臣、武将、太监等神道石刻。简报以表格形式介绍。正殿仅存石柱础，其他建筑仅存瓦片。

今有胡仁生先生《明祖陵 600 年》（广陵书社 2014 年版）一书，述及明祖陵的建造、布局、建筑、石刻等。

浙江省

杭州市

168.杭州发现一方太平天国木质官印

作　者：金华太平天国侍王府纪念馆　裘连城
出　处：《文物》1985年第8期

1981年9月，杭州市艮山门头营巷七号原清代沈姓探花府第遗址乱砖中，发现1方"太平天国天朝九门御林芳天义右拾肆护军"木印。发现时，木印外裹着1块褪色的黄绸。木印现由金华太平天国侍王府纪念馆收藏。简报配以照片予以介绍。

简报介绍，此木印扁形，宋体朱文，双龙戏珠纹边。据《贼情汇纂》所载，此印为属官"护军"官印，在全国还是首次发现。

宁波市

169.浙江宁波出土明代铜印

作　者：林士民
出　处：《考古》1985年第10期

1978年12月，宁波市南郊公社在四港口平整土地时在1座南明古墓（已破坏）中出土了2方古铜印，简报配以拓片予以介绍。

据介绍，1件为长方形。印背有椭圆形柱状柄。印背柄的左边有阴刻"敕字四百六十四号"和"礼部造"1行11字。右边刻有"钦差江北恤刑关防"1行8字。印左边有阴刻"弘光元年三月日"1行7字。印面刻有2行8字的九叠篆文"钦差江北恤刑关防"。

1件为正方形。印背有椭圆形柱状柄。印左边有"弘光元年拾月日造"1行8字。

印左边有"字壹百肆号"1行5字。印面刻有3行9字的九叠篆文"吏部验封清吏司之印"。印文中验字似为通俗文字作篆。

弘光为南明福王朱由崧年号，在位时间为1644～1645年。

170.浙江象山县明代海船的清理

作　者：宁波市文物考古研究所、象山县文管会　褚晓波
出　处：《考古》1998年第3期

1994年，在浙江省宁波市象山县涂茨镇后七埠村，平岩头砖瓦厂取土时发现1条古代海船。因砖瓦厂取土危及古船，考古人员于1995年12月9日至28日进行了抢救性发掘，清理出的海船保存较为完好。对出土部分文物，有关发掘情况等，简报分为：一、地理环境及沉船位置，二、海船出土情况及其结构，三、出土遗物，四、结语，共四个部分，有手绘图。

据介绍，宁波自古以来就是我国对外贸易及文化交流的重要港口，这在诸多中外文献中都有记载。从考古资料看，这一地区曾发现过造船场和海运码头遗存。另外，也出土有唐代独木舟和宋代木帆船等，但如象山木造海船如此规模和保存如此完整程度的，还是首次发现。所清理的这一古代木帆船，由于缺乏确切的纪年材料，其绝对年代尚无法肯定。简报结合该船的造型及出土遗物看，初步推断它的年代在明代前期。

简报称，象山海船的出土，丰富了宁波地区海运交通史的内涵，同时它也是我国沉船考古的又一重大发现，为研究我国海运交通史和造船发展史提供了新的实物资料。

温州市

171.浙江温州市陈村明代项思尧夫妇墓

作　者：温州市文物处　王同军、梁岩华
出　处：《考古》1999年第4期

1995年1月16日，温州市郊仰义乡陈村农民在普门山山脚平整屋基时发现明墓1座，出土10余件文物。考古人员到现场调查并于次日组织人员进行抢救性清理，简报分为：一、墓葬形制，二、出土文物，三、结语，共三个部分，有手绘图、拓片。

据介绍，明项思尧夫妇墓位于陈村普门山北坡山麓，距温州市区 10 公里，该夫妇墓系双室砖室墓，出土的陶俑及日用明器均放置在男墓主墓门前，计有陶俑 9 个，日用明器 6 件，另外，还有青石圹志 2 盒。项思尧圹志，碑文小楷，计 31 行 1350 余字，简报录有碑文全文；王氏圹志，碑文小楷，计 17 行，530 余字，简报录有碑文全文。从出土圹志可知，男墓主项思尧，生于嘉靖元年（1522 年），卒于隆庆二年（1568 年），享年 47 岁，葬于同年十一月。生前系太学生，未得一官半职，其父官至广东参政。女墓主王氏生于嘉靖五年（1526 年）四月七日，卒于万历二十二年（1594 年）十一月朔日，享年 69 岁，葬于万历二十五年（1597 年）一月十八日。他们膝下共有四男四女。可见该夫妇墓年代下限应为 1597 年，距今已 400 年。同时，放置在男墓主墓门前的随葬器物，其年代简报认为应以男墓主项思尧下葬年限为准，即 1568 年。

简报指出，此次发现的明项思尧夫妇墓，构筑考究，用料上乘，尤其是砖缝间用石灰糯米浆作黏合料，密封性能良好，这在温州地区以往发现的明墓中是少见的，它为研究明代温州地区墓室类型提供了可靠的资料。

此类宗族，可参阅常建华先生《明代宗族研究》（上海人民出版社 2005 年版）一书。

172.浙江永嘉县溪口村明代净水池的清理

作　者：温州市文物保护考古所、永嘉县文化馆　蔡钢铁、黄培量、陈继跃等
出　处：《考古》2008 年第 8 期

2004 年 4 月下旬，永嘉县溪口乡溪口村村民在清理李家大院房基时发现几个排列有序的水池，随即报告县文物管理部门。考古人员赶赴现场，确认是一处明代重要的水处理系统遗迹，并于 5 月 11 日开始对遗迹进行发掘。简报分为：一、净水池结构，二、输水管道及引水源头，三、净水池功能探讨，四、结语，共四个部分，有照片、手绘图。

据介绍，净水池位于李家大院东南角。因村民在清理房基时曾将净水池顶部结构的部分砖块清除，净水池出水区域和各池间的上层结构遭到不同程度的破坏，故全池完整的原貌已不存。全池四壁均由大块鹅卵石垒砌而成，石头间缝隙用金灰泥填抹。简报称，李家大院始建于明代晚期，一直建到清代中期，净水池应为明代晚期建造，使用年限不详。

简报指出，此净水池的发现，为研究古代民居水处理工艺和建筑工程技术提供了重要资料，对研究我国古代科技史和建筑史具有重要意义。

嘉兴市

173.海宁发现"太平天国浙江海宁州前军右师左旅帅"木印

作　者：浙江省海宁县文化馆

出　处：《文物》1975 年第 10 期

1974 年 9 月 26 日，浙江海宁石路公社共和大队红旗生产队百姓在拆建住宅时发现了 1 枚"太平天国浙江海宁州前军右师左旅帅"木印，是我国近代农民革命的文物，对太平军在海宁的活动提供了 1 件新的实物证据。简报配以照片予以介绍。

据介绍，这枚木印系用普通杂木刻成，保存完好，字迹清楚。印文居中，为阳刻宋体，四周围以虎形等纹饰，印背上端阴刻一"上"字。此印已上交海宁县文化馆。

174.浙江嘉兴明项氏墓

作　者：嘉兴博物馆　陆耀华

出　处：《文物》1982 年第 8 期

1975 年春，在嘉兴市西南 18 公里原称"项坟"的地方，发现 1 座明代墓葬。嘉兴博物馆及时进行了现场调查。简报配以照片予以介绍。

据介绍，"项坟"明墓墓向朝南，其东、西、北是竹园高地。墓为砖砌，墓内用砖隔成 3 室，中、右两室已被破坏。现存左室，从残留痕迹看，室内又用砖隔成并列的 3 个棺厢，厢内各置套棺 1 具。3 棺棺外从右到左有墨写"大房""二房""三房"字样。棺木保存尚好，棺内各有女尸 1 具。随葬器物主要出于右棺（大房）内，中棺（二房）无器物随葬，左棺（三房）仅随葬白布数匹。墓内出土器物保存好的共 31 件，有木器，均为家具明器，形体很小。瓷器、铜器、《金刚经》拓片 1 件、净土经 1 卷、布数匹。简报据文献和棺内出土拓片记载，认为此墓应是嘉兴项家之墓。项穆是项元汴之子。墓内 3 具女尸可能是项元汴的 3 个妻室。从出土《金刚经》拓片盖在右棺（大房）的棺盖上分析，棺内女尸可能是项穆之母。从出土器物来看，项穆之母比较富裕，而且是信佛教的。墓的年代，据嘉兴地区文献记载，项元汴生于嘉靖四年乙酉（1525 年），死于万历十八年庚寅（1591 年）。据拓片上记载，左边刻有"万历二十七年七月中元东海项穆赞"，右边刻有"万历己亥中元日奉佛

弟子章藻书并勒"，两边刻的是同一日，此碑应专为石棺大房所刻。从碑文与文献
记载的时间比较，项元汴去世应早于其妻。

175.浙江嘉善出土一方南明官印

作　者：嘉善县博物馆　朱瑞明
出　处：《文物》1990 年第 3 期

1987 年冬季，浙江省嘉善县凤桐乡桥港村一农民在屋前平整菜地时，发现 1 方
南明铜官印，后交嘉善县博物馆收藏。简报配以照片予以介绍。

据介绍，此印印面呈长方形，印面长 10.8 厘米、宽 6.5 厘米、印厚 0.9 厘米、
带纽通高 10.2 厘米。印面刻阳文九叠篆书"总理两淮盐法兼督江防军务关防"14 字。
印体一侧阴刻楷书"弘光元年四月日"7 字。印背纽两侧也阴刻楷书款，右款 14 字，
内容同印文；左款"敕字五百十四号礼部造"10 字。

简报称，"弘光"为南明福王朱由崧年号，弘光元年为 1644 年。这方南明
官印的出土，为研究南明官制及南明在浙江杭、嘉、湖地区的活动提供了实物
资料。

176.浙江平湖发现署名郑和的《妙法莲华经》长卷

作　者：平湖市博物馆　程　杰
出　处：《文物》2005 年第 6 期

平湖市位于浙江省东北部，南临杭州湾，东、北与上海市相邻，西与嘉兴市
接壤。报本塔位于平湖市当湖镇的东南方，在东湖一座四面环水的小岛沙盆圩上，
俗呼"平湖宝塔"或"东湖宝塔"。它始建于明嘉靖四十二年（1563 年），为七
层砖塔，由陆杲主持修建，属楼阁式文峰塔。清顺治十六年（1659 年）该塔倒塌，
次年起开始重建。由于"洲地最卑，厥土淖而不坚"，工程搞了 20 余年仍未竣
工，康熙二十五年（1686 年）由陆葇接手经办。他研究了此塔久未竣工的原因，
决定改七层为五层，报本塔遂于 2 年后竣工。重建后的报本塔为五层八面，通高
49.39 米，底径 8.18 米，内径 3.58 米。塔外用砖挑出平座，外侧有木质围栏，
内有螺旋形台阶。塔身每面设券门，塔内为八边形空室，用砖叠成穹隆顶，塔顶
有铁制塔刹。报本塔是浙北地区保存至今的为数不多的古塔之一。1997 年，该塔
被列入浙江省第四批重点文物保护单位。2002 年，平湖市人民政府出资，对报本
塔进行维修。同年 9 月 11 日，在拆卸报本塔的塔刹宝瓶时，在塔心木边上发现 1

个黄花梨木的圆罐，罐内有 1 卷卷起的明代经卷。简报分为三个部分，配以照片予以介绍。

据介绍，明代三保太监郑和，曾七次率船队赴南洋各地，最远到达非洲东岸。他生前笃信佛教，法名福吉祥，生前施印了大量的佛经，并捐赠给各地寺庙。2002 年 9 月，在维修始建于明嘉靖的报本塔时，于塔刹内发现了明高僧圆满为郑和抄录的《妙法莲华经》。该经卷纸质，总长约 40 米，7 万余字，均用金粉写成。此经卷是平湖望族陆光祖在南京做官时所得，后带回平湖。经几代家传，最后在清康熙年间报本塔重建之时放入塔刹。这是迄今发现的写有郑和姓名的唯一一部手写佛经。

简报指出，经卷用材讲究，保存较为完整，金书色泽光亮，书写工整，字体秀美，国内罕见。它为研究郑和生平、平湖报本塔的历史变迁、平湖陆氏家族等提供了实物资料。

今有《郑和史迹文物选》（人民交通出版社 1986 年版）一书，可参阅。

湖州市

177. 浙江吴兴南浔镇聚星塔塔基出土一批文物

作　者：湖州市博物馆　隋全田
出　处：《文物》1982 年第 3 期

1974 年 3 月，在配合南浔镇基本建设过程中，湖州博物馆对聚星塔塔基进行了发掘清理，出土了一批明代文物。简报配以照片予以介绍。

简报介绍，南浔镇在吴兴县湖州东 36 公里，聚星塔在镇东栅东藏寺内。简报据史料载，东禅堂明万历中董份创建大半，亦称半塔。康熙中，其裔孙董汉策又改造为三层，易名星阁，一名聚奎阁。清道光十九年（1839 年）重建，改名聚星塔，光绪十二年（1886 年）毁于火，仅留下层。该塔下层早残，塔基在现地表下约 1 米处，呈圆形。塔基底部先夯入直径 35～40 厘米的近百根大圆木桩，再在桩上用长 130～180 厘米、宽厚 40 厘米左右的长方形的条石，叠砌三层，并使用大量灰沙加固而成。圆形石函内积满清水，文物全浸在水里，有玉器、木器、金银器等 70 余件。其中玉壶、木盒造型优美，是制作精细的工艺品，木盒在圈足的左侧刻记"大明永乐年制" 6 字。

简报指出，其他还有玉雕佛像、珍珠、宝石和一批金、银、铜、锡元宝等文物，都保存得较好。

绍兴市

178.绍兴大禹陵及兰亭调查记

作　者：陈从周

出　处：《文物》1959 年第 7 期

1958 年 1 月，当地政府对大禹陵和兰亭进行修复，施工前考古人员前往调查。简报配以照片、手绘图予以介绍。

大禹陵位于绍兴市东南约 12 里处，包括大禹陵、大禹庙、大禹寺，均为晚近建筑。兰亭在绍兴市西南 27 里处，是明嘉靖年间迁移至此的，王羲之所云兰亭原址，已不可考。兰亭，在清代及 1923 年都曾修复、改建过，变动颇大。

金华市

衢州市

179.浙江龙游县出土窖藏明代金杯

作　者：朱土生

出　处：《文物》1993 年第 2 期

1990 年 8 月 23 日，浙江龙游县石佛乡石佛村一村民在建屋掘基时，发现窖藏在 1 只黑釉直口陶罐内的金杯 4 只。罐口用青砖封闭，出土时罐中充满了水，4 只金杯完好无损。简报配以照片予以介绍。

据介绍，一式 2 件。敞口，宽沿，方唇，弧腹内收，喇叭形细高足，圜底。两件大小形同，内底分别整刻正书"元"和"亨"。另一式 2 件。敞口，宽沿，方唇，弧腹内收，喇叭形细高足，圜底。口为圆形，杯身及足作菊花瓣形。口沿和足部分别针刻花蕊纹一周。足底均镌"崇祯十三年仲春月余四方六置吉旦"。内底分别錾刻正书"行"和"文"。两件大小形同。

简报指出，经中国人民银行杭州市分行测定，金杯上部含金量达 78%，足把含金量 60%。金杯的器壁极薄，口沿卷边成方唇，足中空，足与杯身用锡焊接。每只重 85 克左右。为使金杯装盛液体后不致于上重下轻，故制作者在足内加铁配重。

简报称，这 4 只金杯的出土为研究明末清初金器的造型、制作技术及同期器物的断代提供了实物资料。

舟山市

台州市

180.黄岩出土明代庆元窑青瓷盖罐

作　　者：陈顺利、王中河

出　　处：《文物》1986 年第 8 期

1978 年底，浙江黄岩县宁溪区幸福乡蒋家岸村民在拆除王氏"含晚庵"坟墓时，发现南雄知府王宏撰、山东按察使金事王铃书的明嘉靖四十年（1561 年）《明处士王公俯翠墓志铭》，同时出土 12 件青瓷盖罐及 2 件铜镜。1983 年 4 月，黄岩县博物馆在文物普查中征集到上述墓志、铜镜和 3 件形制相同青瓷罐。青瓷盖罐造型别致，颇具特色，简报配以照片予以介绍。

简报称，这些青瓷盖罐极类庆元窑青瓷产品，对于确定庆元窑的年代有一定的参考价值。

丽水市

安徽省

合肥市

芜湖市

蚌埠市

181.明汤和墓清理简报

作　者：蚌埠市博物展览馆

出　处：《文物》1977 年第 2 期

蚌埠市旧属安徽凤阳县，原为一集市。津浦铁路筑成后，逐渐发展成为蚌埠市。汤和墓在蚌埠市东郊，凤阳县西北，龙子河东岸，曹山南坡。与清嘉庆《凤阳县志》记载"明汤和墓在凤阳西北三十里"，情况相符。汤和为明代凤阳东湖村人，与朱元璋同乡。元至正十二年（1352 年）春，淮南郭子兴在濠（今凤阳县东）响应淮北颖州刘福通领导的红巾军农民大起义，汤和率壮士 10 余人，从郭起义，后属朱元璋，是明朝开国的重要将领，后死于凤阳。1973 年，因修建龙子河公路，路基经过该墓，考古人员进行了发掘。简报配以照片、手绘图予以介绍。

据介绍，墓前神道长 225 米，前端立一石碑，高 6.35 米；两侧共有石马（高 1.5 米、长 2.7 米）2 匹，侧立牵马士；跪羊（高 1 米、长 1.7 米）1 对；坐狮（高 1.2 米、长 1.7 米）1 对，头高昂；文臣（高 3 米）2 人拱手执圭；护卫甲士（高 3 米）2 人，一手按剑，一手下垂。墓室为大型单券式砖石结构，分前后二室并附一侧室，前有斜坡土墓道。有明洪武二十八年（1395 年）圹志出土，简报录有全文。

简报称，以志文与《明史·汤和传》相对照，多有不同，可相互参照。

淮南市

马鞍山市

淮北市

铜陵市

安庆市

182.桐城县发现明代万历时墓葬

作　者：吴兴汉
出　处：《文物》1959 年第 3 期

1958 年 1 月，桐城县新店乡农业社的农民在该乡盛家窑的山坡上挖出了明代胡涪侯的墓 1 座。据省文化局的调查，墓内共有人骨架 3 具，棺木已朽，墓室是用长方形大砖砌筑的，墓前有一石碑。碑文长约千字，因受风雨剥蚀等破坏，大部分字体无法辨识，可以看清的部分碑文简报有录，文中有明万历二年（1574 年）年号。

黄山市

183.安徽歙县明代贵夫人墓

作　者：歙县博物馆　方　晖
出　处：《中原文物》2003 年第 4 期

1993 年 11 月，在安徽省歙县黄山仪表厂内，当地施工人员在挖地基时发现 1 座明代墓葬，考古人员进行了抢救性挖掘。出土了一批珍贵文物，有金帔坠、金凤钗、金簪、佛像金箔、金步摇、金钱、大玉圭、服饰佩件、玉版、玉带扣等。共计46件，现藏于歙县博物馆。

简报分为：一、出土金器，二、出土玉器，三、墓葬年代，共三个部分，有照片。

据介绍，出土的这批金玉器中有1支金簪上清晰刻有铭文"永乐七年十二月十四日承奉司造八成色金簪一支四钱重"。因此简报初步推断为明代初期。这批金玉器，不但质地上乘，而且种类繁多，制作精巧。其中有1只金帔坠、金凤钗上都明确刻有"内宫监造"字样，说明为官宦人家之物品，并且出现了玉带扣、玉带等古代统治者显示权力高低、职位尊卑的器物。

简报认为，此墓葬应为明代初期贵族夫人墓。这批金玉器的发现，对于研究明代的社会政治、经济、生活、宗教信仰、随葬习俗，特别是研究明代的服饰佩饰等，都是极其珍贵的实物资料。

滁州市

184.安徽滁州市南小庄发现明墓

作　者：朱振文、夏天露
出　处：《考古》1996年第11期

1993年4月，在滁州市珠龙乡南小庄兴建鱼塘时，发现砖室墓1座，考古人员进行了抢救性发掘清理。简报配以拓片、手绘图予以介绍。

据介绍，墓葬为砖石结构，此墓早年被盗，外层封门墙上半部分已被破坏，残存部分由墓道、墓门、前室和后室组成。棺具已朽，仅见1头骨。墓内随葬品有青花瓷碗、鎏金银镶木腰带、韩瓶、银棺钉、铜钱等。有青石墓志1合和陶质买地券出土。简报未录墓志全文。

从墓志可知，墓主人为王妙安，女性，滁州人，生于元英宗至治二年（1322年），卒于明太祖洪武二十九年（1396年），葬于洪武三十年（1397年）。其夫李茂之，于元末集兵起义，后归附于朱元璋。《明史·太祖纪》记李茂之"累官四十年""寻拜骠骑将军，中军都督府佥事"。墓主人王妙安之夫李茂之为明洪武年间中军都督府佥事，寻拜骠骑将军，为正二品，做官40年，"以年老致仕"，其夫人被封为"命妇"。

阜阳市

185.安徽阜阳市发现一方清代金印

作　者：阜阳市文物管理所　杨玉彬、董　波、刘建生

出　处：《考古与文物》1999 年第 5 期

1984 年清明节，安徽阜阳市西郊农民在颖西镇罗汉脐古堆南坡取土发现 1 古墓，市文物部门获悉后派人前去清理，墓葬早年盗扰严重，葬具、尸骨朽乱，几件出土器物中，1 方精巧别致的金印引人注目，后被定为一级文物，珍藏于市文管所。简报配以拓片予以介绍。

据介绍，印纯金质，印体方形，边长 1.6 厘米 ×1.6 厘米、厚 0.5 厘米，重 32 克，龟纽，龟作引颈爬行状，铸刻精细生动传神，通高 2.1 厘米，印文阴刻"张大庚印"4字，无边栏。

清《道光阜阳县志》载："张大庚，字飔甫，号实水，明末兵部尚书张鹤鸣之子。"明崇祯八年（1635 年）正月，高迎祥所部的农民起义军攻颖，退居颖州的明兵部尚书张鹤鸣与知州尹梦鳌等组织兵丁据城抵抗，城破，张氏父兄三人被诛。《明史·流贼传》《明史·张鹤鸣传》《乾隆颖州府志》均有载。简报称，从出土金印及方志所述可知，罗汉脐古堆当系张氏家族墓地。

186.安徽阜阳市出土明代铜佛像

作　者：李全胜

出　处：《考古与文物》2000 年第 6 期

1996 年 4 月，安徽阜阳市南大街挖地槽埋设地下电缆线，民工在距地表 2 米处地下发现 3 尊铜佛像，后上交市文管所收藏。简报配以照片予以介绍。

据介绍，佛像有：水月观音菩萨像；弥勒佛像；地藏王菩萨像。佛像出土地点距阜阳资福寺南 30 米处。资福寺始建于北宋，历史上烟火鼎盛，为皖北重要佛教活动中心。从 3 尊佛像造型、饰纹特征看，简报推断当为明代遗物。

宿州市

巢湖市

187.安徽无为县发现西班牙银币铸范

作　者：卢茂村

出　处：《考古》1987 年第 3 期

1981 年冬，在无为县襄安镇河滩地上发现 1 枚西班牙银币铸范。简报配以图片予以介绍。

据介绍，铸范重 1.8 公斤，长宽皆为 4.65 厘米、高 4 厘米、直径 3.8 厘米。铸范银质，长方形，实心，正中是西班牙国王头像，头像下面刻"1787"（1787 年为清乾隆五十一年）。铸范上的西班牙文意为："天主的恩典，国王加洛鲁斯第三。"其边沿有麦穗装饰，边的两角稍缺损。

简报称，无为襄安镇地处沿江地带，是长江中游腹地。20 世纪 60 年代，在芜湖市也曾发现一批西班牙银币。这些银币的出土说明，清初，中外贸易已深入到我国内地。近年来在台湾、福建、广东沿海等地也均有所发现，银币铸范在我国还是第一次发现，它的发现对于研究清初安徽省沿江地区中外贸易史、华侨史和西班牙银币史提供了实物资料。

六安市

亳州市

池州市

宣城市

福建省

福州市

厦门市

188.厦门"攻剿红夷"摩崖石刻

作　者：厦门郑成功纪念馆
出　处：《文物》1977 年第 10 期

17 世纪，荷兰人来到中国东南沿海地区，在东南海防要地的厦门，至今还保留着一些石刻，可以作为这一段历史的见证。简报配以照片予以介绍。

据介绍，在厦门鸿山寺后山，有一个摩崖石刻，上面刻着 6 行 60 个大字，每字直径约 17 厘米，全文如下：

天启二年十月二十六等日　　钦差镇守福建地方等处都督徐一鸣督游击将军赵颇坐营陈天策率三营浙兵把总朱梁王宗兆李知纲等到此攻剿红夷。

简报称，这是一块有关明天启二年（1622 年）抗击荷兰侵略者的题名石刻。石刻中所谓"红夷"，即指荷兰侵略者。

莆田市

三明市

189.福建尤溪县发现一批窖藏钱币

作　者：陈本颖

出　处：《考古》1987 年第 2 期

1984 年 8 月，尤溪县尤溪口镇林业检查站基建挖地基时，在公路边离地面 3 米多深处发现 3 个口径约 10 厘米、胸径约 43 厘米、高约 45 厘米的陶瓮，上盖白底瓷盘。内各装有历代铜币共 100 余斤，县文管会回收了 46 公斤，经过整理，除小部分锈蚀较重外，字迹可辨者计 67 种。其年代最早的为汉代，唐代 3 种、五代十国 3 种、北宋 33 种、南宋 19 种、元 3 种、金 2 种。最晚为明太祖洪武年间，故窖藏年代当为明洪武时。简报配以拓片予以介绍。

据介绍，这批铜钱有三个特点：一是数量多，但比重不一。其中半两、五铢、货泉、靖康、端平、天定等年号仅各 1 枚。二是品种丰富，上下历期 1000 多年，以宋代最全，且每个年号中各有多种书体和多种范本。元末徐寿辉"天定通宝"似不多见。三是钱币新。其中相当部分铜钱的铸沙、铜坯依稀可见，似为未曾启用之钱。

190.福建尤溪县出土一批古铜钱

作　者：王祥堆

出　处：《考古与文物》1987 年第 1 期

1984 年秋，福建尤溪县尤溪口镇木材检查站基建时，在距地表 2.8 米的土层中，发现了 3 个陶罐，内装一批古铜钱，有 8200 多枚，重 46.5 公斤。简报配以拓片予以介绍。

据介绍，铜钱共 67 种，77 式，其中汉代半两、五铢各 1 枚，唐代铜钱 3 种，五代十国钱币 2 种，北宋铜钱 32 种，南宋铜钱 18 种，元代钱币 2 种，明代铜钱 2 种。这批铜钱的出土，为研究货币史提供了实物资料。

191.三明市发现一批明代石造像

作　者：三明市博物馆　李建军

出　处：《文物》1991 年第 2 期

1987 年 7 月，福建省三明市将乐县与明溪县交界处海拔 1500 多米的陇西山仙水岩山峰上，发现一批明代石造像。造像原在圣水岩庵中供奉，现庵已塌毁，经有关部门批准，将其移至三明市博物馆内修复陈列。简报配以照片予以说明。

据介绍，这批明代石造像有佛像、布袋僧、弟子像及石塔、石香炉、石吻兽、石碑等计30件。据县志，圣水庵初建于唐，后已塌毁，建筑多为元、明之物。简报认为从庵中清理出的这批石造像为明代作品。

192.福建尤溪出土明张居正篆额的墓志铭

作　者：尤溪县博物馆　陈长根
出　处：《文物》1997年第10期

1997年初，尤溪县文物普查时，在吉木村发现明张居正篆额的"孝廉先生墓志铭"1方。今为尤溪县博物馆收藏。简报配以照片予以介绍。

据介绍，志为青石质，长方形，上方呈弧形状，额为嘉靖四十五年（1566年）秋张居正篆书，志文为吏部尚书王用宾撰写，楷书，阴刻，计1006字。张居正（1525～1582年），明代著名政治家，墓主是他的业师。墓主人姓田名顷，字希古，号太素，别号柜山。祖籍福建大田（大田县明万历之前属尤溪县）。生于明弘治九年（1496年）八月十一日，卒于明嘉靖四十一年（1562年）七月十一日，享年67岁。25岁参加会试，高中第29名，次年廷试，赐同进士出身。历官中宪大夫（正四品）、督学宪副、户部主事、兵部武选主事等职。

简报称，据民国《尤溪县志》记载：田顷颇有文才，后人称赞他"文宗先汉，诗类晚唐"。他曾利用回乡探亲时间，接受知县李文尭之聘，篆修《尤溪县志》七卷。其诗文入《尤溪县志》的有《重修功惠祠记》《招凤祠》《更立三铺记》《朱侯去思碑》等。

泉州市

193.泉州郑和行香碑

作　者：吕荣芳
出　处：《文物》1960年第3期

明郑和第5次出使西洋的行香碑，于1929年在泉州东门外灵山圣墓发现，简报配以照片予以介绍。

据介绍，郑和第 5 次出使西洋时，路过泉州，在灵山圣墓行香拜谒，并立此碑。此碑现尚保留在泉州东门外。碑文主要是祈求回教祖先庇护。可证郑和确为回教徒。另外，史家依《明实录》一般认为，郑和第 5 次下西洋是在明永乐十四年（1416 年），依此碑应为永乐十五年（1417 年）冬始出海，永乐十七年（1419 年）七月十七日回京。

今有杨橚先生《郑和下西洋史探》（上海交通大学出版社 2007 年版）一书，可参阅。

194.德化县发现明朝地主家族的一本手抄契本

作　　者：福建省德化县文化科　邓瑞昌

出　　处：《文物》1964 年第 6 期

这是一本福建省德化县西墩村大地主邓扬宇留下的契抄本。邓家占有 1000 多亩良田和 3000 多亩山林，垄断了西墩村全村的土地。这本手抄契本记录了他的家族从明正德三年至清乾隆三十五年（1508～1770 年）的 262 年间的房地产，并附有农民被逼签押的卖田契 43 张，每张都有明、清以至国民党政府为其作保而加盖的铜铸方"官印"，另外还有许多空白田契纸上也早已盖好了"官印"。这本手抄契本从邓扬宇起到中华人民共和国成立前的邓世秀手，已传了 21 代。有照片。

无独有偶，据媒体报道，武汉图书馆藏有一部明稿本《家业全书》，作者方一盛，湖北黄冈人，明万历年间当过知府。该书记载了自家米肉禽蛋产量，收取的佃银等，内容十分丰富。

今有杨国祯先生《明清土地契约文书研究》（人民出版社 1988 年版）一书，可参阅。

195.李卓吾的两颗遗印

作　　者：泉州市文物管理委员会　陈祖泽

出　　处：《文物》1965 年第 11 期

李卓吾的遗印 2 方，原为泉州市文物管理委员会保存，系已故苏大山家属捐献的。简报配图予以介绍。

据介绍，2 方均是老寿山石刻成，均高 7.3 厘米，长、宽皆 3.2 厘米。上雕蹲狮，毛齿悚然，神态威武。底面篆书，一个阴刻"李贽"2 字，一个阳刻"卓吾"2 字。现 1 方陈列于中国历史博物馆，1 方仍留在泉州市文物管理委员会。这两颗印是清代同治年间乡人在李卓吾故居掘土获得。

李卓吾，名赞，字宏甫，卓吾是他的号，福建晋江人（其遗宅至今仍存，在泉州城内南门水仙桥）。明嘉靖间举人，做过河南辉县教谕，云南姚安知府，因与官长不合，弃官归隐。他毕生从事学术研究，著作甚富，其中以《焚书》《藏书》《说书》三部，最为著名。他的学说，务实去虚，大胆揭露道学家的虚伪性；他评宋儒朱子，说他在国家危亡关头，逃避现实；对武则天，则说她是很有才干的皇帝；对卓文君大加赞扬，说她是能够打破礼教的束缚……但也由于这些，被统治者到处迫害、驱逐，甚至加以"左道惑众"罪名，逮捕入狱。他为了表示反抗，在狱中自杀。

今有林海权先生《李赞年谱考略》（福建人民出版社 1992 年版）一书，可参阅。

196.泉州出土古外币

作　者：泉州市文物管理委员会、泉州海外交通史博物馆
出　处：《文物》1975 年第 8 期

1975 年 1 月 9 日，泉州市满江红中心医院修建院门工地时，出土了一批古外币。简报配以拓片予以介绍。

据介绍，这批外币大小共 37 枚，是一种不规则的、不圆不方的银片打制的极其粗糙的银质货币，每片的大小轻重厚薄也有差异，简报据《中国货币史》记载，认为这些外币也许正是该书第 7 章中所提及的货币。这次出土的外币中有几枚冲印一 "8" 字，是否即系 16 世纪打制的币值 8 个 "里尔" 的货币？简报认为是可以研究的。联系附近华侨出国的历史来看，简报推测这些外币可能就是华侨携带回国的东西。

简报称，古泉州为我国对外贸易的港口之一。这次满江红中心医院出土的外币，又为古代中外往来提供了实物见证。

197.福建泉州地区出土的五批外国银币

作　者：泉州市文物管理委员会、泉州市海外交通史博物馆　王洪涛
出　处：《考古》1975 年第 6 期

泉州市郊区及地区所属的晋江、南安、惠安等县，自 1971 年以来，先后发现 5 批古代外国银币，调查清理工作顺利进行，按出土的先后简报配以手绘图予以介绍。

据介绍，晋江、南安、惠安等县，在历史上为泉州属县，是古泉州的一部分。泉州为我国海外交通港口之一，特别是明清时代泉州与东南亚友好往来频繁，泉州人大批出国，促进了中外经济文化交流，也建立了双方的深厚友谊。

简报指出，南安、晋江、惠安、泉州先后出土了来自东南亚贸易的外币，为中外往来提供了历史见证，也为我国中外交通史上提供新的实物资料。

今有李金明先生《明代海外贸易史》（中国社会科学出版社 1990 年版）、林仁川先生《明末清初私人海上贸易》（华东师范大学出版社 1987 年版）等，均可参阅。

198.福建安溪古窑址调查

作　者：安溪县文化馆　叶清林
出　处：《文物》1977 年第 7 期

安溪地处闽南，居晋江上游，距泉州 58 公里，航运可直达泉州港，水陆两路畅通。全县境内多山，盛产生产瓷器所需的高岭土，至今安溪国营和集体瓷业仍较繁荣，仅国营魁斗瓷厂每年外销瓷器就占产品的 70% 左右。1974 年 3 月，考古人员调查了全县 7 个公社，22 个大队，共发现古窑址 65 处。复查了桂瑶、魁斗、珠塔、翰苑 4 处古窑址。这些古窑址，主要分布在安溪的东、中、西部。简报分为"窑址概况""结语"两个部分，配以照片、手绘图，介绍了 7 处遗物比较丰富的古窑址。

据介绍，安溪瓷业应起于明代以前，早期烧制质量粗劣的青釉碗等。明以后开始烧制白瓷青花，质量不及饶瓷。清以后规模颇大，但产品质量不及德化。简报指出，安溪古瓷窑分布范围甚广，产量丰富，有民窑特点，生产目的显然不是专供当地人民生活需要，应有外销任务。《安溪县志》中说到"入海货诸东南夷人"，民间也流传"五大物产"（即丝、银、铁、瓷、茶）出口的说法。根据国外过去出土的中国瓷器标本分析，也可以得到证实。《支那古瓷器手引》中探索日本镰仓海滨发现大量青瓷器的来源时曾谈到，"昔时在福建省盛产青瓷之窑，是温州、泉州与安溪，其他亦有小规模之窑。其后温州编入浙江省后，建窑之青瓷以泉州为本，陶土亦是以由安溪采掘为主"。可见安溪青瓷与泉州附近之青瓷曾远销日本，泉州在宋元时期为我国东南沿海对外通商的重要港口，也是一个货物集散地，泉州附近各地对外贸易的产品，都得由此外运，安溪地近泉州，水陆运输均极便利，安溪青瓷通过泉州出口则是十分自然的。在坦噶尼喀出土的一批中国瓷器，其中有 1 件青花碗，其造型、釉色、纹饰，甚至底部的做法都与安溪福昌窑址所出的清代青花碗相同，这从事实上证明了清代安溪瓷器曾经外销到遥远的东非。

199.泉州清净寺奉天坛基址发掘报告

作　者：福建省博物馆、泉州市文物管理委员会、泉州海外交通史博物馆　林
　　　　聿亮、林公务等

出　处：《考古学报》1991 年第 3 期

泉州清净寺（据 1310 年阿拉伯文碑译为"艾苏哈卜清真寺）位于泉州市内。1961 年公布为全国第一批全国重点文物保护单位。1986 年考古人员对位于清净寺门楼西侧的奉天坛露天基址进行了发掘。简报分为：一、地层堆积，二、遗迹，三、出土器物，四、结语，共四个部分，有照片、手绘图。

据介绍，泉州设州治，始于唐景云二年（711 年），北宋哲宗元祐二年（1087 年）诏泉州增置市舶之后，泉州城进入历史上最繁荣的阶段。各国客商，特别是阿拉伯客商络绎来泉，伊斯兰教至此得到最大的发展。14 世纪中叶，泉州的伊斯兰教寺增至六七座。元末十年战乱（1357 ~ 1366 年），泉州城遭受空前的破坏，许多伊斯兰教寺毁于兵灾；明初又实行海禁（禁止海外贸易）政策，迫使外商纷纷逃离泉州，从此泉州城逐渐走向衰落，泉州的伊斯兰教也从此冷落下来。现存的清净寺，是泉州唯一的伊斯兰教寺。主要是石构拱门（门楼）和露天奉天坛两个部分。这次发掘只揭露奉天坛内露天部分，未扩展到门楼。对门楼的始建年代，以及门楼与奉天坛的关系等问题，目前尚难解决。根据现有的发掘资料，只能就现存奉天坛建筑的基础形制问题以及发掘中发现的遗迹，谈几点认识：

其一，现存奉天坛建筑的年代。简报推断现存奉天坛建筑始建的相对年代不会早于元代，可能是在明永乐五年（1407 年）之后不久。其后多次维修。

其二，奉天坛的建筑形制、结构及相关问题。奉天坛内 10 个排列有序的大型磉墩，墩面较大，垒筑较深，是这座主体建筑屋顶和楼面的主要承重部位，具备了中国殿堂式建筑的重量都由构架承受的特点。从磉墩的排列，可以看出奉天坛的总体是一独立的殿堂建筑，面向东，南北广五间，进深四间（包括四壁殿墙）。为了适应伊斯兰教的"西向为尊"，又在西墙中部向外凸出一间作为"拜坛"。在殿堂的建筑方面，保留了一些伊斯兰教建筑的传统形式，比如西向墙面的 7 个尖拱形壁龛、东面入口的尖拱形大门以及其间所嵌的阿拉伯文"古兰经"石刻，这也许正是奉天坛不同于其他中国式伊斯兰教的所在。

其三，奉天坛内其他建筑遗存的性质及年代。一期主要为宋代一些陶瓷残片；二期约在宋元之交，为一小于现存奉天坛的木结构高台建筑，简报怀疑是文献所载圣友寺门楼；三期为元代，属一般性木结构住房，约在元末遭焚；四期约在元明之际，应略早于奉天坛，亦为一组木结构高台建筑。晚于奉天坛的遗存，简报不再涉及。

200.泉州发现的明代"巡检司"印

作　者：福建泉州海外交通史博物馆　林德民

出　处：《文物》1997 年第 10 期

1954 年，于晋江地委党校（今泉州市委党校）校址内发现 1 方明代洪武年间"巡检司"铜印。该印现藏福建省泉州海外交通史博物馆。简报配以照片予以介绍。

据介绍，该印铜质，方形，带长方形扁纽，纽顶作弧状。印文"深沪巡检司印"六字。有背款右镌"深沪巡检司印"、左刻"洪武拾染年捌月"。

简报称，据《明史》之《职官志·巡检司》云："初洪武二年，以广西地接猺獞、始于关隘冲要之处设巡检司，以警奸盗，后遂增置各处。十三年二月，特赐敕谕之……"其主管官员，属文职，均入流，称"巡检、副巡检，俱从九品，主缉捕盗贼，盘诘奸伪。凡在外各府、州、县关津要害处俱设。俾率徭役弓兵，警备不虞"。巡检司负责明代海（边）防。史载，明洪武二十年（1387 年），江夏侯周德兴受命经略福建。泉州府置巡司 15 处，府属晋江县设置围头、乌浔、深沪、祥芝四巡检司。深沪为明代福建海防要塞之一，巡检司建置（当是移置）时间为洪武二十年（1387 年）。泉州出土的这方铜印，把深沪巡检司移置时间提前了 3 年，应为洪武十七年（1384 年）。

漳州市

南平市

201.南平发现保护森林的碑刻

作　者：福建省南平市文化局　陈浦如、卢保康

出　处：《农业考古》1984 年第 2 期

最近，在南平市洋后公社后坪大队小学门口发现 1 块清朝咸丰六年（1856 年）所立的《合乡公禁》碑，保存完好，字迹清晰，碑通高 195 厘米，宽 60 厘米，全篇阴刻楷书，碑额横书"合乡公禁"4 个大字，碑文竖写，共 21 行，每行 44 字。简报录有碑文全文。

据介绍，该碑全文分为两大部分，第一部分阐述保护森林的重要性，第二部分具体规定禁伐的范围。碑文结合当时当地的实际，订出乡规民约，规定三禁：一禁

猫竹（毛竹）不许砍伐；二禁挖春笋，禁挖的时间；三禁本境荫木及水尾树木不许盗砍。

今有赵玉田先生《环境与民生：明代灾区社会研究》（社会科学文献出版社2016 年版）一书，颇可读。

龙岩市

宁德市

江西省

202.江西玉山、临川和永修县明墓

作　者：江西省博物馆　余家栋
出　处：《考古》1973 年第 5 期

1962 年至 1972 年，考古人员先后在玉山、临川和永修等县清理了有墓志或地券的明代墓四座。简报分为：一、玉山县明夏浚墓，二、临川县明徐琼夫妇合葬墓，三、永修县明魏源夫妇墓，共三个部分，有照片等。

据介绍，1962 年 4 月，玉山县群力公社嘉湖山发现广西参政夏浚墓 1 座。墓位于嘉湖山的山腰上。墓向正南。墓的地面上筑有围墙，墓前有石人石马。墓室结构为砖砌券顶单室墓，地券仅能辨认出是明嘉靖四十年（1561 年）下葬。出土遗物有服装、纸质殉葬的清单、路引，金器、铜镜等。据《广信府志》记载：夏浚，字惟明，玉山人。嘉靖进士，累官至广西参政（见《广信府志》卷九二）。与殉葬品清单中所记的官职相同。墓中所出獬豸芽纹补服与其官职也是一致的。

1966 年 3 月，在临川县金坪公社金石山，清理了明礼部尚书徐琼夫妇合葬墓 1 座。墓位于金石山的山腰上，西距抚州市约 5 公里。墓的外壁系用大石板顺序竖砌，内壁以青灰砖叠砌。墓前有残存石马 1 匹。墓内分两室。徐琼葬于左室，早年即被盗，仅存汉白玉墓志 1 合。志盖篆文"明故太子太保徐公东谷之墓"，志铭因剥蚀严重，字迹多模糊不清。墓砖侧刻有"敕葬太保尚书徐公墓"字样。其妻刘氏葬于右室，墓室亦被挖毁，故结构和遗物位置均不明。墓室前端有墓志 1 方。右室出土遗物 16 件。有瓷器、金饰等。

徐琼，字时庸，金溪人。由翰林累官侍读学士。《明史》无传。今据《明通鉴》卷三七记载，徐琼，天顺元年（1457 年）中进士，明弘治九年（1496 年）四月至十三年（1500 年）五月任礼部尚书，与其妻刘氏墓志记载基本一致。徐琼卒于弘治十八年（1505 年），其妻刘氏卒于正德六年（1511 年）。

1966 年，永修县拓林公社易家河大队在基建工程中，发现明刑部尚书魏源夫妇墓。1972 年 3 月，考古人员进行了清理。魏源墓位于易家河大队黎家山的山腰上，墓为单室券顶式，用红条石砌成，墓门用两块青石凿成。该墓因早年被挖毁，故墓室结

构和出土遗物的数量、位置不明。墓前有石翁仲、石马和汉白玉神道碑，碑身高 3.2 米，为王直所撰。魏源字文渊，建昌人，《明史》卷一六〇有传，与神道碑所记一致。出土有瓷器 3 件。卢氏墓位于易家河大队的乌龙山。墓为单室长方形券顶式，亦有墓志 1 方，出土有瓷器、金银器等 11 件。

据史传碑志记载：魏源卒于正统九年（1444 年），卢氏卒于成化三年（1467 年）。

简报称，这四座明墓均有绝对年代的地券或墓志铭，且都有文献可印证。不过墓志简报均未录全文。墓中出土的遗物较多，如堆塑瓷瓶、金银饰器等，为研究明代的工艺美术提供了有用的资料。

夏浚墓出土的补服，为研究明代的朝服制，增添了实物资料。

南昌市

203.江西新建明朱权墓发掘

作　　者：陈文华

出　　处：《考古》1962 年第 4 期

朱权墓在新建县西山河里乡黄源村西约 500 米的缑岭东麓，距南昌市八一桥约 30 公里。考古人员于 1958 年 10 月 29 日～11 月 20 日，进行了发掘工作。墓外表为一大封土堆，长约 50 米，宽约 15 米。封土之前有一道用青砖砌的拦土墙，封土堆的顶部又有一道用石块砌的拦土墙（后经发掘知砖墙下面即墓门，石块墙下即墓之后室）。在两道拦土墙之间以及石块拦土墙后面，保存有一些墙基和柱础，地面及土中散有砖石及琉璃瓦饰残片。

简报分为：一、墓室结构，二、随葬器物，共两个部分，有拓片。

据介绍，地面原有长生殿、泰元殿、冲霄楼、璇玑殿、凌汉楼、醉仙亭、小桥等建筑，现仅有柱础、碑座等少量遗迹。墓在地表下 5 米。由前室、次前室、中室、左右耳室、后室等组成。出土有瓷器、陶器、铜器、铁器、木器等。出土圹志 1 合，题"故宁献王圹志"。简报录有全文。

由志文，知朱权为朱元璋第 16 子，生于洪武十一年（1378 年），故于正统十四年（1449 年），享年 71 岁。志文多处可补《明史》之失。

204.明昭勇将军戴贤夫妇合葬墓

作　　者：江西省文物工作队　彭适凡、李科友
出　　处：《考古》1984 年第 10 期

1981 年 3 月初，南昌市永和门外江西省二机局工地因取土发现 1 座古代墓葬，考古人员进行了发掘。简报配以照片、拓片予以介绍。

据介绍，墓地原为一座近现代坟山。挖土后，即露出墓顶，其中有一长方形坑，两侧分别置放有青花瓷罐、谷仓和陶瓶等。放置棺木 2 副，系夫妇合葬墓。墓前置墓志 1 副，简报未录志文全文。从志文得知，墓主戴贤，字朝用，原籍山东掖县人，其祖戴昇于永乐初侍宁藩王（朱元璋第 16 子宁王朱权）来到南昌。明宪宗时，因镇压两广、南赣等地农民起义"皆著成绩"，被诰封为昭勇将军，实职是江西都指挥金事。按明兵制，一省的最高军事长官为都指挥使（正二品官衔），相当其副职的为都指挥同知（从二品官衔）和都指挥金事（正三品官衔）。

简报称，志文中载及的有关成化年间，两广、南赣和汀州地区农民起义史实，是较为珍贵的史料，有的可和文献记载相互印证，有的还可补史籍记载之不足。

简报指出，墓中出土的金饰品有较高的工艺价值，特别是戴贤身佩的嵌金边的沉香木雕玉带，刻工精细纯熟，刀法简洁流畅，形象生动逼真，反映了明代木雕工艺的高度水平，是一批极为难得的古代手工艺品。

205.绳金塔地宫出土的清代谷物

作　　者：江西省南昌市博物馆　夏小庆
出　　处：《农业考古》1990 年第 1 期

1987 年 12 月 22 日，在重修南昌市仅存的高层古建筑，始建于唐天佑年间（904～907 年）的绳金塔时，在塔底层距地表土仅 12 厘米处，发现了深 66.5 厘米、80 厘米见方的砖室地宫，出土汉、唐、清各代文物及清代钱币、谷物。简报重点介绍了出土的谷物。

据介绍，发现时，罐内稻、麦色黑，个体完整，尚未完全碳化，但已干瘪。茶已成块。酱已干缩成团。唯粟尚未全黑，但也干空。据记载，绳金塔最后一次修建于清同治七年（1868 年），荣禄大夫刘坤一并作碑记。地宫地面抛撒的、未有使用痕迹的"同治通宝"可为佐证。可见，罐内的稻、粟、酱、麦、茶已保存近 140 年了。

206.南昌明代宁靖王夫人吴氏墓发掘简报

作　者：江西省文物考古研究所　徐长青、樊昌生等

出　处：《文物》2003 年第 2 期

2001 年 12 月 4 日，为配合基建，考古人员在南昌市西北部新建县的华东交通大学校园内，抢救性发掘了 1 座明代墓葬。该墓位于西山山脉东缘，西距梦山宁献王朱权墓约 20 公里，北枕西山南坡，南眺孔目湖。据施工现场的民工介绍，墓上原有高约 8 米的土堆，墓葬清理前，墓上封土已被铲土机挖去，棺盖及部分三合土封土被毁，棺内表层落满尘土砂石。简报分为：一、墓葬形制，二、纺织品出土情况，三、墓主服饰，四、随葬器物，五、结语，共五个部分，有彩照、拓片、手绘图。

据介绍，这是一座单人砖室券顶墓，坐北朝南，墓室中央放 1 具楠木棺。棺外墓室内浇满松香。棺内除随葬金、银饰品外，还出土大量的丝麻纺织品，包括礼服、棉袄、裤、裙、鞋、被褥等。有墓志，略残，简报未录志文全文。从墓志得知，墓主吴氏为宁系藩王宁靖王之妻，卒于明弘治十七年（1504 年）。

简报指出，该墓出土的 1 套明代皇室女眷礼服，包括妆金团凤纹鞠衣、素缎大衫、压金彩绣云霞凤纹霞帔、团凤纹缎地妆金凤纹云肩袖襕夹衣、织金云凤膝襕褶折裙等，是迄今发现的明代最完整的后妃系列礼服，为研究中国古代服饰和纺织史提供了重要的实物资料。

景德镇市

207.乐平窑上华家瓷窑址调查记

作　者：江西省文物管理委员会　郭远谓

出　处：《文物》1964 年第 1 期

1962 年 11 月间，考古人员在乐平县城东约 5 公里的窑上华家的矞山足下，发现 1 处古代窑址。这里靠近乐安河，水陆交通较方便，矞山也盛产瓷土。窑址烧造原料当是取之本地。传说华家古代有十八大窑场，经此次勘察，仅得 5 处堆积遗址，内含丰富，地表暴露了不少的瓷片、匣钵等绵延长达 300 米。简报认为此处是 1 处明代民窑遗址。

关于景德镇明代民窑，今有江西省博物馆编《明代景德镇民窑纪年青花瓷》（文物出版社 2018 年版）上下两册，可参阅。

208.景德镇湖田窑考察纪要

作　者：景德镇陶瓷历史博物馆　刘新园、白　焜
出　处：《文物》1980 年第 11 期

湖田窑是我国古代著名的窑场。遗址在今江西省景德镇市东南 4 公里的竟成人民公社湖田村生产队境内。湖田村位于南山与南河之间的一个台地上。南山柴草茂密，可作窑用燃料，南河联通昌江，终年能行驶小船，村南是著名的瓷石矿区，村西的马鞍山则出产"老土"（一种较耐高温的黏土），为该区窑具原料的重要产地。1959 年，该窑场被列为江西省级文物保护单位。1966 年后，由于"文化大革命"，遗址无人管理，也无法管理，某些部门和单位在这里任意盖房，夷平堆积约 10 万平方米。直到 1972 年，考古人员进行了清理与试掘。从调查、清理与试掘中取得的资料来看，该窑场兴烧于五代，历宋、元至明代隆庆、万历之际结束。简报分为：一、关于湖田窑，二、遗存的清理与试掘，三、产品特征与断代，四、小结，共四个部分，有照片、手绘图。

据介绍，从考古发掘情况看，北宋时湖田窑已采用覆烧法，元代时已有独特的"镇式窑"。把湖田窑的各期产品与市内各瓷窑遗址的出土物相比，则知五代的与杨梅亭、白虎湾、黄泥头、湘湖等窑的相近，无高下之分；至宋代，技术有长足的进步，其影青瓷器跃居市内诸宋窑之冠，元代产品虽精粗并存，但枢府器与青花器却能达到当时的最高水平。简报认为湖田窑是研究景德镇制瓷技术与艺术在 10～14 世纪发展和演变历史的最好的窑场。1368 年以后（即入明以后），湖田窑的产品制作草率，青花浅淡，不仅不如市内珠山御窑的制品精美，也不如市内同期民窑的精致。湖田窑在入明以后就不能反映景德镇在当时的最高制瓷水平了。至隆庆、万历之际则完全没落。其原因简报认为有二：一是洪武二年（1369 年）朱元璋建御厂，良工巧匠均被征发，湖田窑竞争不过官窑。二是隆庆、万历以来，资本主义萌芽发展迅速，市场竞争激烈。湖田窑竞争不过各方面条件更为优越的窑场。

209.景德镇龙珠阁遗址发掘报告

作　者：江西省文物工作队、景德镇市陶瓷历史博物馆　余家栋等
出　处：《考古学报》1989 年第 4 期

龙珠阁位于景德镇市区珠山，为明清御器厂的一部分。御器厂专烧制供宫廷使用、赏赐及对外交换所需的瓷器，在中国陶瓷发展史上占有极重要的地位。考古人员于 1983 年 7 月至 9 月、1984 年 12 月至 1985 年 1 月，先后对龙珠阁遗址进行了

两次发掘，揭示较完整的亭基遗址 1 处、残墙基 1 段。共计出土各类窑具和残破瓷器 23000 余件。简报分为：一、遗址结构，二、出土遗物，三、结语，共三个部分，有照片等。

据介绍，1983 年第一期发掘工程中，所揭露龙珠阁阁基南北长 26.5 米、东西宽 14 米。平面呈长方形。全阁由前厅、中厅、天井迴廊厅和后厅四部分组成，总面积为 371 平方米。阁基四周多用青灰砖横平错缝叠砌，外壁涂抹一层红色石灰面，墙基下垫铺鹅卵石和青色片石。阁基北（后）墙宽 44 厘米、东墙宽 41 厘米、西墙宽 39 厘米、中厅南（前）墙宽 41 厘米。前厅遗迹多被拆毁，仅南墙东、西两角各留有一组 45 厘米 ×51 厘米青灰砖叠砌持砖柱。从遗迹看，东、西、南三面墙均系红砖叠砌，北面为中厅的青灰砖墙，东、西墙未与中厅的青灰砖墙错缝相接，说明前厅应系后世所扩建。简报认为系民国初年扩建。东墙基外残存一道为以后居民所建的宽约 30 ~ 70 厘米的墙垣，墙基近旁尚留有散水沟下水道遗迹。南墙宽 32 厘米，墙外砌有四层台阶，均为水泥铺盖，台阶大小相等，长 1.68 米、宽 0.33 米。阶前为居民住房，住房与台阶之间为过道，并无淤土堆积。遗址年代，简报推断景德镇御器厂似始建于明洪武初年。御器厂的兴盛阶段当在明宣德至清康熙、雍正和乾隆年间。清代末年渐趋衰败。

简报指出，明、清景德镇御器厂烧造宫廷用瓷，精美绝伦，蜚声中外。龙珠阁位于珠山御器厂东北隅，是御器厂的组成部分。所出各类瓷器，釉色齐全，晶莹润彻，胎质细腻，洁白透明，图案精美。各种釉色和各式年款瓷，表明御器厂讲求陶艺的严谨作风和高超的工艺水平。所出土的大批瓷器和新加坡港务局订烧的"SHP"外销瓷，都是研究中国陶瓷史和对外经贸史的珍贵资料。

210.谈景德镇明御厂故址出土的宣德瓷器

作　者：江建新

出　处：《文物》1995 年第 12 期

明宣德（1426 ~ 1435 年）官窑以其产品量多与质优而被誉为历代官窑之冠。景德镇陶瓷考古研究所继 1982 年、1983 年、1984 年、1988 年在明御厂东墙以及南侧与西侧一带发现大量明初瓷器之后，又于 1993 年 1 月在明御厂故址东门一带的基建工地发现数以万计的宣德官窑瓷片，目前已复原出许多重要遗物。简报分为"历次出土情况"等几个部分，并配以照片予以介绍。

据介绍，简报回顾了 1982 年、1983 年、1984 年、1988 年及 1993 年历次出土的宣德瓷器的出土地点、出土瓷器的主要器形，得出了一些较专业的结论。如宣德时期陂塘青已开始使用，釉上彩产量比以往空前增多，蟋蟀罐、鸟食罐的出现，表明宫中确有养蟋蟀、养鸟之风等。简报认为宣德时代确是一个擅长继承传统，吸取外来文化，并能融汇创新的时代。

211.江西景德镇市明清御窑遗址2004年的发掘

作　　者：北京大学考古文博学院、江西省文物考古研究所、景德镇市陶瓷考古
　　　　　研究所　刘新园、权奎山、李一平等
出　　处：《考古》2005年第7期

景德镇是中国古代瓷器的重要产区之一，其明清两代的御窑产品代表了当时瓷器生产的最高水平。文献记载及研究成果表明，御窑创建于明代洪武二年（1369年），沿用至清王朝灭亡，前后延续了542年。废弃后至今，御窑设施和地面建筑早已荡然无存。遗址位于现景德镇市中心的珠山地区，考古人员于2002年10月至2003年1月、2003年10月至12月、2004年9月至2005年1月，对景德镇明清御窑遗址进行了较大规模的考古发掘。发掘的具体位置在珠山北麓（御窑遗址的东北部）和珠山南麓（御窑遗址南部的西边），发掘面积共计1578平方米，发现大批遗迹和数量众多的遗物。2002年、2003年的发掘情况已进行了报道，在这里简报仅介绍2004年的发掘情况，简报分为"前言""地层堆积""遗迹""遗物""学术意义"五个部分，有彩照、手绘图。

据介绍，2004年对景德镇明清御窑遗址继续进行发掘，发现了墙、窑炉、埋藏瓷器的小坑等遗迹，出土了瓷器、窑具、制瓷工具等遗物。

据文献记载：明代御器厂"为窑六，曰风火窑、曰色窑、曰大小爁熿窑、曰大龙缸窑、曰匣窑、曰青窑"，但未记载御器厂内的具体位置和窑的形制。这次在珠山以南发现的馒头形窑炉，不但证明这里即是明代御器厂的窑炉区，而且还证实当年使用的窑炉是馒头形窑，补充了文献记载的不足。

简报称，这次发掘证实，明洪武至永乐时期主要使用葫芦形窑，宣德及其以后主要使用馒头形窑。这两种形制的窑炉在明代以前的民窑中就已出现或已普遍使用。明代御器厂虽然使用的也是两种窑炉，但进行了改造，更有利于产品的烧成，更适合于御器厂生产。值得注意的是，在发现的馒头形窑中，有的烧得很严重，壁内侧挂满了厚厚的"窑汗"，有的则烧得很轻，壁内侧没有"窑汗"生成，这显然不是偶然的，前者可能就是文献中记载的专烧高温小件器物的"青窑"，后者可能就是专烧低温颜色釉的"色窑"，这说明明代御器厂的窑炉已有了合理的"分工"。这种在窑炉上的"分工"，不见于明代以前的官窑和民窑。明代御器

厂之所以能烧造出众多品种的精美瓷器，与结构先进的窑炉和窑炉的合理"分工"是密不可分的。

简报称，在出土数量众多的落选御用瓷器中，有不少品种属首次发现，有的还是孤品。有一些品种、器形虽然不见于传世品中，但它对于揭示明代御器厂的沧桑巨变和烧造活动有着传世品所无法替代的作用。值得注意的是，明代御器厂的制瓷工艺技术，或文献缺载，或已传失，这些出土的精美瓷器乃是探索、总结当年制作工艺技术的珍贵资料。

简报强调，这批出土资料对研究景德镇明代御器厂的发展、变迁、烧成技术及其渊源、瓷器的制作工艺、复原当年御器厂的生产面貌等，有重要的学术价值。

212.江西景德镇丽阳瓷器山明代窑址发掘简报

作　者：故宫博物院、江西省文物考古研究所、景德镇市陶瓷考古研究所

出　处：《文物》2007 年第 3 期

瓷器山明代窑址位于江西省景德镇市西南 21 公里处丽阳乡彭家村瓷器山的西坡，南侧即为昌江。考古人员于 2005 年 7 ~ 11 月对该窑址进行了考古发掘（编区为 A 区）。发现明代前期葫芦形窑炉 1 座，出土了大量同时期的瓷器。简报分为：一、地层堆积，二、遗迹，三、出土器物，四、装烧工艺及窑具，五、结语，共五个部分，有彩照、手绘图。

据介绍，此次发掘出土了大量青花、白釉、仿龙泉釉、仿哥釉、紫金釉等瓷器，同时发现了 1 座明代前期葫芦形窑炉的遗迹。该窑炉的发现不仅可以填补在景德镇御窑遗址发现的明初葫芦形窑和在湖田窑址发现的明代中期葫芦形窑之间的空白，完善葫芦形窑的演变序列，而且印证了《天工开物》对葫芦形窑形制的记载。简报推断该时代为明代早期宣德至天顺年间。

213.江西景德镇丽阳古城址调查试掘简报

作　者：故宫博物院、江西省文物考古研究所、景德镇市陶瓷考古研究所
　　　　　张文江、赫炎峰、余江安等

出　处：《文物》2007 年第 3 期

2005 年 7 ~ 12 月，考古人员在对景德镇丽阳乡元明瓷窑址进行考古发掘时，发现瓷窑遗址外围残存 1 处土城墙。简报分为：一、地理位置，二、城墙保存情况，三、城墙解剖情况，四、结语，共四个部分，有照片、手绘图。

据介绍，古城址位于江西省景德镇市昌江区丽阳古镇的西南部，南侧即为昌江。丽阳古城也就是景德镇的主要水运码头。古城址位于丽阳乡老街的西南，汪源垄溪水南岸、昌江北岸。北与姜家村隔汪源垄溪水对峙；东北隔汪源垄溪水与丽阳老街相对；东南紧邻昌江，利用昌江北岸筑墙，与丽阳乡洪家村隔江相望；西至丽阳乡古田村。依据《丽阳黎氏宗谱》记载，古城墙呈椭圆形，原有 5 门，即东、西、北各 1 门，2 个南门。今据实地勘查证实，古城墙呈不规则的椭圆形，城墙总周长为3873.4 米，发现东、西、北各 1 门，南门因城墙遭破坏严重，在调查过程中未发现。城墙的保存状况分为三类：A 类墙体保存较为完整，长约 1308.9 米，宽 0.9 ~ 3.1 米，最宽约 9 米，残高 0.2 ~ 5.2 米，最高约 10 米。墙体只保存了下部分，上部分被破坏，长约 1278.5 米；C 类的墙体完全被破坏，长约 1252 米。

简报指出，调查与试掘表明该城墙是在较短时间内依地势直接堆土垒筑而成，这种堆砌方法简单实用。城墙内侧地势高且平缓，外侧或依托河流，或地势低洼，在军事上有易守难攻的优势，因此该城墙可能是当时的统治者为了维护安全、适于军事需要而修筑，这也和文献记载的元末明初朱元璋的大将于光曾在丽阳修筑军事据点相吻合，由此简报初步断定其为元末明初于光所筑之城。

214.江西景德镇丽阳碓臼山明代纪年墓

作　者：故宫博物院、江西省文物考古研究所、景德镇市陶瓷考古研究所
　　　　　樊昌生、严振洪等

出　处：《文物》2007 年第 3 期

2005 年 7 ~ 11 月，考古人员在位于景德镇市西南 21 公里处的丽阳乡丽阳村碓臼山元代窑址进行考古发掘时，发现了 1 座明代纪年墓，编号为 2005JLLDM7。简报分为：一、墓葬形制，二、墓志，三、随葬器物，四、结语，共四个部分，有照片、手绘图。

据介绍，此次发掘最大收获为墓志，简报录有志文全文。除墓志外，在墓底发现部分人骨，所有骨骼集中摆放，显为二次迁葬，与墓志记载吻合。在墓室西北角还发现 1 件青花瓷盅。

据墓志，墓主人黎瑞，万历三十五年（1607 年）迁葬于此。简报指出，墓中出土青花瓷盅极普通，此墓规模也不大，但因存有明确纪年，为日后考古鉴定起到断代依据作用。

215.江西景德镇明清御窑遗址发掘简报

作　　者：北京大学考古文博学院、江西省文物考古研究所、景德镇市陶瓷考古
　　　　　研究所

出　　处：《文物》2007年第5期

明清两代沿袭宋元时期设立官窑的做法，在江西景德镇设置御窑，以满足宫廷对瓷器的需要。文献记载及研究成果表明，明代御窑创建于洪武二年（1369年），称"御器厂"，明王朝灭亡，其遂为清王朝所有，并改称为"御窑厂"，直至清王朝灭亡，前后延续了542年。废弃后，随着时间的推移，御窑设施和地面建筑除位于南门内的1口井外，其余早已荡然无存。其上建满了办公楼房、民宅、商店和厂房等。2001年，遗址上建国瓷厂旧厂房倒塌，为发掘创造了客观条件。2003年至2004年，考古人员进行了发掘。简报分为：一、地层堆积，二、遗迹，三、遗物，四、年代推断，五、结语，共五个部分，有彩照、手绘图。

据介绍，明清御窑遗址位于景德镇市中心的珠山地区，2002～2004年考古人员对珠山北麓和南麓的两个地点进行了发掘。揭露的遗迹有墙、窑炉、辘轳坑和掩埋落选御用瓷器的遗迹等，多数是首次发现。出土遗物有瓷器、建筑材料、窑具等，以明代御窑瓷器最为重要，内涵丰富。有一些未见于以往传世品的明代御窑瓷器。这些遗迹、遗物为明清御窑的研究增添了新资料，具有重要的学术价值。如永乐时期的青花釉里红云龙纹梅瓶、釉里红云龙纹梅瓶、釉里红釉外釉里红赶珠龙纹大碗（C型）、红釉刻花云龙纹梅瓶、红釉梅瓶、红釉印花盖盒、黑釉划花鼎式香炉，宣德时期的洒蓝釉刻花云龙纹大罐、孔雀绿釉鱼藻纹梅瓶、孔雀绿釉鱼藻纹梨形壶、青花花卉纹果盘、仿哥釉小罐等，这些瓷器都是珍品，均为首次发现，有的还是孤品。

216.江西景德镇观音阁明代窑址发掘简报

作　　者：北京大学考古文博学院、江西省文物考古研究所、景德镇市陶瓷考古
　　　　　研究所　刘新园、刘　未、黄　珊、江建新、权奎山等

出　　处：《文物》2009年第12期

观音阁窑址位于江西省景德镇市北郊3公里处的昌江东岸。昌江源自安徽省祁门县，主要支流之一东河在观音阁以北的浮梁县境汇入。明清时期，祁门瓷土和制瓷原料可分别顺昌江及东河达于此地。窑业遗存分布范围很广，北起观音阁，南达董家坞，西至昌江东岸，东到秧田坞山坡。20世纪80年代初，考古人员曾对观音阁

一带窑址进行过多次调查，发现存有大量明代中晚期至清代初年的窑业堆积，青花瓷种类丰富，并包含少量"克拉克"瓷残片，由此判定这里是景德镇地区一处重要的明代中晚期民间瓷窑遗址。2007 年 9～12 月，考古人员对观音阁窑址进行考古发掘。此次发掘揭露了一批明代晚期瓷业作坊遗迹，出土了大量明代民窑瓷器标本。简报分为：一、地层堆积，二、遗迹，三、遗物，四、分期与年代，五、结语，共五个部分，有彩照、手绘图。

简报称，此处遗址是迄今景德镇保存较好的明清窑址之一。此次发掘揭露了一批明代晚期瓷业作坊遗迹，出土了大量的明代民窑瓷器，以青花瓷器为大宗，另有白釉、蓝釉、紫金釉、黄釉、青花红绿彩、红绿彩瓷器等，其中出土的"克拉克瓷"残片、御用瓷器；日本订制瓷器格外引人注目。生产时期从正统、景泰前后，到成化至正德、嘉靖、万历，至崇祯晚期，几乎贯穿明代各朝，对于研究景德镇明代中晚期民营制瓷手工业具有重要的学术意义。

简报还指出，嘉靖时期由于瓷器烧造数量剧增，御器厂根本无法完成任务，便采取了"官搭民烧"的办法，将一部分任务（"钦限"任务）派给民窑烧造。由此推测，观音阁窑场有可能存在官搭民烧的民窑。

萍乡市

九江市

217.江西都昌发现太平天国布告

作　者：邵天柱

出　处：《文物》1979 年第 3 期

1975 年 7 月，江西省都昌县阳峰公社屏峰大队在将土改时没收地主的 1 幢油榨房改建为学校时，于 1 根柱子的裂缝中发现太平天国政权所颁发的征粮布告 1 份。简报配以照片予以介绍。

简报介绍，布告为毛边纸，除折叠处被烟熏成褐色并有残破外，其余部分保存尚好，文字系墨书，朱色断句。简报录有全文，该布告注明的颁发年月太平天国乙荣五年三月十七日，即 1855 年 5 月 2 日。文中地名"三汊港"距布告发现地点 5 公里左右，是都昌县一个较大的农村集镇。

简报称，这张布告的发现，对于研究太平天国前期的经济政策和阶级关系，特别是太平天国北伐西征战略进攻时期军事情况提供了实物资料。

218.江西德安明代熊氏墓清理简报

作　者：德安县博物馆　于少先、周迪人、邱文彬等

出　处：《文物》1994 年第 10 期

1991 年 4 月，德安县爱民乡一古墓被盗。考古人员赶到现场，发现是一夫妻合葬墓。随即对该墓进行了清理，获一完整棺木。5 月 3 日，进行开棺清理，出土了一批丝麻、棉织品及首饰等物。简报分为：一、墓葬形制及葬具，二、随葬器物，三、结语，共三个部分，配以照片予以介绍。

据介绍，墓葬位于德安县爱民乡红岩村新屋罗家南面约 1 公里的螺丝山（旧称东南山）山坡上。墓为竖穴长方形圹，外圹用石灰糯米层封闭，内为双砖椁，砖间用石灰勾缝。木棺约为长方形，棺盖板、侧板、两端档板及底板均用独板制作。转角处以榫卯合，生漆填缝，盖口与棺盖子母槽衔接，外用铁钉楔合。盖板略呈拱形，侧板稍有弧形。棺内外均用麻布、油灰、生漆密封。棺木油漆完好，色彩鲜红。尸体保存完好。身高 162 厘米，仰面直肢。熊氏尸体，用扎捆法包裹，这在其他明代墓葬中虽有发现，但因尸体腐烂，看不出捆扎的部位和细节，而熊氏墓室和棺木封闭严密，没有受到外界破坏，所以尸体完好，衣物没有腐朽，层次清楚，可以说这是此次发掘的一大收获。

简报称，此墓虽是合葬墓，但没有发现合葬墓志或墓主之夫桂德光墓志。右室是桂德光之墓，且桂德光先葬于妻。桂德光县志无载，但据其妻身穿绣"炼鹊"纹饰的古铜色缎子"补服"，按《明史·舆服制》，应为文职杂散官员。熊氏身份虽然不高，但从墓葬情况和随葬品多达 83 件来看，家境应比较富有。

简报出土有熊氏墓志，由志文知熊氏生于明成化壬寅年（1482 年），弘治庚申年（1500 年），嫁与桂德光为妻，生子桂枢。嘉靖十六年（1537 年）九月病逝，享年 56 岁。是年十二月十五日，葬于本乡太平桥之东南山麓。熊氏就是本县人，太祖父曾中过进士。

简报指出，此次出土的纺织品有棉布、丝织品、麻等。服饰的色彩较为单调，大都为月白色或浅绿色，有少量的蓝花色，绊红花色，但染色技术有特点。蓝花色和绊红花色，都用"扎捆法"（或称"折叠染法"）进行染色，即把白布用线绳不规则地扎紧，放入染缸里染色，洗去浮色，就成为蓝白相间、红白相间的花布。这种染法的特点，是色与色之间自然渲染，比较柔和，色彩虽不富丽，但显得朴实。这是当时民间普遍使用的染色方法。

新余市

219.记江西分宜万年桥

作　者：陈柏泉

出　处：《文物》1961 年第 2 期

江西境内有 2 座万年桥，一在南城县，一在分宜县。简报配以照片，介绍分宜县万年桥。

据介绍，分宜万年桥位于分宜县城铃阳镇东门外，始建于明嘉靖三十五年（1556年），建成于嘉靖三十七年（1558年），桥长 174 米，计 11 拱，桥墩、桥身均为明代旧物，清乾隆七年（1742 年）修过桥面部分栏杆。桥面铺以大青石板，栏板、望柱等处有石雕。桥北有明代权臣严嵩撰"分宜县万年桥记"碑一通，嘉靖三十八年（1559年）立。据碑文，此桥建造费时三年零两个月，用银两万余两，由严嵩出资"赞助"。

今有曹国庆先生《严嵩年谱》（中国人事出版社 1995 年版）一书，可参阅。

鹰潭市

赣州市

吉安市

宜春市

220.明成化青花串枝花瓷炉

作　者：黄颐寿

出　处：《文物》1984 年第 3 期

明成化青花串枝花瓷炉，1974 年出土于江西清江金盆沈村西北面砂壤丘冈上的明代墓葬中，现藏清江博物馆。简报配以照片予以介绍。

简报介绍，瓷炉呈圆筒形，腹部三只兽蹄形足较为矮小。整体造型工整，简朴美观。胎坯较厚，质料坚固，扣击时音韵清长。底部中心露火石红胎，胎质不太细腻。器底露胎骨处墨书一圈行书铭文："成化廿年七月吉日江桓壁因过景德镇买回。"成化二十年为明宪宗年号，即1484年。这一十八字明确地记录了此器的产地、时间和购买人的姓名，为研究明代青花瓷提供了珍贵的资料。

221.宋应星祖父墓志铭

作　者：陈定荣

出　处：《文物》1986年第12期

20世纪60年代，在江西奉新县宋埠乡中宝村戴家垅宋家祖坟山出土墓志铭1合，青石质，高61厘米、宽58厘米、厚5～7厘米。志盖中间竖书阴刻楷体"明故廪膳生员宋公道征行凤六六墓"1行。志石四边刻卷曲枝草纹一周，宽2.5厘米，边沿界以框线。志文竖书阴刻楷体，34行，行34字，凡千余言，词语凄怆，感情真挚。墓主宋承庆，官道征，行六六，县学廪膳生。系明兵部尚书兼都察院左都御史宋景第三子，是我国古代著名科学家宋应星的祖父。生于嘉靖元年（1522年），卒于嘉靖二十六年（1547年），终年26岁。初娶黄氏，续娶顾氏，生一子名国霖。

宋国霖，字汝润，号巨川，宋承庆孤子。据《奉新县志·人物志》载："宋国霖以子应升贵，赠文林郎、广东恩平县知县。妻甘氏，继妻魏氏，赠孺人。"宋国霖生年未见史籍，而宋应升《方玉堂集·先母魏孺人行状》记有"此乙卯（万历四十三年，1615年）先母周甲之辰，则先君及耄之年也"之语。依《盐铁论·牵养》"七十曰耄"之例，可见万历四十三年宋国霖应是七十虚龄。又宋承庆卒时，宋国霖"甫岁余"（志文），则宋国霖当生于嘉靖二十五年（1546年）上半年。又据《行状》："己巳之岁，殒我仲弟，遂及先君。"己巳为崇祯二年（1629年），知宋国霖终年84岁。

宋应升，字元孔，宋应星之兄。《县志》载其"与弟同魁其经，五诣礼闱不第，选湘阴县，改恩平，历高州府同知，崇祯十五年任广州知府"。有著作《方玉堂集》等行世。

宋应星，字长庚，行平二，万历四十三年举人。曾任江西分宜教谕、福建汀州府推官、南京亳州知州、滁州道、南瑞兵巡道等重职。崇祯十七年（1644年）弃官返乡，清顺治、康熙间去世。生平究心实学，注重农工生产实践。崇祯七年（1634年）任分宜教谕时，撰有《天工开物》一书，详述我国古代各项农工技术，名闻中外，后被译为日、法、德等国文字，影响甚巨。其他著作有《野议》《论气》《谈天》《思怜诗》等；尚有《画音归正》《卮言十种》《春秋戎狄解》等，都已散佚。

此墓志史实可信，对了解宋应星家世具有一定价值。简报录有全文。该墓志今藏奉新县文教局。

222.明初赣西农宅模型

作　者：江西省文物考古研究所　陈定荣
出　处：《农业考古》1990 年第 1 期

1988 年盛夏在宜春造纸厂的基建工地的一座明代早期墓葬中出土了 2 件陶屋，一窝"金鸡"，一只"玉犬"。视其形制结构，为典型的赣西农村民宅模型。屋通高 38 厘米、檐宽 30.8 厘米、檐深 22.5 厘米，屋身面阔 25.8 厘米、进深 17 厘米。一为仿木结构屋，伴出鸡俑，位于墓的北侧。一为仿砖结构屋，伴出狗俑，位于墓的南侧。这 2 件陶屋不仅制作工巧，形象美观，而且模仿民宅的砖、木结构，玲珑剔透，惟妙惟肖。同墓出有"永乐通宝"钱，为陶屋提供了制作年代。这种有纪年可考的民宅模型尚不多见。简报配以照片予以介绍。

据介绍，两屋均为悬山顶，两爿瓦面，各有 19 ~ 20 流瓦垄。两瓦面之夹角为 110° ~ 120°。上有雕琢清晰的大鸱尾高翘两侧，中脊挺直，造型巍峨而雄壮。简报称，这种就地取材、结合合理、形象美观、起居自如的木构民宅，表现出民间匠人高超的智慧。

223.江西宜春市官园清理一座明墓

作　者：苏茂盛
出　处：《考古》1995 年第 1 期

1988 年 11 月 23 日，宜春市官园村李家村民李才华家盖房子挖地基时，发现 1 座古墓，考古人员前往实地进行清理。简报配以手绘图、照片予以介绍。

据介绍，墓为单室券拱，平面为梯形。随葬品有青釉魂瓶 2 件、陶屋 2 件、陶狗 1 件、陶鸡 1 件，计 6 件。该墓的年代，简报推断为明代。

抚州市

224.江西南城明益庄王墓出土文物

作　者：江西省文物管理委员会

出　处：《文物》1959 年第 12 期

考古人员于 1958 年 9 月 26 日至 10 月 12 日发掘了明代朱厚烨（益庄王）及妻（妇）王氏、万氏的墓。

据介绍，这座墓在南城县长塘街北面约 200 米的小山上。墓前有翁仲、石狮及神道碑。墓门外有砖砌封门墙（即金刚墙）四道。墓门上有墨迹文字，说明此墓之内除葬朱厚烨及王氏外，尚有"更敛易棺"迁葬而来的朱厚烨继妃万氏的棺木在内。这一点是过去文献上所未记载的。根据二门上墨迹及圹志，朱厚烨于明嘉靖三十六年（1557 年）三月十七日下葬于此，王氏也在此时迁葬，万氏系于万历十九年（1591年）正月初五日迁葬于此。随葬品有陶俑 202 个、金玉器 255 件等。其中一顶小金冠，系用细如头发的金丝制成，上镶宝石，极其精美。

225.江西南城明墓出土文物

作　者：薛　尧

出　处：《考古》1965 年第 6 期

1964 年 3 月间，南城县南 10 余公里的株良公社发现了 1 座明墓。考古人员前往清理。简报配以拓片、照片予以介绍。

据介绍，该墓以大量石灰为主的三合土建成，坚实牢固。椁室呈方形，中间用 1 道青砖隔墙把墓分为左右两室。二室顶部各盖一长方形青石板。左室未置葬具和任何遗物，可能为死者之妻准备，而后又未葬入的圹室。右室内置一描金棺木，在棺与椁之间，平砌青砖为壁，使棺木与三合土圹壁隔开。墓志已失，从残留痕迹看，原置于椁之前面。墓前有 2 座龟趺，疑系神道碑座。墓室内因棺椁封闭严密，加之死者体部注入水银，故尸体保存完好，已成"尸蜡"。由于墓室曾经扰乱，故棺内随葬品原貌无法明了，部分遗物亦已散失。清理所得和收集的出土遗物，有衣服 6 件、寿簟 1 床、历书 11 本、清单 1 份（纸质，简报录有清单全文）、金冠 1 顶、方首金簪 2 件、铜钱 140 枚、铜镜 1 面、玉圭 1 件，此外还有玉珠两粒、仿龙泉豆青瓷盘 1 件、青花瓷罐 2 件，陶俑 1 件。

简报称，上述明墓，虽缺墓志，不知死者氏姓，但其出土的四团龙补子大袍、金冠、玉圭等遗物，以及典服所附清单内容，均系《明史》上郡王以上定制，而且有许多遗物与南城洪门明益庄王墓出土的相同，故死者的身份可能为郡王。南城为明益藩建昌封地，同时，在墓的左侧 3 米处发现有明益藩罗川瑞忠王副宫夫人张氏的墓志，由此推知这一墓主可能系益藩罗川王族。

简报指出，墓中出土的典服清单和出土衣服，是研究明代服饰的有用资料。

226.江西南城明益王朱祐槟墓发掘报告

作　　者：江西省博物馆　陈文华
出　　处：《文物》1973 年第 3 期

1972 年 1 月下旬，考古工作者在南城县红湖公社红岭大队外源村北，发掘了明代益王朱祐槟夫妇合葬墓，出土 200 余件文物，为研究明代历史提供了一批宝贵资料。简报分为：一、墓地外况，二、墓室结构，三、出土遗物，四、关于墓主，共四个部分，有照片等。

据介绍，外源村位于县之东南，距城 17 公里，南至洪门车站 1 公里。村庄坐落在山谷小盆地东南方。村北有一高山，名曰金华山。山之南麓有一小丘陵。丘陵南端为一小山包，朱祐槟墓即在此山包之中。享殿已不存，有用红石雕成的文吏、武将、马、狮、望柱及汉白玉碑各 1 对。碑额雕刻双龙抢珠。碑身高 322 厘米、宽 111 厘米、厚 35 厘米。左碑因早年倾倒，风雨侵蚀，不见碑文。右碑刻有嘉靖十八年（1539 年）、十九年（1540 年）赐祭朱祐槟夫妇的"御祭文"。该墓凿山而建，墓平面呈"凸"字形。

简报称，明代江西境内共有三藩。南昌一带是宁献王朱权系统的势力范围。鄱阳一带是淮靖王朱瞻墺系统的势力范围。南城一带则是益端王朱祐槟系统的势力范围。其中益王一系延续到清初才覆灭，统治江西 140 余年。朱祐槟是明代开国皇帝朱元璋第六代孙，宪宗皇帝第四子。生于成化十五年（1479 年），9 岁（成化二十三年）被封为益王，17 岁（弘治八年）就国江西建昌府，卒于嘉靖十八年（1539 年），统治建昌府达 42 年之久。

227.江西南城明益宣王朱翊鈏夫妇合葬墓

作　　者：江西省文物工作队　刘　林、余家栋、许智范等
出　　处：《文物》1982 年第 8 期

1979 年 12 月，江西南城县岳口公社游家巷大队农民在挖渠时发现古墓 1 座，从圹志得知是明代藩王益宣王朱翊鈏和李、孙二妃的合葬墓。当时只清理了益宣王的

棺室。1980 年 3 月中旬，又清理了李、孙二妃的棺椁。整个墓葬出土器物非常丰富，有金、银、玉、铜、瓷和冠服等饰品共计 450 余件，为研究明代手工艺和冠冕服制提供了一批珍贵的实物资料。简报分为：一、墓地外况，二、墓室结构与装殓情况，三、出土器物，四、关于墓主和益王府，共四个部分，有拓片、照片。

据介绍，游家巷村位于县城北 20 公里，村南有盱江水自东向西流过，村北有女冠山，南麓有许多小山丘，高出地面 7 ～ 8 米。朱翊钤墓就坐落在小丘南坡上。据当地反映，墓原有围墙环绕，现已被拆毁，墙基犹存。益宣王墓用青砖砌成 1 圹 3 椁室，平面为横长方形。圹内用两堵平铺直砌的砖墙隔成并列的左、中、右 3 室，互不相通。朱翊钤棺内尸体完好，李英姑棺内尸体已腐，孙氏棺内尸体半腐，3 副棺均为大红髹漆棺，楠木质，保存完好。朱翊钤棺内出土袍服、织锦花被、棉布、玉带等共 57 件；李英姑棺内出土凤冠、玉圭、玉带、玉戒指等 155 件；孙氏棺内出土大衫、霞帔、金凤钗、绵绸等 248 件（珍珠 3000 余颗、小玉珠 600 余颗和宝石 100 余颗俱未统计在内），圹志 3 方。简报没有记录志文全文。

朱翊钤，号潢南，自称潢南道人，明宪宗玄孙，益恭王厚炫长孙，益昭王长子。万历五年（1577 年）嗣位益王，谥号宣，称益宣王，《明史》有传。据墓志所载，朱翊钤生于嘉靖十六年（1537 年），卒于万历三十一年（1603 年）。元妃李氏英姑生于嘉靖十七年（1538 年），卒于嘉靖三十五年（1556 年），死时仍为崇仁王长孙夫人，于万历九年（1581 年）追封为益王妃。继妃孙氏生于嘉靖二十二年（1543 年），卒于万历十年（1582 年）。子九人，长为益世子常（即益敬王）。据圹志记载，益世孙由校，即益定王由本，后为避皇太孙讳，而改赐为由本。

简报指出，益宣王朱翊钤墓是江西南城县境内继益端王朱祐槟、益庄王朱厚烨两墓发掘之后清理的第三座益藩王墓。从明弘治八年（1495 年）朱祐槟就藩建昌府，传至朱翊钤，益府已在建昌地区 108 年。墓中出土的大量珍贵金银器、玉器、瓷器、服饰、织绣物，反映了明代统治者的奢靡生活，也显示了当时手工艺发展的水平，以及烧瓷、织绣方面的杰出技艺。尤其是墓内所出土的冠服饰物俱为益王和王妃生前所穿戴的朝服、礼服和燕居常服，其样式和装饰图案均符合明史有关宗室诸王和王妃定制的记载。

228.江西南城明益定王朱由木墓发掘简报

作　者：江西省文物工作队

出　处：《文物》1983 年第 2 期

1982 年 8 月，考古人员在南城县发掘清理了明代益定王朱由木及其元妃黄氏、次妃王氏的合葬墓。朱由木棺室部分被盗，黄妃棺室严重被盗，仅王妃棺室保存完好。墓中出土了金器、银器、玉器、铜器和瓷器等一批文物。简报分为"墓地遗迹和墓室结构""随葬器物""几点认识"三个部分，有照片、手绘图。

益定王朱由木墓位于南城县城东北 20 公里，坐落在今岳口公社游家巷大队西北角的女冠山麓，东距 1980 年春发掘清理的益宣王朱翊鈏墓约 200 米。墓室由青砖砌成，中用砖墙隔出 3 个椁室，各放棺木 1 副，互不相通。各椁室均出土有圹志。简报未录志文全文。朱由木，《明史》作朱由本，当依墓志为"木"。据墓志，朱由木生于万历十六年（1588 年），卒于崇祯七年（1634 年）。元妃黄氏生于万历戊子年（1588 年），卒于天启乙丑年（1625 年）。次妃王氏生于万历庚子年（1600 年），卒于崇祯七年（1634 年）。崇祯七年十二月二十一日合圹。

简报称，江西南城县境内迄今已发掘清理了益端王朱祐槟墓、益庄王朱厚烨墓、益宣王朱翊鈏墓和益定王朱由木墓四座益藩王墓，其他几座益藩王墓多已遭到破坏。从发掘和调查资料看，明代前期的藩王墓大多采用砖室墓结构，在山中或地下用砖石构筑"地下宫殿"式的墓室。明代后期流行石灰椁墓结构，即先用青砖构砌墓圹，棺外填塞石灰，覆盖大块石板，用石灰糯米汁浇浆封固成顶盖，然后堆上封土。益定王朱由木夫妇合葬墓出土文物中，玉簪、玉香笼、龙泉瓷盘等造型美观，制作精致，都具有较高的价值。但从总体看来，随葬品的数量和质量都远远不及前代。以未经盗掘的次妃王氏棺为例，随葬品不甚丰富，金器罕见。同死于 50 年前的益宣王次妃孙氏棺内随葬大量精美的金饰品相比，显得差别悬殊。这一明显变化是明末经济凋敝的反映。就在朱由木死后 10 年，明王朝即灭亡。继位的朱由木长子益末王不久也死于广州。益王家族在江西建昌地区 150 年的统治宣告结束。

229. 明代布政使吴念虚夫妇合葬墓清理简报

作　者：江西广昌县博物馆　姚连红、魏叶国等
出　处：《文物》1993 年第 2 期

1988 年 2 月，广昌县千善乡大陆村 1 座明墓被盗掘，考古人员赴现场调查，并对此墓进行了清理。简报分为：一、墓葬情况，二、随葬器物，三、结语，共三个部分，有照片、拓片。

据介绍，据现场残碑和墓砖记载，此墓为明廉宪吴念虚夫妇合葬墓。随葬文物被盗被毁。2 具楠木棺被砸，尸体残落。裹尸衣袍七零八落。从公安机关缴获和清理的器物残件看，此墓随葬有楠木雕腰带、木骨泥金纸折扇、明外销青花瓷盘、玉佩、纺织品、金器、铜镜等。此墓为长方形券顶单室墓，用麻条石封顶，铭文有二："廉

宪吴公墓砖""吴大淑人何氏墓砖"。墓底铺垫大量木炭和石灰，其上置2具楠木棺，男左女右。简报推断该墓为明万历时期下葬。出土青花瓷盘当为外销品。

上饶市

230.江西广丰发掘明郑云梅墓

作　者：秦光杰、薛　尧、李家和
出　处：《考古》1965年第6期

1959年，广丰县发现1座明墓。1963年9月进行了发掘。该墓在县城东南面25公里的横山乡。清理时，墓前的石级和抱鼓石均已残毁。此墓为三合土所建，甚为坚固。简报配以照片予以介绍。

据介绍，墓室呈长方形，平叠一层青砖为内壁。室内置木椁，与砖壁紧合，其间浇注松香，椁盖上平铺一层石板。椁内即安放棺木。地券和墓志放置在墓室外的前方。由于该墓封闭紧密，所葬尸体未腐，已成"尸腊"，棺内随葬的丝绸织品和其他遗物亦得保存。出土遗物共计有服饰13件，鞋2双，折扇1把，毛笔、墨、砚各1，铜镜1、木梳2、路引及券各1。墓内出土朱书地券1方，已被打碎，无法复原。另出土墓志铭1合，还完好。墓志1500字，简报未录全文。由墓志可知死者生于嘉靖三十一年（1552年），卒于万历四十二年（1614年）。死者《明史》无传，唯见载于《广丰县志》。

简报称，这些服饰的出土，尤其是各种花纹的丝绸，为研究明代服装及江南丝绸、织绣，增添了一批实物资料。

231.江西横峰、弋阳窑址调查

作　者：陈柏泉
出　处：《文物》1973年第2期

根据《大明一统志》《兴安县志》等有关文献的记载，横峰、弋阳县古代曾烧造瓷器。以往未经实地调查，中外有关陶瓷论著，但列其名，而未见实物。1965年10月考古人员曾前往调查，1972年4月再次进行了复查，简报配以照片等介绍了这两次调查的情况。

据调查，横峰古窑遗址位于下窑口、上窑口、窑湾三个地区，以碗、盘、碟、盅为主要产品。简报认为，横峰窑的烧造历史，创始于元末明初，兴盛于明代前期，衰落于嘉靖末年。

弋阳窑址主要集中在县城南 32 公里的窑山、王家窑、神灵湾等处，更趋向民用瓷发展。其烧造时间较长，可能是上自明嘉靖年间，下限至明末，是继横峰窑之后明代中、晚期一处规模较大的民窑遗址。

232.江西铅山县发现几处古瓷窑址

作　者：铅山县博物馆　王立斌
出　处：《考古》1986 年第 11 期

江西省铅山县河口镇位于江西省东北部，古时为闽、浙、赣三省经济贸易集散地，是江西四大古镇之一。近年来在文物普查中新发现几处古瓷窑址。窑址情况及出土遗物简报配以手绘图予以介绍。

据介绍，觅鸡蓬窑位于铅山县傍罗乡古埠徐姓村庄南面约 100 米处的台地上。台地傍靠信江，地势北高南低，窑址即分布在平缓的斜坡地带。窑址面积达 500 平方米，此处至今还有较丰富的瓷土，瓷器具有两晋、南北朝时期瓷器风格。江村窑窑址位于鹅湖乡江村大队，分上窑和下窑两处，简报推断该窑为元代民窑；新安盏窑位于新安乡杨箭村西北 2 公里处昌饶公路左侧 500 米盏窑生产队山峦上和新安中学后面小山包上，面积达 2000 平方米，简报推断该窑为宋代民窑；华家窑位于铅山县新安乡华家村公路左侧约 100 米处的山岗上，从出土标本，简报推断为明代中晚期民窑。

山东省

济南市

233.济南市五峰山发现明德王墓

作　者：鲁　波

出　处：《文物》1994年第5期

1993年1月22日，位于长清县五峰山南麓的明代四号王陵被盗，当年2月8日至4月中旬考古人员进行了清理。

据介绍，该墓依山凿圹，由墓道、墓门、甬道、前殿及两个并列的后室组成。两后室及前殿右侧各置一石砌棺床。据出土的2方墓志，知后室葬德庄王朱见潾及其妻刘氏，前殿葬其子济宁安僖王朱佑柎。朱见潾为第一代德王，正统十三年（1448年）生，正德十二年（1517年）薨。简报称，五峰山南麓有7座王陵，原来均有享殿及内外两道围墙，现已毁，唯六号墓围墙尚存高大的墙心，南北长487.5米、东西宽286.5米、现存最高处6米余，尚颇壮观，可以想见当年的雄伟。

青岛市

淄博市

234.淄川发现蒲松龄撰青云寺重修二殿记碑刻

作　者：蒲松龄故居管理委员会

出　处：《文物》1964年第1期

蒲松龄故居的工作人员最近在山东省淄博市淄川区西南25公里盘山与九纹山的

深谷中,明代建筑的青云寺古刹遗址大殿残壁下,发现蒲松龄(1640～1715年)所撰"青云寺重修二殿记"碑刻1座。这是继1961年春在章丘县境内申地庄浆水庙前发现蒲松龄撰"创修五圣祠碑记"后的又一重要收获。

据介绍,碑高1.70米,宽0.70米,碑文176字,共4行半,每行43字,楷书,作于康熙四十年辛巳（1701年）夏日,为历来所传抄和出版的蒲松龄文集中未收录的供文。简报录有全文,中有个别缺字。

235.淄博又发现蒲松龄撰碑刻

作　者：蒲松龄故居管理委员会
出　处：《文物》1964年第4期

蒲松龄故居工作人员,在配合淄川区文物复查时,在原淄川县城西7.5公里,三教堂庄东圩子门外,一座小庙前墙上,发现蒲松龄于清康熙十四年己卯（1675年）春天,为该村所撰写的"重修三圣祠记"碑刻1块。

据介绍,三教堂庄,位于今淄博市淄川区商家公社所在地南约1.5公里,在淄川境内范阳河西岸,焕山西南山角下,为淄川去蒲松龄设馆处西铺庄所必经之路。这块碑刻嵌在一座小庙的前墙上,高40厘米,宽70厘米,全文115字,共5行零2字,为蒲松龄36岁时的作品,是过去200多年来所刊行的任何文集中所漏载文献材料之一。那时蒲松龄的《聊斋志异》尚未成书,他以"秀才"知名乡里间,各处请他写碑文,自然是一种不可少的日常应酬事务;但也推知其与乡亲有深切的友谊。简报录有碑文全文。

枣庄市

236.枣庄市出土一件明代铜腰牌

作　者：文　光、李锦山
出　处：《文物》1984年第10期

不久前,枣庄市文物管理站收到一件铜制腰牌,为枣庄市齐村区宋庄附近所出土。牌圆形,上端附有云头纹饰及穿系穗带的圆孔。牌正面凸铸1只金钱豹,豹头上部自右至左铸阳文8字"豹字叁佰肆拾壹号",背面铸阳文27字,分6行。简报配以照片予以介绍。

简报介绍，我国古代宫廷用符牌作为通行凭证。这一腰牌从形制、铭文简报推断为明代遗物。这枚铜牌简报据史料记载，认为是守卫豹房的官军兵士所佩带。

东营市

烟台市

237.山东蓬莱出土明初碗口炮

作　者：袁晓春

出　处：《文物》1991 年第 1 期

1988 年 4 月 1 日，山东省蓬莱县马格庄乡营子里村村民建房挖掘地基时，于地表以下 1.5 米深处发现 2 门明朝洪武八年（1375 年）铜制碗口炮，由蓬莱县文物管理所收藏。简报配以照片予以介绍。

据介绍，两门碗口炮整体用青铜铸造，形制相同，1 门碗口炮长 61 厘米，重 73 公斤。炮身中部镌有铭文 4 行 27 字；另 1 门炮长 63 厘米，重 73.5 公斤。炮身中部镌刻铭文也分为 4 行，计 30 字。简报推断两门碗口炮铸于明太祖洪武八年，即 1375 年，由明廷铸造钱币兼铸火器的机构宝源局铸造，下发到山东沿海的莱州卫使用。铭文标明铜炮编号及重量，虽然"七号"和"二十九号"编号相近，但重量、数字写法繁简不同。

简报称，两门碗口炮的出土地点营子里村，位于蓬莱县城东 18 公里。村北临黄海，距海仅 300 米，海岸平坦，沙滩开阔。明朝初期，为防御倭寇从海上骚扰，于此建筑营寨，驻军设防，村子故名"营子里"。据现场勘察，两门碗口炮出土于原寨墙下。简报推知它们是明军防海守寨使用的重型火器。

今有张金奎先生《明代山东海防研究》（中国社会科学出版社 2014 年版），可参阅。

潍坊市

238.山东昌邑县辛置二村明代墓

作　者：潍坊市博物馆、昌邑县图书馆　曹元启、姜龙启
出　处：《考古》1989 年第 11 期

1987 年 3 月，山东省昌邑县城关镇辛置二村农民在修公路取土时，发现了明代墓葬 2 座。经查，该地为一墓葬群。此墓群位于昌邑县城南辛置二村西南 250 米处，东距潍河约 2 公里，考古人员前往现场进行了清理。两墓编号为 M1、M2。M1 墓主为明代孙昂，生前为四川按察司金事。M2 已被修路的村民破坏，随葬品位置已被彻底扰乱。仅从村民处征集到了部分滑石俑、石制明器及破碎的陶制坯胎明器。墓主为孙昂之子孙肯。

根据墓志和《孙氏家谱》记载，此地是明代孙家道照孙氏祖茔。两座墓葬的形制、建造方法及出土遗物十分相似。简报分为：一、墓室结构及随葬情况，二、随葬器物，三、小结，共三个部分，有拓片。

据介绍，两墓出土的石俑，多为仪仗俑、侍从俑。其衣着穿戴，除两件文吏俑、武士俑外，全为民间一般服装形式。出土的门楼、房屋、照壁等，其建造形式，均为小瓦覆顶，脊上有形象逼真的吻兽。房屋有坚实的基础，精致的砖体墙，宽敞的房间和檐廊，照壁上绘有壁画，这些都集中体现了明代高超的建筑风格和建筑艺术。

简报称，根据《明史》记载，按察使司其下设副使、金事。金事正五品。按察司掌一省刑名（司法）按劾（监督各级官吏）之事。副使、金事分道巡察执行上述职务。简报据此推知，墓主孙昂的官阶应在五品或五品以上。

239.山东寿光县发现窖藏铜钱币

作　者：贾郊孔、王增银
出　处：《考古与文物》1993 年第 4 期

1983 年 12 月 23 日，山东省寿光县孙家集镇齐家村民在其村南埠岭取土，于距地表深 1.20 米的土层中发现瓷罐 1 个。罐内装一批古铜钱，计 62.5 公斤、约 15000 枚，已全部捐献寿光县博物馆。简报配以拓片予以介绍。

据介绍，经过拣选整理，这批古铜钱的时代包括西汉新莽、东汉、隋、唐、五代、

北宋、南宋、辽、金、明、清等，计124种类型。主要是北宋钱，其中尤以"元丰通宝"居多，"熙宁重宝""熙宁元宝"次之，再次是"元祐通宝"。最早的为西汉文帝四铢半两，最晚者为"光绪通宝"。据此推测，这批货币的入埋时间可能在清末民初兵连祸接、战事经年的动荡时代。

威海市

240.山东威海发现明初创寨碑

作　者：山东威海博物馆　张云涛
出　处：《文物》1997年第9期

1991年3月，山东省威海市房产公司在市区西部寨子村附近施工建房，发现1块明碑。该碑现藏威海市博物馆。简报配以照片予以介绍。

据介绍，该碑灰岩质。碑题名为"辛汪巡检司创寨记"，立于明洪武八年（1375年）。主要内容是说明政府在山东文登县境设赤山（亦写作"斥山"）、温泉、辛汪3处巡检司以防倭寇。洪武六年（1373年）后，孙谅任满赴京上考，地方耆老及弓兵们立碑以纪其事。简报未录全文。简报指出，该碑的发现，为考察辛汪寨的变迁，研究洪武三十一年（1398年）威海设卫之前胶东沿海海防状况提供了不少有价值的线索。

济宁市

241.邹县明鲁王朱檀墓

作　者：不详
出　处：《文物》1972年第1期

朱檀是明太祖朱元璋的第十子，洪武二十二年（1389年）卒，墓在山东省邹县和曲阜交界处的九龙山南麓。1969年冬，农民取土发现了该墓墓道。1970～1971年进行了发掘和清理。墓以青砖起券，分前、后室，全长20.6米，墓底距地面深26米。墓内由于常年积水，随葬器物保存较好。一套完整的木雕彩绘仪仗俑群共432件（各种俑406件，马24件，车2件），大部持有各种质料的仪仗用具，雕刻精致，敷彩鲜艳，各式各样的漆木家具给元明之际家具的研究增添了新内容。其中巨大的盝顶描金漆箱和装玉圭的描金小匣，显示了当时漆器工艺的高度水平。漆箱和漆棺中盛有各种丝棉织衣物，1件长3米、宽1米的棉织平纹被单，是现存早期棉布的重要标本，染作浅紫红色，色调与我国传统的各种红色不同。后室西南部地面上散置着很难保存下来的古琴、古画和印本书籍。琴长121.5厘米，宽18.5厘米，高10厘米，七弦二柱十三徽，黑漆琴面裂似蛇腹，琴后刻琴名"天风海涛"（篆文），龙池内有写款"圣宋隆兴甲申二年（1164年）□□大唐雷威亲斲"两行。绢本古画三卷：宋高宗赵构题跋《金粉葵花蛱蝶》和元钱选自跋的《白莲》，两卷都有元世祖忽必烈姐鲁国长公主的"皇姊图书"朱印和冯子振、赵岩题记。另一卷《金碧山水》无款织。元刻书籍7种21册，除1种尚未修整不详书名外，其目如下：

《朱子订定蔡氏（书）集传》6卷3册，蝶装，元刻本。

《增入音注括例始末胡文定公春秋传》30卷6册，元刻本。

《四书集注》19卷2册元至正二十二年（1362年）武林沈氏尚德堂刻本。

《少微家塾点校附音通鉴节要》60卷2册，元至治元年（1321年）彭氏锤秀家塾刻本。

《朱文公校昌黎先生文集》52卷5册，元至元七年（1370年）日新书堂刻本。

《黄氏补千家注纪年杜工部诗史》36卷2册，元至元二十四年（1287年）武夷詹光祖丹崖书堂刻本。

以上6种，都是当时流行的书籍，不少地方都曾一再刻印，不过这里发现的版本，除《朱文公校昌黎先生文集》外，似乎还未见过著录。

242.发掘明朱檀墓纪实

作　者：山东省博物馆
出　处：《文物》1972年第5期

考古人员于1970年春至1971年初，在山东邹县境内，有计划地发掘了明鲁荒王朱檀的墓葬。据《明史》记载："鲁荒王檀，太祖第十子。洪武三年生，生两月而封。十八年就藩兖州。好文礼士，善诗歌，饵金石药，毒发伤目，帝恶之。二十二年薨，益曰荒。"明鲁王朱檀生时在兖州府为王，死后葬于今邹县城东北25华里九龙山之南麓与今曲阜县交界处，距兖州不远。简报分为：一、地面附属建筑遗迹及衬葬，二、朱檀墓的建造，三、结语，共三个部分，有照片。

据介绍，在距墓前200米处，今尚寨村内，现仍有陵园建筑"享殿"的殿基遗址、遗迹。陵园南北长206米、东南宽80米。正中设一隔墙，分为前后两院，前院稍大于后院，呈后高前低。南墙有三门，看出有铺石面的台基，中门道宽约 3.6 米，左右侧门道宽约 3.2 米。后院三门，中间门道宽约 1.5 米，两侧门道与前院门道相同。后墙只留有一后门，通向墓地。至今还散存大型石柱础、殿基角石、龙纹琉璃瓦当等。据百姓传说早年还有角楼。可见当年鲁王的陵园规模宏大，建筑华丽。朱檀墓西 60 米处，有衬葬的王妃戈氏墓，墓为砖砌券室，分前后两室。门前有《鲁王妃圹志》，知戈氏死于朱檀之后。

简报称，朱檀墓深距今地表 20 米，凿石开圹，以砖砌室，计有陶器、家具、瓷器、锁、银筷等珍贵文物。有墓志，简报附有志文全文。据《明史·诸王世系》，朱檀为朱元璋第十子，封在兖州府，洪武二十二年（1389 年）死。志文可补史书之缺。

泰安市

243.山东东平华严洞造像

作　者：中国社会科学院世界宗教研究所、山东省东平县文物管理所　张　总、
　　　　吴绪刚

出　处：《文物》2001 年第 9 期

华严洞位于山东东平县城西北约 15 公里的翠屏山麓，在俗称为"牛鼻子洞"的天然山洞内造成。南侧主洞平直高大，两壁有 10 余米镌满造像，共有造像 49 身及数小龛像，余处则无加工痕迹。造像布局显然出自统一规划，窟口存有两方碑记，有明宪宗成化十九年（1483 年）记铭。可知是 1 处纪年明确的明代石窟造像，可惜"文化大革命"中造像头部被砸毁，碑文划伤。简报分为三个部分，有照片、手绘图。

据介绍，华严洞是纪年明确的明代中期佛教石窟寺，其规模虽不大，却是统一布局完成。碑题为重修华严洞，但洞内并无明显再造痕迹。碑记被划伤，但经过拓印辨识，仍有不少重要信息。碑文将佛陀一生说法归为先佛后道继儒，非常生动形象地体现了明代佛教与道、儒杂揉，三教合一的状况。

简报指出，很有意趣的一点是此窟中造像可与一寺院内各殿堂之像相对应。虽然石窟寺本具有寺庙之意，但石窟与寺院的形制仍各有特点且不断地变化，真正与寺殿相对应的石窟并不多。华严洞配置却与寺院中碑亭、前殿、大雄宝殿、伽蓝殿、观音殿、地藏殿及罗汉堂等约略相当。窟口刻碑分两块恰如阴阳双面，略似碑亭中置碑。洞口北南两壁有神将护法，挂剑持杵。一般寺庙山门殿金刚力

士两身，而天王殿四大天王均着盔甲，持武器。此处两身形象，身披甲胄，形象特征又较接近执金刚与韦驮，应代表其像。布袋和尚形貌的弥勒，一般是具四天王的天王殿中主像，此窟3号弥勒像亦可代表天王殿之地位。铭记中也明显地反映出以窟为寺，并作为道场使用之意，窟内部空间以及观音菩萨前供台等，也可见当年曾作法事之用。施主并不局限在鲁西南一带，如登州府、宁海州都是山东半岛东端处，造像的石匠则专门由济南府请来，这些情况说明窟像的规划雕造并不只代表东平一地水准，而是山东地区当时佛教艺术的综合反映。

从佛教史角度看，至少还有两点值得重视：

一是碑记中佛诞于"周［昭］王甲寅廿四年"，可见明代流行佛陀生当中国周世说。

二是碑首出现的"慈恩宗"即是玄奘所创法相唯识宗，是中国佛教盛期八大宗派中泯灭最早的一支。但实际上由宋至明仍不绝于缕，明代中晚期曾有继兴。

近年来关于明代佛教有不少不错的研究，如圣严法师的《明末佛教研究》（宗教文化出版社2006年版）、陈永革先生的《晚明佛教思想研究》（宗教文化出版社2007年版）、张德伟先生的《复兴在危机之中：晚明佛教与政治1522～1620》（哥伦比亚大学出版社2020年版）、卜正民、张华先生的《为权力祈祷：佛教与晚明中国士绅社会的形式》（江苏人民出版社2008年版）等。

日照市

莱芜市

临沂市

244.山东沂水明代义官彭杰墓

作　者：马玺伦
出　处：《考古》1994年第7期

1985年4月，沂水县城东南1公里的东泉山南麓，农民在平整地面时，发现1座古墓葬。考古人员闻讯赴现场时，墓口已被挖开，随葬品全部被取出，人骨架也被扰乱。经过实地调查进一步清理，是1座石砌竖穴双人墓。墓内随葬品有四系罐、二系罐、坛、碗、古钱币、墓志铭。简报配以照片予以介绍。

据介绍，残墓封土早年挖去，墓室用不规整石块砌成竖穴2室。左、右墓室都有腐朽的棺木，头向北，为2人合葬墓。从残存的骨架盆骨辨认，左墓室为男性，右墓室为女性，是夫妻合葬墓。志石文竖刻，楷书36行，共636字。记述了明朝义官彭二公杰的籍贯和生平事迹及家世。简报未录志文全文。

简报称，据彭氏墓志铭所载。彭氏所生年代为明朝天顺己卯（1459年），卒于明朝正德丙子，即1516年。择墓地为沂滨东皋山之阳，即沂水东，东皋山南麓。未记述其妻孙氏生平。墓志铭阐述彭氏兄弟敦守家法，对宗族、乡党凡遇婚姻死丧，贫困颠连，桥梁庵观，并捐资以助之。明孝宗皇帝时"准天下臣民有能输粟救荒者，许拜散官"，彭氏因乐善好施被认为是"义官"。

德州市

245.山东德州出土铜火铳与火炮

作　者：李开岭、胡树林
出　处：《考古》1987年第10期

1977年11月，山东省德州市城北哨马营村村民在村南修筑水渠时，挖出铜火铳3件、火炮1件，被德州市图书馆收藏。根据当时反映的情况，又从附近的村庄和废品回收公司收到铜火铳7件、火炮3件。至今德州市图书馆共收藏铜火铳10件、铜火炮4件，均保存完好。简报配以照片、手绘图予以介绍。

据介绍，铜火铳中有1件有铭文，知为明洪武十年（1377年）福州所造。除有铭文的1件外，其他的铸造年代尚难确定，简报认为大概不会晚于"靖康之难"的年代。简报指出，德州收藏的这批铜火铳、火炮，特别是有铭文的1件铜火铳，铭记了准确的铸地、铸匠、年代、重量，为我们研究明代历史和我国古代兵器的发展，提供了重要的实物资料。

聊城市

246.山东冠县发现明初铜铳

作　者：刘善沂

出　处：《考古》1985 年第 10 期

1964 年初，冠县辛集公社大王庄社员在村南约 100 米处进行平整土地时，于距地表 1 米深的地方发现 1 个砖砌的小室，打开后内有 3 尊大、中、小不同型号的铜铳。其中大、小 2 尊卖给废品收购站，已无法追寻，只剩下中型 1 尊"大碗口筒"型的铜铳，于 1973 年送交聊城地区博物馆陈列展览。简报配以照片予以介绍。

据介绍，铜铳由口部、筒身、药室、后座四部分组成。铳筒中部镌有铭文 4 行，共计 29 字："横海卫教师祝官孙习学军人王官保铳筒重廿五斤洪武十一年月日造。"后座另镌有一"海"字。此铳有明确铸造年代，洪武为明太祖朱元璋的年号，洪武十一年即 1378 年，简报推断此铳为海防水军兵器。

此铳与明万历年间何海滨撰写的《兵录》卷十二载的"碗口铳"的形制及作用相符，而且在后座上镌有"海"字，由此推断为海防水军兵器。

247.山东临清出土明代墓志

作　者：殷黎明

出　处：《文物》1995 年第 2 期

1993 年春，山东省临清市古楼村农民王长春在农田取土时，挖出 1 合墓志，随即报告有关部门，考古人员发现这是 1 块明代墓志。简报配以照片予以介绍。

据简报介绍，该墓志用青石制成，正方形，边长 85 厘米。志盖阴刻"怀远将军柏公二代合葬墓志铭"，篆书。墓志文为楷书，36 行，满行 36 字。简报未录全文。简报称，志文记述了柏公祖孙 3 代明初南北征战事迹，内容涉及籍卫所、世袭制度等。二代合葬的墓葬实例不多见，这块墓志的发现对研究明史及墓葬制度增添了一段较为特殊的实物材料。

248.山东聊城土桥闸调查发掘简报

作　　者：山东省文物考古研究所、聊城市文物局、聊城市东昌府区文物管理
　　　　　所　吴志刚、吴明新、于忠胜、姚秀华等

出　　处：《文物》2014 年第 1 期

土桥闸是京杭运河故道（小运河）上的 1 座石质节制船闸，位于山东聊城东昌府区梁水镇土闸村。2010 年 8 ~ 12 月，为配合南水北调东线工程山东段的建设，考古人员对土桥闸一带进行了调查发掘。发掘简报共分四个部分：一、地层堆积，二、遗迹，三、出土器物，四、结语，有黑白照片和手绘图多幅。

第一部分，简报指出"船闸内河道常年季节性积水，土壤水分呈饱和状态，土质季重，剖面层次明显。从发掘情况看，船闸内河道文化层堆积可分为三层"，即第一层为黄色淤沙土，第二层为灰褐色淤沙土，第三层为青灰色淤沙。出土器物多见于第三层。

第二部分，说明土闸村内有船闸、月河、大王庙、关帝庙，村北有减水闸等遗迹。有手绘示意图。

第三部分，又分瓷器、铁器、铜钱、石器等，分别进行介绍。

瓷器。"计出土上万件"。主要为青花瓷，还有部分青瓷、白瓷、青白瓷、蓝釉瓷、粉彩瓷、釉上彩瓷等；年代多属明清，有少量宋元瓷片；器形有碗、盘、壶、杯、盒及人物塑像；纹饰有植物、人物、动物及文字等，底部有花草、文字、年号、符号等。

铁器。"出土近千件，有生活用具、船上用具、造船或加固船板器具、船闸相关设施附件等"。

铜钱。主要为明清时期钱币，以"永乐通宝""康熙通宝""乾隆通宝"为多，另有 1 枚日本"宽永通宝"。

石器。镇水兽 3 件。

第四部分，简报云，据《明实录》记载，土桥闸始建于成化七年（1471 年）。《清实录》载乾隆二年（1737 年）、二十三年（1758 年）两次拆修。本次调查发掘的船闸月河、大王庙、减水闸等相关配套设施，反映出明清时期运河船闸的整体组成特点。土桥闸与上海志丹苑元代水闸相比，虽然二者时代和功用均不同，但整体结构未有大的改变，唯土桥闸的闸门槽多用块条石组成，不再拘泥于用整块大石雕琢。

关于明代对漕运的管理，可参阅吴士勇先生《明代总漕研究》（科学出版社 2017 年版）一书。

滨州市

249.山东滨县出土明杜嵩山墓志

作　者：李功业

出　处：《文物》1987 年第 4 期

1982 年 9 月，山东省滨县单寺区前杜村农民在挖水渠时，发现杜嵩山墓志铭 1 合，现收藏于滨县图书馆。简报配以照片予以介绍。

据介绍，墓志青石质，志盖长 68 厘米、宽 52 厘米、厚 8 厘米，上刻楷书 4 行："明将仕佐郎衡府教授嵩山杜公暨配孺人尹氏合葬墓志铭石。"四边刻山峦、亭阁、鹿、鲤鱼及龙戏珠等纹饰。志石长 68.3 厘米、宽 52 厘米、厚 9 厘米，四边刻牡丹、荷花、莲子等。铭文楷体，全文 22 行，行满 39 字，共 752 字。简报有志文节录。

简报称，滨州杜氏，世为著姓，明、清两代科名不绝。《明史》杜嵩山无传。关于撰文者王家植、书丹者薛凤翔，据《滨州志》载，王家植，字木仲，万历甲辰进士，选庶常。宏博著，闻于翰院，官至编修。有《三苍学》《四书礼经剿说》《史荟》《史鉴》等集行世。薛凤翔，字对龙，万历丁未（1607 年）进士，为浚县令，累官至工部尚书。

菏泽市

250.山东鄄城发现三件清代戏剧雕砖

作　者：鄄城县文化馆　路　明

出　处：《文物》1984 年第 8 期

1968 年春，山东省鄄城县宾山公社（现为陈良公社）李胡同大队农民在平整土地时，于村西 300 米北齐亿城寺旧址处挖出戏剧雕砖若干件。现存完好者 3 件，已送县文化馆收藏。简报配以照片予以介绍。

据介绍，鄄城戏剧雕砖风格上倾向于写实，人物的造型生动，狮子形态逼真，戏曲内容富有生活气息。戏角着"宽大短"式服装，女人雕出尖足小脚，多为清中叶的现象。因此，简报推断这批戏剧雕砖的年代似应在乾隆年前后，所表现的似为民间社火中类似"小放牛"等的题材。作者应为清代民间艺人。

河南省

251.明代河南省长城考察简报

作　者：山西大学历史文化学院考古系
出　处：《华夏考古》2012 年第 4 期

在今山西省左权县、黎城县以及泽州县与河南省沁阳市、辉县市均发现有明代长城遗存。依据有关石匾、石碑和长城墙体形制及相关史料判断，此类遗存是明代嘉靖年间为防御蒙古族入侵河南、河南巡抚李宗枢新建或利用前代长城重建而成。除防御蒙古族进犯以外，这类设施也起到了检查过往行人、防止匪盗的作用。河南省明长城与九镇长城共同构成了明代的长城防御体系。简报分为：一、有关明长城遗存的调查，二、有关明长城遗存时代的判断，三、有关明长城遗存性质的判断，四、余论，共四个部分，有照片。

据介绍，明河南省长城主要分布于峻极关、黄泽关、吾儿峪口、狼石沟，这都是明代沟通山西省与河南省的重要通道，大口村所在还是古代著名的太行八陉之一的"太行陉"。在形势险要的峪口、关隘修筑长城，既能抵御蒙古族入犯，也能"奸寇缉捕"，从而充分发挥这类防御设计的作用，并非是南北连成一线的日常所见的"长城"。

郑州市

252.郑州荥阳汜水公社发现明代铜砝码

作　者：郑州市博物馆　郑中慧
出　处：《文物》1978 年第 7 期

1977 年 4 月，汜水公社西关大队小学柴春孝同学参加抗旱劳动，在村东里许习称龟山的山坡上发现 1 件古代砝码，后送交郑州市博物馆。简报配以照片予以介绍。

据介绍，砝码铜铸，作长立方体，长 7.85 厘米、宽 4.9 厘米、厚 2.85 厘米，重 928.375 克，合今市制 1.857 斤。背面略有绿锈。砝码四面錾刻楷书文字：正面居中为"巨玉寰"3 字，左右为"崇祯丁丑年置""较准壹样叁个"。一侧面沿边刻有"合同"2 字复合体的右半，另一侧面刻"与段清宇皇柏亭卫奉楼相同"。背面刻"贰拾伍两"。

简报称，整文表明这一砝码铸于明崇祯丁丑即崇祯十年（1637 年）。巨玉寰、段清宇、皇柏亭、卫奉楼应是商人姓名，巨与段、皇、卫商定统一衡制，"较准壹样叁个"，各持 1 件，彼此制约，互为证明。骑缝的"合同"2 字复合体，就是这种制约关系的表示。"贰拾伍两"是这一砝码标明的重量，可以用于较准杆秤或天平。按实测 928.375 克计算，崇祯时 1 斤合 594.16 克。吴承洛《中国度量衡史》认为明承唐制，1 斤合 956.81 克，这一数值与之基本相符。

简报指出，汜水公社地当虎牢关遗址，北有黄河渡口，历代设县治于此，明代也是汜水县治所在。这里自古以来政治、经济、文化都较发达，是一个商业中心。正文中 4 人应是汜水富贾，他们的商业活动在这件铜砝码上有所反映。因此，此次出土的砝码虽仅 1 件，但对研究明代度量衡和商业发展具有一定价值。

253.郑州古荥发现一批窖藏青花瓷器

作　者：郑州市博物馆
出　处：《中原文物》1983 年第 3 期

古荥即古代荥阳所在地。荥阳故城位于郑州市西北 20 多公里的邙山脚下。1979 年 2 月，当地农民在古荥阳城的西南隅平整土地时，发现 1 个窖藏的大瓮，瓮高 79 厘米，内外施酱色釉。瓮内装青花瓷器 162 件，绿釉瓷器 20 件，共计 182 件。除 11 件残破外，余皆完好。瓮口系用瓦片覆盖，同一窖坑内还有锡壶 4 件，因锈蚀严重，无法复原。简报配以照片、手绘图予以介绍。

据介绍，在其西侧 2 米处，出土有铜币 2 斤多，除少数"万历通宝"外，多为"天启通宝"。考古人员发现其四周有许多砖瓦碎块，应是 1 处古代建筑遗址。在这里还先后出土过双人面钮大铁钟，铁锄，石磨盘，带有"崇祯元年"款识的砚台等。这批窖藏瓷器，器形有杯、盘、碗、碟等。而青花瓷虽亦创烧于宋，发展于金、元，盛烧于明，过去一向是把青花瓷归属于景德镇窑。近年来，从先后在禹县、新安和郑州古荥发现的青花瓷来看，应系当地民窑烧造。

简报指出，这次古荥成批的窖藏青花瓷器的发现，对于鉴别其窑口和民窑青花瓷的烧造工艺等提供了重要的实物证据。

254.荥阳二十里铺明代原武温穆王壁画墓

作　者：郑州市博物馆　谢遂莲
出　处：《中原文物》1984 年第 4 期

明代原武温穆王和元配张太妃的合葬墓（一般称之为原武温穆王壁画墓）位于荥阳二十里铺乡瓦屋孙村东南约半华里的田地中。中华人民共和国成立之初，这座墓被当地人挖出，因该墓早年被盗，墓内仅留有较重的石质遗物和布满墓室内壁的彩色壁画。1953 年，在墓上修建了 1 所砖瓦结构的保护房。保护房后壁处有 1 条长21.5 米的隧道，拾级而下，历四十六级即达墓底。简报分为：一、墓葬形制及遗物，二、壁画内容，三、结语，共三个部分，有照片、手绘图。

据介绍，墓室距地面约 7 米，坐北朝南，单室，平面为长方形，小砖券砌，石灰缝，非常坚固，但墓室后壁仍有一盗洞。随葬品已被洗劫一空，主要发现就是墓室的彩绘壁画和墓志。壁画内容为释迦牟尼像，墓顶绘日月星辰。

这座墓因保存有 3 块墓志铭，证实是明册封周藩原武温穆王和元配张太妃的合葬墓。原武温穆王名朱朝坮，别号风山，是明太祖第五子周定王的七世孙。他的五世祖是周简王庶三子，封为原武王，朱朝坮是第六世原武王，生于嘉靖三十一年（1552年），卒于万历三十五年（1607 年）。性节俭，喜助人，不好声色，好集古书、墨迹。简报未录志文全文。

255.荥阳县新发现一峰园石刻

作　者：宋秀兰
出　处：《中原文物》1986 年第 4 期

1984 年，荥阳县在文物普查中，发现了见于志书而不见物、隐匿了 285 年的珍贵石刻——一峰园石刻。简报配以照片予以介绍。

据介绍，一峰园石刻是以禹祥年的号命名。禹祥年，字履青，号一峰。先世为浙江余姚人，明代迁居河南荥阳汜水。禹祥年能诗善文，长于书画，风流儒雅，名噪三河。先后任宁陵训导、直隶满城县、唐县知县。一峰园石刻，共四块石刻，系采用书画四折屏形式。上刻有题诗、题词、酒赞、文篓、评论书法等内容，共 2000多字。

简报称。此四方石刻，系禹祥年用楷、行、草 3 种字体写成。楷书端庄娟秀，行书流水行云，草书龙飞凤舞，确似志书所载："书法精良，著名海外。书法晋人笔，用正锋，虽草书飞舞，中皆有尺度不苟。"实为一书法珍品。

256.郑州五中发现明代石棺墓

作　者：郑州市文物考古研究所　张建华、郝红星
出　处：《中原文物》1998 年第 2 期

1995 年 4 月，郑州市五中在建筑工程施工中，发现 1 座明代石棺墓，考古人员进行了清理。简报分为：一、墓葬形制，二、墓志铭和行状，三、结语，共三个部分，有拓片、手绘图。

据介绍，墓为长方形土坑竖穴墓，两棺东西并列排放，头北足南。其中男棺（东侧，编为 1 号棺）为双重棺，外有一重石棺，内为一重木棺；女棺（西侧，编为 2 号棺）只有一重石棺。出土遗物中较重要的是行状、墓志各 1 方，均刻于石棺头端档板正面。简报均未发全文。行状刻于 1 号棺上，计 1896 字，大部可辨认。据状文看，墓主沈周，字国谋，号龙泉，祖上自南畿迁郑。生于明成化二十二年（1486 年）正月十八日，卒于明嘉靖十七年（1538 年）十月初五，嘉靖四十二年（1563 年）下葬。墓志铭刻于 2 号棺上，计 460 字。据志文，金氏名慈俭，生于明弘治八年（1495 年）六月十五日，卒于嘉靖二十七年（1548 年）五月初八日，嘉靖三十年（1551 年）六月入葬。其为沈周后妻。

简报称，郑州五中明代石棺墓的发现，也可从一个侧面反映了明代中晚期社会风俗日益颓化，政治生活走向衰败的现实。沈家不过是一般人家，死后尚得以耗费财力筹备如此大型石棺，并停尸 3 载，卜吉而葬，官宦之家的奢靡之风和繁缛礼节可想而知！

257.登封卢店明代壁画墓

作　者：郑州市文物考古研究所、登封市文物局　郝红星、张建华、李　扬
出　处：《中原文物》1999 年第 4 期

1998 年 1 月 6 日，登封市卢店镇三组居民冯苗欣在其新宅基地打井时，发现 1 砖券古墓，考古人员进行了清理。简报分为：一、地理概况，二、墓葬形制，三、壁画，四、遗物，五、结语，共五个部分，有照片、手绘图。

据介绍，墓葬为单室砖券墓，由墓道、墓门、墓室三部分组成。墓道压在前排民房房基下，未清理。由于遭受多次水浸及人为破坏，室内棺板、尸骨飘散一地，随葬品不多，仅见陶盆 2 件、铁环 6 枚、铜钱 76 枚、买地券 1 方。其中买地券为青砖制成，方形，边长 41 厘米，厚 4.7 厘米。砖面浅刻竖行界格，共 18 行，朱笔楷书，部分字迹漫漶不清。简报录有券文全文。据不完整券文，推断该墓年代当在嘉靖十年（1531 年）以内，即 1522～1531 年。墓室内有 2 具尸骨，应为夫妇合葬。买地

券仅记墓主名李彪，姓名略去，只字未提墓主生平事迹，足见墓主只不过是一般平民。墓主独生子自称孝子季口口，为其父购买阴宅，垒建起较大的砖券墓，墓内满绘壁画，应是殷实之家。

258.巩义发现袁世凯手书崔继泽墓表

作　者：刘洪淼、靳振武、刘　剑
出　处：《中原文物》2000 年第 4 期

1995 年 10 月，河南省巩义市孝义镇白沙村村委在编纂《白沙村志》时，发现崔继泽墓表碑。该碑为袁世凯撰文并亲笔书书。立碑时间为清光绪十八年（1892 年）。经调查，此碑原立于巩义市北白沙村崔氏祠堂，后被毁为两段，上段因作他用凿有四孔，下段湮没地下。墓表碑由碑额、碑身、碑座三部分组成，碑额已佚。

简报称，据民国 18 年（1929 年）《巩县志》记载，崔继泽为河南巩县（今巩义市）白沙村人，生于清同治二年（1863 年），从小机敏乖巧，智勇过人，甚得族叔南阳总戎崔廷桂赏识，被推荐到提督吴长庆处，在袁世凯部下供职。袁、崔二人虽有上下级之别，但年龄相当，兴趣相投，经常在一起赋诗作画，谈论兵法，关系甚为密切。1882 年 8 月，朝鲜发生"壬午兵变"。吴长庆受命前往镇压，袁、崔二人也随军东渡。崔继泽在平乱中大显身手，战功卓著。1891 年，忽有崔继泽同乡赴朝鲜，说传其父逝世，崔继泽痛不欲生，随之积郁成疾，于 1892 年 5 月殒没在异国他乡，年 30 岁。

该碑是袁世凯痛失爱将之后，追念与崔继泽 10 多年间的情谊，尤其是缅怀崔继泽在平息朝鲜"壬午""甲申"二次宫廷政变中的功绩，挥泪长泣，亲笔为其撰写墓表。志文朴实严谨，情真意切。笔法遒劲刚毅，功力不凡。该碑对研究清末民初的社会政治，中、日、韩国之间的关系，以及袁世凯、崔继泽等人生平都不失为一份难得的实物资料。碑文楷书，简报录有全文。

开封市

259.明周王府紫禁城的初步勘探与发掘

作　者：开封宋城考古队　邱　刚、董　祥等
出　处：《文物》1999 年第 12 期

周王府，是明初朱元璋之子朱橚在开封所建的王府，紫禁城为周王府的内城墙。

1981年春，在清理龙亭前潘湖湖底淤泥时，意外地发现了明周王府的部分遗迹。经过大量工作，迄今已初步探明了周王府紫禁城的位置、形制、范围和部分门址，并在紫禁城北墙东段进行了重点试掘。简报分为：一、紫禁城概况，二、地层关系，三、城墙结构与叠压关系，四、结语，共四个部分，有剖面图、手绘图、照片。

据介绍，明周王府紫禁城是在宋代宫阙旧址基础上建立起来的。明洪武十一年（1378年）朱元璋封第五子朱橚于开封，号为周王，次年（1379年）开建王府，共历11王265年。据文献记载，周王府规模宏大，建筑壮丽，远在诸王府之上，明末崇祯十五年（1642年）被黄河水灾吞噬，沉于水下。经探测，明周王府紫禁城呈一东西略短、南北稍长的长方形，四墙全长约2520米。其位置和范围位于开封旧城区西北隅的龙亭公园一带。其南墙在龙亭公园南大门，即午朝门东西一线；北墙至龙亭大殿后侧；东、西墙分别位于今潘、杨（龙亭东、西湖）两湖东西岸。

260.河南开封明周王府遗址的初步勘探与试掘

作　者：开封市文物工作队　刘春迎等

出　处：《文物》2005年第9期

20世纪80年代，考古人员对北宋东京城皇宫遗址进行了考古勘探和试掘，在今开封龙亭公园及其周围一带发现了明代开封周王府遗址的部分遗迹，基本确定了其萧墙、紫禁城两重城垣和部分门址的位置，并对萧墙北墙、紫禁城北墙和紫禁城内的部分区域进行了试掘，获得了一批重要的考古资料，对明开封周王府遗址有了初步的认识。但截至目前，有关开封宋皇宫遗址和明周王府遗址的考古报告尚未正式出版。简报分为：一、明周王府萧墙遗址的初步勘探与试掘，二、明周王府紫金城遗址的初步勘探与试掘，三、潘湖T46等探方的试掘，四、明周王府概况及其与宋、金皇宫的关系，共四个部分，配以照片、手绘图，先行介绍了明开封周王府遗址的勘探与试掘情况。

据介绍，1981年春，开封市园林部门在清理龙亭前潘湖湖底的淤泥时，发现了宋皇宫和明周王府的部分遗迹，从而揭开了明周王府遗址考古的序幕。之后，开封市文物工作队在今开封东、西大街沿线以北的广大区域开展了大规模的考古勘探工作，经过数年的努力，初步探明了明周王府萧墙和紫禁城遗址的位置、范围、形制和部分门址。简报称，周王府周长2520米，位于明开封故城偏北处。明周王府的规模与布局，在《如梦录》一书中有详细记载。周王府是建于宋、金故宫之上，故而大大超过了当时工部制定的王府标准。

简报指出，按明朝制度，皇帝所分封的诸王世代相袭，除嫡长子袭封外，余子皆封郡王，王女得封郡主，全由国家供养。这样自第一代周王朱橚开始，朱氏子孙世代建藩开封，在开封形成了一个庞大的"周藩"系统。周藩完全控制了开封的政治、经济、文化和社会生活，直接影响了开封的历史发展。朱橚共有 14 个儿子，除 2 个儿子先后袭封外，其余分别受封在河南各地为王，他们在开封均建有宫第，以后世代相传，所以明代的开封王府林立，竟有 72 家之多。这些小的王府虽然其规模远不及周王府，但亦是"金钉朱户，琉璃殿宇。宫中皆有内景，郊外皆有花园"。

诸王府的周围自然成为开封城街市的繁华之处，城市的经济、文化都围绕当时的王府开展，使明代开封成为一座典型的封建消费城市。在明崇祯十五年（1642 年）的黄河水患中，明周王府连同开封城化作一片废墟。此次洪水过后，明周王府紫禁城中只留下高耸的煤山（今龙亭前身）作为开封兴衰的见证。发掘出的明周王府的部分遗迹，从其残垣断壁中仍可想见当年的王府奢华与水灾之惨状。相关研究，可参阅吴朋飞先生《明代开封城复原研究》（科学出版社 2019 年版）一书。另外，周王陵也极奢华，参见孙凯先生《明代周藩王陵调查与研究》（中州古籍出版社 2014 年版）一书。

洛阳市

261.少林寺新发现的几件石刻

作　者：王雪宝

出　处：《中原文物》1981 年第 2 期

近年来，少林寺在整修中，陆续发现了不少碑记、塔铭、石佛及线刻绘画等石刻，其中，尤为引人注意的要算是唐代的几块残碑和明代的几通大碑。简报配以照片予以介绍。

据介绍，唐少林寺《金刚般若波罗蜜经》残碑，碑刻于唐咸亨三年（672 年），王知敬正书。《大唐天后御制愿文》残碑，刻于唐永淳二年（683 年），武则天撰文、王知敬正书。少林寺《厨库记》残碑，刻于唐贞元戊寅（798 年），顾少连撰文，崔溉楷书。此碑明末清初有跋文，如顾炎武《金石文字记》、叶奕《金石录补续跋》。少林寺的厨库原在寺东，今已废。

明代的 3 通大碑是在 1980 年 9 月下旬整修院落时发现的。它们是：明万历岁次壬寅孟夏（1602 年），鲁风仪撰文、虞淳熙篆额、乐元声书丹的《无言道公雪居禅师行实碑记》。明万历六年（1578 年）菊月陆树声撰文、莫如忠篆额、陆树德书丹的《幻休润禅师碑铭》。明万历岁次己亥（1599年）季冬，王锡爵撰文、俞汝为篆额、董其昌书丹的《无言道禅师碑铭》。三碑皆埋藏于大雄殿月台下，出土时，发现碑面尚用片石护理，且摆放整齐，保存完好，看来是有意埋下的。三碑对研究明代佛教史、书法史等均有价值。

262.洛阳东花坛三座明代墓葬

作　者：洛阳市文物工作队　赵振华、谢新建
出　处：《中原文物》1984年第3期

1983年春，考古在配合洛阳东花坛立体交叉桥建设工程中，清理了明代墓葬3座（编号为M11、M12、M13）。墓葬北邻焦枝铁路，三墓呈"品"字形排列，均为坐北朝南。墓葬结构基本相同，由墓道、封门砖、门洞、石门、甬道、墓室、棺床等部分组成。简报分为：一、墓葬形制结构，二、随葬器物，三、结语，共三个部分，有拓片、照片、手绘图。

据介绍，三墓都曾被盗，劫余随葬品有金压胜钱1枚、银币1枚、刻铭砖块、陶灯1件、铁饰3件、铜环1件、铜钱41枚等。刻铭块上有崇祯三年（1630年）纪年和"福府瓦匠"姓名。简报认为这3座墓很有可能就是福王家族的墓葬，这里当是福王府墓地的一隅。如果这一推测不错的话，这3座墓的发现，就为我们进一步寻找福王的陵墓及其家族历史的研究，增加了新的资料。

263.洛阳东郊明墓

作　者：洛阳市文物工作队　徐治亚、赵振华
出　处：《中原文物》1985年第4期

1980年3月，考古人员为配合驻洛解放军基建工程，于洛阳东郊史家湾村北清理明墓1座。该墓形制较大，保存完好，出土遗物比较丰富。简报分为：一、墓葬结构，二、出土器物，三、结语，共三个部分，有照片、手绘图。

据介绍，墓葬地表无封土，墓底距地表5米，正南北向。由墓室、甬道、门楼和斜坡墓道组成。建筑材料以砖为主，门楼覆瓦。墓门及封门构件，取用石材。黑漆棺木两口已朽。墓主人为1男1女，男左女右。出土器物30件，有瓷器、铜器、铅器、铜钱等。瓷器应为北方青花瓷。有一买地券，但文字已多不可读。只知下葬时间为嘉靖年间。此墓应为1夫1妻合葬墓。

264.明刘相墓志考略

作　者：梁晓景

出　处：《考古与文物》1985 年第 3 期

1983 年 5 月，考古人员到洛阳市郊区叩山乡徐村进行文物普查时，征集到明刘相墓志一合。据了解，墓志系 1978 春在村西北约 300 米的邙山南麓出土，现收藏于洛阳市文物工作队。这合墓志记载的明嘉靖三十二年（1553 年）曹勇、冯铎领导的农民起义，未见史书记载，为研究明代历史提供了颇为重要的新资料。简报配以拓片予以介绍。

据介绍，志文 43 行，满行 46 字，全文共 1683 字，楷书。简报录有志文全文。刘相，《明史》无传。据志文可知，刘相，字君弼，别号冲庵，生于明孝宗弘治五年（1492 年），卒于明世宗嘉靖三十七年（1558 年），享年 67 岁。祖居山东历城，明初避乱迁居洛阳。13 岁补为庠生，嘉靖二十六年（1547 年）授陕西蒲城训导。嘉靖三十三年（1554 年）二月升任山西平顺县教谕。嘉靖三十五年（1556 年）秋月因病归洛，卒后葬于邙山。考古人员在徐村又发现了刘相长子刘贽的墓志、刘相第三子刘贯墓志。三志可相互补充。简报据志文，探讨了明嘉靖三十二年（1553 年）陕西蒲城农民起义的原因、经过和失败过程。

265.清代嘉庆年间的乡规民约——《遵示禁赌弭盗碑记》

作　者：李献奇

出　处：《文博》1987 年第 3 期

1984 年 9 月，考古人员在河南省新安县进行文物普查时，在石井乡下石井小学教室内墙壁上发现镶嵌 1 通嘉庆十一年（1806 年）《遵示禁赌弭盗碑记》。据介绍，该碑高 1.45 米、宽 0.60 米，楷书 15 行，满行 38 字。碑记说了两个方面的内容：一是禁赌；二是弭盗。该碑的内容就是当时的乡规民约。简报录有碑文全文。

266.河南栾川红洞沟银铅锌共生矿冶遗址调查

作　者：李京华

出　处：《华夏考古》1994 年第 4 期

遗址位于栾川县陶湾乡西北 7.5 公里的红洞沟三岔村周围的山坡中，这里是两溪交会的三角地带。冶炼遗址位于三角形平坦的地方，考古人员对遗址做了调查。

简报配以手绘图予以介绍。

据介绍，该遗址是红洞沟村村民采矿发现的，但冶炼遗址是调查时找到的。据村民介绍，在村周围的半山腰以下，共发现古矿洞 30 余处，因为村南边两矿洞正被开采，其他矿洞现今不开采，所以仅对村南两矿洞进行调查。两矿洞南北向排列，相距 50 余米，开采的兴盛期据简报推断为明代或到清前期。

简报称，红洞沟的矿是岩石矿体，围岩坚固而不需支护设备，只是为防止矿洞上部物体坠入，在局部地方用木棒设棚架。所以该矿的主要工种是椎手（两人，一人执锤，一人执錾）、运矿（砂工）、排水（竜人）。支护手（镶头）在此是次要工种。从矿洞里堆存的矿粉的纯度看，古代采矿技术很精巧，围岩部分不损伤，所以洞内矿渣极少。从洞内遗留的大量矿粉看，似乎直到明清之际的冶炼技术，仍然停留在冶炼块矿阶段。

267.洛阳发现的王铎篆书墓志铭

作　者：洛阳市文物工作队　谢新建、李永强
出　处：《文物》1999 年第 7 期

1998 年 9 月，考古人员在配合新安电厂基建工程的考古工作中，发掘了 1 座明代末期夫妇合葬墓。墓内出土墓志两合，其一为男主人（徐玄初）墓志，另一合为徐玄初夫妇合葬墓志。简报配以拓片予以介绍。

据介绍，合葬墓志青石质。志石呈方形，边长 88 厘米、厚 16 厘米。志文凡 29 行，满行 38 字，共 983 字，楷书，由史宗相撰文，王泽弘书丹。合葬墓志盖盝顶形，宽 88 厘米、高 15 厘米、边厚 5.1 厘米。共 20 字，篆书，内容为"明正贡徐伯子玄初公暨配王太孺人合葬墓志铭"。这 20 字的布局打破每行字数相等的常规，首行 5 字，"明"字单独高出，末行成为 3 字。志盖文字布局较为特殊。据志文"赐进士第协理府事少詹事兼翰林院侍读学士盟津（孟津）眷生觉斯王铎顿首拜篆"可知，篆盖者是大书法家王铎。

王铎（1592～1652 年），明末书法家。河南孟津人，字觉斯，天启年间（1621～1627 年）登进士、入翰林，荐升少詹事。近代金石书画大家吴昌硕对王铎的评价是"文安健笔蟠蛟螭，有明书法推第一"。

简报说，传世王铎书法作品多行草、楷书、隶书，篆书少见。这合墓志的出土，提供了有关王铎篆书的新资料，也为明史研究提供了实物资料。

今有刘金亭先生《明代石刻书法研究》（辽宁人民出版社 2020 年版）一书，可参阅。

268.洛阳道北二路明墓发掘简报

作　　者：洛阳市第二文物工作队　褚卫红等
出　　处：《文物》2011 年第 6 期

2009 年 11 月，考古人员在洛阳市道北二路发掘了一批明代墓葬。其中 3 座墓葬（HM1125、HM1137、HM1138）均为长方形土洞墓，均由墓道、甬道、墓室三部分组成。这 3 座墓葬虽经盗扰，但仍出土了许多随葬器物，其中 HM1137 出土的陶俑造型精美，尤其难得的是，三墓均出土有墓志。简报未录志文。但从中可以准确地了解墓主人身份和下葬时间。

简报说，此墓的发掘，为研究洛阳地区明墓的葬制、葬俗以及雕刻工艺与服饰文化等提供了新资料。

269.洛阳出土明代买地券

作　　者：洛阳市文物工作队　邢富华、邢建洛、司马国红
出　　处：《文物》2011 年第 8 期

1995 年 5 ~ 7 月，考古人员在洛阳市灌河回族区五股路龙泉小区工地发掘了 1 座明代墓葬，墓中出土了 1 件买地券。此件买地券券文中涉及的买、卖双方均为具体人物，其中 4 位人物在清嘉庆十八年（1813 年）本《河南洛阳县志》中有记载。

据介绍，买地券为泥质灰陶，边长 47 厘米、厚 5.5 厘米。正面有朱色边框，题目为横额，自左至右朱色楷书，共 4 字，为"幽堂券式"。正文自左至右竖行，朱书行楷 20 行，满行 20 字，共 300 余字，简报录有全文，并结合文献记载了买地券所载孙遇浩、孙卫宸、孙向宸、孙晔 4 人生平。

简报指出，此件买地券的横额及券文均从左到右书写，表明在明万历三十七年（1609 年）洛阳地区的道教中已有了从左到右的汉字书写方式。目前已发表的洛阳地区出土的明代买地券仅此 1 件，它反映了明代道教、镇墓等活动在洛阳民间较流行。这件买地券不仅是冥世土地私有权的凭证，也是当时民间祈求神灵保佑墓主人及子孙平安、吉祥的一种方式。

简报说，此墓的发掘为研究明代洛阳地区的历史、道教、经济等提供了珍贵的实物资料。

平顶山市

270.风穴寺"七祖塔"内发现一尊铜佛

作　者：吴元忠、邓贻富
出　处：《中原文物》1985 年第 1 期

1983 年 9 月上旬，考古人员在对临汝县风穴寺"七祖塔"测绘中，于正南第七层假门内发现铜佛 1 尊。简报配以照片予以介绍。

据介绍，这尊铜佛的造型肃穆端庄，神形兼备，比例适当，衣纹流畅，栩栩如生。须弥座高 7.5 厘米，座宽 16.4 厘米，像身高 16 厘米，头长 6.5 厘米，总高为 30 厘米。总重为 3.85 公斤。须弥座上铸有"汝州伍院保一图信人李鉴、妻赵氏、长男李九章、李九功，嘉靖卅九年四月造"等字样。嘉靖三十九年为 1560 年。这尊铜佛造型美观，对研究明代的佛教及铸造工艺提供了实物资料。

271.临汝县发现明代桥梁

作　者：临汝县汝瓷博物馆　杨　澍
出　处：《中原文物》1985 年第 4 期

1984 年，临汝县在文物普查中，发现了 13 座明代桥梁。这些桥梁均为石质，拱形，大致可分为三种形式。简报配以照片予以介绍。

据介绍，单孔桥，外观大同小异。计有玉虎桥、周济桥、张氏桥、羊桥、玉带桥、接圣桥、升仙桥，共 7 座。双孔桥，计有半扎桥、西关桥两座。三孔桥，计有小安桥、临汝镇桥两座。除升仙桥有明代弘治十一年（1498 年）八月的纪年，半扎桥有明泰昌元年（1620 年）建造的碑刻外，余者均无确切年代。据当地人所言：羊桥、张氏桥、小安桥、玉虎桥原有明代嘉靖年间碑刻，但均在 20 世纪 60 年代被毁。玉带、接圣两桥在明代天启年间风穴寺题诗中均有提及，其建造年代应早于这一时间。从 13 座拱型石质桥，不难看出它们的营建方式是基本相同的。就龙首与拱的镶石而言，不仅造型、雕刻尺寸相近，而且镶石的内、外弧度比例也极为统一，可见明代桥梁建筑的数据是有一定规格的。

简报指出，这些桥梁的结构严谨，比例得当，为研究我国古代桥梁史提供了有一定价值的实物资料。

焦作市

272.修武县发现捻军过境碑

作　者：修武县文化馆　冯清长

出　处：《中原文物》1979 年第 1 期

1958 年，修武县西村公社西岭后大队，在村东北寨墙挖土时，发现 1 通清光绪元年（1875 年）碑记，当地人称之为捻军过境碑。碑高 1.10 米，宽 0.50 米，厚 0.20 米，系清光绪元年所立。简报配以拓片予以介绍。

据介绍，碑文中记述了捻军至修武县境的时间和行军路线路。从《修武县志》记载和碑文记述中，可以看到捻军从山西绛州进入修武县境，南达运粮河，北至太行山，兵马纵横数十里，从东交口入，经牛大肚河、当阳峪、洼、圪料返、小南坡、艾曲等地向东挺进，并围攻修武县城，声势十分浩大。

捻军过境碑，是以地方士绅及西岭后村民名义所立，碑文充满了对农民起义军诬蔑诽谤的言词，恶毒攻击捻军，但是，它却无法抹杀捻军"兵马方六七十里"这一事实，留下了研究捻军起义的珍贵历史资料。

273.博爱县发现耕织图石刻

作　者：新乡地区博物馆　刘习祥

出　处：《河南文博通讯》1980 年第 3 期

1978 年我区在文物普查时，在距博爱县城南约 7.5 公里的邬庄大队一个农民家里，发现门楼的墙壁上镶嵌着耕织图石刻，随即进行了捶拓和文字记录工作。

据介绍，耕织图石刻共有 20 幅画面，分别刻在四块长 200 厘米、宽 30 厘米的青石上，均系减地线刻。在画面的间隔部位，用卷云纹和花鸟图案填充。画面内容共分两组。第一组共 10 幅，是反映稻子从种到收的整个过程；第二组也是 10 幅，是反映棉花从播种到织成布的全过程。此石刻的作者，已无从查考，从画面的内容看，简报认为作者必定是生活在劳动群众中的画家，不然的话，他是作不出这样细致入微的生产画面，从第一组第 9 幅画面上有"光绪八年"字样来看，很可能即是石刻的年代。

简报称，此石刻虽年代稍晚，仍不失为珍贵的历史资料。

274.马文升墓志考

作　者：谭淑琴

出　处：《中原文物》1994 年第 1 期

马文升墓志，出土于禹州市城北马坟，现存禹州市文物保管所。志文首行题为《明故少师兼太子太师、吏部尚书、赠特进光禄大夫、左柱国、太师、谥端肃马公墓志铭》。字迹清晰，保存完整，并附有墓志盖 1 方，志盖篆书内容与志文首题相同。志文为精美小楷，明朝户部尚书、宋代著名宰相韩琦的后裔韩文撰文；明朝兵部尚书李钺书；明朝太保兼太子太傅、武定侯郭勋篆盖。志文 69 行，满行 76 字，共 3035 字。简报录有志文全文。

据介绍，马文升（1426～1510 年），字负图，晚年号三峰居士。他一生经历了明宣宗、英宗、代宗、宪宗、孝宗和武宗六朝皇帝，有五朝为官，志文称"在位时，（朝中）凡有大议，众莫敢决，必待公而后定"，是明中期重要历史人物。马文升墓志详载他的生平事迹，涉及明代中期历史许多重大事件，无疑是研究明史的一份非常重要的参考资料。

马文升，《明史》有传，《明史纪事本末》亦涉及其许多事迹，与志文相对照，互有补充。特别是《明史》出于清人之手，有关明朝与"建州女真"之事件，均避讳略之，而志文则记载尽详。诸如平定宁夏叛乱、镇压陕西流民起义，与甘肃藏民作战的所谓"汤羊岭大捷"、招抚建州女真、平定"苗叛"、占城国与明朝关系，兴复哈密、上言十五事等，均可补史书之阙。

275.博爱唐村李岩故里调查

作　者：焦作师范高等专科学校政史系　程　峰

出　处：《中原文物》2007 年第 4 期

通过对李氏家族世系、坟茔、李岩故居以及其他文献的调查可知，明末农民起义军将领李岩既不是河南杞县人，也不是"乌有先生"，其籍贯、故里应为今河南省博爱县唐村。简报分为：一、关于李氏家族的世系调查，二、李氏家族坟茔的调查，三、唐村李岩故居及其他遗物的调查，四、李岩与杞县及与尚书李精白的关系，共四个部分，有照片。

据介绍，简报首先介绍了康熙五十五年（1716 年）《李氏家谱》的情况，认为其记载是准确的。李氏家族祖茔位于唐村附近，排列有序。李岩故居原有四座院落，系李岩的父亲李春茂在世时所建，坐落于唐中街，门牌号现分别为 40 号、42

号、44号、46号。四座院落坐北向南紧紧相连。临街屋系同时立架上梁,同时落成。四座街房的檩条都榫榫相扣,联为整体;各院均为4×3间架构的四合院,各自独立,各立门户,自成一体,临街屋均为三间一过道,大门都取自巽方。42号院的临街屋三间一过道,为明代建筑,大门的门楣之上,过去曾悬挂有乾隆五十八年(1793年)李氏十二世祖李鹤林78岁生日时其门弟王宗岳题写的"武元杰弟"匾额,落款为"门弟王宗岳敬题"及年号。此匾额于1966年"文化大革命"初期破"四旧"时,被摘掉烧毁。故居内有李岩牌位、卖地契约、买地契约等文物。《明史》等传言李岩是兵部尚书李精白之子,纯属捏造。李岩既不是杞县人,也不是"乌有先生",其籍贯乃为河南省博爱县唐村。所以,李岩是河南省博爱县人,其嗣父李春玉曾在杞县城经营粮行,李岩曾在杞县生活过,后来参加了李自成领导的农民起义军,最后被李自成所冤杀。

今有史学家栾星先生《李岩之谜——甲申史商》(中州古籍出版社1986年版)一书,可参阅。

276.清代道清铁路马涧河拱券桥

作　者:焦作市文物勘探队　崔振海、马岩波
出　处:《中原文物》2010年第2期

清代道清铁路马涧河拱券桥,位于原道清铁路焦作站,也就是今天的河南省焦作北站西约5公里。此桥建于清光绪三十年(1904年),至今仍在使用。这是焦作市第三次全国文物普查中新发现的一处近现代工业遗产遗迹。简报配以照片予以介绍。

据介绍,该桥位于焦作市解放区上白作街道办事处小庄村北。桥呈东西走向,长25米,宽5.2米,高5米。桥北下有三孔涵洞,中间涵洞高2.8米、宽5米,东西涵洞被部分泥土掩盖,是1904年英国人为运煤修的。采用的是中国传统圆券涵洞方式,自1905年通车一直使用至今,只是在1951年做过一次加固维修。

鹤壁市

新乡市

277.新乡明潞简王墓调查简报

作　者：杨宝顺、赵　峰、杜彤华
出　处：《河南文博通讯》1978 年第 3 期

简报配以手绘图等，介绍了对明潞简王墓的考古调查情况。

据介绍，明潞简王及其妃赵氏墓，建筑布局大体相同，其制度与北京明定陵相近。墓区建筑可分两组：

一是导引神道部分，从最前面的石刻仪仗群到坟园正门。

二是主体部分，从正门直至宝城，主要建筑有棱恩门、棱恩殿、明楼和宝城（地宫）等。

278.新乡市郊明潞简王墓及其石刻

作　者：河南省博物馆、新乡市博物馆
出　处：《文物》1979 年第 5 期

潞简王朱翊镠，是明穆宗朱载垕的第四子，神宗朱翊钧的同母弟。"生四岁而封"（册封为潞王），"万历十七年之藩卫辉"（今汲县即明代的卫辉府）。万历四十二年（1614 年）暴薨，谥曰简，葬于卫辉府西五龙岗，即今新乡市北郊约八公里的凤凰山。1978 年 7 ~ 8 月间，考古人员调查了这座明墓的地面建筑及墓圹。因该墓在 20 世纪 20 年代曾遭到北洋军阀破坏，墓内器物已被洗劫一空。简报分为：一、东墓区，二、西墓区，三、两点说明，共三部分，有照片、拓片和手绘图。

据介绍，潞简王墓区包括东、西两部分。东边为朱湖镠墓地，简称东墓区；西边为其妃赵氏墓地，简称西墓区。两墓坐北向南，左右并列，其建筑布局大体相近，共占地 11 万平方米。东墓包括甬道、前后、左、右四室，用青砖砌成拱券式，地面建筑有神道、石牌坊、前院、门楼遗址、石碑、石望柱、享殿遗址、后院等。墓主人《明史》有传。

同刊 1979 年第 3 期有王佑民先生《明代潞简王墓中的新发现》一文，可参阅。

279. 夏言渡河词碑

作　者：耿绍华

出　处：《中原文物》1993年第1期

夏言渡河词碑位于获嘉县南17.5公里的亢村镇亢西村口。碑圆首，龟座。高3.2米，宽1.25米，厚0.66米。夏言书随驾渡河日进呈词一首。9行，169字，行书，字体大三寸许。简报配以照片予以介绍。

据介绍，夏言（1482～1548年），字公瑾，明江西贵溪人，正德进士，嘉靖初为谏官，嘉靖十五年（1536年）任少傅太子太师，礼部尚书兼武英殿大学士，后为辅首执政。十八年（己亥）（1539年）正月晋特进光禄大夫，上柱国。二十年（1541年）被严嵩排挤罢官，二十四年（1545年）原职起用，二十七年（1548年）被奸臣严嵩所害。著有《圣驾渡黄河记》《桂洲集》《南宫奏稿》等。碑文是一首词，作者描述嘉靖十八年（1539年），他陪同嘉靖皇帝南巡时，于渡黄河之日所见的壮丽景象与盛况。简报录有全文。

280. 新荷铁路延津段1998年考古发掘简报

作　者：河南省文物考古研究所、新乡市文物管理委员会、延津县文化局　刘海旺、张家峰、许广平、潘伟斌、刘翠运

出　处：《华夏考古》2000年第4期

1998年秋，为配合新乡至河泽铁路复线工程建设，考古人员对该铁路所经过的延津段进行了考古调查和发掘。本次共发掘出明代陶窑1座，并对铁路线所经过的黄河故堤做了一些解剖工作，同时，还发现了有关古胙国的线索。本次考古发掘的主要收获简报分为：一、地理概况及地层堆积，二、遗迹，三、"胙"砖及其相关问题，共三个部分，有手绘图、拓片。

据介绍，延津县位于河南省北中部，属黄河冲积扇平原，黄河故道自西南而东北贯穿境内。历史上黄河长期流经今延津境内，并多次决口泛滥，直至明成化十五年（1479年）黄河南迁，从此，延津才位于黄河北岸。本次发现的窑址（编号为Y1）即位于现延津司寨乡于庄村北的地表以下。新荷铁路在草店村南与黄河故堤相交。该大堤保存较好，现存高度约为11米，宽约31米。从解剖情况看，简报认为该堤确系明人刘大夏所筑之大堤。

简报指出，本次发掘的地点，就位于传说中的古胙国和南燕国城废墟附近。据历史文献记载，此地西周初时属胙国，成王广封周公旦庶子，胙侯便是其中之一。

281.河南新乡市老道井明代 101 号墓发掘简报

作　　者：郑州大学历史学院考古系、河南省文物局南水北调文物保护办公
　　　　　室　韩国河、张贺君、蔡亚林
出　　处：《华夏考古》2009 年第 3 期

2006 年 5 ～ 10 月，为配合南水北调中线工程文物保护项目，考古人员对新乡市凤泉区老道井墓地所占干渠墓群进行了发掘，清理出明代墓葬 1 座，为研究明代的丧葬制度提供了新资料。简报分为：一、墓葬形制，二、随葬品，三、结语，共三个部分，有照片、手绘图。

据介绍，该墓（M101）为带斜坡墓道的石室墓，地面封土等均不存。M101 早年被盗，仅剩下石椁室，随葬品几乎被盗掘一空。仅剩陶棋子 1 枚（"车"）、瓷缸 1 件、玉带板 1 件、玉带板 1 件、蚌饰品 1 件、铜钱 88 枚。结合该墓形制及当地人俗称此墓为"太子坟"的相关信息，简报推测 M101 墓应为潞简王早殇二子之一，墓葬年代应在潞简王"万历十七年之藩卫辉"之后，三子朱常涝出生之前，即1589 ～ 1607 年间。

安阳市

282.河南内黄县发现一块清代刑戒碑刻

作　　者：张粉兰
出　　处：《中原文物》1995 年第 1 期

1992 年夏天，内黄县城关南街农民在拆修房屋时发现 1 块清代刑戒碑刻，现存县文管所。简报配以拓片予以介绍。

据介绍，石碑为青石质，呈长方形，长 63 厘米，宽 38 厘米，厚 3.5 厘米。碑面打磨平滑镌刻楷书字体，其他几面没经过细加工。碑面阴刻文字 24 行，满行 14 字，共 270 字。文字纵行排列整齐，字体秀丽，刀工娴熟。简报录有全文。

简报称，此碑为研究清代中原地区法律、法规提供了实物资料。

濮阳市

283.濮阳胡干城村李氏墓志

作　者：田聚常、侯建华

出　处：《中原文物》1992 年第 1 期

1990 年 5 月，考古人员在濮阳市区境内胡干城村进行社会调查时，发现 1 通《李氏墓志》碑刻。据该村李姓族人介绍，此碑在 1956 年前后的平坟造田运动中，被族人埋于地下进行保护，1985 年春挖出重新立起。

据介绍，该碑位于胡干城村东北约 500 米处，系明正统二年（1437 年）曹县典史李恒为其祖父李谦所立。由当时兵部郎中孔注书额，曹县知县范希正撰文，户部主事阎济书丹，石工王斌镌刻。碑呈长方形，圆首方趺，高 176 厘米、宽 76.5 厘米，计 332 字，简报录有全文。碑文记载了李氏家族的渊源、墓主的生平家世、立碑人为官政绩等情况。尽管年代久远，长期的风侵日蚀，碑面有部分风化脱落，一些字迹已较模糊，但仍有一定史料价值，尤其是对正统年间濮阳当地移民及行政区划等史实，有重要参考作用。

许昌市

漯河市

三门峡市

284.河南郏县前塚王村明墓发掘简报

作　者：河南省郏县文化馆

出　处：《考古》1961 年第 2 期

1960 年 1 月 9 日，薛店公社前塚王生产大队在该村外东南角 100 米的地方，发掘了 1 座明代墓葬。简报配以照片予以介绍。

据介绍，该墓墓室园券墓顶高 2.1 米，东西两壁和墓顶绘有图案壁画，内分男女棺室各一，两具尸骨已经腐坏。出土有墓志铭 1 合，简报未录志铭全文，陶院落 2 座，两座陶院内共出土陶俑 52 件。另外有老者坐像 1 个、盘膝老妇的坐像 1 个、陶马 2 对、骑马俑 3 对、陶轿 2 个、杵臼 2 个、陶磨 2 个和猪羊各 1 个。根据出土的墓志记载，墓主人王韩，字惟邦，别号双泉，生于正德癸酉（1513 年）九月廿日，死于万历丁丑（1577 年）八月廿二日，戊寅（1578 年）三月廿二日葬于祖茔之西，距今已约 400 年。

285.崔儒秀墓志浅析

作　者：李秀萍
出　处：《中原文物》1993 年第 1 期

崔儒秀墓志现藏于三门峡市车马坑博物馆。该墓志于 1987 年在三门峡市黄金冶炼厂基建工地发现出土。据发掘者言，出土时除此志外，尚有 3 口棺木，棺内均无尸骨，墓内也无随葬品，当时即疑为衣冠冢。志文中有载"……崔公藏衣冠之所"，恰也证实了这一点。墓志质为青石，题篆书："明诰赠大理寺卿崔贞公墓志。"正书，王以悟撰文，徐绍流书丹，张庄辰篆盖。简报配以照片予以介绍。

简报未录志文全文。崔儒秀，为河南陕州（今三门峡市陕县一带）人，《明史·忠义传》中有记载。曾任明朝开原兵备，山东按察司佥事等职。明天启元年（1621 年），在守卫东北辽阳、抗击建州部落入侵时，因兵败城陷自缢身亡。《陕县志》中也有其简略的记述，但均简而不详，或阙或误，而墓志恰可补正之。志文约 1800 字，详细地记载了崔儒秀的生平事迹，累进职官及家世等，特别是详细记载了其在守卫辽阳、抗击建州部落进犯的过程中，英勇善战，视死如归的史实。

286.陕县发现一批晚清及民国时期钱币

作　者：张怀银
出　处：《中原文物》1988 年第 1 期

1987 年元月，河南省陕县宜村乡一农民在修整窑洞时，发现一批晚清及民国时期钱币。这批钱币，发现时盛于 1 只残破的灰陶罐内。共 694 枚，重 5188.4 克。钱币全部为圆版，阳文。根据钱面字样、花纹、产地的不同分为：大清铜币、光绪元宝、民国钱币、伪满洲国钱币 4 大类，共 55 种版式。

据介绍，计有大清铜币共 215 枚，重 1612.5 克。直径 2.8 厘米，枚重 7.5 克，计有 11 个产地，18 个版式。"光绪元宝"共 225 枚，计 14 个产地，25 个版式。此外还有中华民国钱币、伪满洲国钱币。

简报称，河南陕县发现的这批钱币，不仅铸造版式多达 55 种，而且多有产地及纪年。产地多达 17 个省市，纪年有光绪壬寅、己巳、丙午，宣统己酉、辛亥，伪满洲国康德四年等 8 个纪年。从纪年可知这批钱币最早是光绪二十八年（1902 年），最晚为伪满洲国康德四年（1937 年）。这批钱币的发现不仅为研究我国的货币发展史，而且对研究我国的近代史都提供了重要的实物资料。

287.河南省灵宝秦岭古金矿遗址调查

作　者：河南省文物研究所、灵宝县文物保管所
出　处：《华夏考古》1994 年第 1 期

灵宝秦岭古金矿遗址，是在 1958 年报矿运动中发现的。1964 年初，由省地质部门 01 地质队进行正式勘察。截至 1965 年秋（包括陕西省洛南东北地区）已勘察出古矿洞 800 余个，还发现很多古代遗物。金矿位于河南省灵宝县西南秦岭高山之中，东起金洞岔，经阌峪的东路将、西路将、东闯、西闯，向西南延伸到陕西境内。所谓东路将、西路将、东闯和西闯，就是李闯王失败后退此山中遗留下来的地名。矿区自东向西长达 60 多公里，是 20 世纪 60 年代发现的最大金矿。据地质队专家介绍，局部矿石含金量百分之五十，一般含量为每吨矿石五六克，为较富的金矿。简报分为：一、古矿开采时间和开采的方法，二、矿洞内出土的遗物，三、结语，共三个部分，有照片。

据介绍，在 800 多个的古矿洞中，有少数洞口刻有题记，可以断定部分洞开采的绝对年代，例如最早的金洞岔的双梯子沟的洞口上，刻有"景泰二年（1451 年），开洞三百余眼"，最晚的为光绪年间，长达 400 年之久。发现的遗物有铁灯、瓷碗、瓷瓶、水桶、铁顿、铁镢、铁钎、水烟枪、人骨架等。还有粉碎金矿用的古碾盘、石滚、石槽等。

南阳市

288.反映明代刘六、刘七农民起义战功的《双忠祠记》碑

作　者：刘玉生
出　处：《中原文物》1983 年第 3 期

方城县城关镇民权街市民赵文章家院内现存放着 1 通《双忠祠记》石碑，碑文

记载了明代中叶刘六、刘七农民起义转战河南的业迹。简报配以照片予以介绍。据介绍，《双忠祠记》碑，额身一体，残高 1.55 米、宽 0.90 米、厚 0.30 米。额篆书双忠祠记，碑文楷书。22 行，满行 44 字。碑刻于嘉靖十二年（1533 年）。碑文内容虽系封建统治者为裕州同知郁采歌功颂德，但它从另一个侧面给我们提供了刘六、刘七农民起义军转战河南的情况以及沉重打击明王朝反动统治的重要史料。这块碑石，于 1962 年 6 月 9 日被发现。"文化大革命"期间，碑文有所破损，简报录有碑文全文。碑文记载了明正德年间刘六、刘七起义时在裕州与守军作战的史实，可补《明史》等史书之不足。

简报称，刘六、刘七自正德五年（1510 年）十月在河北霸州号召起义起，至正德七年（1512 年）八月止，两年的时间，"破邑数百，纵横数千里"，横扫了直隶（河北）、山东、河南、山西，湖广、（湖北等）、南直隶（江苏、安徽）等广大地区，三次逼近北京附近，震撼了明王朝的腐朽统治。最后，刘六、刘七南下湖广，刘六在正德七年闰五月于黄州不幸落水身死。刘七又转战南直隶，在同年八月牺牲于通州（今南通）狼山，轰轰烈烈的大起义失败了。

相关背景可参阅穆煊先生《刘六刘七大起义》（江苏人民出版社 1957 年版）一书。

289.河南内乡县发现清代量器——石斗

作　者：内乡县衙博物馆　徐新华、白小平
出　处：《考古与文物》1995 年第 3 期

1986 年夏，在内乡县县衙博物馆东侧出土 1 件清代道光年间的量器——石斗。简报配以照片、拓片予以介绍。

据介绍，该石斗为清石凿面，且表面刻纹清晰。斗呈长方形。斗的正面刻有铭文，并有椭圆形小孔。铭文是"道光十六年（1836 年）六月十五日。行内升斗不足者，除禀官究责外，罚钱一千文。行头胡德较准行斗，永以为式"。从铭文上看，该石斗为当时粮行的标准粮斗，可盛粮食 50 斤。可见，当时凡粮食行业市场经营用斗，均不得小于或大于此斗。

简报称，清代标准粮斗在内乡发现，不但对研究清代量器有一定的参考价值，而且为考证内乡县清代粮食行业经营等情况提供了实物资料。

290.南阳明代武略将军墓出土瓷器

作　者：张　方

出　处：《华夏考古》1998 年第 4 期

1989 年 4 月，考古人员在市西郊麒麟岗上中原电梯厂生活区，发掘了 1 座砖石混砌的明代武略将军墓。该墓已遭到破坏，在墓室的石墓门外除发现一合方形石墓志外，墓室中的随葬品仅发现 5 件瓷器。简报配以照片予以介绍。

据介绍，计有青釉刻花瓷炉 1 件、青釉刻花瓷瓶 2 件、白釉黑花瓷罐 1 件、白釉瓷罐 1 件。简报认为应为龙泉窑系产品。这批瓷器出土于万历二十二年（1594 年）的墓中，这为 5 件遗物提供了下限年代的界定。

291.河南南阳市发现明代琉璃房屋模型

作　者：南阳市古代建筑保护研究所　张　方、谢文英、徐俊英

出　处：《华夏考古》2003 年第 4 期

王府山位于南阳市老城区的西北部，是明太祖朱元璋第二十三子朱桱——唐定王永乐六年（1408 年）就藩南阳时修建的王府后花园人工假山。该山现存部分占地面积有 500 余平方米，高约 21 米，其砌山石料多选用太湖石和南阳独山石，登山道和山中洞窟的构筑杂以青砖和古墓石条。这座人工山是明代众多藩王府中保存下来的园林实物山景，现为河南省重点文物保护单位中仅有的山体文物建筑。1994 年秋，考古人员在对王府山进行整修时，从山体的西侧盘山道中，清理出一些青绿色的琉璃质建筑模型残片，经修复，一座精致的仿木构建筑琉璃房屋展现出来，它是该山所用的一件房屋模型。简报配以照片予以介绍。

据介绍，该房屋模型，面阔 76 厘米，进深 43 厘米，通高 75 厘米，其形式为仿悬山式建筑，分台基、屋身和屋顶三部分制作。整座房屋施以青绿、浅绿、褐黄三种色釉。台基和屋顶施以青绿釉，屋身墙体施以浅绿釉，屋身的仿木构件处均施以褐黄釉。整体效果庄重和谐，造型逼真。简报称，明清两代是琉璃制品加工使用的鼎盛期，此件琉璃模型，为我们研究明代琉璃工艺及王府山的历史，提供了宝贵的实物。

292.南阳明溵水郡主墓出土的一批金器

作　者：南阳市博物馆　刘　霞
出　处：《中原文物》2007 年第 1 期

该批金器于 1971 年出土于明溵水郡主墓。当时，南阳市靳岗乡东石膏坑村村民挖掘防空地道时，发现 1 座古墓葬。考古人员进行了抢救性清理发掘，清理出金器40 余件，同时出土的还有瓷器、铜器、铁器、玉器及墓志等多种文物，均收藏于南阳市博物馆。简报分为：一、器物介绍，二、结语，共两个部分，配以照片，先行介绍其中的金器。

据介绍，该墓共出土金器 44 件，有簪、钗、耳环、戒指、衣扣、冥币及小饰件等。该墓出土金器数量较大，制作精美，尤其是金首饰的制作，采用锤揲、焊接、垒丝、掐丝和镶嵌等工艺，技艺精湛。该批金器多以锤揲工艺制造而成，如凤戏牡丹金钿系以整块金片捶压而成，图案隐起，呈浅浮雕状，然后再以錾刻工艺处理局部，整个画面立体感很强，华贵精致。垒丝也称花作，是金属细工中最精巧的工艺。系用细如发丝的金银丝，通过盘曲、垒积和焊接等工艺组成各式图案。

该墓出有墓志，简报未录志文全文。根据墓志可知，该墓为明唐宪王次女溵水郡主的墓葬。溵水郡主生于天顺五年（1461 年）十月十九日，成化十四年（1478 年）与仪宾宠珉成婚，弘治五年（1492 年）四月二十六日以疾终，时年 31 岁，弘治六年（1493 年）十二月十二日葬于南阳城西。该批金器应为其生前所用，其制造年代不会晚于弘治五年（1492 年）。

293.河南南召县云阳镇明代纪年墓

作　者：南召县博物馆　范云刚等
出　处：《华夏考古》2013 年第 4 期

1985 年 1 月，南召县云阳镇文化分馆搬迁时发现 1 座明代墓葬，考古人员进行了抢救清理。简报分为：一、墓葬位置及形制，二、墓志，三、出土器物，四、结语，共四个部分，有拓片和手绘图。

据介绍，该明代墓葬位于南召县城东 35 千米的云阳镇政府东 150 米，南距人民路 50 米，北靠鹿鸣山，西边是迎风岭。墓葬距地表深 2.50 米，墓葬为砖石结构，南北向，平面呈长方形，青砖砌墙铺地，大青石盖于上部，分为左、中、右 3 个墓室。葬具不详，仅见部分锈迹斑驳的棺钉。墓室顶部使用不规则的 12 块青石条封盖。墓志铭置于墓室南端，质地与青石条相近。随葬器物大多摆放于左、中室西南部，有瓷器、铁器、陶器、银器、铜器、铜钱等。由于墓地土质为黄色黏土，含水量大，随葬器物大多与淤泥混杂在一起，有的被泥土包裹，除陶瓷器外，其他器物残缺不全，金属物品腐蚀较为严重。

此次最重要的发现当属墓志了。志盖书"明故承德郎陕西庆阳府通判奉诏进阶奉训大夫槐庭彭公墓志铭""鲁邑惺斋燕儒宦撰，邑人方斋张可坤行状，庠晚松宪刘先泽书"。计1108字。

据墓志，墓主为明嘉靖年间庆阳府通判彭尚贤。彭尚贤夫妇合葬墓的年代为"万历三年"，即公元1575年。

志文中介绍彭尚贤的祖父彭宣于明朝天顺年间（1457～1464年）迁徙到南召县，由农耕之家发展成为书香门第，见证了南召于明成化十二年（1476年）重新置县的历史，为研究南召县的历史沿革提供了实物资料。

志文记载了彭尚贤由岁贡入仕，从一个侧面反映了明代选拔地方官员的途径，同时，志文对于了解地方官员的设置、地方基本组织机构、明代嘉靖年间与西北少数民族之间关系、边境地区生产生活情况都具有重要的史料价值。

另外，该墓葬出土的瓷器数量较多，品种丰富，对于研究不同窑系瓷器的特点、南北文化的交融都具有一定的价值。

简报指出，该墓葬形制较为特殊，但由于多方面的原因，未能保存发掘时的资料。该墓的发现丰富了我们对明代中原地区墓葬形制的认识，为研究明朝中原地区的墓葬习俗和社会生活状况提供了重要的实物资料。

商丘市

294.宁陵县华岗出土的明代木船

作　者：商丘地区文化局、文管会

出　处：《中原文物》1983年第2期

1982年2月底，宁陵县华堡公社，前华岗村农民在取土时发现1只古代木船，考古人员于1982年3月11日至21日到现场进行了发掘清理。发掘结果简报分为：一、木船出土情况及结构，二、船内遗物，三、船外遗物，四、结语，共四个部分，有照片。

据介绍，前华岗村位于宁陵县南20公里，东距华堡公社1公里，西北距张弓镇约5公里，南距拓城县城29公里。木船出土地点在村东黄河故道西岸（当地人称为"运粮河")。船内遗物有腰刀、象棋盘、中药材、纸、陶瓮 1 件、陶罐 7 件、瓷盘 2 件、铁锅 1 只、雕花漆木 1 件；船外遗物有麻绳、钵 1 件。简报推断这只船可能是明代遗物。

简报称，对华岗明船的发掘，是近年来商丘地区的重大收获之一。华岗明船的出土，对研究我国造船发展史提供了宝贵的实物依据。华岗明船对研究豫东古河道的变迁和明代的政治、经济、交通航运的发展均有参考价值。

295.河南商丘市发现明武略将军墓

作　　者：陈钦源、王良田
出　　处：《华夏考古》2008 年第 1 期

1999 年 8 月 29 日，在商开高速公路睢阳区段的观堂乡政府北的夏营村取土区发现 1 座古墓。考古人员赶到后发现施工推土机已将墓室推坏，从残坑形状看，该墓为长方形竖穴土坑双棺合葬墓，木棺已朽为碎块。简报分为：一、墓室结构，二、出土文物，三、几点认识，共三个部分，有拓片、手绘图。

据介绍，从残迹看，墓葬为竖穴土坑，葬具为木棺，双棺合葬，木棺已朽成碎块，葬式不详。出土青石质墓志 1 合、金耳环 2 件、金戒指 2 枚、金筒片状冥钱 2 枚。志文为楷书，845 字，简报录有全文，中多缺字。由墓志铭知，墓主马锐生于明成化戊戌年（1478 年）七月十六日，死于明嘉靖丁酉年（1537 年）九月初七日，享年 60 岁，其妻贾氏长马锐一岁，生于明成化丁酉年（1477 年）十二月二十九日，死于嘉靖戊戌年（1538 年）八月十五日，享年 62 岁，墓志刻于嘉靖壬寅年（1542 年），即贾氏死后第四年。由志文知，马锐原籍彰德府临漳县（今河北省临漳县），从高祖父马得时起始入军籍，初在祥符（今开封市），后来迁到归德府（今商丘市）。到其祖父马云时因有战功，初升为百户，又迁武略将军，"世袭中所副千户"，至其子仍为军籍。

简报介绍说，明代从开国皇帝朱元璋时起设立卫所制度管理全国军队。在军事上重要的地方设卫，次要的地方设所，当时明朝约有军队两百万都编制在卫所中，大抵每 112 人编为 1 个百户所，1120 人编为 1 个千户所，5600 人为 1 卫，卫所的军官称卫指挥、千户、百户，军户皆另立军籍，是世袭的。武略将军应为从五品。此志文对研究明代卫所制度等有一定价值。

信阳市

296.固始县发现一批窖藏瓷器

作　者：固始县文化馆　詹汉清、阮　超
出　处：《中原文物》1987年第1期

1983年10月17日，固始分水建筑队工人在县妇幼保健院内建房施工挖基础时，发现一批窖藏瓷器。计大小131件（不含残碎瓷片及铜、锡、玉器），由县文化馆收藏。简报配以照片予以介绍。

据介绍，该窖藏离地表50厘米处，埋置一硕大瓦缸。缸口之上残存一层木质覆盖碎末，当系腐朽的木质盖板。瓷器大小相套，放置缸内（铜、锡、玉器放置中央底部，空隙间以稻壳填塞稳固）。经研究整理，计有五彩瓷器8件、粉彩42件、金彩8件、水彩18件、红彩5件、酒蓝15件、印花18件、蓝料4件、青花8件、白素瓷器3件、宜兴紫砂器2件。同出土的还有铜器1件、锡器6件、玉器1件。器类丰富，施彩装饰技法多样，有些堪称罕见的珍品。该处窖藏所出瓷器大多带有年款或图款及商标等。其年代为明、清（康熙、雍正、乾隆、道光、同治、光绪居多）和少数民国时期器物，分别出自江西景德镇、宜兴，福建德化、马祖岛等窑口以及一些民窑。

简报称，这些瓷器应是民国时期的窖藏。明清至民国期间，一些官僚豪绅为显示其通文达墨，多收藏古玩古董古瓷。

周口市

297.扶沟道清寺出土两尊石刻造像

作　者：郝万章、胡春长
出　处：《中原文物》1984年第1期

1979年10月，村民在扶沟县固城公社道清寺村（原名清凉寺）挖红薯窖时，发现2尊石刻造像，运县文化馆保存。简报配以照片予以介绍。

据了解，清凉寺原有面积10亩。寺中房屋于1940年被毁，所发现的这两尊石刻造像，一为汉白玉菩萨，一为青石佛。汉白玉菩萨通高149厘米，方形须弥座高

63 厘米。菩萨造像高 86 厘米，螺髻，面部丰润，右手已残，为明代作品。青石佛通高 150 厘米，螺髻，面部丰润，袒胸，背下刻有造像题记，主要记述了开封府扶沟县古城村郭举妻陈氏等 16 名女信人为供养佛事，各出己资，于"大明嘉靖十四年十二月吉旦"命工镌石佛 2 尊、香花菩萨 2 尊的事情。

简报称，这次出土的两尊石刻造像，就其雕刻艺术上看，汉白玉菩萨造型优美，形象端正，面部表情生动，栩栩如生。流畅的线条，透过衣衫的质感，刻画了菩萨优美的体态，丰润的肌肤，显示了雕刻艺术的纯熟，是一件优美的艺术品。而石佛造型端庄严肃，较为生硬死板。

驻马店市

298.遂平发现一方"瑞峰"石砚

作　　者：不详

出　　处：《河南文博通讯》1980 年第 1 期

遂平县文化馆最近征集到石砚 1 件，是和兴公社赵庄大队季桥村村民张法亭从村西泥塘中挖出来的。砚身长 28 厘米，宽 18 厘米，厚 5 厘米。该砚除边角有几处碰伤和右侧刻字磨损以外，保存基本完好。简报配以照片予以介绍。

据介绍，该砚系用墨色夹用四层鸭蛋青色石料琢成，雕有凤鸟，篆有"瑞峰"印文，并刻有诗句。落款中有"康熙甲子冬""乙卯冬月""乾隆庚戌冬至"纪年。此砚当经过三位收藏家收藏并刻有题刻。简报录有七言诗全文。

299.沁阳市出土的朱载堉残碑

作　　者：李秀萍、靳秦生

出　　处：《华夏考古》1991 年第 4 期

明太祖朱元璋的九世孙朱载堉是我国明代一位杰出的科学家。1986 年是朱载堉诞辰 450 周年，为纪念朱载堉，河南省和沁阳市开展了一系列纪念活动。根据县志记载，在沁阳原有朱载堉墓碑。考古人员到处查寻，访问上年纪的老人，后得知此碑可能在"九峰山朝阳寺"（今山王庄乡张坡学校）内。于是，在 1986 年春夏时期，在山王庄张坡学校内发掘寻找，用了近月余的时间，最后终于将朱载堉的墓碑发掘出土，使之重见天日。该碑出土地点在今沁阳市山王庄乡张坡九峰小学内，距朱载堉的墓有 100 米。该碑早已残缺，现仅保留一残块。残存铭文 21 行，行 26 字，行书。该残碑现藏沁阳市博物馆，因残损太甚，很多字迹已不清晰，简报录有能看清的部分文字。

据介绍，残碑碑文可补史书之阙之处甚多。如其下葬年、享年（76 岁）等，均可补《明史》之缺。

300.河南沁阳发现王铎撰书郑端清世子神道碑残片

作　　者：张红军

出　　处：《文物》1995 年第 2 期

1986 年，河南沁阳发现王铎撰书的郑端清世子神道碑残片。残片现存列于沁阳市朱载堉纪念馆。简报配以拓片予以介绍。

据介绍，该原碑高 166.5 厘米、宽 133.2 厘米，行书。碑文 1774 字，建于 1624 年。原碑存放于沁阳九峰山寺内"郑王生祠"。1938 年日本军队侵占沁阳，九峰寺被毁，郑氏神道碑亦遭破坏。碑文的残片高 50.5 厘米、宽 68 厘米，可辨碑文 19 行计 297 字。简报未录碑文全文。

简报称，郑端清世子朱载堉（1536～1611 年），字伯勤，号句曲山人，卒谥端清，明代怀庆府（今河南沁阳市）人。朱元璋九世孙，郑藩第六代世子。为明代著名乐律学家、历学家、算学家，毕生治学精勤、著述丰硕，传世有《乐律全书》等 20 多部。郑氏神道碑在朱载堉去世 13 年后建立的。

301.河南沁阳发现清代台湾知府张玺墓碑

作　　者：张红军

出　　处：《文物》1995 年第 9 期

1975 年文物普查中，考古人员在本县西万乡校尉营村西南半里许的张氏墓地发现了清代奉直大夫台湾分府张玺墓碑。1977 年基碑迁至县城天宁寺三圣塔旁的古代石刻造像保护区内（即今沁阳市博物馆内）。简报配以拓片予以介绍。

据介绍，该碑通高 283 厘米、宽 65 厘米、厚 20 厘米，由碑首、碑身和碑座三部分组成。正中阴刻"圣旨"二字。碑面居中镌"皇清诰授奉直大夫台湾府分府冀南张公配安人王邵杨赵氏合葬之墓"。右侧为碑序，序后系碑文撰写者刘建议，序文书写者任洛图，碑额的书写者张春茂及参与碑文撰写者任生林名。左边列张玺子、孙、曾孙、元孙的名字。立碑时间在"同治十一年二月清明谷旦"。该碑序文竖写 4

行，计 193 字。简报未录全文。

简报称，张玺是清代河内县（今沁阳市）校尉营人。生于 1725 年，27 岁中举人。曾任陕州教谕、福建南靖知县，后升台湾府分府加同知衔。卒于台湾，年、月不详。同治十一年（1872 年）二月，沁阳县的学人和他的后代赴台将其迁葬于沁阳校尉营，特立此碑。

济源市

302.济源市东街明代壁画墓发掘简报

作　者：济源市文物工作队、河南古代壁画馆　陈良军等
出　处：《中原文物》2013 年第 1 期

2012 年 1 月，考古人员在国际时代花园商业住宅建设工地，发现了 1 座明代万历四十一年（1613 年）壁画墓。该墓葬规模较大，建筑方法独特，内壁绘满壁画，内容丰富。2012 年 3 月 5 日～6 月 18 日，考古人员对该墓进行了抢救发掘，该墓编号为 2012JDM1。简报分为：一、地理位置，二、形制结构，三、壁画内容，四、主要遗物，五、结语，共五个部分，配有彩照和手绘图。

据介绍，墓室地面距地表 4.7 米，并列摆放三具柏木棺，浸泡于深 40 厘米的水中。棺木腐烂倒塌，尸骨散乱，被盗扰过。墓内除棺木和两块字砖外，未发现其他遗物。字砖上有万历四十一年（1613 年）纪年，应为 1 夫 1 妻 1 妾合葬墓。

此次发掘最大收获就是壁画。该壁画墓是济源市发现的第 1 座有明确建造年代的壁画墓。与其他地区的明代壁画墓相比，画幅面积大，保存状况好，鲜亮如初。墓壁绘画多达 33 平方米。内容有墓主人游园、摆案作书画、仕女奏乐、出行等场面，墓顶有祥云朵朵、仙鹤齐飞画面。

简报指出，济源明代壁画墓保存之完好、绘画之精美、建筑之独特，实属罕见，在研究明代绘画艺术、服饰演变、文房家具、建筑装饰、器乐舞蹈、水文地质、丧葬习俗等方面都有极为重要的价值。

湖北省

303.三峡水库湖北境内地面文物调查

作　者：湖北省文物考古研究所　吴　晓
出　处：《江汉考古》1994 年第 1 期

三峡工程是我国历史上最大的水利枢纽工程，对生态和环境有着广泛而深远的影响。本着有利于文物保护、有利于工程建设的两利方针，自 1993 年初以来，考古人员对湖北境内的地面文物进行过多次调查，较为全面地了解到这一区域内的地面文物情况。调查情况简报分为：一、文物点概况，二、保护措施，两个部分。

据介绍，三峡工程涉及湖北省宜昌、秭归、兴山、巴东 4 县，考古人员在该区域海拔高程 177 米以下的范围内作了几次较为彻底的调查，共调查地面文物点 138 处，其中宜昌县 6 处（含坝区 3 处）、秭归县 83 处、兴山县 8 处、巴东县 41 处。湖北省境内受三峡工程影响的这 138 处地面文物，绝大多数都是明清时期建造或制作的，其时代虽不是很早，但它们都是整个历史文化不可缺少的一环。这些文物中有省级文物保护单位 3 处，分别为宜昌的杨家湾老屋、秭归的屈原祠和巴东的秋风亭。县级文物保护单位有 10 余处，而绝大多数是还没来得及被各级人民政府公布的具有较高价值的文物点。

武汉市

304.湖北新洲县发现明代尸腊

作　者：程欣人
出　处：《考古》1964 年第 7 期

1963 年 11 月，新洲徐古公社第六大队，在刘世二村东南的冈尾上，发现 3 座有墓志铭的明墓。其中 1 座出土了女性尸腊 1 具，缠足。据墓志记述，墓主人姓黄，生于嘉靖元年（1522 年），嘉靖四十二年（1563 年）卒于京师。她的丈夫丘岳历任礼部右侍郎、工科左司谏、礼部都谏等职。隆庆三年（1569 年）葬于黄冈县北沙河西山之阳。

黄氏墓中出土了一些棉、绸衣服和被褥，上衣与罩袍都是大袖，还有裙裳与脚褥。黄氏墓东邻葬着她的长子丘一麟，系太学生。西邻葬着她的次子丘一凤之妻郭氏，死后 3 年与黄氏同日埋葬在当时"长福山"，即"沙河之西山"，时属黄冈县五上乡。3 座墓的结构基本相同，都是棺外砌有很厚的石灰，但是棺中尸骨仅黄氏独存。分析其原因，可能是因为她的尸骨经过药物处理，至今衣被尚有药水味。此外，三座墓中还出有铜镜、簪，带盖小白瓷罐 5 件，金饰片 3 件等。

305.武汉地区出土的三件瓷器

作　者：况红梅

出　处：《文物》1993 年第 2 期

1984 年以来，武汉地区陆续出土了一批瓷器。简报配以照片予以介绍。

据介绍，有 1979 年武昌区何家垅南朝墓出土的青瓷莲花尊、1988 年武昌县保福乡宋墓出土的四神皈依瓶、武昌县流芳岭明妃子墓出土的青花鸳鸯戏水将军罐。该罐据专家鉴定应是明中期以前产品，上限可到宣德晚期。

306.明代楚昭王朱桢墓发掘简讯

作　者：付守平

出　处：《江汉考古》1992 年第 1 期

考古人员于 1990 年夏至 1991 年初，对明代楚昭王朱桢墓进行了考古勘探和发掘，获取了一批明代初期的珍贵文物，为研究明初的历史和地方史提供了珍贵的实物史料。

据介绍，该墓位于武昌县龙泉风景区的天马峰下，西北距武汉市约 15 公里，坐北朝南，有一周长 1500 米的砖砌茔垣围绕，占地约 160 亩。垣内中轴线自南而北依次为三开式辕门、神道、金水桥及棂恩门、棂周殿、拜台、地宫（即墓室）等。左右还设有便道、侧门、配殿等（相传汉樊哙墓和明张添祐墓亦在垣内），形成规模雄伟的陵寝——昭王寝。该寝与其他八个楚系藩王陵寝统称为"明楚王墓群"，于 1962 年被列为省级重点文物保护单位。该墓是 1 座土圹砖室墓。墓门南端有 1 条斜坡墓道，东南角有 1 条排水沟。墓顶部封土厚约 2 米，墓室为单室，有后龛和东、西壁龛。葬具1棺1椁，已朽，人骨已朽。随葬品有金腰带、铜镜（半面）和铝锡炉、盘、壶、杯、瓷坛、碗等100余件。

据墓内圹志所载，墓主人系朱桢，即朱元璋第六子。生于甲辰年（1364年）三月三日，于明洪武三年（1370年）册封为楚王，十四年就藩武昌，卒于永乐二十二年（1424年）二月十二日，享年61岁，在位54年。昭王朱桢是第一代楚系藩王。

简报称，该墓有其特异之处，如：墓葬偏离陵寝中轴线，陵寝大而墓葬规模偏小，随葬品明器化，等等。

307.蔡甸区索河明墓发掘简报

作　者：武汉市博物馆、蔡甸区博物馆　许志斌、陈　艳
出　处：《江汉考古》1998年第3期

1994年3月，武汉市蔡甸区索河镇石马村村民在山上栽树挖坑时发现1座古墓。考古人员前往清理发掘。简报分为：一、位置及发现经过，二、墓葬形制及概况，三、遗物，四、结语，共四个部分，有手绘图。

据介绍，该墓被当地居民传为明代"兵部尚书戴鑫之墓"。早年此墓还有地面建筑，如：石质牌楼，墓前端两侧有石人、石马、石羊等，石马村由此而得名。离此墓一步之遥的石马村水塘四周存有大量雕凿较精致的石质牌楼构件，村里路边也存放着几个体形较大的石马、石羊等动物造像。墓为土坑异穴夫妻合葬墓，木棺腐朽严重，人骨几不存。随葬品有青花瓷罐1件、青花瓷碗2件。简报推断此墓的年代为明代中晚期。墓主人当有一定社会地位，但具体何人已无从考知。

308.黄家湾明代楚王朱氏墓

作　者：武汉市博物馆　李永康、陈　艳、黄传馨
出　处：《江汉考古》1998年第4期

黄家湾隶属武汉市洪山区洪山乡。与小洪山相邻；东面隔湖与珞珈山相望；西与科学院武汉分院一墙相隔。此地明代属江夏县附城村。西距明代武昌楚王府（今武昌区阅马场一带）5公里。1985年、1993年，当地居民和洪山区检察院在此地建房掘基时，发现了两处4座明代楚王朱氏家族墓。它们分别为明太祖朱元璋之六子楚昭王朱桢五世孙镇国中尉朱显杖（墓葬编号M2）、其妻恭人赵氏（墓葬编号M1）、朱显杖之次子辅国中尉朱英炯（墓葬编号M3）、其妻宜人袁氏（墓葬编号M4）之墓。皆为"同茔异穴"夫妻合葬墓。两茔相近，间距9米，同在一个小山包

上。除 M1 外，其他三墓保存极差。简报分为：一、墓葬形制，二、墓志与地券，三、出土器物，四、结语，共四个部分，有手绘图、照片。

据介绍，朱显栻夫妻墓为竖穴土高碗棺墓。所谓"碗棺"，是指棺室为碗和砖砌成。仅存少量人骨。朱英𡜋夫妻墓为土坑木棺葬。木棺已朽，遗骨可看出为仰身直肢葬。

4 座墓共出土墓志 3 方、买地券 3 方。简报录有 3 方志文和 3 方券文。4 墓除 M1、M2 用青瓷碗作棺室外，在土坑和棺室内，还出土有瓷器、铜镜、铜钱、铁券、金银饰品等物。青瓷碗均出自 M1、M2，用作砌筑棺室。2 墓现存瓷碗 5000 余件，基本完好者近 1000 件。其制作粗糙、瓷质低劣，施釉不匀，或釉厚者则釉色泛青，薄则泛黄；或釉色呈浅灰色。基本上是施半釉。M1、M3、M3 各出有墓志一方，墓主身份及下葬年代明确。M4 虽无墓志出土，但其与 M3 为"同茔异穴"葬，其墓主遗骸为成年女性，所以，M3、M4 亦是"同茔异穴夫妻合葬墓"，M4 墓主为 M3 墓主之妻。M1 的墓主恭人赵氏，生于成化十三年（1477 年），卒于嘉靖七年（1528 年），享年 52 岁，4 年后（嘉靖十一年）下葬。M2 墓主镇国中尉朱显栻，生于成化十二年（1476 年），卒于嘉靖二十四年（1545 年），享年 80 岁，死后十三年（隆庆二年，1568 年）才与赵氏合葬一处。M3 墓主辅国中尉朱英𡜋，朱显栻之次子，生于弘治丁巳年（1497 年），卒于嘉靖二十七年（1548 年），享年 52 岁，死后八年（嘉靖己卯年，1555 年）下葬。M4 墓主英之妻宜人袁氏，生卒年不详。但袁氏下葬时间应晚于其夫。

简报称，这批墓葬对于研究明代晚期社会生活以及人们的思想意识，提供了一些新物证，也为我们进一步了解、研究明代楚主朱氏家庭墓地的分布以及墓葬的埋葬习俗，提供了新的考古资料。

309. 武昌龙泉山明代楚昭王墓发掘简报

作　者：湖北省文物考古研究所、武汉市文物考古研究所、武汉市江夏区博物
　　　　馆　梁　柱等
出　处：《考古》2003 年第 2 期

龙泉山位于湖北省武汉市东南约 20 公里处，隶属武汉市武昌县（现为江夏区），这里有一个两山环抱、三面环水的山间小盆地，面积 7.6 平方公里。据考古调查和文献记载，这里建有 9 座明代楚王茔园。明代楚系藩王共八代九传，除末代楚王华奎是否入葬该茔园需要考证外，其余的 8 位楚王及其王妃、夫人均葬在这里。龙泉山明代楚王墓群时间跨度长，世系完整，具有较高的历史研究价值。1956 年已被列

为省重点文物保护单位，2001 年被列为全国重点文物保护单位。

昭园是楚昭王的茔园，是龙泉山明楚王茔园中规模最大的 1 座。昭园有内外两重长方形茔垣，平面呈"回"字形。外茔垣南北长 355 米、东西宽 335 米，垣体是石基砖墙。主要的寝庙建筑群便置于内垣中，均只残存基址。昭园布局规整，沿中轴线自南向北有三道门。依次为园门、殿门、棂星门。昭王墓即位于园中中轴线北端。1988 年，考古人员进行了钻探，1990 年进行了复探，1990 年 12 月至 1991 年 1 月，进行了发掘。发掘表明，昭园虽屡遭破坏，但昭王墓却未曾被盗。简报分为：一、墓制形制，二、随葬器物，三、结语，共三个部分，有彩照、手绘图。

据介绍，昭王墓为长方形土圹砖室墓，全长 27.1 米。墓内随葬品丰富，有鎏金铜封册、鎏金铜谥册、木质涂金谥宝及铅锡器等计 318 件。据墓内出土的圹志记载，墓主朱桢是太祖朱元璋第六子。洪武三年（1370 年），年方 7 岁的朱桢被册封为楚王，洪武十四年（1381 年）就藩，永乐二十二年（1424 年）"以疾薨"，享年 61 岁。简报指出，此墓茔园规模巨大，但墓室规模不大，楚昭王墓是明前期亲王墓中唯一的单室墓。简报认为仅就墓室规模看，仅相当于同期的郡王。随葬器物也明器化，这一点与明湘献王朱柏墓类似。但朱柏（朱元璋第十二子）是因怕建文帝报复而自杀身亡（《明史·诸王二》），其丧事从简或降格实属情理之中，随葬品明器化也不足为奇。而朱桢本人为宗人府宗正，却随葬明器，其原因尚待研究。此外，楚昭王墓随葬的鎏金铜封册、灵牌、铜半镜、金镶木腰带、木旌顶等，均不见于其他诸亲王墓。

310.武汉江夏二妃山明景陵王朱孟烆夫妻墓发掘简报

作　者：武汉市文物考古研究所、武汉市江夏区博物馆
出　处：《江汉考古》2010 年第 2 期

简报介绍了武汉市江夏区流芳街发掘的明景陵王朱孟烆夫妻墓。该墓为同茔并穴砖室墓，残存有茔园基址，出土了一批反映明代藩王丧葬礼制的随葬品，是目前武汉地区考古发掘的第 1 座明代郡王墓，为研究明代藩王制度提供了新的实物资料。简报分为：一、墓葬形制，二、随葬物品，三、结语，共三个部分，有手绘图、拓片、彩照。

据介绍，武汉江夏二妃山明景陵王朱孟烆夫妻墓位于武汉市江夏区流芳街佛祖岭村。2002 年 5 月 8 日，为配合武汉市二妃山垃圾处理厂工程建设，考古人员对工程所涉及的范围进行了考古调查勘探及发掘工作。勘探总面积 11 万平方米，共发现明代古墓葬 11 座，编号为 2002JLM1 ~ M11。其中 M1、M2 为明代大型砖室墓，

墓主人分别为明景陵王朱孟炤及王妃。随葬品中有木封册 1 件，楷书，计 105 字，简报录有全文。简报指出，朱孟炤死于正统十二年（1447 年），该墓下葬年代明确，M2 下葬年代可能稍晚，但应与 M1 一样同属明代中前期墓葬。

311.武汉市明通城王朱英焌家族墓地发掘简报

作　　者：武汉市文物考古研究所　许志斌、刘永亮
出　　处：《江汉考古》2014 年第 6 期

为配合武汉市关山路立交工程，2010 年 10 ～ 12 月考古人员抢救发掘了明通城王朱英焌的家族墓地，出土了一批反映明代藩王丧葬礼制的随葬品，特别是 M5 出土的玉带，在武汉地区已发掘的郡王墓中是绝无仅有的，显示出墓主身份的特殊和重要性。简报分为：一、墓葬形制，二、随葬器物，三、结语，共三个部分，有照片、手绘图。

据介绍，5 座墓均为长方形砖室墓，共出土随葬品 22 件。墓志 2 方，志文楷书，20 行，墓志缺 26 字，简报录有志文全文。通过 M1、M2 中出土的墓志记载，可确定朱鲁湾墓群为明代通城王的朱英焌的家族墓地。

简报称，近年来，在武汉市发现了较多的明代郡王和镇国、奉国将军家族墓地。此次发掘的墓葬在规格上可能不及上述者，但其家族墓葬的数量是其中最多的，其保存状况也较好，对研究明代地方郡王家族墓地的布局、规格等提供了重要的参考资料。

黄石市

襄樊市

312.宜城詹营村墓清理简报

作　　者：肖向王
出　　处：《江汉考古》1988 年第 1 期

1984 年 9 月，考古人员为配合襄宜公路和扩建工程，发掘了宜城县小河乡詹营村曹家楼遗址。简报分为：一、墓葬形制，二、随葬器物，三、结语，共三个部分，

有照片、手绘图。

据介绍，该遗址距宜城县城关北约15公里，为一高出四周的台地，面积约20000平方米，出土内容十分丰富，计有一新石器时代的村落遗址、一片东周墓地以及一批明代的墓葬。新石器时代的村落遗址及东周墓地将另文报导，简报介绍的是明墓发掘情况。此次共发掘明墓10座，编号为M1、M2、M4、M6、M12、M13、M14、M17、M22、M23，其中5座无随葬品。出土随葬品有陶器、石质买地券等。尸骨头骨下及足下有瓦，当地老人讲，足下放瓦的为女性，头下放瓦的为男性。买地券2块均模糊不清，采集到的一块尚清楚。简报附有全文，中有万历二年（1574年）纪年，知此墓为明代中晚期墓。

313.明襄阳王墓调查

作　者：襄樊市考古队、谷城县博物馆、南漳县博物馆　王先福
出　处：《江汉考古》1999年第4期

《明史·列传第七·诸王四》记载，明襄阳王藩始设于正统元年（1436年），终于崇祯十四年（1641年），历宪、定、简、怀、康、庄、靖、忠七代八王，其中襄忠王朱翊铭因张献忠攻陷襄阳后遭火焚没有建墓。简报分为七个部分介绍了调查情况，有手绘图。

从调查情况看，宪、定、简、怀、康、庄六王陵墓已有明确地点，只是文献记载的怀王与实陵墓名不一致，实际墓名为惠王，经庄王墓志文考证，惠王即怀王。靖王墓只能依据地形地势及周围附属物进行推测。7座王墓除简王墓位于隆中山外，其余6座均处今谷城、南漳两县交界处一条西北至东南走向的山脉间。茔地的选择十分考究，其背靠山岗，面朝谷地，并有河水萦绕，左右矮丘对称。靖王以外其他6王墓葬地点在《襄阳府志》及县志上均有记载。各墓均有高大封土堆，皆经多次盗扰，墓室基本已空，葬具、人骨无存，随葬器物情况不明，其中除康王墓外均被填实。墓前部均设祭台、享堂和神道，但大部被毁。各墓均未经正式发掘。

314.襄阳发现《国士习公、孺人李氏墓志铭》

作　者：叶　植
出　处：《江汉考古》2011年第3期

2009年3月18日，在襄阳城南15公里的余家湖习家沟发现《国士习公、孺人李氏墓志铭》碑1通。碑青石质，方形，边长57厘米、厚15厘米，边框饰缠枝

花纹，志文楷体阴刻，纵 30 行，满行 30 字，计 869 字，残损 45 字。简报录有志文全文。

从碑文内容可知，现襄阳城南十里的习家池就是汉唐时期襄阳豪族习氏家族故地。习家是襄樊地区延续时间最长的大族，习家池所属的习家人于五代时因故迁出襄阳，以迁入江西一支发展的最为繁衍。明成化年间（1465～1487 年）已寓居江西数百年的习姓一支又迁回襄阳城南的习家沟，这一带正是攻守了近 6 年的宋元襄阳大战时的著名战场新城和虎尾洲所在地，经此战乱，习家一支回迁时，当地应人烟稀少。简报认为，习家五代时是因后晋大将高行周围困襄阳一年多，襄阳一带干戈不息而被迫迁走。简报还介绍了墓主之子习孔教的情况。习孔教，《明史》中有记载。

315.湖北襄阳发现明太子太保吏部尚书郑继之夫妇墓志铭

作　者：范文强

出　处：《江汉考古》2012 年第 3 期

2010 年 9 月，襄阳市博物馆在对其管理的明襄王府遗址院落进行清理时，在杂乱堆放的石刻中发现了明太子太保吏部尚书郑继之夫妇墓志铭，包括《明光禄大夫太子太保吏部尚书郑公府君墓志铭》一合、《明待赠郑母吕夫人墓志铭》志体，均为青石质。简报分为：一、明光禄大夫太子太保吏部尚书郑公府君墓志铭，二、明待赠郑母吕夫人墓志铭，三、志主世系及相关问题考释，共三个部分，有拓片。

据介绍，吏部尚书墓志，楷书，共 1549 字，个别字漫漶不清。吕夫人墓志楷书，共 1305 字，个别字无法辨认。两志简报均录有志文全文。志主郑继之，《明史》有传。郑继之，字伯年，孝阳人。嘉靖四十四年（1565 年）进士。除余干知县。迁户部主事，历郎中。迁宁国知府，进四川副使。万历十九年（1591 年）用给事中陈尚象荐，起官江西，进右参政。召为太仆少卿，累迁大理卿。为大理卿 9 年，擢南京户部尚书，就改吏部。年 92 岁卒，赠少保。志主吕氏，为郑继之侧室，襄阳谷城人，生于嘉靖壬子年（1552 年），伴郑继之 57 年，死于天启壬戌年（1622 年）。所出子孙与郑继之墓志铭完全吻合。简报据志文列出了郑氏简单的世系表。

吏部是主管"干部"的，可参阅潘星辉先生《明代文官铨选制度研究》（北京大学出版社 2005 年版）、张祥明先生《明代军政考选制度研究》（中华书局 2021 年版）等。

十堰市

316.武当山新近发现珍贵文物

作　者：均县文化馆　李　俊

出　处：《江汉考古》1983 年第 2 期

1982 年 7～8 月间，在修筑武当山紫霄至南崖的公路过程中，先后发现 5 件珍贵文物。8 月初，在紫霄宫对面赐剑台下公路旁，由于山岩土石坍塌，均县蓄坪公社民工潘人林等三人施工中扒出 4 件文物。

据介绍，这几件文物，一是 1 条金龙。塑制精美，造型有明代特点（长咀龙），空心，外壳为黄金。长 11.5 厘米，高 5.2 厘米，重 16 克。二是 1 块石刻铭文。青石质，高 28.7 厘米，宽 7.4 厘米，厚 0.9 厘米。内容为祈祷道教"三清"尊神之一——上清灵宝天尊消灾赐福得道超生的文牒，其年号为建文元年（1399 年）。三是 1 件残破石刻，宽 8 厘米，厚 0.7 厘米，碑文内容续上。四是 2 根圆帽铁钉。上述明朝建文时期的文物在武当山是首次发现。在这之前，紫霄宫前原禹迹池所在地挖出金殿模型 1 座。由均县水电局施工队潘耀阶等发现后，交到武当山文管所。此模型铜铸鎏金通高 62 厘米，面阔 26 厘米，进深 24 厘米，为重檐八角歇山顶，上下檐部斗拱完好，柱子已断两根，鎏金斑驳。据史书记载，明成化年间宪宗皇帝曾委派大臣向武当山敕送镂雕的铜铸鎏金小殿 1 座。初步考证，这座小殿是山洪暴发时与池亭一起塌入池中掩埋的。

又，据《江汉考古》1988 年第 4 期，1981 年，修建武当山公路时，在紫霄宫发现 1 处窨穴，出土了一些重要文物，其中尤以玉简 1 枚、金龙 1 条为最珍贵。

据介绍，玉简 1 枚，为白里暗绿色石质，因长期埋入土中，出土后呈灰黑色，正反均刻文字，楷书工整，字细如芝麻点，雕刻极精。长 29 厘米，宽 7.5 厘米，厚 1 厘米。内容为朱元璋第十二子湘王，为启修太晖观特向武当山这座道教灵山请示。简报录有全文，中有建文元年（1399 年）纪年。金龙 1 条，为纯赤足金铸造，作蜿蜒三弯、鳞次井然、昂首摇尾之状，颇有蠕蠕欲动之感，呈现"一波三折"的优势，栩栩如生，是 1 件稀世罕有之金质工艺品。长 11.6 厘米，重 15 克。据传说，明成祖朱棣登上了皇帝的宝座后，担心建文帝隐兵造反，便派人四处查访，得知建文帝在武当山"清心寡欲"，身无士卒，尽心修炼学道，决定在武当山建金銮宝殿、紫禁城，让建文帝在此好好修炼成仙。所以武当山不仅建了金殿和紫禁城城墙，而且还修建了不少的宫观殿宇。

317.武当山古建筑群部分古建筑调查简报

作　者：武当山文管所　徐耀进
出　处：《江汉考古》1996 年第 2 期

早在 20 世纪 50 年代，考古人员就对武当山古建筑做过调查，详见《文物》1959 年第 7 期所载《湖北均县武当山古建筑调查》一文。1991 ~ 1994 年，考古人员对武当山部分古建筑又进行了一次较为全面的调查和测绘。简报分为：一、基本状况，二、价值论证，共两个部分，有照片。

据介绍，简报介绍了明永乐十五年（1417 年）建的遇真宫等 8 处古建，均为湖北省文物保护单位，尤其是遇真宫，代表着明代中国道教建筑艺术的最高水平。建筑面积 1459 平方米，保存基本完好，十分难得。

318.湖北省郧西县观沟口墓地发掘简报

作　者：湖北省文物考古研究所、重庆师范大学历史与文博学院　蒋　刚、武仙竹
出　处：

观沟口墓地位于郧西县县城以北约 1.5 公里处，2004 年发掘，共计明代墓葬 7 座（其中 1 座被盗）、清代墓葬 1 座。简报分为：一、墓地概况，二、明代墓葬，三、清代墓葬，四、结语，共计四个部分，有手绘图。

简报称，除被盗墓葬外，其他各墓保存完好，对研究当地的政治经济、民族分布、地方文化等，均提供了十分重要的实物资料。

319.湖北武当山遇真宫西宫建筑基址发掘简报

作　者：湖北省文物考古研究所
出　处：《江汉考古》2012 年第 2 期

遇真宫位于湖北省十堰市武当山特区遇真宫村，坐北朝南，背依凤凰山，面对九龙山，西为望仙台，东为黑龙洞，山水环绕如护城。始建于明永乐十年至十五年（1412 ~ 1417 年），为明成祖敕建，共建殿堂、斋房、方丈房、楼阁等 97 间。嘉靖年间，曾扩大到 396 间。明末逐步衰败，至清末、民国年间荒废。遇真宫占地面积约 24000 平方米，平面布局呈长方形，由中宫、西宫、东宫三部分组成。现存建筑主要在中宫内，包括山门、龙虎殿、大殿基址、东西配殿和廊庑等，东西两宫地面建筑已毁。

2005 年 12 月至 2006 年 3 月，考古人员对遇真宫西宫建筑基址进行考古发掘，共发现各类建筑遗迹单位 35 处。包括院址 8 处、房址 13 座、门 6 处、影壁 4 处、灶 1 座、排水系统 2 组、青石甬路 1 条。简报分为：一、概况，二、地层堆积，三、西宫建筑基址的整体平面布局与建筑构建，四、遗物，五、结语，共五个部分，有照片、手绘图。

据介绍，西宫位于遇真宫西部，经中宫前院宫门处进入，平面布局呈长方形，南北长约 134 米，东西宽约 83 米。北、西、南三面有宫墙环绕，东面宫墙已毁，仅存宫门。发掘证实西宫遗存分早、晚两个时期。早期为明永乐年间所建；晚期为永乐以后扩建。发现的遗物有香炉、瓦当、滴水、砖、脊兽、垂兽、碗、盘、杯、板状器、真武像、灵官像、铜镜、铜剑、铜、砚台、烛台、石雕、石碑等。该次发掘，是南水北调工程中涉及的唯一一处世界文物遗产，为全面掌握遇真宫布局及历史，提供了科学依据。

今有沈伟先生《明代武当山道教艺术研究：以两组真武铸像和青龙、白虎塑像为例》（文化艺术出版社 2017 年版）一书，可参阅。

荆州市

320.江陵八岭山明王妃墓清理简报

作　　者：荆州地区博物馆、江陵县文物局　陈官涛
出　　处：《江汉考古》1988 年第 4 期

明王妃墓位于江陵县城（荆州城）西南 10 公里的八宝茶场周家湾村。1986 年 9 月底，当地农民在山坡上耕地时发现墓室的券顶，考古人员对该墓进行了抢救性发掘和清理。简报分为：一、墓葬结构，二、出土遗物，三、结语，共三个部分，有照片、拓片、手绘图。

据介绍，这座墓为带斜坡墓道的单砖室结构，用长方形素面灰砖砌室和券顶。墓室长 5.22 米，宽 3.3 米，高 2.4 米。葬具、人骨已朽。早年曾被盗，劫余随葬品有金簪 1 件、瓷罐 1 件、陶制房屋模型 2 件，墓志 1 合，志文几无从辨认，但从残存字迹看，此墓主人为"王妃曹氏"，生于明成祖永乐元年（1403 年），成化六年（1470 年）下葬。

321.沙市立新乡荆沙村出土一块明代墓志

作　者：锦　华

出　处：《江汉考古》1994 年第 2 期

1987 年 10 月 12 日，沙市无线电一厂在立新乡荆沙村进行总装车间基础工程的施工中发现两座古墓葬，考古人员前往调查。于 10 月 15 日至 19 日在现场对两座墓葬进行了清理，在 M2 的清理中发现一块明代墓志。

据介绍，墓志放在墓室外正南偏西，紧靠墓室的底部，正面阴刻篆书"大明故王君宗器钱氏三夫妇合葬之墓"，4 行 16 字。志的大小与盖完全一样，正面阴刻楷书，共 704 字。

根据墓志记载，墓的主人为王君宗器夫妇合葬墓。王君宗器，生于明代天顺四年（1460 年）十一月十九日，卒于正德十二年（1517 年）五月十四日，享年 58 岁。其曾祖王观，曾由国子生授北京西城兵马副指挥，后升任荆州府通判。祖父王信，援例授应山府教授。父王昱，无职。夫人钱氏，系沅陵王府仪宾辅之次女，生于明代天顺六年（1462 年）三月二十九日，卒于正德十二年十月二十二日，享年 56 岁。夫妇二人于明代正德十三年（1518 年）腊月十九日合葬于江陵县城关东门外五里许桑枣园。按盖文记载，王君除钱氏夫人外，还应有一位小妻即妾，但志文未作交待，从墓志在墓室的位置看，其妾应归葬在紧临这一墓室的南边另一墓穴。

简报称，M2 的墓室受到严重破坏，随葬品无存，但此墓幸有准确的下葬时间，这对了解明代中期荆沙地区的埋葬习俗，丰富地方史研究资料仍有一定价值。

322.江陵八岭山明代辽简王墓发掘简报

作　者：荆州地区博物馆、江陵县文物局　陈新平

出　处：《考古》1995 年第 8 期

辽简王墓位于江陵县西部的八岭山南麓，东南距荆州古城约 20 公里。墓地地势北高南低，北面山岗上有一较大的楚墓，墓的东、北、西三面仍保存着约 50～60 厘米高的土围墙，其占地面积约 80 亩。辽简王墓曾多次被盗，室顶的前后各有一盗洞。考古人员于 1987 年 9 月至 10 月，对该墓进行了发掘清理。简报分为：一、墓葬形制，二、随葬器物，三、结语，共三个部分，有手绘图、拓片、照片。

据介绍，该墓尚存圆形封土堆，高约 4.5 米。墓室为砖结构，由甬道、前室、中室、后室及耳室组成，纵长 21.8 米，横宽 10.6 米。整个墓室地面自北向南倾斜，

一棺单葬。因多次被盗，随葬器物所剩无几，仅存漆木俑、陶缸、铁锁、银币、金钉等少许遗物。但墓志尚存，楷书，计20行，满行22字。上半部已看不清楚。简报未录志文全文。

以志文与《明史》对照，多处可补《明史》之阙。如辽简王的出生年月，《明史》不载，志文记为"王生洪武十年二月十五日"。辽简王子女分封情况，更是以志文为详尽。志文对辽王的一生功绩未加任何表述，这与辽王的政治生涯有关。辽王植在世46年（1377～1424年），在洪武时期，他是受重用的，始封于卫，后改封辽，镇守边障，"屡树军功"。洪武死，太子标亦早亡，长孙朱允炆继位（建文帝），燕王朱棣（永乐，朱元璋第四子）发动兵变。朱植忠于建文帝。朱棣掌权后，对朱植极为不满，多方削限，所以朱植的后半生（22年），极不得志，加上他与永乐同年死，所以在墓志铭上见不到辽王的功绩是情理之中的事。从墓志铭的内容还可了解到，当时荆州所辖的地方是很大的，辽王封疆所及，南至衡阳，北至远安、兴山，西至巴东，地跨现在的四川、湖南、湖北三省。

323.湖北石首市杨溥墓

作　者：荆州地区博物馆、石首市博物馆
出　处：《江汉考古》1997年第3期

1993年3月10日，石首市茅草街乡高陵岗村农民在取土时掘出一合石质墓志并揭露出墓葬一角。考古人员确认墓主为明代正统年间礼部尚书兼武英殿大学士杨溥，即明代"三杨"中的南杨。考古人员进行了抢救性发掘，获得了一批珍贵的丝织品，为明史研究提供了宝贵的实物资料。简报分为：一、墓地概况，二、墓葬形制，三、出土器物，四、几点认识，共四个部分，有手绘图。

据介绍，杨溥墓位于高陵岗，东距绿林镇10公里，坐落在省干线公安至石首公路48公里处，一端被压在公路护坡之下。岗地东西均为长江支流。墓葬已因农民挖墓砖遭到破坏。出土遗物中以纺织品最为珍贵，有圆领长衫、袍服、绵袍、短袖袍服、褶裙、禅衣、背心、皮衣、绣袋、护膝、乌纱帽等。人骨架1具保存完整，仰身直肢葬，长1.76米，骨呈黑色。有墓志铭，楷书，1489字，简报录有志文全文。杨溥，《明史》有传，官至一品。从墓葬看，相当节俭。

简报称，墓葬反映的明代礼制，杨溥墓地有坟墙一周，墓前有石人、石虎、石羊、石马、石望柱各1对，墓内埋墓志，葬具为1棺1椁，均与明代礼制相符，可证《明史·礼志》。其随葬丝织衣物，也可印证《明史·舆服志》的记载。

324.湖北荆州明湘献王墓发掘简报

作　者：荆州博物馆　王明钦、丁家元等
出　处：《文物》2009 年第 4 期

湘献王墓是 1956 年湖北省省级文物保护单位。1997 年 12 月，该墓遭到盗墓分子的破坏，由于墓室内积水和淤泥较深，随葬器物未被盗走，但墓葬的保存环境受到了严重破坏，且墓室券顶随时有垮塌的危险。1998 年 2～5 月，考古人员对该墓进行了抢救性发掘。简报分为：一、地理位置与自然环境，二、墓葬形制与结构，三、随葬器物，四、结语，共四个部分，有照片、手绘图。

据介绍，明湘献王墓位于湖北省荆州市荆州古城西门外 1.5 公里处的太晖观西侧，该墓为长方形竖穴土坑带墓道的砖石多室墓，是 1 座仿地上宫殿建筑结构的墓葬。随葬器物有漆木器、铜器、锡器等，其中绝大多数是明器。实为湘献王的衣冠冢，规模小于已发掘的同时期的藩王墓，但墓室做工精细。该墓的发掘对于了解明代早期的历史，尤其是对于研究建文帝削藩前后的政治背景和社会状况具有重要的意义。据《明史》，湘献王为明太祖朱元璋第十二子，洪武十一年（1378 年）封，十八年（1385 年）就藩荆州。好学，每读书至夜分。喜读兵书。建文初，有人告湘献王欲反，湘献王无以自明，阖宫自焚。无子，永乐初改谥献。湘献王属政治斗争非正常死亡，死后几年才建陵墓。

宜昌市

325.秭归楚王城勘探与调查

作　者：湖北省博物馆江陵工作站　文必贵
出　处：《江汉考古》1986 年第 4 期

湖北秭归县境内的楚王城，坐落在长江上游的西陵峡内，位于长江南岸。西北与秭归县城隔岸相望，相距 2.5 公里，隶属秭归县郭家坝公社莲花总支新农大队管辖。楚王城地处山岗，跨两埠，海拔高程在 380 米左右。西部为冲地，名曰大沟。东部和南部有古老的自然河流，即旧洲河，流入长江。北部紧靠长江，据高临险而建。1979 年 7 月，考古人员前往调查。简报分为：一、地层堆积，二、城垣遗迹，三、文化遗物，四、结语，共四个部分，有手绘图。

据介绍，采集到的文物有灰瓦、灰板瓦、灰筒瓦等，应为魏晋以后的遗物。此

城应为明洪武初年所建，但或有宋代夯土遗迹。明代在南北朝至宋代这一早期夯土建筑遗迹上又修建了城垣，即今地面上见到的土石结构建筑城垣。地方志称此为楚国早期都城丹阳，在考古发掘中未能证实。

326.湖北长阳发现明代窖藏瓷器

作　者：长阳土家族自治县博物馆　罗家新
出　处：《考古》1994 年第 6 期

1972 年 10 月，长阳县贺家坪区三友坪大队麂子河的农民在刨水田坎时，发现地下有 1 口陶瓮，瓮中装有一批瓷器。经考古人员实地观察，陶瓮埋藏在距地表 50 厘米的水田坎内，附近不见其他遗物和遗迹，估计是一瓷器窖藏。经多方工作，共征集到碗、盘、杯、碟等各类瓷器 64 件，其中 58 件完好无损。这批瓷器的类别、形制、大小的不同和装饰纹样等，简报配以照片予以介绍。

据介绍，长阳出土的这批明代窖藏瓷器，均为实用器，有些器物留有使用痕迹。其埋藏原因可能与社会动荡和战争有关。

长阳地处鄂西山区，是土家族聚居之地。明清之际，长阳一带，土司交错，各霸一方，争雄斗势，"买管"土地成风，致使社会动荡不安。据道光版《长阳县志》："崇祯十七年，土司唐正邦，乘'闯逆之乱'，率蛮僚攻掠长阳县，巡检兵寡，退守渔洋关。"唐正邦占领长阳 30 余年，人民灾难深重，纷纷背景离乡，这批瓷器很可能就是在这个时期入窖的。

这次出土的明代窖藏瓷器，数量大，品种多，造型美观，属长阳县首次发现。这批瓷器的出土，为研究明代景德镇的民窑产品增添了重要的实物资料。

327.湖北宜昌县发现明代墓志

作　者：戴金刚、杜国荣
出　处：《江汉考古》1994 年第 1 期

1992 年 8 月，由于天下暴雨，湖北省宜昌县务渡河镇务渡河村一山坡发生塌方，暴露出 1 座明代墓葬。考古人员进行了清理。此墓为砖室墓，发现有陶屋和写满文字的方石板以及 1 块墓志。方石板仅拼出一块，边长 25 厘米，厚 0.5 厘米，中间写有"金玉满堂"4 字，四周有 8 个八卦符号。简报配以拓片予以介绍。

据介绍，墓志有底座和顶盖，整体呈方箱形状，铭文从右至左共 17 行，275 个字。据墓志知，墓主向后峰，明代后期人，生于明正德乙亥年（1515 年），卒于万历癸酉年（1573 年），享年 59 岁。

简报称，此墓发现于宜昌县务渡河镇务渡河村，根据墓志铭可知此地当时叫务头河，后来才称务渡河。这对研究地名沿革有一定的参考价值。该墓志现存宜昌县黄陵庙文物管理处。

328.三峡库区狮子包明墓清理简报

作　者：宜昌博物馆、秭归县屈原纪念馆　卢德佩、李梅田
出　处：《江汉考古》1997 年第 2 期

1995 年 3 月 16 日，在秭归县风茅公路（风水砣——茅坪）修建过程中，于茅坪镇中坝子村狮子包附近发现 1 座砖室墓。17 日考古人员赶赴现场，进行了抢救性清理。

中坝子村地处三峡库区，位于长江南岸 3 公里处，东至三峡大坝所在的中堡岛约 10 公里，西距秭归县城约 42 公里。墓葬所在的狮子包为一陡坡，坡下为狭长的农田地带，坡后是层峦叠峰，由此往下 20 米将为三峡大坝淹没区。清理情况简报分为：一、墓葬形制，二、出土遗物，三、结语，共三个部分，并配图。

据介绍，该砖室墓为同冢异室墓，葬具除若干棺钉外，尚残存少量人体骨髓。该墓出土遗物丰富，有陶瓷器、金银器、铁器及墓志等，总计 57 件。此墓未见任何有明确纪年的遗物，简报根据墓葬形制及出土遗物推断，此墓的年代在明代，为一座夫妻合葬墓。

简报称，这种明代夫妻合葬墓在三峡库区尚属少见，这一发现为三峡地区的文物考古研究又提供了新的资料。墓葬中出土的陶楼明器极具地方特色，为研究三峡地区古建筑亦不无价值。

329.湖北秭归归州城址调查

作　者：北京大学考古学系、湖北省文物考古研究所　杭　侃、吴　晓
出　处：《江汉考古》1998 年第 2 期

秭归，殷商时代归国所在地。其城关名归州镇，是秭归县政治、经济、文化的中心。归州城既为今秭归县治的古城垣。简报分为：一、归州镇城建概况，二、归州城的现状，三、归州城的初步复原，四、结语，共四个部分。

据介绍，归州城位于长江北岸今秭归县归州镇。归州城的大部分城墙及东门、南门保存尚好。归州城的另三座门，北门拱极门、西门瞻夔门和西南门鼎新门虽已

拆除，但三座城门的位置可以确定，西南门在今水果公司附近，西门在建委附近，北门在客运站附近。归城城墙石砌，石城依山麓而筑，自南向北逐步升高。城西北角有一处角楼遗址，顺北城墙内侧建有斜坡状的马道，宽约 3 米。归州城保存下来的两座城门结构相同，均为拱券结构，条砖发券，一券一伏，有的砖上印有"嘉庆""归州"字样，城楼均已无存。今残存遗迹均为明清时代建筑。

330.宜昌沮水石窟群考察

作　者：宫哲兵
出　处：《江汉考古》2004 年第 4 期

宜昌市沮水两岸有近 3000 座悬崖石窟，多年来被传为万窟之谜。石窟最为集中、数量最多的地段，有当阳市的百宝寨、百家洞、岩屋庙，及远安县的旧县镇、鸣凤山、鹿苑寺等。经过考古人员 2002 年的两次调查，认为这些石窟分为道教石窟与应付兵匪之乱的石窟两类。道教石窟的年代大多在明清时期。应付兵匪之乱的石窟年代大多在清咸丰年间，但也有早至明末的。简报分为：一、地理位置与分布状况，二、远安县鸣凤山鹿苑寺的石窟群，三、当阳市岩屋庙、清美山的石窟群，四、当阳市百宝寨、百家洞的石窟群，五、远安县旧县镇的石窟群，六、解开石窟之谜，共六个部分，有手绘图。

据介绍，在湖北省宜昌市东北方向几十公里的地方，有一条河流叫沮水。沮水发源于保康县，经远安县与当阳市，在江陵县流入长江。沮水两岸的山上，在半山腰处分布着一些看似黑洞的石窟。从远安县南襄城以南，至当阳市玉泉山以北，大约一百公里的沮水流域，是石窟的集中分布区。

简报称，应付兵匪之乱的石窟，一类是防御、打击兵匪的。更多的一类是躲避兵匪的，往往修在临水的悬崖峭壁上，高 10 米以上，进入非常困难。里面有连通的几间或十几间房间，有石灶、蓄水池、储藏室、卧室，墙上有安装木板床的石孔。洞内遗留物有生活用品，如陶瓷和木制品。可临时住上几天，也可以住上一年半载。洞口处堆放着核桃大的卵石，可以击打妄图攀登上来的兵匪强盗。这些石窟的山顶上往往修有堡砦（即堡寨），堡砦由石墙、明堡、石窟等组成，既可以远望侦察，又可以进攻防守，还可以避乱。

用于道教活动的石窟，与应付兵匪之乱的石窟是不一样的。总的来说它们不一定在悬崖峭壁上，更多的是在不太高的山上，或山脚或村边。用于清修的石窟，往往在不太高的山上。用于烧香敬神的石窟，往往在山脚或村边。道教石窟的规模比较小一些，或几间相连，或单门单洞。里面设有厕所、厨房、卧室，墙上没有安装木床的石孔，但有神龛、供台，墙上有神像雕刻。

荆门市

331.湖北钟祥出土镀金铜龙

作　　者：钟祥县文化馆　李登勤
出　　处：《文物》1981年第7期

1977年1月，钟祥县城北七公里多的松林山，出土1件镀金铜龙。简报配以照片予以介绍。

简报称，松林山是明世宗嘉靖皇帝的亲生父母朱祐杬、蒋氏的墓地（显陵）。铜龙为云中行龙，底平，制作精美，是帝王陵墓中的书镇或案头陈设。当地相传铜龙是压山头之用的，不确。按：镇是压物用具，不是压住山头的。妙高庄严殿为乾隆时建，故简报推断钟祥铜龙可能是明代之物。

332.京山孙桥明墓清理简报

作　　者：京山县博物馆　熊学斌
出　　处：《江汉考古》1983年第3期

1987年11月2日，京山县孙桥镇棱罗河村农民张志斌建房时挖出1座明代砖室墓，考古人员赶赴现场，对此墓进行了清理。清理情况简报分为：一、地理位置及墓葬结构，二、随葬器物，三、结语，共三个部分，有手绘图、照片。

据介绍，该墓系明代弘治十五年（1502年）陈思礼夫妇合葬墓。该墓共出土7件瓷器和2方墓志。简报录有志文全文。知墓主为一般平民，为弘治、正德年间人。

333.钟祥明显陵调查记

作　　者：钟祥县博物馆　李登勤
出　　处：《江汉考古》1984年第4期

明朝从1368年朱元璋南京建都称帝，至1644年灭亡，共统治了276年，更替了16个皇帝，留下了安徽凤阳朱元璋祖父的祖陵、父母的皇陵、南京朱元璋的孝陵、北京的十三陵。此外，在湖北钟祥境内还有1座明代的皇陵，这就是显陵。简报配以手绘图介绍了考古人员前往显陵进行调查的情况。

据介绍，显陵位于湖北省钟祥县郢中镇北 15 华里的松林山，明嘉靖十年（1531年）曾改名为纯德山。苍松翠柏，绿叶成荫，一年四季浓阴蔽日，明世宗嘉靖皇帝的亲生父母兴献王朱佑杬和王妃蒋氏的合葬墓——显陵就在这里。朱佑杬是明宪宗的次子，成化二十二年（1486年）被册封为兴王，食邑在湖广安陆州（今钟祥县）。正德十四年（1519年）六月病死，按照明朝礼制，谥号为献，称兴献王。显陵从正德十四年（1519年）建主墓起，逐年增修，到嘉靖十九年（1540年），断断续续约 20 年，其规模之大，建筑之豪华，时间之长是同明代任何一个帝陵不相上下的。

简报介绍说，目前，显陵外有狭长椭圆形的砖砌茔城一道，周长 3438 米，高 6.45米，厚 1.95 米。茔城顺着山势蜿蜒，墙的顶部均以金黄色及翠绿色的琉璃瓦作盖，墙身均刷以朱色。城内前后两端较窄，中间宽，宽 300～463.9 米，通深 1656.2 米。从茔城内整个布局来看，最北（亦即最后）为陵寝，其实有楼有殿，陵寝和楼殿并又砌以砖城环抱，当地人称为"内城"或"紫禁城"。目前木质结构的宫殿，虽在明末毁于兵乱，但尚存龙凤玉雕、石人、石兽、明楼、琉璃照壁，前后茔城（内城）以及茔城外的朱砂红墙。目前仍可以看出当年的规模与风貌。另外，在纯德山二里黄金庙前，还发现了显陵守护卫队的营房等。

334.湖北省京山南郊明墓清理简报

作　者：京山县博物馆　熊学斌
出　处：《江汉考古》1992 年第 4 期

1990 年 4 月，湖北省京山县南郊水泥厂取土场工人在取土时，发现古墓葬。考古人员进行了清理。所发现的是 3 座明代墓葬和 1 个小随葬坑，分别编为 90JSM1、M2、M3 和 K1。M1 因破坏严重不予介绍。简报分为：一、2 号墓，二、3 号墓，三、随葬坑，四、结语，共四个部分，有手绘图。

据介绍，M1、M2 应属夫妻合葬墓。M2 葬具已朽，人骨不存，无随葬品。墓主人应为贫民。M3 棺木、人骨已朽，有一砖质墓志，除此外未见随葬品。志文楷书，计 189 字，简报录有全文。从 M3 出土的墓志铭中得知，该墓主人死于万历己酉年（1609年）正月十二日，直到万历乙卯年（1615年）十二月十三日才下葬祖茔。其间停枢长达 7 年，这种现象在古代十分少见。随葬坑所见陶质魂瓶上有 12 个贴塑人物代表着不同身份。前面多为死者亲属，他们的形态是手中挂杖，披麻戴孝，屈身而行，有的掩面而哭，其悲泣之情表现得栩栩如生。在丧主后面送葬队伍的服饰、神态与丧主相比截然不同。《明会典·丧礼》对送葬有明确记载："枢行，冥器铭旌等前导，丧主以下男女哭步从，尊长次之，无服之亲又次之，宾客又次之。"器物上的人物排列与此基本相同。文献对送葬乐队无说明，该器中送葬乐队所用乐器有笛、钹、铙等。该器的出土对我们研究明代丧葬礼仪、服饰及古建提供了珍贵的实物资料。

335.湖北荆门净业寺僧墓发掘报告

作　者：荆门市博物馆　李兆华、高　山、邓在清
出　处：《江汉考古》1993 年第 4 期

净业寺位于荆门城北郊约 5 公里的三三〇水泥厂北部，周围环境清幽，景色秀丽。僧墓处在净业寺东南约 700 米的一山丘的南坡，地势平缓，视野开阔，地面暴露若干座小坟茔。1990 年 4 月，该厂干部孔凡仁在此平整菜地时，发现这处墓葬。考古人员迅速对此进行了清理。简报分为：一、墓葬形制及建造，二、葬具及图案，三、葬式及人骨架鉴定，四、结语，共四个部分。

据介绍，该墓无纪年号，根据净业寺创建碑记、墓葬中石墙的黏合物和葬具上的龙图案分析，该墓的年代简报推断为清代；根据实地考察，墓主生前为净业寺的僧侣。另根据对墓葬的清理和对人骨架的研究，死者应为坐化后下葬。

336.湖北京山县出土明高岱墓志

作　者：京山县博物馆　熊学斌
出　处：《文物》1998 年第 11 期

1986 年 3 月，湖北省京山县新市镇村民在开挖果林业基地时，发现明代高岱墓葬，在墓的封土中有一合墓志。考古人员得此消息后，便将墓志收集入馆。简报配以照片、拓片予以说明。

据介绍，该墓志保存完好，志石、志盖尺寸基本一致。志盖上篆刻 3 行 13 字，为"明兵部武库司主事高君墓志铭"。志文为楷书，41 行，满行 50 字，共 1864 字。简报录有全文。

高岱，曾任明兵部主事职，生于明正德二年（1507 年），卒年不详。志文对于研究明代历史及高氏家族均有价值。

337.钟祥明代梁庄王墓的发掘

作　者：梁　柱

出　处：《江汉考古》2002 年第 1 期

梁庄王墓位于钟祥市长滩镇大洪村二组，跨入五三农场罗汉寺分场北山队地界，是市级重点文物保护单位，曾屡遭不法分子盗掘未遂。考古人员于 2001 年 4～5 月初对该墓进行了发掘。

发掘表明，梁庄王墓是 1 座王与妃的合葬墓，随葬品极为丰富，有金、银、玉、瓷、铜、铁、铅锡、漆木、陶、石、骨角器及串珠（宝石）等，共计 5100 余件，其中金、银、玉器有 1400 余件，珠饰宝石则多达 3400 余件，均保存完好。器物种类繁多，尤以金、银、玉器和金玉首饰、冠带和佩饰最为亮丽，仅用金量便超过 20 斤。一墓随葬如此大量的金银珠宝，在已发现的亲王墓中未见，而仅次于明代定陵，是继定陵之后的又一重要考古发现。虽有一盗洞危及后室顶部，所幸未被入盗，终于保存了这一大批珍贵文物。

梁庄王墓原筑有长方形的内外茔园，南北向，现只存其北半部基址。园内地面建筑已荡然无存。地宫（墓葬）设在内茔园里，南北向，是崖洞砖室墓，有封土堆。墓葬平面呈"中"字形，其南端设 1 条斜坡墓道。墓室分前、后室，为横前室，双穹窿顶，前、后室各有 1 条甬道和 1 道双扇门，内空全长 15.4 米，最宽 7.88 米、高 5.3 米。墓内墙上嵌有梁庄王及其妃墓志。简报未发志文全文。据出土墓志记载，梁庄王名朱瞻垍，明仁宗第九子，生于永乐九年（1411 年）六月十七日，14 岁（1424 年）被册封为梁王，19 岁（1429 年）就藩湖广安陆，正统六年（1441 年）正月十二日"以疾薨"，享年 30 岁，于同年八月二十六日"葬封内瑜坪山之原"。王妃魏氏于宣德八年（1433 年）被册封为梁王王妃，时年 21 岁。景泰二年（1451 年）三月十七日"以疾薨，得年三十有八，无子。以薨之年九月初七葬封内瑜灵山之原，同王之圹"。

《汉江考古》2003 年第 4 期载有《明梁庄王墓出土的金壶和花丝金镶宝腰带》一文，可参阅。

338.湖北钟祥明代梁庄王墓发掘简报

作　者：湖北省文物考古研究所、荆门市博物馆、钟祥市博物馆　梁　柱等

出　处：《文物》2003 年第 5 期

明代梁庄王墓位于湖北省钟祥市长滩镇大洪村二组，西北距钟祥市区约 25 公里，东距大口国家森林公园约 6 公里，构筑在龙山坡山脉的一座小山上。1961 年，梁庄

王墓被公布为钟祥县重点文物保护单位，1997年升级为荆门市（地级）重点文物保护单位。梁庄王墓原本筑有内外茔垣、茔园地面建筑和地宫，历经沧桑，现今除地宫保存完整外，内外茔垣只剩下北半部基址，茔园地面建筑已荡然无存，地上散布着残砖破瓦。2000年初至2001年初，梁庄王墓先后3次被盗未遂，其东北约500米处的娘娘坟（可能是梁庄王正妃或夫人墓）则被盗一空。2001年4月12日至5月2日，考古人员对梁庄王墓进行了抢救性发掘，出土了大批珍贵文物。简报分为：一、墓葬形制，二、随葬器物，三、结语，共三个部分，有彩照、手绘图。

据介绍，梁庄王墓墓主是梁庄王朱瞻垍及其王妃魏氏。该墓属崖洞砖室墓，分为前、后室。墓内出土5100余件随葬品，种类有金、银、玉、瓷、陶、铜、铁、铅锡器等。其中金、银、玉器有首饰、冠饰、佩饰、腰带等，其数量之多，制作之精美，居已发掘的明代亲王墓之首。简报称仅金量就超过20斤，仅就数量言，此墓与定陵的随葬品比也并不逊色。梁庄王墓的发掘为研究明代前期亲王葬制提供了新资料。

出土有圹志、封册，简报录有全文。据圹志和封册的铭文可知，该墓为梁庄王朱瞻垍与梁庄王妃魏氏的合葬墓。朱瞻垍是明仁宗的第九子，生于永乐九年（1411年），永乐二十二年（1424年）被册封为梁王，其封地是湖广安陆州（今钟祥市）。宣德四年（1429年）就国，正统六年（1441年）薨，享年30岁。魏氏是南城兵马指挥魏亨之女，宣德八年（1433年）被册封为梁王妃，景泰二年（1451年）薨，享年38岁。另据《明史·梁庄王传》，朱瞻垍于宣德四年（1429年）"就藩安陆，故郢邸也（即沿用已故的郢靖王府）"。正统六年（1441年）薨，因"无子，封除，梁故得郢回宅园湖，后皆赐襄王。及睿宗（即兴献王）封安陆，尽得郢、梁邸田，供二王祠祀"。

从墓葬的下葬年代看，该墓属于明代前期。迄今已见诸报道的亲王或相当王一级别的墓，梁庄王墓在墓葬规模上并非最大，在墓葬结构和防护方面也不复杂。但是，它的墓葬形制和葬俗颇为特殊，随葬器物也最丰富。

鄂州市

孝感市

339.应城发现明砖

作　者：刘志升
出　处：《江汉考古》1985 年第 2 期

1984 年 11 月文物补查时，考古人员于应城县黄滩镇及附近的几个村中发现数百块明砖。砖全为青色，长 46.5 厘米，宽 22.5 厘米，厚 12.5 厘米。半数以上有模印文字。

据介绍，砖上文字为官名、工匠名。砖之确切年代已定：明"洪武十年"，即 1377 年。据其文，这里有明代砖窑。砖的出土处见大片红烧土堆积，内含大量与上述规格、质色相同的残砖。"文化大革命"期间也曾有大量此类砖出土。出土处之东，有富水绕过，之南为一片山岗，土、柴、水不缺。当地人传说这里有 72 座窑，可见规模之大，值得细查。明初武昌府、安州、应城等地建筑的砖源之一应是此地。产品由当时的应城县和武昌府调用，并由各级官吏监制，其规格统一、质地坚硬、一色青砖，显然非为民用。

340.汉川马口明代石椁墓

作　者：汉川县文化馆　张远栋
出　处：《江汉考古》1985 年第 4 期

1985 年 8 月 28 日，汉川县马口镇松林村罗家嘴湾一村民在其宅后挖出了 1 方明代墓志铭。考古人员前往调查，将墓志铭征集回馆，并于 1985 年 6 月 10 日至 14 日对该墓进行了清理。清理情况简报分为：一、墓葬的位置及形制，二、墓志铭考析，三、结语，共三个部分，有手绘图。

据介绍，这座明墓位于汉川县汉南地区的马口镇东南隅，北距汉川县城约 10 公里，南临白石湖畔。这里原是一座古冢，有封土堆，三五〇九工厂在建厂时将土推平。墓圹上盖有 5 块长条石，墓内棺木、人骨已朽。除了水银、石灰外未见随葬品。最大收获即为石墓志，简报录有志文全文。志文楷书，文长近千字。

据志文，墓主人姓李，名培，字祖司，别号右川，生于明嘉靖十五年（1536 年），卒于明万历十年（1582 年），享年 45 岁。简报怀疑其为非正常死亡，死后 3 年才安葬。原地表有牌坊、石香炉等，建厂时已拆除。简报称，这座明墓的发掘与墓志铭的出土，为我们今天研究明代中后期的墓葬形制、校勘地方文献资料，以及对明代的职官、地名研究都有一定的价值。

341.安陆蒋家山古墓发掘简报

作　者：孝感地区博物馆、安陆市博物馆　熊卜发、余从新
出　处：《江汉考古》1990 年第 2 期

1983 年 10 月下旬，安陆市粮食局兴建东观粮库时，民工在蒋家山西部挖掘出 7 座宋代墓葬，排列有序，出土了一些瓷器、陶器和铜器，即将 1 件铜镜送交市博物馆，并把发现情况如实汇报。考古人员对涉及的约 30000 平方米的施工范围进行了科学的钻探调查，共探出墓葬 185 座。整个发掘工作从 1983 年 11 月底开始至 1984 年结束，历时 8 个多月，共发掘清理墓葬 225 座，出土器物 1000 余件。这些墓葬大体可分为唐代晚期、北宋、南宋、元代、明代及清代，其中以宋代为主，明清墓葬 15 座。由于发掘墓葬较多，出土遗物繁杂，不便一次性地报道。简报仅将明代以后的墓葬及采集遗物作一简单报道。编号为安蒋 M11、M16、M25、M27、M28、M59、M80、M90、M99、M100、M106、M129、M130、M163、M186。简报分为：一、墓葬形制，二、随葬器物，三、采集遗物，四、结语，共四个部分，有手绘图。

据介绍，蒋家山墓地所发掘明清墓葬共 15 座，集中分布在蒋家山南部和西部，均为长方形土坑竖穴墓。葬具不清，人骨大多已朽。除 M11 为清早期墓外，其余 14 座均为明代墓。遗物有瓷器等。

342.大悟张家湾遗址发掘简报

作　者：湖北省文物考古研究所　郑远华
出　处：《江汉考古》2000 年第 3 期

为配合京珠国道工程，考古人员于 1998 年夏，对张家湾遗址、墓地进行了抢救性发掘。简报分为：一、遗址，二、墓葬，三、结语，共三个部分，有手绘图。

据介绍，张家湾位于湖北大悟县境内的西南部，地处环水西岸，属大悟县芳畈镇竹林村一组。遗址位于湾后半山坡台地上。遗迹仅为一层文化堆积，遗物均为陶器残片。墓葬早期已遭破坏，为石椁墓，出土遗物残存无几，只有瓷碗 3 件、陶罐 2 件。该遗址的年代，简报推断为龙山文化中期。墓葬的年代，简报推断为明代。

343.孝感三汊清代胡将军墓清理简报

作　者：京珠高速公路考古队孝感市考古组　李端阳
出　处：《江汉考古》2000 年第 3 期

1998 年 6 月，为配合京珠高速公路建设，考古人员对三汊镇公路段吴家坟墓地，进行了考古勘探与发掘，历时半个月，清理大型土坑合葬墓 1 座，编号 M1，出土了一批丝织品和饰物。简报分为：一、墓葬形制及葬具，二、随葬器物，三、结语，共三个部分，有手绘图。

据介绍，墓葬位于孝感市孝南区三汊镇建增村大刘湾南 50 米处的土墩上（旧称吴家坟）。南临滹川河，四野开阔。土墩面积约 1200 平方米，高出四周约 1 米。墓葬位于土墩的东南部，封土堆已夷平。墓前原立有青石碑一通，现移小胡湾前的堰桥上。墓为竖穴长方形墓，内有木棺两具。此墓为母子合葬墓。北棺早年被盗，人骨零碎，应为二次迁葬。南棺为骁骑将军胡鹤山，保存较好。随葬品中较珍贵的有胡鹤山所穿服饰及墓志铭、佛珠等。

胡母王太君生于明崇祯辛己年（1641 年）八月二十九日，卒于清康熙四十七年（1708 年）八月二十七日，享年 67 岁。

骁骑将军胡公讳德麟，字圣庵，号鹤山。生于清康熙五年丙午（1666 年）三月十二日，卒于康熙六十年辛丑（1721 年）十月十六日，享年 56 岁，官至从一品。

从胡将军身着衣服看，丝织物种类有绸、缎、绢；颜色有金黄、土黄、棕色等；面料织造和工艺有织锦、刺绣、提花；花纹图案有团花、菊花、万字格、太极图、细枝梅、瑞草、海水、江牙、云气、火焰球、红日、如意云图、龙、麒麟等，反映出清初丝织技术的高超水平。从出土的服饰看，葬主胡鹤山，身着衣物共 9 件，分敛服、常服和朝服，其中敛服有右衽夹褂 1 件、对襟袄 1 件、单裤 1 件、丝织锦裤 1 件。上衣为和尚领，直筒短袖，以布带对结为扣，下衣宽松，缝制简易粗糙。常服有右衽素面袍 1 件，对襟单褂 1 件，左衽素面袄裙 1 件。矮领或和尚领，有马蹄形袖和直筒袖，以铜泡为扣，宽松得体，缝制较精细。朝服有右衽蟒袍 1 件、对襟麒麟袍 1 件，和尚领，马蹄形袖或直筒短袖，以铜泡为扣，宽松华丽，缝制精细。最为贵重的是蟒袍，为康熙四十二年（1703 年）钦赐的。

简报称，胡将军墓大批丝织品衣物及墓志铭的出土，对于研究清初康熙盛世的政治、军事、丝织生产、朝官服饰、埋葬习俗等提供了珍贵的实物资料。

344.湖北孝昌石板地明墓发掘简报

作　者：湖北省文物考古研究所　刘国胜、黄旭初
出　处：《江汉考古》2003 年第 4 期

孝昌石板地明代墓葬包括石室墓和砖室墓两种，有单室和双室之分，双室砖墓设有壁龛及通窗。随葬器物一般为碗、罐组合，多置于龛内，石室墓另凿石块方座代龛置器。棺内尸体头、脚垫瓦。此次发掘为了解该地区明墓葬俗增添了新的资料。简报分为：一、墓地概况，二、墓葬形制，三、随葬器物，四、结语，共四个部分，有手绘图。

据介绍，发掘地点石板地墓地位于湖北省孝感市孝昌小河镇顺水村东的吴家岗和张家岗东坡，两岗相连，南北走势。岗地东坡地势低缓开阔，东 500 米处有澴河流经。1998 年夏，为配合国家京珠高速公路工程建设对墓地涉及线路的地段进行了发掘，共清理墓葬 5 座，其中双室墓 3 座，发现等陶瓷器 20 余件。其中单室墓 M5 破坏严重，仅剩部分墓砖，实际有价值的只有 4 座墓。简报推断，4 墓为明代中期前后平民墓，其中 M1 为双室砖墓，表明明代平民或乡村基层官吏夫妻合葬墓也遵仿官员的丧礼。

345.湖北孝感市窑址发掘简报

作　者：孝感市博物馆　蒋俊春、汪艳明
出　处：《江汉考古》2004 年第 1 期

该窑位于孝感市孝南区东北 8 公里处的新铺镇鲁砦村大徐家湾南部的徐家松林，地势西高东低。2001 年，孝感市在此建无害化垃圾处理场，考古人员进行实地考古调查，确定该地为 1 处古窑址和墓地，并对徐家松林进行了勘探。共发掘了六朝至明代的 4 座窑址。简报分为：一、窑址地理位置、地层堆积及结构，二、小结，共两个部分，有手绘图。

据介绍，徐 Y1 为六朝时窑，其余 3 座为明代窑址。徐 Y1 为砖窑，专烧墓葬用砖。徐 Y2 为砖瓦窑，洑 Y1 为砖窑，是为建造寺庙而建。吴 Y1 为瓦窑。简报称，古代窑址一般是建造于墓地和房屋附近，基本是就地取材就地消费的，这可能与当时的运输条件不发达相关。

黄冈市

346.蕲春县西河驿石粉厂明墓清理简报

作　者：蕲春县博物馆　张寿来
出　处：《江汉考古》1992 年第 1 期

1986 年 11 月底，蕲春县西河驿石粉厂在扩建厂房的取土施工中，推土机掘至 1.8 米左右的地表深处，发现大量的石灰凝固块，考古人员进行了抢救性的清理。简报分为：一、墓室结构，二、随葬器物，三、结语，共三个部分，有手绘图。

据介绍，西河驿石粉厂坐落于革河北岸约 300 米处，东南距县城酒河约 4 公里。古墓位于石粉厂职工宿舍与生产车间之间的一块空地的东北侧，地势西高东低。清理时，墓室上半部已毁，残存的下半部至墓底深 70～80 厘米。墓室全部采用白灰、沙、黄土混合夯筑而成。为同穴 3 室合葬墓（墓室自南至北依次编号为 1 室、2 室、3 室）。3 室葬式方向一致，均为头西足东，仰身直肢葬。1 室死者为女性，2 室、3 室死者均为男性。随葬品 50 余件，有金银饰品、铜器、玉器、瓷器等。墓志三方，1 号室墓志为无字碑，另两块墓志简报录有全文。

《蕲春县志》记载：明太祖朱元璋的曾孙、仁宗朱高炽的第六子朱瞻堈封荆王，于宣宗朱瞻基宣德四年（1429 年）始就藩于建昌（今江西南城县）。又于英宗朱祁镇正统十年（1445 年）迁至蕲州。朱瞻堈自建昌来蕲就藩后，分封既多，相传有十王。亲王诸子年 10 岁以上便封郡王，郡王诸子例授镇国将军，孙例授辅国将军，曾孙例授奉国将军。诸子庶孙，皆有封授。至思宗（毅宗）朱由检崇祯十六年（1643），所有王府均被农民起义军张献忠部摧毁。先后在蕲州达 200 年之久。据《县志》及朱氏家谱所载，樊山王有二子。长子祐构、次子祐棣。祐构于正德四年至嘉靖七年（1509～1530 年）继承王位。此次西河驿石粉厂出土之墓志中明确记载墓主系樊山王府镇国将军怡仙者，生于成化二十二年（1486 年），卒于嘉靖五年（1526 年），恰好与其兄祐构在位同时代。故该墓主应为樊山王之次子祐棣无疑。怡仙应为祐棣之表字。《县志》及朱氏家谱又记载祐棣其后失考。第 3 室墓志的发现是对《县志》及朱氏家谱的一个极好的补充。墓志文明确载墓 3 室的死者东滨，系镇国将军怡仙之子，生于正德十年（1515 年），卒于嘉靖十五年（1536 年），年 22 岁。至于第一室内的墓志虽无铭文，但按照死者所葬位置推断，死者应是镇国将军之夫人李氏。

简报最后指出，西河驿明代墓的发现，不仅印证了文献史料，而且弥补了史志记载之缺漏，帮助我们从一个侧面了解到当时社会生产力的发展水平及荆王府的相关情况。

347.湖北蕲春县西驿明代墓葬

作　者：李从喜
出　处：《考古》1995 年第 9 期

1986 年 11 月 9 日，蕲春县西驿石英砂厂增建，在基建动土中发现明代墓葬，考古人员前往进行了清理。墓地位于县城北面约 6 公里处，东距蕲河 300 米左右。四周有山环绕，墓葬在高出附近地面约 5 米的一个山坡上，同一个大封土堆内共有 1 排 3 个墓坑。由西至东编号为 M1、M2、M3。墓葬因基建施工中放炮取土已被崩坏，外封层为糯米浇浆石灰混合凝固，内部结构因受到破坏不清楚，出土有头饰、佩牌和瓷碗等器物。简报分为：一、墓葬形制；二、随葬器物；三、小结，共三个部分。

据介绍，M1 葬具已朽，葬式不清，出土有首饰等物及一无字碑。墓主应为女性。M2 棺木及死者身上衣物已朽，死者为一成年男性，仰身直肢，骨架全长 1.86 米。左手腕骨残缺，咽喉部见横穿 1 枚铁质小箭镞，似属非正常死亡。头枕骨两侧有 2 个小金环，顶骨上有 1 枚铜质盔顶尖，胸部置有 1 枚金钱，腹部斜排方形和圆形佩牌，脚骨两边铺垫相对称的银质冥钱，在头骨右侧放有 1 个青花白瓷碗。坑北有 1 方墓志。M3 葬具已朽，骨架为男性，1.73 米高。有银簪、墓志出土。

简报称，M2 墓志、M3 墓志均为青灰陶质，均为楷书。M2 墓志约 262 字，M3 墓志约 272 字。简报均未录志文全文。由志文知 M2 墓主为朱东溟，M3 墓主则为其父朱怡仙。位置上 M3 位于 M2 左侧也与墓志相合。M3 属于二次迁葬，M1 墓主人当为 M2 朱东溟之妻。简报指出，这且墓葬虽为皇族，墓葬形制结构却较为简陋，为研究明代中期皇族的埋葬习俗提供了实物资料。

348.浠水县胡弄村墓群发掘简报

作　者：湖北省文物考古研究所、浠水县博物馆　陈文学、叶向荣、王锦华
出　处：《江汉考古》1997 年第 1 期

1993 年 10 月 8 日，浠水县胡弄村杨家湾在铁路施工过程中发现被破坏的汉代砖室墓 1 座，汪家山被村民炸毁的明代 3 人并穴砖室墓 1 座。考古人员于 10 月中旬对

胡弄村古墓群进行了抢救性发掘。简报配以手绘图予以介绍。

据介绍，此次抢救发掘了一批东汉至明清时墓葬，获得了一批文物。尤其是万历三十六年（1608 年）汪连峰墓志铭，为研究汪氏家族迁移历史和当地地理沿革等均提供了珍贵材料。

简报录有墓志全文。

349.湖北蕲春出土一件明代朱书文字上衣

作　者：湖北省文物考古研究所　黄凤春
出　处：《文物》1999 年第 8 期

1996 年 5 月 26 日，在国家黄（石）黄（梅）高速公路工程施工中，于湖北省蕲春县茅山镇螺蛳岗村发现 1 座明代墓葬。考古人员赶赴现场，墓葬已遭破坏，1 具尚未完全腐烂的尸体已被当地农民掩埋，墓内出土的 2 枚金簪、1 枚金耳环、1 枚铸有"早升仙界"的金冥币和 1 件朱书文字衣服得到了妥善保护。目前，朱书文字上衣已经脱水处理并入库珍藏。简报配以照片、手绘图予以说明。

据介绍，朱书文字上衣为丝绸质地夹衫，无袖襟，为整块绸布剪裁成"亚"字形后对折而成。其中前襟裁开，形成对襟，所有布边皆施缘。衣通长 120 厘米、肩宽 55.5 厘米、下摆宽 87.5 厘米。下摆有折缘，缘宽 14 厘米。衣服保存较好，经脱水处理后，除颜色显褐外，其绸料仍比较牢固。从现存折痕看，该衣不是着之于尸的敛服，而是入葬时折叠置于墓中的 1 件随葬品。上衣的后背、前胸皆正楷纵向书满朱色文字。经统计，共有 701 字和 4 个花押符号，其中除 30 字漫漶不清外，余皆可辨识。文字内容主要记述墓主的死因、籍贯、生卒年月。其语句连贯、通顺，所述内容完整，当无缺失。简报录有全文。

简报指出，朱书文字上衣是 1 件无袖短衣，从"相伴于棺中"一语看，显然是王鉴为其妻所做，王鉴并在其上记其妻之死的始末。出土时衣之两袖无存，且明显是在入葬前拆掉的，推测衣之两袖可能为王鉴本人所持有，这从文字本身所述的"持此相会于九泉"一语中得到证实。无袖之衣也可称之为 1 件半衣，夫妻双方各持一半，以喻双方相会于九泉。以半物随葬在考古发现中多见，我国自战国以降，皆发现有夫妻间用半镜随葬的习俗，以祈望到冥间或来世的再团圆。明代流行夫妻合葬，而王鉴并未与冯氏合葬 1 茔，原因已不得而知。从朱书文字内容看，王鉴对其妻眷恋至深，并流露出"于阴世而世为夫妇"的愿望。以无袖之衣随葬所表述的含义当与半镜所表述的含义相同，这对于研究明代的丧葬习俗无疑是有价值的。

咸宁市

350.湖北崇阳发现太平天国布告

作　　者：崇阳县绿化公社青峰中学　孙晋文
出　　处：《文物》1978 年第 7 期

1975 年 12 月，湖北省崇阳县绿化公社青峰大队在一家农户的土墙内发现太平天国时期太平军颁发的布告 1 份。布告长 108 厘米，宽 58 厘米。质地系竹纸，因年久并经烟熏，呈褐色。字墨书，朱色断句。虽然折叠处大都残破，但经拼补后手写的字迹还清晰可辨。录有全文，并有照片。

据介绍，该布告上的辛酉拾壹年应为咸丰十一年（1861 年），据保存此件的农民廖铁奇说，他的祖辈廖清昌是太平天国的 1 员将领，在江西攻打抚州一役中牺牲，所以他家中存有太平天国这 1 布告。

351.湖北咸宁咸安辜家岭瓦窑发掘简报

作　　者：咸宁市博物馆　杜　峰
出　　处：《江汉考古》2004 年第 1 期

辜家岭窑址群位于咸安区甘棠镇竹脑村四组，1999 年考古人员对该窑址群中的 1 座"蚌壳形"窑进行了发掘，较完整地揭示出窑址的结构特征，在窑内底部出土成品灰陶小板瓦，这为我们研究明代窑及建筑材料的烧制提供了有益资料。简报分为：一、地层堆积，二、出土器物，三、窑的构筑与结构，四、结语，共四个部分，有手绘图。

据介绍，辜家岭窑址群是 1999 年元月为配合京珠高速公路工程建设，对施工路段作专线考古调查时发现的。在该岭共发现古窑址 5 座，同年 9 月对主线上的 1 座窑进行了考古发掘。所谓"蚌壳窑"未见考古报导，比较罕见。从窑内堆积来看，主要是青花瓷碗和釉陶盆等生活用品类器物，从器形、纹饰、釉色来看，这些器物带有明代早中期特征。

简报认为此窑的烧制年代应在明代早、中期，废弃于明中期。

随州市

恩施州

352.建始县获得明初铜印

作　者： 邹待清
出　处：《江汉文物》1984 年第 3 期

　　湖北省鄂西自治州，隋为清江郡改施州，辖今建始、五峰以西之地。明洪武十四年（1381 年）置施州卫军民指挥使司。二十四年（1391 年）改大田军民千户所。1984 年利川县南坪公社李从树在梁务山一块菜园地发现这方铜印，以贩卖文物流入建始，经有关部门查获，现珍藏在建始县文化馆。简报配以照片予以介绍。

　　据介绍，此印为黄铜质地，正方形，通高 9 厘米，重 875 克。印文阳刻三竖排，即"施州卫中千户所百户印"10 字。印背刻楷书小字 3 行，右为"施州卫中千户所百户印"，左刻"礼部造洪武二十三年闰四月□日"。左侧边刻"莅字三十二号"。此印制作精细，印文清晰。通体光洁，仅有微小蚀斑。明政府视施州卫为边荒蛮夷之地，对待这些地方民族视为边患。这一铜印的发现为研究当时的土司制度、民族斗争历史获得了实物史料，是 1 件难得的历史文物。

353.湖北咸丰唐崖土司城址调查简报

作　者： 湖北省文物考古研究所、中国人民大学历史学系考古教研室、咸丰县
　　　　文物局　刘　辉、康豫虎、李梅田、何继明
出　处：《江汉考古》2014 年第 1 期

　　唐崖土司城址是我国西南土家族区域著名的明清时期土司城址之一，位于湖北省咸丰县尖山乡唐崖司村唐崖河西岸，东距咸丰县城 28 公里，北距尖山乡政府所在地 1 公里。2006 年，被国务院公布为第六批全国重点文物保护单位。2011 年 9 ～ 12 月和 2013 年 3 ～ 6 月，考古人员对该城址进行了系统调查，对城址内衙署区的大衙门、内宅等建筑遗存进行了全面发掘。该城址调查勘探情况简报分为：一、土司城范围、布局与结构，二、城址位置与概况，三、主要遗迹，四、结语，共四个部分，有照片、

手绘图。

据介绍，城址充分利用自然地形地貌，以山脉、河流、溪沟为天然屏障，城内由壕沟、城墙、衙署区构成多重结构体系，衙署区位于城内中轴线中心，各重要功能区的划分与选址都以这一中轴线来展开布局。城内遗迹非常丰富，主要有城墙、道路、院落、石桥、水井、采石场、码头、墓葬、建筑基址等。城址的时代，简报推断大致确定现存土司城址的主体遗存为明代中后期。简报称，唐崖土司城址是研究我国西南少数民族地区土司制度的重要资料。

354.咸丰唐崖土司城址衙署区发掘简报

作　者：湖北省文物考古研究所、咸丰县文物局　刘　辉、王　亮、康豫虎、马安玉

出　处：《江汉考古》2014 年第 3 期

唐崖土司城址是我国西南土家族区域著名的元、明、清时期土司城址之一，位于湖北省咸丰县尖山乡唐崖司村唐崖河西岸，东距咸丰县城 28 公里，北距尖山乡政府所在地 1 公里。2011 年 9 ～ 12 月，考古人员对该遗址进行了初步的调查，并对衙署区的官言堂基址进行了初步发掘；2013 年 3 ～ 6 月，再次对该遗址进行了系统调查。2013 年 8 ～ 12 月，考古人员对城址内衙署区的大衙门、内宅进行了系统的清理与发掘。发掘情况简报分为：一、地层堆积，二、遗迹，三、地层出土遗物，四、衙署区年代与文化因素分析，五、分期与布局演变，共五个部分，有彩照、手绘图。

据介绍，唐崖土司城址衙署区位于城址核心区的中部偏西，自牌坊向西，依次为门楼、大衙门、官言堂、内宅，主要遗迹有房基、排水沟、挡土墙、水井等。简报根据遗迹之间的叠压关系以及出土遗物，将衙署区建筑可分为两期，第一期为明代晚期，是唐崖土司城的鼎盛时期，建筑规模最大，等级最高；第二期兴建时代为清代早期，在第一期的基础上改建而成，尽管总体格局未变，但规模和等级大大降低。

简报认为，本次发掘为认识中小级别土司城址衙署区建筑的规模、等级及研究明清土司制度提供了重要资料。2015 年，唐崖土司城址已成功列入世界文化遗产名录。

仙桃市

355.沔阳出土明代端砚

作　者：姚高悟

出　处：《江汉考古》1984 年第 2 期

河阳县文化馆收藏了 1 方明代端砚，刻有《兰亭集会》图。砚长 28 厘米，宽 17 厘米，厚 9 厘米，重 15 克，整体呈紫色。简报配以照片予以介绍。

据介绍，考历代制砚，自宋代以来，端州名砚，刻兰亭四十二贡者，可数雕刻上等工艺。类似这种古砚，各地博物馆所藏也极为罕见。这付紫石兰亭砚的发现，对研究明代刻砚工艺、绘画技巧都有参考价值。紫石兰亭砚，是 1982 年春在沔阳故城莲花池边一个高台上出土。这里原来是明末书画家费散人的故居遗址。这砚必是他经手之物。但为何埋藏地下，没有传于世上呢？因为费散人时逢明末动乱年间，他不甘隐居，投笔从戎。唯恐难得的好砚遭到战乱的损坏，便埋在地下。入清以后费散人忧愤成疾，来不及掘出此砚便离开了人间。

潜江市

356.潜江刁市祈湾村明墓清理简报

作　者：潜江市博物馆　邓蔚兰

出　处：《江汉考古》1995 年第 2 期

1976 年 9 月，潜江刁市祈湾村农民在兴修水利时挖出 1 座明代古墓葬，已遭破坏，仅存墓室底部。考古人员到现场进行了清理，墓葬形制及棺木均已被毁，尚可见部分随葬器物，经过清理出土文物有玉手镯、玉佩、玉瓦子、丝绸衣服、鞋、铜戒指、金簪等器物。还清理出 1 方完整青石墓志铭，从墓志铭中得知此乃明隆庆年间墓，墓主为欧阳处士，此墓志铭是他的女婿（当时任陕西巡抚）书写的。简报分为：一、玉器，二、丝织品，三、铜器，四、金器，共四个部分，有照片、手绘图。

据介绍，计有玉器 15 件、丝绸衣 3 件（1 件已被农民毁掉）、布鞋 1 双、铜戒指 1 件、金簪 1 只。祈湾村位于潜江城区东南 4 公里，有河从北向南流过，祈湾村坐落在一片台地上，而这片台地附近的地面上至今尚遗存有明代的石人、石马等许多百兽类石刻文物，调查得知，这里有明代墓群，应是1处明代的贵族墓地。

天门市

357.天门县发现清代闸

作　　者：天门县博物馆　张益民
出　　处：《江汉考古》1986年第3期

在天门县横林区白沙村，汉江干堤内的河滩上，当地农民发现1座副闸。3月11日，考古人员前往调查。

据介绍，副闸通长65米，宽1.8米，内空宽为1.2米，高2.1米，内空高为1.5米，其断面呈弧顶门形，人可弯腰在内行走；全身由六百多块石头砌制而成，闸底由两千多根直径15～17厘米、长2.2米的杉木打成排桩，头尾各有1块长1.8米，宽、厚均为0.30米的石匾。闸头1块横书"永庆安澜"，闸尾1块中间横书"永丰副"，左右纵书分别为"皇清道光丙午年"和"陶林垸建"。道光丙午为1846年，距今已140年。这座副闸设计合理，结构坚固，在汉江流域尚为首次发现，对研究清代汉江水利设施和汉江的治理，提供了不可多得的实物资料。

358.天门市发现何绍基书写的墓志铭

作　　者：湖北省天门市博物馆　刘安国
出　　处：《江汉考古》1991年第3期

考古人员在净坛乡蒋家场蒋在发家后园中发现了埋藏20余年的墓志碑3块，其中有蒋状元墓碑1块，蒋状元的易夫人墓志2块，字迹清晰，保存完好，这是蒋场小学蒋在发老师在"文化大革命"期间冒着生命危险保存下来的。现在蒋老师将3块墓碑送交到了市博物馆。简报配以照片予以介绍。

蒋状元的易夫人墓志2块，系清代著名书法家何绍基撰文并书丹的，志盖与志铭碑各一，合为一套。呈正方形，竖行阴刻篆书。其文为："皇清诰封夫人蒋母易夫人墓志铭"14个大字。字迹潇洒飘逸，流畅俊迈，是不可多得的篆文范本。志文楷书540字。该墓志经有关书法家鉴定，确系清代书法家何绍基所书。墓志碑字体遒劲挺拔，风格潇洒，字迹清晰，刻工精致，是我国书法艺术的珍品。

清代大法家何绍基为什么要给易夫人撰写墓志铭呢？从志文知蒋笙陔状元与何绍基的父亲是世交。易夫人是蒋状元的原配夫人，是探花蒋元溥之母，元溥之子可松，又是绍棋（何绍基之弟）的女婿。易夫人是可松的祖母，也是何绍基侄女的祖母。

何绍基（1799～1873），字子贞，号东洲，湖南道县人，清代学者，著名书法家。道光进士，官编修，国史馆总纂，对经史、说文考订精细，擅长书法，自成一家，而草书尤为一代之冠。楷书留存极少，此次在天门市发现书写的楷书墓志铭，极为珍贵，为研究他的书法艺术，提供了可靠的珍贵资料。

神农架林区

湖南省

长沙市

359.湖南望城蚂蚁山明墓发掘简报

作　者：长沙市文物考古研究所、望城县文物管理局　黄朴华、何　佳、雷永利、
　　　　何旭红等

出　处：《文物》2007 年第 12 期

2005 年 4 月，湖南工业职业技术学院在望城县含浦镇白鹤村蚂蚁山一带扩建新校区时，发现了 1 座明代大型砖室墓（编号为 M1）。该墓位于湘江西岸约 4 公里处，湘江支流靳江河在墓葬南约 250 米处自西向东流过，墓葬位于阶地向丘陵过渡的一座名为蚂蚁山的中央。据清代陈运榕《湘城访古录卷十六·家墓》中"长沙昭靖王朱常㵂墓（或昭宪王朱诩铉墓）《府志》云在善化县西七里冈"及"福清王朱常澂墓《府志》云在善化县西龙洞"的记载，在长沙市西南的湘江西岸可能葬有明代长沙昭靖王朱常㵂或昭宪王朱诩铉、福清王朱常澂。因此，蚂蚁山及其附近区域可能是明代长沙王室成员的 1 处陵寝区。2005 年 4～10 月，考古人员对该墓进行了发掘。简报分为：一、墓葬形制，二、遗物，三、结语，共三个部分，有彩照、手绘图。

据介绍，该墓为"中"字形竖穴土坑墓，地表仅存很少封土。该墓曾被盗。出土遗物有金器、银器、铜器、铁器、漆木器、玛瑙器、由陶器，以及墓志、佛经、道经等。墓主为明代谷王乳母张妙寿，她于洪武十二年（1379 年）入皇宫，追随谷王先后分封至上谷和长沙，享年 70 岁，下葬年代是永乐十一年（1413 年）。根据券顶有字青砖可知，该墓始建于永乐四年（1406 年）。墓道中的伞顶圆柱形石砌建筑、方形砖石组合建筑和圆形竖井为中国古代丧葬制度的研究提供了宝贵的资料。墓顶起券达 20 层，且有松香黏合的密封层，是较为少见的砖室券顶墓。

简报强调，此墓中出土的经书对于研究儒、佛、道三教合流在中国历史上的形成及其对社会发展的影响具有重要意义。

株洲市

湘潭市

衡阳市

360.湖南衡阳市郊明墓清理简报

作　者：衡阳市文物工作队　唐先华
出　处：《江汉考古》1994 年第 3 期

1992 年 5 月，衡阳钢管厂在市郊北塘村征地，兴建高压锅炉管工程，考古人员在征地范围内进行了考古调查与勘探，并于是年 8 月，对发现的古墓葬进行了抢救性的发掘。共发掘墓葬 16 座，其中明代墓 5 座，清代墓 11 座，出土文物 40 余件。明代墓葬的有关情况，简报配以手绘图予以介绍。

据介绍，5 座明墓均为长方形竖穴土坑墓。这批墓葬随葬器物简单，部分墓葬除遗存的铁棺钉外，余无他物。5 座明墓共出土随葬物 9 件，其中青瓷器坛 6 件，铜镜 2 件，铜发夹 1 件，另出土铁棺钉 153 件。简报推断，墓葬的年代为明代。简报称，墓葬的棺制，对研究明代丧葬制度有较大的帮助。

邵阳市

361.湖南城步苗族自治县发现明代玉印

作　者：丁中炎、魏人栋
出　处：《考古》1986 年第 1 期

城步自古为兵家相争之地，历代都设重兵防守。明朝弘治年间，城步发生了以李再万为首的苗民起义，朝廷为了防御苗民起义力量的扩展，除派数万大军征讨外，还在此设置城步守御千户所，从邻近的靖州（今靖县）调来千百户十九家世守城步，一直沿袭到明朝灭亡。1984 年，城步苗族自治县在县档案馆发现 1 颗米黄色玉石印章，系明代城步千户所正千户张异的关防印。印面阳刻"湖广靖州卫守御城步正千户所千户张关防"18 个篆字，按 3 行排列，每行 6 个字。印钮上阴刻"鼎日正千户张九箴请"9 个小字。简报配以拓片予以介绍。

《宝庆府志》记载，张异为城步守御千户所正千户，原籍浙江金华，明弘治十四年（1501 年），从靖州卫调城步，为世袭军职，统兵 1120 人，系武职五品，相当于宝庆府同知级别，比县令高二级。城步守御千户所设置于城步立县之前，现城步县城西南隅吕家巷子仍保存有旧址。

岳阳市

常德市

362.湖南澧县发现明"华阳王镇抚司之印"

作　者：温县文物管理所　曹传松
出　处：《文物》1984 年第 11 期

1983 年 2 月，澧县文物管理所征集到明"华阳王镇抚司"铜印 1 方。据云这方铜印原藏在县北 11 公里的萧家祠堂墙洞里。简报配图予以介绍。

据介绍，印呈正方形，重 470 克。印面铸阳文九叠篆"华阳王镇抚司之印"4 行 8 字。印背右侧刻阴文楷书"隆武二年五月初八日给王臣"2 行 12 字，左侧刻阴文楷书"华阳王镇抚司之印礼部造"2 行 11 字。关于华阳王，《明史》记载，始封王朱悦耀，是明太祖朱元璋第十一子蜀献王朱椿的庶二子，于永乐二年（1404 年）封于四川蜀县，洪熙元年（1425 年）徙封武岗州，不久又徙温州。因蜀县在唐乾元初更名华阳县，故藩号为华阳王。《明史·诸王世表》记载：华阳王在温州藩封共九王。

又据清同治《直隶温州志》，华阳王在南明又袭封了朱味一、朱敬一两王，这是《明史》没有记载的。华阳王在温州实际是袭封了十一王，共 221 年。从印背面右侧刻有"隆武二年五月初八日给王臣"的年号，应是南明唐王朱聿键于清顺治二年（1645 年）藩封给朱敬一的王印。

363.湖南津市新洲镇发现一座明墓

作　者：津市文物管理所　赵小平
出　处：《考古》1994 年第 7 期

1990 年 3 月，新洲镇南江村村民在建房时发现了 1 座墓葬。简报配以拓片、手绘图予以介绍。

据介绍，墓葬位于新洲镇东南面的小山包上，北距澧水约 2 公里。此墓已被彻底破坏，出土器物为从村民手中收集。墓为土坑竖穴，两个魂魄坛并排放于北端。墓中共出土器物 6 件，其中陶器 5 件，铜器 1 件。另外，铁棺钉 8 支，分有帽和无帽两种。

该墓出土的魂魄坛时代特征较明显，根据对湖南出土同类器所作专门研究，两件魂魄坛的时代约相当于明代（周世荣《湖南出土盘口瓶、罐形瓶和牛角坛的研究》，《考古》1987 年第 7 期）。简报推断该墓应为明墓。值得注意的是，该墓出土的八卦十二生肖铭文镜为中晚唐流行的镜类。

364.湖南石门县发现明代铜军印

作　者：龙西斌
出　处：《考古》1995 年第 9 期

1982 年，湖南省石门县盘石桥乡高岩墩村村民董保成在自己房屋后檐沟中掘土时发现 1 方铜印，考古人员前往实地调查征集。此印现存石门县博物馆内。简报配以拓片予以介绍。

据介绍，铜印为正方形，印重 650 克，印的背面正中有长方形铜柄，柄的上端中间有一阴刻"上"字。印右侧直刻"永定卫左千户所管军印"10 字，左侧二行直刻"洪武二十二年七月□日礼部造"12 字。印右侧面刻有"永字一号"4 字。印的正面略显凸起，刻有"永定卫左千户所管军印"铭文，字体为篆书阳刻，3 行 10 字，中间 4 字。字迹清晰秀丽，章法布局合理，印面有明显的使用磨损痕迹。根据印的背面刻款时代看，为明代洪武二十二年（1389 年）七月造，距今已有 600 年的历史了。简报说，此军印的发现，对研究永定卫（今大庸市）的历史提供了重要的实物材料。

张家界市

益阳市

郴州市

永州市

怀化市

365.湖南通道发现南明窖藏银器

作　者：怀化地区文物工作队、通道县文化局　舒向今、向开旺、曾志鸿
出　处：《文物》1984 年第 2 期

1982 年 12 月，湖南省通道侗族自治县江口公社下水涌大队瓜地生产队村民梁居安在挖地时发现一批窖藏银器，共计 28 件。简报分为：一、窖藏的位置及状况，二、出土器物，三、几点认识，共三个部分，有照片。

据介绍，江口瓜地位于通道侗族自治县县城北 40 公里处，北距靖县县城 30 公里，南距通道老县城县溪 10 公里。银器埋藏在梁居安老屋侧后的自留地内。这批银器埋藏在土坑内，坑小，稍呈圆形，深约 50 厘米。银器放置无规律，下层和上层置盘，余置中间。坑内泥土稍带黑色，似是纸或绢腐烂后所致。这批窖藏银器主要是酒具，制作精美，其中 11 件有铭文，标明为送给"党公""党翁老大人"的生日寿礼。

简报据地方志，认为"党公"可能是指党哲。此人系四川广元人，明末任靖州知州，这批银器，是给他 1646 年、1647 年生日的寿礼。1647 年，清军南下，永历政权军民从靖州、过通道，去广西。江口瓜地恰好在这条路线上。由此可以推断：清军破靖州，党哲死后，他的家属携带这批银器南逃，行至江口瓜地时，又在仓皇中就地掩埋了这批银器。

366.湖南芷江垅坪明墓清理简报

作　者：芷江县文物管理所　张　涛

出　处：《考古》1992年第3期

1988年1月，湖南芷江侗族自治县城垅坪乡一农民在七里桥村邓家坡取土烧砖时，挖掘出1座券拱砖室墓。考古人员前往清理，并对城坪乡各砖窑场地进行了1次勘探，共清理明代墓葬12座。其中3座明墓。简报分为：一、地理位置及墓葬结构，二、随葬器，三、结语，共三个部分，有手绘图、照片。

据介绍，芷江垅坪乡七里桥村位于芷江县城东3.5公里，邓家坡南距湘黔公路150米。1号墓和2号墓皆出于此，12号墓发现于垅坪乡落家井，此墓已残。这3座墓葬都是券拱砖室墓，葬具皆已腐烂无存。随葬器有金币3枚、铜钱25枚、铜镜1个、墓志铭1块。正方形铭文刻楷体，为改葬墓志，简报录有铭文全文。

简报称，从1号墓出土的墓志铭来看，墓主人张荃告卒于明朝嘉靖年间，而2号墓与1号墓同葬1处，方位完全相同，墓底深浅离表土相差无几，应同一号墓埋葬的时间相差不远。12号墓中所出土的铜钱中，最晚的为明朝"洪武通宝"。简报推断此墓应属明朝洪武以后所葬，可能早于1号墓和2号墓。

简报指出，芷江侗族自治县位于湖南西部边障，壤接贵州，在沅水上游主要支流东岸，古为五溪蛮地，汉高祖五年曾设无阳县，明初设沅州府，洪武九年(1376年)四月降府为州(沅州)。但是，历年来从未出土过"洪武通宝"和金币，这三座墓中所出土的，尚属首次发现。从出土的金币来看，属冥钱，有"吉祥""富有"之意。该类墓葬的金币葬品对于研究这一地区明朝葬俗提供了新的实物资料。

367.湖南芷江木油坡明墓群清理报告

作　者：芷江县文物管理所　张　涛

出　处：《江汉考古》1997年第2期

1995年9月20日，湖南省芷江侗族自治县垅坪乡七里桥村村办砖窑厂在木油坡取土时，用推土机推出许多砖块，考古人员立即赶赴现场，发现此处为一墓葬区，当即令其停工，并进行调查勘探工作，发现此处共有砖室墓7座、土坑竖穴墓3座。经报批后，组织抢救发掘了该地明代墓葬10座，共出土器物104件。发掘情况报告简报分为：一、地理环境与墓葬形制，二、随葬器物，三、小结，共三个部分，有手绘图、照片。

据介绍，从出土的器物与墓志铭来看，这一墓群简报推断当属明代林氏家族墓地，但是，当地方志文献等并无有关林氏宗族或家族祠堂之类的记载。因此，林姓并不是本地土著。木油坡墓地的主人很可能是由闽省一带迁徙而来的手工匠人或者他们的后代，在当地繁衍生息、成家立业，死后埋葬于此。

简报称，从坩锅的出土和芷江多次出土过金质明钱等情况来分析，这一林氏家族墓地的葬俗既继承了原来的风格，同时，迁徙到湘西少数民族聚居地后，又融入了当地土著民族的丧葬风俗。它的发现与发掘，为研究明朝时期这一少数民族地区的历史、经济、文化发展状况，尤其是与我国人口的融合及其丧葬礼俗等提供了实物资料。

娄底市

湘西州

368.湘西凤凰县五寨长官司彭氏墓调查

作　者：张中一

出　处：《文物》1962 年第 1 期

1959 年 11 月，湘西土家族苗族自治州博物馆在凤凰县西郊调查了已被破坏的明代嘉靖三十二年（1553 年）湖广道直隶五寨长官司彭氏墓，墓为长方形券顶砖室，获得了一批珍贵的金质装饰品和 1 块完整的砖墓志，这批文物简报配以照片予以介绍。

简报介绍，上述器物都是在墓室一端发现的，系死者头冠上的装饰品。此外仅在靠死者头部的地方，获得砖墓志 1 块。简报发有墓志全文。简报根据文献记载证明，彭氏应系田家五寨长官司的眷属。凤凰县是苗族的聚居地之一，这个墓葬的发现，有助于研究湘西少数民族地区的历史和工艺成就。

369.湖南永顺出土土司官印

作　者：永顺县文物管理所　向渊泉

出　处：《文物》1984 年第 7 期

湘西永顺老司城，是古五溪蛮地一座历史悠久的古城，是土家族地区历代土司衙署所在地。1981 年 4 月，在土司衙署的"金銮殿"遗址上出土了土司官印 1 颗，由县文物管理所收藏。简报配以拓片予以介绍。

简报介绍，印为黄铜质地，正方形，重 1300 克。该印制作精细，印文系阳刻，一半篆刻"永顺等处军民宣慰使司印"，一半刻着同内容的满文。印背刻楷书小字"永顺等处军民宣慰使司印，礼部造，康熙十九年二月□日，康字五千二百十六号"和满文。

《永顺府志》《永顺县志》记载，清康熙时吴三桂叛清，永顺土司彭廷椿父子拒吴有功，清廷颁给此印以赏之。永顺彭氏土司，为溪州都誓主，统治溪州 800 余年，历经 30 余代，到清雍正改土归流后始废。这方官印的出土，为研究土家族地区的土司制度提供了实物资料。

370.湘西凤凰发现南国长城"苗疆边墙"

作　者：杨旭工、龙通燕

出　处：《文博》2000 年第 3 期

考古人员在湖南凤凰考察凤凰古城申报国家级历史名城的过程中，发现一建于明万历年间的苗疆边墙，被国家文物局专家罗哲文先生称之为中国南部"长城"。简报配以照片予以介绍。

简报介绍，边墙遗存，位于西距县城 10 公里的廖家桥镇永兴坪村，墙高 2.3 米、基宽 1.7 米、顶宽 1 米，城墙中以乱石填实，有明堡高 10 余米，建有青色片石堆砌的平房数间。据《凤凰厅志》（道光版）记载，明万历年间，为了封锁"苗疆"，明王朝曾花费白银 4 万余两，修筑了这一内地"长城"——边墙。西起与贵州铜仁交界的黄会营，往北经凤凰厅的新凤凰营、阿拉营、古双营、得胜营径乾州厅的镇溪营、振武营、喜鹊营。城墙修设有明卡、台哨、屯堡、炮台、关门、关厢达 800 余处，各有其名，无一重复、遗漏，全长 190 公里。

371.湖南永顺县老司城遗址

作　者：湖南省文物考古研究所　柴焕波等

出　处：《考古》2011 年第 7 期

永顺老司城位于湖南永顺县城以东 19.5 公里的灵溪河畔，地属灵溪镇司城村，为永顺宣慰司数百年的司治所在，也是湘鄂渝黔土家族地区规模最大、保存状况最好的司城址。

1995 年 10 ～ 12 月、1996 年 9 月、1998 年 10 ～ 11 月，考古人员先后 3 次对老司城及外围相关遗址进行调查与发掘。2010 年 4 月至 2011 年 1 月，为配合《老司城遗址本体保护维修工程方案》的编制，再次对老司城遗址进行考古发掘。通过历年的调查、勘探与发掘，基本上弄清了城址各个功能区的分布情况：宫殿区与衙署区处于城址的中心，其周围分布有街道区、土司墓葬区、宗教区、苑墅区等功能区。老司城选址在一个偏僻、贫瘠的山区，主要出于军事目的，自然地起到了坚固的防御作用，环绕着城址又有一系列险峻的军事关隘和防御设施。

2001 年，老司城遗址成为第五批全国重点文物保护单位。2010 年 10 月，老司城遗址被国家文物局列入首批国家考古遗址公园立项名单。简报分为：一、概况，二、遗物，三、结语，共三个部分，有彩照、手绘图。

据介绍，老司城宫殿区城墙等遗迹的建筑年代约在明代早期。宫殿区及其护坎、石桥等遗迹的建筑年代约在明代中晚期。衙署区及老司城周边的大量相关建筑也大多修建于明代，如彭显英建猛峒别墅、彭世棋建颗砂行署、彭明辅建谢圃公署、彭宗舜筑壶窝别墅等。从目前已发掘的紫金山墓葬和周边墓葬的资料看，年代最早的是土司彭显英夫人墓，彭显英袭职在明代天顺、成化年间。老司城周边石刻题铭的年代主要集中在明代弘治、正德、嘉靖年间。

简报称，清雍正六年（1728 年），末代土司彭肇愧自愿改土归流，并于次年回到祖籍江西吉安老家立产安居。土司所辖的三州六峒也随之销声匿迹，老司城从此废弃。出土遗物显示，清代中期以后，精致的外来瓷片绝迹，以向姓为主的土著和外来者居住在老司城。旧的建筑倒塌了，变成废墟，或者在其旧址上重修简陋的民宅。旧的街巷被沿用，但无力重修。老司城失去了往日的繁荣而重返它的起点：一个封闭贫瘠、无法养活太多人口的普通小山村。

今有谢华先生《湘西土司辑略》（中华书局 1962 年版）一书，可参阅。

广东省

广州市

372.戴缙夫妇墓清理报告

作　者：广州市文物管理委员会　黄文宽
出　处：《考古学报》1957年第3期

1956年底至1957年初，考古人员在广州东山梅花村南，清理了1座明代墓葬，发现男、女2具干尸。据墓志，此为明弘治至正德年间下葬的南京工部尚书、南海县人戴缙夫妇的墓葬。简报分为：一、清理经过，二、葬制，三、尸体保存情况，四、出土遗物，五、墓志和史事述略，共五个部分，有照片、拓片。

简报介绍了发掘过程，包括墓室建筑、棺椁结构和殓装情况、尸体保存情况等。出土遗物主要为两尸的殓装，有棉、麻、丝等，另有墓志两合。简报未录志文。据墓志，两尸均为死后停棺3年多才下葬的，男尸保存较女尸为好。

据志文介绍，戴缙生于宣德二年（1427年），27岁中举，40岁成进士，位显要官职长达17年，成化十九年（1483年）免职归家，《明史》中《宪宗本纪》《商辂传》《汪直传》中都有他的记载，说他"不数年官至工部尚书，无他能，工侧媚而已"。看来此人善于走巴结太监的路线。正德五年（1510年）卒，享年84岁。其夫人周氏生于永乐二十一年（1423年），卒于弘治十五年（1502年），享年80岁。解剖结果有严重寄生虫病。简报认为这或与当时人已有吃生鱼的习俗有关。

373.鸦片战争虎门战场遗迹遗物调查记

作　者：广州市文物管理处　黄流沙、苏　乾
出　处：《文物》1975年第1期

广州自古以来就是我国南方对外贸易的重要港口，虎门则是广州滨海门户所在，形势险要。海口有兀起在南沙岛东端的大角山，与北岸的沙角山隔海对峙。虎门炮

台遂于道光二十一年（1841年）二月先后被英军侵占。但是，坚守虎门海防的爱国官兵，在当地人民的积极支持下，与英侵略军展开了激烈的战斗。简报分为：一、"节兵义坟"和"义勇之家"，二、"三千斤炮"和"六千斤炮"，三、"炮台火药缸"与"铁炮子"，四、"节马图"石刻，共四个部分，介绍了虎门一带有关遗迹与遗物，有照片、手绘图。

据介绍，"节兵义坟"位于沙角山南麓，系道光二十三年（1843年）所建"节兵七十五位合葬"处，应系虎门战斗中阵亡的200多名士兵中75位的迁葬墓地。另外，在横档岛还发现过1块刻着"义勇之家"的墓碑，下款刻有"光绪十一年乙酉苍月迁葬"，碑身长130厘米，宽47厘米。碑文虽然没有写明牺牲"义勇"人数及事迹，但可以判定也是鸦片战争时期在横档炮台作战牺牲的烈士墓葬。

374.鸦片战争广州战场遗址遗物调查记

作　者：广州市文物管理处　黄流沙、苏　乾
出　处：《文物》1977年第10期

简报介绍了广州附近鸦片战争遗址、遗物，记有位于广州市东郊的乌涌抗英大墓、祥镇军祠、四方炮台、升平社学、平英团指挥部等遗址，有指挥旗、武器、抗英飞柬等遗物。

375.广州东山明太监韦眷墓清理简报

作　者：广州市文物管理处　麦英豪
出　处：《考古》1977年第4期

1964年10月间，广州铁路工人文化宫在修筑球场的平土工程中，发现了1块倒下的墓碑和用红砂岩石块砌筑的墓顶。据墓碑知是明代太监韦眷的墓，考古人员于11月2日起进行清理，至21日完工。此墓被严重盗掘破坏过，因墓室规模较大，建筑坚牢，清理后就地封固保存。简报分为"墓地情况""墓室建筑"等几个部分。

据介绍，墓葬位于铁路工人文化宫后面一个山岗东北面的岗腰处。这里自明以来就叫姚家岗，即太监韦眷所建明永泰寺（又名太监寺、东山寺）所在地。寺早已毁，现仅存1座方亭。墓在寺的后面。墓室封门之前3.1米处有坟头，全用红色砂岩石砌筑，已毁坏。现存部分后为高约1米的直墙，中立墓碑，石碑已倒下，有碑座石。碑石是黑色页岩，高1.12米。碑文3行，上款"大明弘治八年十一月初五日吉"；中行"钦命总镇两广内官监太监韦公之墓"（双钩刻）；下行"孝男相等泣血立石"。

还有半月形碑头 1 块，石质与碑身同，中高 0.51 米、宽 1.125 米、厚 0.26 米。正面浮雕卷云拥月，背面刻云草纹。碑前是石块铺砌的地面，后部呈半圆形，前面已毁。地表上似有建筑。墓坑为长方形竖穴，由甬道、墓室组成。墓当是清初"三藩之乱"时被盗掘。随葬品已所剩无几。

简报称，有关韦眷的史事，散见于《明史》的梁芳、朱英、彭韶、陈选、高瑶等传及《番禺县志》著录的永泰寺碑等史志中。大约在成化十二年至弘治元年（1476～1488 年）这段时间，韦眷任广东市舶司监督。这是一个肥缺。韦眷就与当时任广东左布政使的陈选明争暗斗，结果陈选失败，在成化二十二年（1486 年）被逮捕解京，途中死去，"自是人莫敢逆眷者"。弘治元年（1488 年），明孝宗还派他到广西查认其生母纪太后家族，对他十分信任。后来，因韦眷作恶多端，孝宗迫于廷臣的意见，撤了他的"广东镇守"职衔，弘治三年（1490 年）"眷因结蔡用妄举李文贵（按《明纪》作纪父贵）冒纪太后族，降左少监，撤回京"。从墓碑是弘治八年（1495 年）立的一事看来，韦眷在撤回京后不久就死了，然后又运回广州下葬的。由于"眷为广东市舶太监，纵贾人，通诸番，聚珍宝甚富"，而清理时，其墓内尚有盗余的外国银币、金板、珊瑚，可知原来墓中应是有不少"珍宝"随葬的。

376.广州番禺县大洲龙船

作　者：广州市文管处考古组　黄淼章
出　处：《考古》1983 年第 9 期

1977 年春，番禺县钟村公社大洲大队农民在蔗田中发现 1 艘古船体。考古人员初步认为是 1 艘古代龙船。发掘工作至 4 月 10 日结束。简报分为五个部分，有照片。

据介绍，钟村公社大洲大队位于珠江三角洲平原，在广州市区南面，距市区约 10 公里。这里是一个河网地带，珠江（当地称为西海）环绕而过。古船出土地点在大洲第一生产队的蔗田里，这是一片极为宽阔的田地。据当地老人讲，百年前这里还是一片海滩。古船出土地点往前不到 1 公里就是珠江。船长 43.6 米，宽 4 米，为尖头平底船，没有龙骨，计 19 个船舱。外有彩绘，内容为龙鳞。船上原应有楼阁，可惜已不存。简报认为这是《广东新语》《南越笔记》等书中记载的游乐之船，建造时间在明末清初。

深圳市

珠海市

汕头市

377.南澳Ⅰ号明代沉船 2007 年调查与试掘

作　者：广东省文物考古研究所　崔　勇等
出　处：《文物》2011 年第 5 期

南澳Ⅰ号沉船位于广东省汕头市南澳县云澳镇三点金海域，2007 年 5 月渔民在打渔时发现并上交了打捞上来的瓷器。2007 年 6 ～ 7 月，考古人员对其进行了调查与试掘。简报分为：一、概述，二、考古调查潜水方案的制定与实施，三、沉船调查，四、出水器物，五、年代推断，六、结语，共六个部分，有彩照。

据介绍，出水器物有瓷器、陶器、铁器、铜器等，计 793 件，其中瓷器的数量最多。根据对出水瓷器的形制、胎质、釉色、纹饰、制作工艺等的研究，并结合沉船考古的特点判断，简报推断南澳Ⅰ号沉船的年代为明万历时期。南澳Ⅰ号沉船的发现对于明代中晚期海上贸易的研究具有重要意义，为研究外销瓷器提供了珍贵的实物资料。

2009 年，文物出版社出版了李岩、陈以琴两位先生编著的《南海Ⅰ号沉浮记——继往开来的航程》一书，讲述了南海Ⅰ号沉船是如何被发现、被命名的，经历了怎样的曲折过程又重回人们的视线，整体打捞方案又是如何确定的，在它的新家"水晶宫"，它又将面临些什么。该书以作者亲身经历为主，向读者讲述了南海Ⅰ号的许多鲜为人知的故事，可以参阅。

378.广东汕头市"南澳Ⅰ号"明代沉船

作　者：广东省文物考古研究所、国家水下文化遗产保护中心、广东省博物馆
　　　　崔　勇等
出　处：《考古》2011 年第 7 期

南澳县位于广东省汕头市以东，是广东省唯一的海岛县，隶属汕头市管辖。南澳岛地处广东和福建交界处，从南澳岛到台湾高雄的猫鼻头之间的连线为南海和东

海的地理分界线。

"南澳Ⅰ号"沉船位于汕头南澳岛东南三点金海域的乌屿和半潮礁之间，发现于2007年5月下旬。南澳县云澳镇渔民发现一条满载青花瓷器的沉船，打捞出一批青花瓷器，当地边防派出所及时介入，渔民将打捞上来的瓷器上交。考古人员于5月底派员在沉船海域进行潜水探摸，终于发现了这条沉船并成功定位。2007年6～7月，对"南澳Ⅰ号"进行了调查和试掘。2010年3月5月，对"南澳Ⅰ号"沉船附近海域进行了两次多波束及浅地层探测。简报分为：一、概述，二、发掘情况，三、出水遗物，四、初步总结，共四个部分，有彩照、手绘图。

据介绍，"南澳Ⅰ号"沉船船体纵长约27米，有17道隔舱板和16个隔舱。发掘出水各类遗物10000余件，以漳州窑青花瓷为大宗，应为漳州窑16世纪末至17世纪初的产品，沉船所属年代与此大致相同。"南澳Ⅰ号"沉船的发掘为研究不同地区间的物质文化交流提供了直接证据。

韶关市

379.广东南雄县发现一座明墓

作　者：雷时仲

出　处：《考古》1984年第11期

1983年4月，广东南雄县文物普查队在全安公社荷塘大队麦家巷发现1座明代青花碗葬墓。简报配以手绘图予以介绍。

据介绍，墓用长方形砖平砌一层拱，再用青花碗（碗口向下）规则地排列成十多行覆盖在砖上面，再用石灰砂泥浆合成。墓向南北，长2米、宽1.2米，由于该墓已被破坏，遗物不多。出土的碗，造型一致，只有一式。有拍印青花"富"字纹饰一圈，口沿有青花纹一道。呈铁黑色，细砂胎质，施釉均匀，呈灰青色。简报称，这是广东首次发现的碗葬墓。

380.广东始兴崖墓的调查报告

作　者：广东省始兴县博物馆　王晓华

出　处：《四川文物》1993年第5期

1982年文物普查时，考古人员在始兴县黄所、陆源两地各发现1处崖墓，并对这 2 处崖墓作了多次考察、调查。为了进一步地弄清二处崖墓的情况，提供给有关专家作研究之用，这 2 处崖墓的调查情况简报分为：一、李公崖崖墓群，二、陆源燕斗崖崖墓，共两个部分，有照片。

据介绍，李公崖，位于始兴县城西约 10 公里的黄所九连塘村背后，是 1 座以巨大的自然岩为葬所，再以其岩洞葬以密架的棺穴，墓葬结构分为洞穴墓和砖室墓。简报推断，李公崖崖墓应该是明朝初年至清末的墓葬。

陆源燕斗崖，位于始兴县城东偏北 20 公里处，也是 1 处以自然岩崖穴悬葬于半山腰的红沙岩崖墓。燕斗崖高近 100 米，宽约 70 米，里面的洞穴不大，仅仅只有 1 座墓葬的位置。因墓葬葬在半山腰中的崖洞上，距地面约 50 米，崖壁又像墙壁一样笔直。因此亲临实地去调查不太现实，只好站在远处观察。燕斗崖只有一座墓葬，墓门高约 0.8 米，宽约 1.5 米，墓门用青灰色火砖错缝叠砌，崖洞内的情况如何，因没上去考察，情况不详。据调查和采访简报推断，陆源燕斗崖崖墓的年代可能是明末清初。

简报称，这些利用其天然洞穴来置棺的做法称之为"幽崖葬"。从已经调查的材料分析，始兴发现的这两处崖墓都是向着河流的。这也很值得今后去探索和研究。

佛山市

江门市

湛江市

茂名市

肇庆市

381.广东高要县发现明初铜、铁铳

作　者：广东省博物馆　古运泉

出　处：《文物》1981 年第 4 期

1978 年 9 月，广州轧延厂文物保护小组在高要县运来的废铜里发现一批古铜器，其中有 8 支铜火铳，铳身积满泥锈，看来出土还不久。简报配以手绘图予以介绍。

简报介绍，这 8 支铜铳出自高要县蚬岗公社八联大队。出土地点距肇庆市约 20 公里，位于西江南岸阆柯山南麓的陆岗上。1974 年，八联大队农民开荒造田时，从距地表 20 厘米深处挖出这 8 支铜铳，同时出土 3 支铁铳。简报推断，高要铜、铁铳的铸造年代距明初不远。

简报称，出土的元明铜、铁铳，以明洪武年间所铸的为多，形制基本一致。广东高要出土的这批铜、铁铳，重量较其他地方出土的都轻，更适宜于随身携带，反映了手铳制造的改进。

今有陈贤波先生《重门之御：明代广东海防体制的转变》（上海古籍出版社 2017 年版）一书，可参阅。

382.广东肇庆发现南明官印

作　者：肇庆市文物管理委员会　谢子熊

出　处：《文物》1991 年第 11 期

1981 年 3 月，广东省肇庆市郊黄茅岗村村民在村中公地的积土中发现 1 方南明铜官印，当即送交肇庆市博物馆。简报配以照片予以介绍。

据介绍，此印印面方形，印面有边框，印文为阳文篆书"肇庆卫指挥使司经历司之印"12 字。印背柄两侧有阴文楷书款：左款为"永历贰年□月□日"；右款为"肇庆卫经历司印"。柄下方刻阴文楷书"造"字。印一侧有阴文款"永字五百八十九号"，也为楷书。

简报称，"永历"为南明永历帝朱由榔年号，永历二年为 1648 年。是年，朱由榔由广西还都肇庆，在肇庆统治了 1 年之久。这方铜印估计是在肇庆铸造的。有关

南明永历王朝在肇庆活动的记载不多，遗留下来的实物更为稀少。这颗铜印的发现，为考证这段历史，提供了一件珍贵的实物。

383.广东四会发现三座明墓

作　　者：杨　豪、邓小红

出　　处：《考古》1994 年第 12 期

1975 年至 1979 年，广东省博物馆在四会大旺农场发掘清理古墓多座。简报分为：一、M6，二、M1，三、M2，四、结语，共四个部分，有照片、手绘图。

据介绍，M6 位于大旺农场拗仔岗的大旺沼泽湖畔，是 1 座"两层楼"式的长方形双室合葬砖墓。骨骸已朽。随葬品中金属类器物置于墓室中，陶、瓷器置于器物坑中。M1 位于大旺农场场部西北的婶婆岗北坡，为长方形砖室墓，葬具、人骨已朽，随葬品有小陶罐 6 件、残铁刀 1 把、"熙宁元宝" 1 枚等。M2 位于大旺农场砖瓦厂南部的公路边，1979 年修筑公路时发现。该墓为长方形石室墓，葬具已朽。随葬品有铜钱、青铜镜、金质梅花朵饰、耳坠等。

简报称，这三座墓葬，出土的钱币都是唐宋时代的，M6 出土的釉陶罐与釉陶壶也具有广东唐宋时代的特点，但 M6 出土的青花瓷碗、M1 出土的四耳小釉陶罐、M2 出土的鉴金耳坠等，都是明代墓中常见之物，因此，上述三墓的时代应当定在明代。

惠州市

384.广东惠阳白马山古瓷窑调查记

作　　者：曾广亿

出　　处：《考古》1962 年第 8 期

1955 年 6 月，考古人员在惠阳白马山山边路旁发现有很多古代的青釉划花瓷片。进行了勘察之后，在白马山西面三个支脉附近均发现有同一类型的古瓷窑遗址。1960 年 7 月，考古人员前往上述地点进行复查和采集标本。简报配以手绘图等予以介绍。

据介绍，白马山位于惠阳县城之东，相距约 85 公里，东面越过白马山即为海丰县境。白马山为惠阳最高大的山脉，窑址位于该山西面三处低矮的支脉上，各距约 150 米，成三足鼎立之状。釉色大致可分为四种：第一种是近乎龙泉窑系统的青釉，釉里有裂纹，釉色润澈，光泽很好；第二种是灰釉，釉很粗，釉里有小裂纹，也有个别无裂纹的，外表光泽不强或无光；第三种是黄釉，釉色极佳，裂纹和不裂文的均有，釉色光泽仅次于青釉；第四种是白釉，釉色暗淡无光，近似白色陶衣。产品为碗最多，碗内中心多有"福""寿""字""仰""青"字或万字符等，产品应主要是向外地销售的。此窑的年代，简报推断为明代或更早。

385.广东惠阳新庵三村古瓷窑发掘简报

作　者：广东省文物管理委员会、华南师范学院历史系　曾广亿
出　处：《考古》1964 年第 4 期

1960 年 7 月，考古人员在惠阳新庵三村林爷山、虾公塘、烂麻坑、埔顶、傅屋山、三官肚、完子山等处进行了 25 天的调查与发掘，均发现陶瓷窑址和遗物。选择了其中的虾公塘、烂麻坑、埔顶三个地点进行发掘，出土遗物 4500 余件。同年 9 月在三官肚发掘古窑一座，出土遗物 300 多件。这两次发掘的窑址均属同一时期。简报分为：一、地理环境，二、地层情况及窑室结构，三、遗物，四、结语，共四个部分，有手绘图、照片。

据介绍，新庵三村位于惠阳县城东约 80 公里，发掘的四个地点，在 2 公里之内。从遗迹看系用草木为燃料，简报推断年代为明代或稍早，但其上限不会到宋。

梅州市

386.清初吴六奇墓及其殉葬遗物

作　者：杨　豪
出　处：《文物》1982 年第 2 期

1962 年，广东大埔县在湖寮圩兴建戏院时，发掘了坐落在该镇右前方的清初将领吴六奇墓，获得了殉葬陶明器及其他遗物 100 多件。这些陶明器和遗物，形式多样，内容丰富，在一定程度上反映了墓主人生前的生活情况。简报分为：一、墓葬与遗物出土情形，二、墓主人简历与其殉葬遗物关系，共两个部分，有照片和拓片。

据介绍，墓葬地表用三合土垒起，坟前立墓碑，墓的前后端立有石牌坊，牌坊内容简报录有全文。后端牌坊已损，文字不详，墓圹的前端置墓志铭 1 方，简报未

录全文。出土的俑、炊事类明器等均制作精致。据墓中所出墓志铭和《清史列传》《觚賸》《潮州志》等文献记载：墓主人吴六奇，广东丰顺人。嗜赌喜饮，幼时曾因此败尽祖业，沦为乞丐，明末流落饶平、浙江一带。后附桂王朱由榔为总兵。顺治七年（1650年），尚可喜攻韶州，他率部迎降。由于他积极配合清政府镇压反清复明的势力，得到康熙皇帝的破格赏赐。"三晋官衔，一品荣封"，死后，"御赐一品典式营造"其墓，颁给"御制碑文"并"遣官祭葬"。墓主人是清初的高级武官，墓中发现的官衙场面陶明器的设置和起居用具类的明陶器，正是封建时代官府衙门的场面和墓主人生前生活的再现。

汕尾市

387.广东碣石明墓清理简介

作　者：杨　豪

出　处：《考古》1962年第7期

1951年4月，广东陆丰碣石人民公社曾在大板沟猪母石山北坡发现明代成化年间"木乃伊"墓1座。同年5月，考古人员前往清理，专家解剖了尸体。简报配以照片等予以介绍。

据介绍，墓位于猪母石山的北坡，墓为长方形，椁内有棺。表面涂桐油灰一层，外缠漆布一周，中用红硃色颜料加抹，并在四面塑出对称假铺首（左右两侧各5个，前后各一）。棺内尸体下搁一草席，席下有一七孔垫板，板下有厚达0.58米的草木灰。尸体头部有一三角形木枕，断面呈凹状。尸体保存完好，衣着丝绸，作仰身伸直葬。据解剖中所见：尸具周身都已干化，仅剩一层皮包骨，体重10余斤。口内含有铅质钱币3枚，币上有"积福如山""广种福田""为善最乐"等吉祥语。随葬品有木拐杖、木梳、木带钩各1件，木圆珠30粒，铜钱60枚，铅钱3枚。其中铜钱皆放在席下，均为宋钱。墓中出土有砖墓志，字多剥蚀，但尚可辨认下葬时间为成化十九年（1483年）。

河源市

阳江市

清远市

388.广东英德发现清代合金钢

作　者：广东省博物馆
出　处：《文物》1959 年第 1 期

1958 年 8 月，广东英德县八一农矿场组织人力，将埋藏在县城西北约 12.5 公里的宝石岗中一块重达 3 ～ 4 吨的钢挖掘出来。经该场把原钢锯取样品两小块送文化部文物局和广东省地质局分析，据地质局进行光谱分析，是一块包含有 12 种金属成分的合金不锈钢，可以直接供工业上使用。这一块合金不锈钢是一件重要的历史文物，是前代劳动人民掌握高度冶炼技术的最好见证。简报配以照片予以介绍。

据介绍，这块被当地人称为"宝石"的合金不锈钢，原埋于地下，顶尖露出地面约 6 寸。据当地人讲，"宝石"原有两块，另一块未见，估计是埋到更深处了。该块合金钢经检测共含有 12 种金属，简报推断其冶炼年代至迟为清代道光、同治年间。

今有黄启臣先生《十四～十七世纪中国钢铁生产史》（中州古籍出版社 1989 年版）一书，可参阅。

东莞市

389.广东东莞明罗亨信家族墓清理简报

作　者：广东省博物馆、东莞市博物馆
出　处：《文物》1991 年第 11 期

罗亨信家族墓位于东莞市篁村区的低矮山墩上，广深公路在其东面通过。1988 年 4 月，考古人员对墓地进行了清理。简报分为：一、墓葬形制，二、随葬器物，三、结语，共三个部分并配以拓片、照片。

据介绍，罗亨信家族墓共有 3 座墓葬。据墓前碑铭可知，自南向北依次为罗亨信夫妇合葬墓、罗亨信祖父母合葬墓和罗亨信父母合葬墓，编号分别为 M1、M3、M2。三座墓并排而列，坐西向东，前有一条长 34 米、宽 14 米的墓道，墓道两侧有石羊、石马、石麒麟。墓道前方有石刻的龟趺神道碑。石刻均遭破坏。

据圹志铭及神道碑记载，知罗亨信生于明洪武九年（1376 年），永乐二年（1404 年）进士，授工科给事中；宣德十年（1435 年）升右佥都御史；正统十四年（1449 年）进通议大夫右副都御史，后再进左副都御史；景泰元年（1450 年）辞官还乡。卒于天顺元年（1457 年）十月，终年 81 岁。著有《觉非集》。

M2 墓主是罗亨信的父母。其父罗昌生于元至正十四年（1354 年），卒于明正统二年（1437 年）。罗昌之妻黄氏的棺内不见骸骨，只将数十枚铜钱摆作一列。黄氏生卒年月不明。可能较早时已去世，至罗昌入葬时尸骨已不存，仅以铜钱代替骸骨作象征性合葬。

M3 墓主为罗亨信的祖父母，但不见棺椁和尸骨。据墓前碑刻可知此墓与罗昌墓同时修建，也应为象征性的合葬墓。

简报指出，从随葬品看，3 座墓中只有罗亨信夫妇墓的随葬品略为丰富。除各墓均有的陶、瓷器外，还有小件的金、银等器。3 座墓出土陶、瓷器的形制、风格都较接近，同属明代中期的器物。青花瓷罐均带盖，青花釉色较淡，外壁绘花草云纹。罗亨信墓中出土的油烟墨产自安徽凤阳，制作精工，至为难得。"为善最乐"铜镜，在广东是第一次出土。"都御史章"对证实墓主人的身份极为重要。

中山市

潮州市

揭阳市

390.广东揭阳明墓发现《蔡伯喈》戏曲抄本

作　者：林　曦

出　处：《文物》1961 年第 1 期

1958 年，广东揭阳县在红旗人民公社西寨村附近的古墓中，发现《蔡伯喈》戏曲抄本 2 册。1960 年春，由揭阳榕江剧团交县博物馆保存，广东潮剧院曾对它进行了一些考查，现已归省文化局，由专人负责装裱，并准备组织力量进行研究。这一古剧本的发现，对探索广东潮剧历史源流将有很大的帮助。简报配以照片予以介绍。

据介绍，出土古剧抄本的墓位于西寨村东南榕江河边，据老年人说，过去这里荆棘丛生，人们都称为明代坟场。古墓只剩下四方的棺木框，墓前原有一碑，1952 年已移至他处，现古碑仍保存完好，个别字迹已模糊不清。据说该墓高、宽各五尺左右，长八九尺，上宽下窄成梯形，填土坚硬。墓内有 1 樟 1 棺，人骨已朽，只余头发。身穿赤布衣服，上下各七层，衣无领无扣，左边用布带扎紧。剧本放在头部，其旁置一瓷罐，罐内满装土黄色糊状物。剧本是用棉纸一类的纸抄写的，用纸捻装订。2 册《蔡伯喈》一是总纲；一是己本。经广东潮剧院初步查考，与高则诚（元末明初）《琵琶记》（60 种曲本）曲文相同之处甚多，多用中原音韵，宾白略有不同。剧本中每段唱词都注有曲牌名，其中 2 页就注有 10 余个，如"月眉钗""风立松"等。榕江潮剧团导演说，他们只懂得 3 个。应为艺人所用剧本，文字上有一些方言。文中可看出潮剧受到南戏的影响。

云浮市

391.广东罗定古冶铁炉遗址调查简报

作　者： 广东省博物馆　曹腾骓、李才垚
出　处：《文物》1985 年第 12 期

明洪武六年（1373 年）置 13 处铁冶所，此时广东之铁始以质佳著称。清人屈大均在所著《广东新语·货语·铁》中有"铁莫良于广铁"之说，又有"诸冶惟罗定大塘基炉铁最良"的记载。罗定大塘基无疑是明清时期冶铁基地之一。简报分为：一、罗定"大塘基炉铁"问题的探索，二、罗定炉下村铁炉遗址，三、炉下村铁炉结构及出土器物，四、炉下村铁炉的冶炼规模及年代，五、铁炉村铁炉遗址调查，共五个部分，有照片、手绘图。

据介绍，罗定古冶铁炉遗址位于罗定县分界公社金田大队炉下村。1982 年，又发现有铁炉（村）、旧炉督、鸡公炉、箭揸炉、凿石炉与水源炉 6 座铁炉（后两座在信宜县境）。据船步公社聂洞大队铁炉村退休小学教师叶其华讲述，上述 6 座铁炉同属一个炉主。炉主麦文元，广东东莞人（一说广州人）。铁炉村的铁炉是其他 5 个铁炉的总炉。铁炉创建时间应在清代中期，不会晚于道光年间。

392.广东德庆出土明代银锭

作　者：陈小鸿

出　处：《考古》1993 年第 5 期

1988 年 1 月 6 日，广东省云浮县六都镇港务局职工和民工在德庆县九市镇西江边修路取土时，挖出 6 件银锭。公安部门收回了这些银锭，已移交文化部门保存。简报配以照片、拓片予以介绍。

据介绍，出土的 6 件银锭均呈马蹄形，总重量为 11040 克。除 1 件外，其余皆有铭文，铭文刻于马蹄椭圆凹面上，铭文内容包括地名、重量和纪年等。有 1 块刻有明确纪年，即"崇祯拾陆年"（1643 年），这说明这批银锭属明末的遗物。此外，在有铭文的 5 件银锭中，分别刻有不同的地名，如博白、雷州、郁林、灵山、南雄。据载，这些地方在明末清初时直隶广东、广西两省。德庆九市银锭的出土，为研究岭南地区明清时期的货币提供了重要的实物资料。

明清时代，广东等沿海荒地也有一个开发问题。可参阅刘淼先生《明清沿海荡地开发研究》（汕头大学出版社 1996 年版）一书。

广西壮族自治区

南宁市

柳州市

393.广西三江发现的怀远古城图碑

作　者：杨宗运、覃　骏

出　处：《考古》1965 年第 8 期

广西僮族自治区三江侗族自治区辖境，原为古怀远县地，位于广西西北角。境内有榕江、浔江、孟江三条水汇合，因名之曰"三江"。简报配以手绘图予以介绍。

简报介绍，怀远城址在柳江上游地段（即三江一段）江心之丹洲上，四面环水。古城筑于洲心，城为长方形，城墙为青砖砌叠，垛堞犹存。城中建筑物遗存尚多，多已坍塌。城墙以及各建筑物都是宋代以后兴建，后代屡有修葺和增补。东城门拱洞内左边墙上，镶嵌有石碑 1 块。碑面镜刻县图 2 张，1 张是"怀元县总图"，刻于上方。1 张是"怀元县城图"，刻于下方。两图中间用一白线分开。城图尺寸与总图同。总图上方有田珩之碑志，简报录有全文。由于年代久远，风雨剥蚀，碑图有些地方不大清楚了。碑上未刻立碑年代，但据县志和碑志记载，简报推断碑为明代所刻。

桂林市

394.桂林出土明代青花瓷器

作　者：李鸿庆

出　处：《文物》1962 年第 12 期

桂林东郊尧山是明代靖江王后裔诸墓群的所在地。在靖江王墓群的附近，也曾发现有靖江王后代诸王妃的墓葬。1961年在尧山附近发现了1座靖江恭惠王邦宁次妃刘氏墓。简报配以照片予以介绍。

简报介绍，出土墓圹石志已损坏，只能隐约看到圹志盖刻有"靖江恭惠王次妃刘氏圹志"字样。出土随葬品只见有两件青花盖尊，可惜一件项部已经损毁，确属罕见之物。据查靖江恭惠王邦宁系嘉靖四年（1525年）袭封桂林，隆庆六年（1572年）卒。这两件青花盖尊也正是嘉靖时景德镇制品，为当时定烧的瓷器。

在桂林近郊还有些明墓出土的明代青花瓷器，现藏桂林文物管理委员会。这些都是明代中叶正德至万历年间景德镇烧造瓷器的优秀作品。不仅造型特殊，画法精湛，并且颇富地方风格，为研究中国瓷器工艺美术史极为罕见的资料。

395.广西兴安县出土明代银杯

作　者：兴安县文管所　陈兴华
出　处：《文物》1986年第12期

1974年，兴安县华江公社农民在猫儿山上约1800米高处修筑公路时，在一块大岩石的石缝中发现4件明代银杯。银杯现存兴安县文管所。简报配以照片予以介绍。

据介绍，这4件银杯为"寿"字银杯、"福"字银杯、桂花纹饰银杯、正德八年银杯，此4件银杯中2件有正德元年（1506年）、正德八年（1513年）年款。简报推断另外2件很有可能亦造于明正德年间（1506～1521年）。

简报称，华江公社数百年来为瑶族居住地区。明崇祯三年(1630年)曾发生金坑(金华江、金石公社一带)瑶民起义，遭到官兵镇压。这几件银杯的入藏，或有可能与这次起义有关。

梧州市

396.太平军永安州中营岭圣库遗址考察记

作　者：何　秉
出　处：《文物》1978年第9期

从"山水甲天下"的广西壮族自治区桂林市，沿桂梧公路，经过风景如画的阳朔、荔浦，南行143公里，便到了蒙山县。蒙山县古称永安州，是太平军金田起义，于同年（1851年）9月25日攻克的第一座州城。太平军在这里驻留6个多月，坚持武装斗争，进行政权建设，整顿队伍，确立各种制度。在永安，有关太平天国革命的史迹仍旧不少。水窦村中营岭圣库遗址就是其中之一。它是蒙山县在1974年调查太平天国革命历史和文物时发现的。简报配以手绘图，介绍了考察的情况。

据介绍，中营岭位于水窦村北，岭高50余米，周圆1500余米。岭顶平坦，形似平台。南北长200余米，东西宽100余米。太平军进驻时，曾根据地形，在岭顶和山腰建造围墙两道，各开四门，内建房屋，外层驻军，里层储藏谷米及各种战具。1852年，太平军突围北上后，水窦、中营等地的营盘全被清军烧毁。中华人民共和国成立初期，农民在中营岭开荒造地，发现岭顶五亩多宽面积的地下，除了有大量的残砖碎瓦外，还挖出不少成团成块的烧焦谷米。直至今天，零散的焦谷炭米，仍然很易找到。估计为当时的粮仓，还发现有火药、铅码等，此处应为太平军储藏物资的"圣库"遗址。

北海市

397.广西合浦上窑窑址发掘简报

作　者：广西文物队　郑超雄
出　处：《考古》1986年第12期

合浦县原属广东省管辖，1965年以后划归广西壮族自治区。1957年7月，考古人员在合浦县福成公社发现了上窑、下窑两处窑址，上窑仅有一个窑堡，下窑规模较大，共有5个窑堡。据当时在2处窑址内采集到的"青、黄、灰、绿等色釉的瓷片"为依据，曾经陈万里先生鉴定，认为2处窑址的年代当属北宋，并将下窑列为广东省文物保护单位，将上窑列为合浦县文物保护单位。1961年，广东省博物馆到合浦县复查，认为2处窑址的年代当属唐代。广西壮族自治区接管合浦县后，仍循广东旧制：将下窑列为自治区文物保护单位，上窑列为合浦县文物保护单位，时代定为宋。1980年11月，为弄清2处窑址确切年代，对上窑进行了发掘。简报分为：一、窑址概况，二、出土遗物，三、上窑兴烧的原因，四、关于烟草传入我国的时间问题，共四个部分，有手绘图。

据介绍，上窑窑址位于合浦县福成公社驻地以西约500米。在公社与窑址之间有福成河自北向南流经。上窑窑堡高15米，约占地100平方米，周围没有发现其他窑堡，因处在平坦地带显得十分孤零。窑址被破坏比较严重，火膛及烟道全部被毁，发掘清理时仅剩下窑床中部11米长的部分。从残存的窑床看，窑的结构属斜坡式龙窑。但其建筑方法与广西别处发现的斜坡式龙窑不同。别处的龙窑都是依山筑成，这里的窑床是在开始时利用地表耕土及河沙垒筑成斜坡，窑床就建筑在这个斜坡之上。以后每烧造一次，就把清理出来的废品就地倒放，并在就地倒放的废品堆上多次修造窑床，不断增高窑床床位的高度与倾斜度。日久天长，最后形成今天所见的15米高的窑堡。简报认为上窑不是唐、宋时期遗址，而是明代嘉靖年间窑址。窑址内出土的3件瓷烟斗，无疑是迄今为止发现的我国人民吸烟的最早的实物证据。关于烟草传入我国的时间问题，历来虽有各种不同说法，但多数人认为在明万历年间烟草传入了我国闽广一带。简报认为，烟草在明万历年间由菲律宾传入我国福建、广东一带之前，很可能葡萄牙人已将烟草带进两广一带。

崇左市

来宾市

贺州市

398.钟山县发现一块明代石碑

作　　者：莫测境
出　　处：《考古》1988年第5期

1951年冬，广西钟山县公安乡塘贝村百姓集资重建丹霞观（1958年被毁），在原址清基时，发现一块明代洪武二十五年（1392年）石碑。考古人员前往调查，赶到丹霞观时，石碑已被民工抬回塘贝村委办公室。简报配以照片予以介绍。

据介绍，丹霞观出土的这块石碑刻于明代洪武二十五年（1392年），长86厘米，宽68厘米，楷书，23行，600字。碑文内容是：钟益系山东省济南府历城县朱家巷十四都人，壬午年在总管安国宁麾下归附充军，曾先后任过豹尾军小队目、副右营五哨哨长，副左营三哨哨长等职。钟益由于精长刀马，功劳卓著，至洪武十六年（1383年）四月，又以兰旗兼授前营二哨哨长，统管百户。洪武二十三年（1390年）七月，"地处崇山叠巇"的"富川县十六都花山洞（现为钟山县）等处苗贼欧奎、秦鹿矍、瑶首夔雅乐等率党判乱，四处抄掳"，由于原设守御所兵额不敷调动，朝廷即敕调钟益为"征瑶正千户率统旗一百户……抵花山，十一月攻拔贼岩五处，二十四年复会湖北黄梅卫千户张尔光齐队剿捕，至二十五年六月，全寇荡平，总计益所率军队前后斩首七千四百四十四级，贼渠奎（欧奎）、鹿（秦鹿）、雅乐（爨雅乐）等均先后以次擒斩"。由于平乱有功，钟益被朝廷封为"富川额外守御所正千户，子孙世袭永镇十六都花山瑶僮苗夷等处，境内屯田山岭即给该军耕种"。

简报称，这块碑刻所提到的少数民族率党"叛乱"一事，《明史》未见提到，地方志也没有记载，因此，该碑的出土对研究广西少数民族的历史有重要意义。

玉林市

399.广西玉林出土南明"平东将军之印"

作　者：广西玉林县文化局　罗　云
出　处：《文物》1981 年第 7 期

1979 年 5 月，玉林县蒲塘公社新忠大队金鸡坪（旧名金鸡营），出土了 1 颗南明铜印，印文为篆书"平东将军之印"6 字。简报配以拓片予以介绍。

简报介绍，铜印长 10.4 厘米、宽 1.5 厘米。印背铸一虎形立状印柄。印背分别刻有"平东将军印""永历六年礼部造"及"永字四千三百第九号"等楷书字样。

"永历"为南明政权桂王朱由榔的年号，永历六年即 1652 年，清顺治九年。简报认为此印的出土，为晚明历史的研究提供了一件实物。

百色市

河池市

钦州市

防城港市

贵港市

400.太平军在广西金田村铸造武器的遗址

作　者：广西桂平县文化馆

出　处：《文物》1975 年第 7 期

太平天国金田起义前夕，在桂平的白沙、紫荆山区、金田和平南的花洲等地，都曾开炉打铁，铸造武器，金田村铸造武器遗址就是其中的一处。简报配以照片予以介绍。

据介绍，1973 年 10 月中旬，考古工作组对该遗址进行了调查发掘，在 0.30 米多深的地下，发现大量的有明显烧灼痕迹的瓦砾、碎砖和一些柏木等物，据调查，这就是清兵焚烧金田村的痕迹。地表下面，发现完整的房基、天井、排水沟和排水口，这些全部是用河卵石砌成的。同时发现了不少木炭、铁渣、炉底结渣块，青花瓷的碗、碟、杯碎片和铁矛残件等物。从铁渣和炉底结渣块看，当年太平军不但烘炉打制刀矛，而且还可能开炉炼铁铸造枪炮。

401.清军焚烧金田村后幸存的一堵墙

作　者：桂平太平天国金田起义历史陈列馆、桂平县文化馆

出　处：《文物》1977 年第 1 期

广西桂平县金田村，残存有宽、高各 1 丈多的一堵墙。简报配以照片予以介绍。

据介绍，此墙有明显的烧火痕迹，有的部分被烧成黑色，有的地方显褐红色。简报称，清咸丰元年（1851 年）清军进入金田村，将有 200 多间房屋、300 多人口的金田村烧成一片废墟，只幸存了这么一堵墙。

402.广西牛排岭之战战场及其出土铅弹

作　者：黄培奇

出　处：《文物》1979 年第 8 期

1975 年，考古人员在广西桂平调查太平军与清军牛排岭之战时，发现不少铁砂、铅弹。当地百姓说在马鹦洲、蛇拦花处曾出土大量的铁砂、铅弹，有人还立即回家

拿出土的铁砂、铅弹给考古人员看。金田起义历史陈列馆陈列的 20 多颗铁砂、铅弹，都是百姓捐献的。

发生在咸丰元年（1851 年）二月十八日的牛排岭之战和屈甲洲之战，是太平军在江口地区的关键性一战。清军由于军事围剿失败，不得不转攻为守，陷于被动，太平军则获得了战争的主动权。考古人员到牛排岭实地调查，在甲洲桥往佛子 500 多米的路上，发现了一座营盘遗址，人们管它叫"大营"，100 多年前就这样称呼了。在与甲洲桥相距 500 米左右的清水江下游，当地人称为死佬湾，相传为清军积尸的地方。

403.广西金田、白沙发现太平天国铸造武器的遗址遗物

作　　者：广西桂平县展览馆　黄培琪
出　　处：《文物》1979 年第 9 期

考古人员对太平天国金田起义的历史文物进行了调查整理，先后在金田、白沙等地发现了一些太平天国铸造武器的遗址和遗物。简报配图予以介绍。

据介绍，在金田村原韦昌辉的住宅遗址内 2 尺多深处，发现了用鹅卵石砌成的完整的房屋基脚、天井、水道口。同时发现不少木炭、铁渣、炉底结渣块和 1 支矛头，还有青花瓷碗、碟、杯的碎片。铁渣和炉底结渣块，布满斑锈。矛头长 25 厘米，斑锈严重，明显缺损。这些遗物说明，当年太平天国起义时曾在这里铸造武器。位于紫荆山下的军营村，现在还保留着当年太平军与清军作战时所筑的营盘。近年在营盘遗址内 1 尺多深处发现四颗直径约 1 ~ 2 厘米的铁砂，这应是太平军坚守紫荆山时使用的弹药。

1975 年 1 月，在广西桂平白沙圩北约 100 米的白沙大队中小学基建地区，发现了烧焦了的泥土、木炭。这个地点人们称为白水塘岭。考古人员在五寸厚的表土下，发现 10 平方米的地方布有碎木炭，中间有高 25 厘米、面积为 1 平方米的一堆焦土。据当地人介绍，在 1958 年大炼钢铁时，没有在这里炼过铁，这个只生荆棘的地方也从未有人烧过炭。简报据史料记载认为，在白沙开炉铸造武器的是贵县龙山拜上帝会会员，时间达月余之久。

404.广西桂平发现明"浔州卫中千户所百户印"

作　　者：平南县文化局、桂平县文化局
出　　处：《文物》1984 年第 12 期

1976 年 3 月，广西桂平县蒙圩公社新德大队农民在铜锣塘山上发现 1 颗铜印。

此处距大藤峡约4公里，相传是明朝著名的瑶民起义领袖侯大苟的根据地之一。印重0.82公斤，7厘米见方，厚1.2厘米，面刻九由文"浔州卫中千户所百户印"。印背有柄状纽，纽高7厘米，纽右边刻正楷"浔州卫中千户所百户印"，左边刻正楷"礼部造"及"洪武二十九年四月□日"两行。简报配以拓片予以介绍。

简报称"浔州卫中千户所百户印"是明朝的军印。明朝的军队编制是：省设都司，都司下设卫，卫下设千户，千户下设百户。浔州是当时广西的一个府，府治设在今桂平县城，辖桂平、平南、贵县、武宣四县，号称浔州四邑。浔州，在明洪武三年（1370年）至天启七年（1627年）间，是广西著名的大藤峡瑶民起义的中心区域。浔州卫中千户所，很可能就是这时候设置的。

又据《宪宗成化实录》记载，成化二年（1466年）十二月，"断藤峡（大藤峡）侯郑昂率七百余人，架梯夜入浔州府城，焚军营房屋一百六十二间，城楼一座，夺百户印三颗，杀男妇六十一人，虏男女三十三人"。现在发现的这颗百户印，或即当时侯郑昂夺到的3颗百户印中的1颗。

关于明代卫所、军户的研究，今有梁志胜先生《明代卫所武官世袭制度研究》（中国社会科学出版社2012年版）、张金奎先生《明代卫所军户研究》（线装书局2005年版）、李新峰先生《明代卫所政区研究》（北京大学出版社2016年版）等，均可参阅。

海南省

海口市

405.海瑞祖居祖墓调查报告

作　者：海南大学社会科学研究中心、海南省博物馆、海口市海瑞墓管理处
　　　　阎根齐、王辉山、陈　涛

出　处：《中原文物》2011 年第 6 期

简报分为：一、海瑞祖墓的地理位置与人文环境，二、海瑞祖墓的分布和墓主身份，三、海氏祖居遗迹，四、海瑞祖墓的特征，共四个部分并配以照片、手绘图，介绍了明代清官海瑞祖居、祖墓等一批重要发现。简报称，海瑞的迁琼始祖海答儿因来海南屯固守边，居住在今海南省屯昌县新兴镇石峡村，死后也葬于此处。而后，这里成为迁琼海氏家族墓地，海瑞的母亲（谢氏）也葬此。这为研究海瑞的族源、籍贯、族别等提供了丰富的实物资料。

据介绍，海瑞迁琼始祖海答儿是在明洪武十六年（1383 年）因从军到的海南，以后长住海南屯昌县新兴镇石峡村，海氏家族祖坟也位于此。海氏祖居已毁于清末。简报指出，海瑞祖墓充分反映了明代的文化特征。就目前所知，明代海南成片保存至今的家族墓地非常罕见，海瑞祖墓就向世人充分反映了明代的文化面貌和特点。如海答儿墓（明初）前只有 1 只石鼎（俗称香炉），而且形制粗糙矮小。到海瀚妻谢氏的墓（明中期）前已摆放有香案、石碑，香案上都刻有精致的仙人纹；再到明朝末年六世海鹏妻吴氏的墓，墓香案前便有了一套完整的石"五供"设施（即中间摆 1 石鼎，左右两边各 1 石瓶，供烧香使用，但海南大都缺少两件烛台）。海瑞的母亲谢氏墓更是形制高大，墓冢外围用石条垒砌，墓前的石碑凿制规整，文字大而苍劲有力，并刻上"大明诰封"字样，显然，谢氏墓碑是在受封之后而立的。特别是海瑞祖墓的一对石望柱，这是明朝时期只有七品以上或受皇帝诰封的人才能享有的设施，海瑞祖墓的变迁，正是明代封建社会的礼仪和等级制度的反映。

今有张德信先生《〈明史·海瑞传〉校注》（陕西人民出版社 1981 年版）一书，可参阅。

三亚市

三沙市

重庆市

406.四川铜梁县明代石椁墓

作　者：重庆市博物馆　胡人朝

出　处：《文物》1983 年第 2 期

1973 年 2 月，四川铜梁县农场在县城关修建工程中发现石椁墓两座（编号为 M1、M2）。M1 为明嘉靖庚申三十九年（1560 年）云南阿迷州刺史李三溪墓。M2 为明嘉靖二十九年（1550 年）李丁氏墓。1950 年 6～7 月，铜梁县丝厂在扩建工程中，先后发现明代石椁墓 4 座（编号为 M3～M6）。以上 6 墓的墓葬制度和出土文物基本上属于同一类型。

简报分为"墓室结构及随葬情况""随葬器物""小结"，共三个部分，有照片、拓片、手绘图。

此次发掘的主要收获是：

其一，墓志 4 方。M1 所出为"明奉训大夫云南阿迷州知州三溪李公墓志铭"，记墓主"讳弟字道生，别号三溪"。生于弘治丙辰（1496 年），卒于嘉靖庚申（1560 年），享年 65 岁。M2 所出为"明孺人李母丁氏墓志铭"，记墓主先祖出自楚南麻城，邑值普胜之乱，而徙于蜀。其为李三溪的续弦，卒于嘉靖戊申（1548 年）。志文是四川杨慎所撰。M5 所出为"明故陈母王氏墓志铭"，记墓主为隐士王月桂仲女，嫁与邑库生平洲陈君。卒于嘉靖甲寅（1554 年），"得寿六十有四"。M6 所出为"大明故逸民陈公平洲先生墓志铭"，记墓主生于弘治庚戌（1490 年），卒于万历癸酉（1573 年），"得春秋八十有四"。4 方墓志简报均未录志文全文。

其二，M1 出土铭旌 1 幅。长 2.86 米，宽 0.35 米。绫底，白粉楷书"奉直大夫云南阿迷刺史三溪李公柩"，这是过去少见的文物。查《明史》，知有此铭旌，李三溪的官阶应在四品或四品以上。

其三，六墓共出石俑 100 多件，多为仪仗、侍从俑。其衣着穿戴，除 7 件文吏、武士俑外，全为民间一般服装形式。以帽为例，就有圆形平顶帽、圆形尖顶帽、圆盆尖顶帽和圆盆帽等。这是研究明代民间服式的形象资料。侍从俑中，有肩舆俑、牵马俑、肩杌俑。这表明墓主外出以坐轿、骑马为主。M1 中出土八人抬轿，前后簇拥一批侍从，有骑马前导及持旗、鸣锣者，轿旁还有随仆，后有骑马捧物者，形象地显示了明代刺史一类官员出巡的场面。

407.潼南马龙山摩崖造像

作　者：丁　龙
出　处：《四川文物》1985 年第 3 期

四川摩崖造像众多，琳琅满目，名不虚传。新近在潼南县马龙山又发现 1 尊摩岩卧佛造像，据初步鉴定，它是我国现有的大佛中，年代最晚、身躯最长的一尊卧佛，保存完好，堪称一绝，是研究四川石刻艺术及其发展的重要材料。简报配以照片予以介绍。

据介绍，马龙山摩崖造像在潼南城南百里许，位于复兴乡与新生乡的交界处。从县城驱车出发，至复兴场，再弃车往南步行 8 里许，即到马龙山。马龙山摩岩造像稀疏地分布在周围的四个山上，卧佛坐落在太阳坡的北侧山顶上，数里之外，就可见硕大的像身横卧山崖，卧佛为释迦牟尼涅槃摩岩造像，全长 36 米，宽 7.5 米，头东脚西，背南面北，右侧而卧；上侧的左手伸至膝，手臂阳复，掌长 3.8 米；佛像头饰螺髻，双目微闭，神态安详。附近木鱼坡北崖还有一处摩崖，共 201 龛，刻有 500 罗汉。据初步统计，马龙山摩崖造像共有 226 龛、雕像 700 余尊。其中道教石像 3 尊，余者皆为佛教造像。据当地年逾古稀的老人介绍，原马龙山只有一座吉星寺，寺里存有道教石像 3 尊，为唐代的刻像。民国 17 年（1928 年）二月初，有金龟寺（今潼南康乐乡）的谷玉成，来马龙山向百姓募化钱财，集资修造马龙山摩岩造像，经过 10 余年修建，先后建起了紫微殿、东岳殿、南岳殿、罗汉寺、观音阁、卧佛阁等 10 处庙宇，共计面积 900 平方米，可惜这些宏伟建筑，已在十年浩劫中被破坏。马龙山卧佛于民国 18 年（1929 年）开凿，至民国 19 年（1930 年）竣工，历时 2 年完成。

408.四川铜梁明张文锦夫妇合葬墓清理简报

作　者：铜梁县文管所　叶作富等
出　处：《文物》1986 年第 9 期

1982 年 2 月 7 日，四川省铜梁县巴川镇在修建巴川中学校舍时，发现 2 座明代石椁墓，考古人员前往进行了清理。两墓编号为 M1、M2。M1 为明张文锦墓，葬于嘉靖三十七年（1558 年）；M2 为其妻沈氏墓，葬于万历五年（1577 年）。两墓早年被盗，但尚存大量石刻仪仗俑和部分文物，并有 2 方当时著名学者杨慎（升庵）、王世贞手书的墓志。简报分为：一、墓葬形制及随葬情况，二、随葬品，三、小结，共三个部分，有手绘图等。

据介绍，张文锦夫妇墓为异穴合葬墓，2 墓并列相连，形制相同，均用条石砌筑，分为前后两室。M1 葬具、墓主人服饰已朽，骨架尚完好，为仰身直肢葬，但曾被盗墓者扰动。前后室间石门上、后室均有题记等。M2 葬具、尸体已朽，无题记、铭文。两墓出土石俑 89 件，石制明器家具 12 件，墓志两合，银、铜器 9 件，共出土文物112 件。

出土墓志两盒，墓志一为墓主张文锦的墓志，为明代学者杨慎撰写，计 875 字。简报未录志文全文。据志文，张文锦生于正德丙寅（1506 年），卒于嘉靖丙辰（1556年），享年 51 岁。另一墓志为其夫人沈氏墓志，计 1810 字。墓志为当时名臣吏部尚书陈以勤撰文，兵部右侍郎曾省吾篆盖，南京大理寺卿王世贞书丹。简报未录全文。据墓志记载，M2 墓主张文锦夫人沈氏，生于弘治戊午（1498 年），卒年 79 岁，于万历五年（1577 年）十二月二十日与张文锦合葬于飞凤山麓。

简报指出，明代石室墓，20 世纪 80 年代中叶在铜梁县已出土 20 余座，出土石刻仪仗俑近 600 件。但这两座墓较过去发表的几座墓规模更大，仗仪石俑更多，材料更为完整。看来，用石俑随葬，是明代中期铜梁一带官僚、地主流行的葬俗。

此处提到吏部，吏部是主管官员铨选、升迁之事的。今有潘星辉先生《明代文官铨选制度研究》（北京大学出版社 2005 年版）一书，可参阅。

409.四川重庆明玉珍墓

作　者：重庆市博物馆　董其祥、徐文彬、刘豫川、王川平
出　处：《考古》1986 年第 9 期

明玉珍，元末农民起义军的著名领导人之一。1363 年，他以重庆为都，建立了"大夏"政权，统治四川及其邻近地区。1366 年，明玉珍逝世，其子明升继位。1371 年，"大夏"为朱元璋所灭。自 1361 年明玉珍在重庆称王，明氏父子割据四川 11 年，在元末农民战争史和四川地方史上具有重要影响。明玉珍去世后，据《明史·明玉珍传》："葬于江水之北"，但未载明墓葬的确切地点和规模。有关史学和文物工作者曾对此进行过查考，但未有结果。1982 年 3 月 30 日，重庆织布厂扩建施工中发现 1 座古墓。次日上午，此墓椁盖被当场凿毁，内棺被撬散取出，随葬的金盏、银锭、丝织品等亦被取出。4 月 1 日，在继续施工中又发现 1 块石碑的碑额及部分碑文。当时认为是一般清代墓葬，对出土的丝织品和葬具作出不予收存的错误处理，致使随葬的丝

织品一度遭到流散和损坏。4月6日晚，石碑全部出土，完整无缺的碑文说明此墓为明玉珍之墓，号"叙陵"，从而引起各有关方面的高度重视，一面抢救流散的出土物品，一面对此墓余存部分进行发掘。至4月18日，田野工作结束。简报分为：一、墓葬位置，二、墓葬形制结构，三、出土遗物，四、结语，共四个部分，有照片、手绘图。

据介绍，明玉珍墓位于重庆市江北区上横街洗布塘，重庆织布厂内，原江北县城内北部，宝盖山南麓。此墓背倚宝盖山，东临长江，南濒嘉陵，面两江之汇，视野开阔，头枕山峦，脚踏两江。为长方形竖穴石坑墓。据现场撬取棺椁的人员回忆，确实未见有骸骨、牙齿、毛发等。有人怀疑此处只是"衣冠墓"。简报认为明玉珍死后7个月才下葬，可能加速了尸体的腐烂。

简报称，该墓"玄宫之碑"的出土，澄清了一些史籍中诸如明玉珍出生、入葬、称王与称帝的时间、地点、在位年代等重要问题上，弥补了以前史书中有关明玉珍称帝前历任官职、大夏政权官制、明玉珍平定四川诸重大战役及元政府军在四川挣扎反扑的攻防情况等严重缺漏，真实反映了明玉珍的政治态度；大夏政权由农民政权向封建政权转化过程中的情况，明玉珍与徐寿辉、倪文俊、陈友谅等人的复杂关系。简报录有碑文全文。碑文中未见明教文字，金银入葬也有违明教教规，所以明玉珍与明教的关系尚有待研究。不过出土的幡画，简报认为是可按明教"二宗三世说"的基本教义解释的。

简报还指出，该墓出土的丝织品，一部分应是按制度专门加工的，如丹黄云凤八宝纹锦被、丹黄云龙卐字纹锦被、淡黄水龙纹缎褶衣等，其他的则是一般私营产品，"常□"押印可证。虽然这些丝织品都不是当时的上乘产品，但亦为四川地区元末纺织物增加了品种，对探讨四川古代纺织业的发展很有帮助。

410.川东发现记载地震的碑石

作　者： 胡人朝

出　处：《考古与文物》1986年第1期

1969年，在四川省黔江县小南海发现了1通记载地震的碑石，因残缺一角，故失碑名，资料不完整。1979年4月，考古人员在小南海调查时，将该碑的缺角找到，使这通碑石得以完整复原。该碑名《两河口义渡碑》，碑文记载了清咸丰六年（1856年）一次强烈地震，山崩地裂，房屋倒塌，人畜死亡，溪流堵塞，形成小瀛洲（今名小南海）的情景。该碑的发现为研究川东地震和地貌变化提供了新的资料。

411.铜梁县发现明代石椁墓

作　者：叶作富

出　处：《四川文物》1986 年第 4 期

1984 年 12 月，在铜梁县巴川镇南门教场的基建施工中发现了明代石椁墓 5 座。简报配以照片予以介绍。

据介绍，墓群是李氏家族墓。墓是一次性建成分先后埋葬，墓葬规模较大。5 座墓出土石刻仪仗队俑 130 件，墓志四方，明代服装和《大明天启七年大统历》3 册。据出土墓志铭载，1 号墓为明代云南按察副使李仕亨之妻淳氏墓，2 号墓为明代云南按察副使李仕亨之母李氏墓。两墓埋葬时间为明隆庆三年（1569 年）十二月。3 号、4 号墓墓主还待进一步考证，但墓主人应为男性。5 号墓为 1 椁 1 棺，外椁已朽，内棺则完好，外漆银朱，至今色彩鲜艳。死者为一老年妇女，尸体已成为 1 具干尸，肌肉仍有弹性。死者头裹青纱，身着浅黄色广袖长服，下穿罗裙，小脚，穿绣花小鞋。尸体四周放置石灰包，石灰仍成块状。尸体左侧放置青色及浅黄色衣服各 1 件。头下有垫《大明天启七年大统历》3 册，棺底铺满了石灰。从历书上判断，死者应是明天启七年（1627 年）或七年后入葬的，与 1 号、2 号墓的时间相距 58 年。

简报未录墓志全文。

412.重庆市九龙坡区出土清代铁秤砣

作　者：董晏明

出　处：《考古与文物》1987 年第 2 期

1985 年 9 月 6 日，重庆市九龙坡区九龙乡大埝村，在修建渝钢村至跃进村一段公路中，于青年塘处挖出一个清代特大铁秤砣。这个秤砣形如寺庙古钟一般，上端小，下端大，顶端有砣鼻孔。砣身周围铸阳文书曰"两广盐运使司奉督署较准铁螺潮馆秤重壹伯伍拾叁觔捌两嘉庆二年十二月吉日"。这样保存完整、铸有款识的清代一特大铁秤砣的发现，对清代衡器的研究，提供了实物资料。

413.四川铜梁明张叔珮夫妇墓

作　者：叶作富

出　处：《文物》1989 年第 7 期

1973 年，四川省铜梁县土桥乡八村十组农民取石修水渠时，在马郭嘴发现 1 处明代石室墓。发现后即遭严重破坏。1个月以后，县文化馆得到报告派人前往调查，征集到尚存的墓志及几件铜器。简报配以照片、拓片、手绘图予以介绍。

据介绍，这1处石室墓由并排的5座墓葬组合而成，自东向西编号为M1～M5。各墓形制、大小一致，墓室用厚20厘米的石板相隔，各墓均分前后二室，用厚约15厘米的石板相隔。墓壁以条石砌成。墓顶均以石块横向平铺封盖。墓前室平面呈正方形，后室平面呈长方形。据调查，M1～M3后室均有人体尸骨，M1后室见一女尸，胸部有大量水银。所着衣服尚完整，脚踩裹布，足穿尖鞋，鞋上绣有花鸟。在尸体上面和四周放置多件丝绸料和衣服，现均已无存。此外有1件唐代海兽葡萄镜。前室无随葬遗物。M2前室无随葬遗物。M3后室尸骨为男性，前室置有铜器、石俑等随葬品及1盒墓志。据了解，铜器有鼎2件，熏炉、瓶各1件。其中青铜圆鼎中盛有玉器和砚石、印章石料以及笔架、砚台、印章、镇纸等物。据调查，印纽有龙、狮、虎首形，其中3枚印文为白文篆书"张蔡蒙印"，印面残存朱红色印泥，色泽仍很鲜艳。M4、M5无骨胳和随葬物品，判断未曾使用。M1、M2墓主人是何人不详，应是张氏家族成员。M3墓主人据墓志为张叔珮夫妇，张叔珮于万历四十六年（1618年）下葬，其妻于崇祯六年（1633年）下葬。

简报称，墓志1合，出土时二石相合，用铁箍系在一起。所载墓志长达3400余字。简报未录全文。

据墓志知，M3墓主张姓，名叔珮，字樨步，别号蔡蒙。其父张佳胤，嘉靖、隆庆、万历年间历居要位，《明史》有传。其母向氏为张佳胤的元配，封一品夫人。张叔珮生于嘉靖壬子（1552年）十二月，卒于万历乙卯（1615年）正月，享年64岁。于万历戊午（1618年）春下葬。墓志铭撰于万历己未（1619年），崇祯六年（1633年）因张叔珮妻舒氏下葬而启墓藏铭。张叔珮曾入太学，一生未仕，曾佐其父平定两浙兵变。其父还乡后，张叔珮照料左右。其父母殁后，张叔珮仍居故里，直至故去。另据墓志知，张叔珮夫妇"屡举子不育，遗命以樨信（张叔珮弟）之第六子绳孙嗣"。

简报指出，志文不仅记述了张叔珮的生平，也对张佳胤的一些情况特别是其返乡后的生活作了记述。继张叔珮夫妇墓之后，张佳胤父母张文锦、沈氏合葬墓也在铜梁发现。张氏家族成员墓葬的发现，为地方史研究提供了宝贵的资料。简报认为，这一处石室墓当系一次建造，分次使用的。随葬的几件铜器中，不仅有明代铜瓶、宋代熏炉、唐代海兽葡萄镜，而且还有商代的青铜方鼎和战国的青铜圆鼎，这在以往发现的明墓中实属少见。张叔珮先人是权倾一时的达官显贵，家中收藏古董，死后以之随葬，亦在情理之中。

414.观音滩石刻及摩崖造像

作　者：陶永贤

出　处：《四川文物》1989 年第 3 期

观音滩是川江最大的险滩之一，位于丰都县西人和乡红岩村东南 350 米处。那里江面狭窄，水流湍急，江南有壁蠹耸数十丈高的悬岩黑石梁，从西向东伸往江心，江水被激起数丈高的浪花，咆哮的波涛，吼声如雷，然而就在这样的地方却有摩崖大佛和石刻。简报配以照片予以介绍。

据介绍，有摩崖大佛面一处，"慈怀普济""洞天福地"石刻两处。石刻为清代所刻，大佛面高 3 米，宽 2 米。年代久远，似为明万历年间所刻。

415.垫江发现警言碑

作　者：程世明

出　处：《四川文物》1990 年第 2 期

垫江县汪家乡水口村四组一处石崖壁上，有 1 块离地面 1.5 米、面积 1 平方米的长方形摩崖碑刻。此碑面积小巧，书刻技艺平常，碑文浅俗，但却很令人注目，当地人称它为"警言碑"。简报配以照片予以介绍。

据介绍，碑文是一首五言体民歌，通俗明白，全文 8 句 40 字："己亥六月初，斗米二两五。饥毙满山岗，妻嫁子被逐。食粥丐死绝，囹圄成罪徒。凿与后人看，勤耕苦积谷。"这几句记录了一个荒年史实，即清乾隆四十四年（1779 年）因大旱造成的荒年，并喊出了肺腑之言："后世人呵，请常看这碑吧，它告诉你一个为人的道理：要辛勤地耕耘，不要好逸恶劳；要节俭过日子，多积粮食，防备饥荒啊。"此碑已被定为县级文物保护单位。

416.潼南新胜发现明代石香炉

作　者：潼南文管所　徐　林

出　处：《四川文物》1995 年第 3 期

1987 年 7 月，考古人员在潼南县城南 40 公里的新胜乡发现 1 件完整的石质香炉。香炉放置在该乡三星村八组（原七村八组）千佛寺旧址，据第六盘炉记年款为明成化二十三年（1487 年）所造。香炉采用镂雕与浮雕相结合的技法，雕有花草、花叶、花蕾、孩童、龙及玩狮彩球等。计有七盘（即七层），通高 153 厘米，各盘既可拆散，也可拼组，其大小厚薄虽然不同，却浑然一体，实为一件完整的工艺美术品。简报配以照片予以介绍。

简报称，新胜千佛寺石香炉，高度达 153 厘米，重量达 1.5 吨以上，其炉记中载的雕造设计者汪孟良，采用小件组合大件的拼组方法，这在古代虽也有发现，不为首创，但在当时那种边远之地，交通运输工具不发达的历史环境里，雕造者的这种设计，也可谓是独具匠心了。加之有完整的炉记内容，确切的年款，为研究当时社会的民俗，提供了有价值的史料。

417.重庆市万盛区发现 500 年前石刻

作　者：重庆市万盛区委宣传部　罗昭伦
出　处：《四川文物》1997 年第 1 期

重庆市万盛区最近发现了距今 500 年前的"播州界"石刻。刻于明朝中期的"播州界"石刻，位于重庆市万盛区万东镇汪家沟东端、孝子河南岸荆棘杂草丛中一块高约 2.5 米、宽约 3.5 米的砂岩石壁上。"播州界" 3 个楷书大字各高约 80 厘米、宽约 55 厘米、深约 10 厘米，从右至左排列。此外，在"播州界" 3 字左下方还刻有"大明成化五年"小字，阴刻，行书，每字各高约 10 厘米、宽约 7 厘米、深约 2 厘米。

简报称，万盛"播州界"石刻的发现，对研究明史、播州地方政权和明朝政权关系史具有重要的历史价值。因此，重庆市文物部门将其列入文物保护点加以保护。另据《明史纪事本末》和清同治二年（1863 年）修补的《綦江县志》、1929 年的《南川县志》，以及 1930 年的《桐梓县志》等史志资料所述，在万盛有文字记载的"播州界"石刻还有两处。一处在今万盛区东北部南桐镇桃子荡的二郎峡右岸；另一处在今万盛万新路西北侧、孝子河东岸古渡口边的一块石灰岩巨石上。两处石刻均系明神宗万历二十七年（1599 年）杨氏家族第 29 代统治者、播州宣慰使杨应龙时所凿刻。遗憾的是这两处石刻在"文化大革命"时已被破坏。

418.重庆市奉节县鱼复浦遗址发掘报告

作　者：吉林大学考古学系、重庆市文化局　冯恩学、陈国庆、李　言
出　处：《江汉考古》1999 年第 1 期

鱼复浦遗址位于奉节县城之东，长江的北岸，距奉节县城约 1 公里。遗址面积约 6 万平方米，南部是沿江平坦的台地，北部是向阳的山坡。1997 年 11 ～ 12 月，考古人员进行了发掘。简报分为：一、地层堆积，二、唐代遗物，三、宋代遗存，四、

明代遗存，五、结语，共五个部分，有手绘图。

据介绍，发掘面积 506 平方米。发掘的遗迹有灰坑 2 个、排水沟 2 条、石坝墙 1 条、砖路 1 条、墓葬 1 座，出土瓷、陶、石、铜、铁器和骨器 108 件。其中明代遗存最为丰富，有隆庆民窑瓷器，时代在宣德、成化年间，明代末年瓷器也不少，主要为当地民窑所烧造。

419.重庆云阳县李家坝Ⅰ区水田遗址发掘简报

作　者：四川大学历史文化学院考古学系、重庆市文化局、云阳县文管所　罗二虎
出　处：《考古》2001 年第 11 期

重庆云阳县李家坝遗址是长江三峡水库淹没区内 1 处重要的古文化遗址，是 1987 年文物普查时发现的。为配合长江三峡水库工程建设，1992～1993 年考古人员先后对该遗址进行了复查和试掘。1994～1995 年，又进行了 2 次试掘。1997 年 10 月至 1998 年 1 月，对该遗址进行了大规模的发掘，1997 年度对该遗址Ⅰ区水田遗址部分的发掘情况简报分为：一、遗址概况，二、地层堆积，三、遗迹，四、遗物，五、结语，共五个部分，有手绘图。

据介绍，围绕着大面积发现水田遗迹的这三个地层，各个地层形成的年代，简报推断为：第 13～16 层均出土有青瓷、白瓷和土瓷残片，应同属于一个大的时代，13 层的时代简报推断在宋代。第 9 层其年代大体为明代前期。第 5 层水田使用的年代下限应为清代晚期，或许就是在 1870 年大洪水之后。

简报称，以水田作为发掘对象的专题性考古，目前在中国尚未普遍开展。而这种以各种与水田相关的遗迹为对象的大规模考古发掘，此前更未见于报道。简报认为，本次以水田为主要对象的考古发掘仅是一次尝试性的探索，将水田遗址作为考古学的发掘和研究的对象在中国有着普遍的意义和广阔的前景。

420.重庆奉节宝塔坪遗址出土的铭文金牌饰

作　者：吉林大学边疆考古研究中心　冯恩学
出　处：《文物》2008 年第 7 期

2001 年，在重庆奉节宝塔坪遗址发掘了汉代至清代的墓葬 90 余座，其中有 2 座明代土坑墓各出土 1 件刻铭金牌饰，甚为完好。简报配以手绘图予以说明。

据介绍，两墓均为土坑竖穴墓，墓主人均为成年女性。刻铭金牌饰一上刻"金""木""水""火""土"等五行文字，置于死者头骨上，另一上刻"子孙兴旺"，

放在死者口中。

简报指出，五行调和也是家庭和睦子孙兴旺的根本，这在明清时期的民间有着广泛的思想基础。清代李子乾的小说《梦中缘》就是根据五行调和则子孙兴旺的思想构写的。小说描写了明代正德年间山东才子吴瑞生根据仙人指点到江南寻求符合五行的 5 个妻子的故事。江南 5 位女子为吴之妻均符合五行变化，所以相距遥远也能相聚成一家人，生活和睦，子孙兴旺。重庆奉节宝塔坪明墓女子以寓五行之"子孙兴旺"金牌饰入葬，其目的也是希望家族五行调和而子孙兴旺。该金牌饰是这一思想在明代民间盛行的物证。

421.重庆市巴南区石马湾明墓发掘简报

作　　者：重庆市文化遗产研究院、重庆文化遗产保护中心　杨鹏强、白九江
出　　处：《四川文物》2013 年第 6 期

2012 年 8 月，为配合基建，考古人员在重庆市巴南区麻柳嘴镇梓桐坝村三社石马湾发现 1 座石室墓，并于 2012 年 11 月至 2013 年 1 月进行了发掘。该墓为李文进夫妇合葬墓，由墓室和拜台两部分组成，出土了石人、石马、石虎、石羊等石像以及石质建筑构件。简报分为：一、墓葬形制与结构，二、出土遗物，三、墓主人考证，共三个部分，有照片、拓片、手绘图。

据介绍，该墓位于重庆市巴南区麻柳嘴镇梓桐坝村三社石马湾一处山凹中，已受破坏。据石板上铭文知墓主人为李文进及其妻陈氏。李文进，《明史》无传，但《重庆府志》有传。

李文进，字先之，号同野，四川巴县人，生于明正德三年（1508 年），卒于明嘉靖四十一年壬戌（1562 年），享年 54 岁。妻子陈氏。李文进于嘉靖乙未年（1535年）考中进士，时年 28 岁。历任衢州府（今浙江衢县）推官、给事中、浙江按察副使、岢岚兵备、山西按察使、右检都御史、大同右卫、兵部右侍郎、副都御史、宣大山西总督等职，于嘉靖壬戌年"卒于官"。李文进以文官行武事，任职期间，先在浙江沿海抗击倭寇，后在宣大地区击退俺答。此外，李文进置兵车营、条陈边务，对于治理军队和边疆防务具有很大的功绩。因此在去世之后，享有"赐祭葬，有传载艺文"的待遇，去世时应为正三品官员。

四川省

422.茶马古道新添—冷碛段调查简报

作　者：四川省文物考古研究所　万　娇
出　处：《四川文物》2012 年第 2 期

　　茶马古道是近年来学界讨论较多的道路，但其内涵外延、历史沿革则众说纷纭。2011 年 8 月，考古人员徒步调查了茶马古道川藏线新添冷碛段，通过现存古镇（街）与文献记载中的驿名、地名的对应，来考察茶马古道这一小段的历史、走向，并着重考察沿途的文物古迹，尤其是古道路的现存状况。简报分为：一、前言，二、调查经过，三、调查收获，四、小结，共四个部分，有照片。

　　据介绍，"茶马古道"的提出最早可以追溯到 1987 年木雾弘、徐涌涛先生用"茶马之道"来概括大西南的主要贸易形式。茶马古道沟通了内地和藏域，促进了汉藏文化交流和融合，已成为学界共识。2011 年 8 月，考古人员对茶马古道新添—冷碛段进行了调查。之所以选择这段古道进行调查，是因为这一段属于茶马古道雅安康定段的南线，明清、民国年间都属于官商往来首选的大路，留下了较多记载；也因为 108 国道基本未与原古道重合，使得古道得以较好保存。调查成果有古镇与古街、古道与古桥、碑刻及石窟寺。

　　简报称，根据荥经县新添乡曾经背过茶包的老人彭举文回忆，从雅安到康定，背着茶包走一趟来回，需要约 30 天的时间，其中负重前往，需要约 20 天，轻装回来，约需 10 天。每趟休息住宿的地方都比较固定，30 里一大站，25 里一小站。一路上马帮、背夫来来往往，络绎不绝。考古人员重点考察的小镇有：新添、荥经、菁口村、民建村（原安靖乡）、顺江村、凰仪乡（现并入安靖乡）、清溪、九襄、宜东、化林、盐水溪、冷碛镇。

　　刘淼先生《明代茶业经济研究》（汕头大学出版社 1997 年版）一书，论及明初茶法、贡茶、茶户、茶课、茶马贸易等，可参阅。

成都市

423.成都梁家巷发现明墓

作　者：江学礼

出　处：《考古》1959 年第 8 期

考古人员在成都北郊梁家巷成彭公路起点处左侧，发掘了 1 座明代墓葬。简报配以照片予以说明。

据介绍，该墓由大石块砌圹，分前室和后室，有壁画和彩绘，出土瓷俑 29 件及铜炉、铜瓶、瓷碗等，有墓志 1 合。据志文，墓主人为明代蜀王府的太监。北直隶保定府定兴县白沟河人氏，生于成化乙酉年（元年，即 1465 年），卒于嘉靖丁酉年（十六年，即 1537 年），葬于北郊（成都）沙河，享年 72 岁。简报未录志文。

424.成都市郊发现"大顺通宝"

作　者：成都市文物管理处

出　处：《考古》1977 年第 5 期

1976 年 2 月，成都南郊永丰公社太平五队在改田取土工程中，于距地表 1.5 米深处，发现明末张献忠钱币"大顺通宝"25 千克，已全部交成都市文物管理处保存。简报配以拓片予以介绍。

简报称，张献忠在 1644 年再度入川后，攻下成都，以此为西京，建国称帝，国号大西，建元大顺。他设立铸局，收集明蜀王府的古鼎玩器和成都城内外寺院的铜佛像用来铸造"大顺通宝"。这次出土的钱币直径均为 2.7 厘米，正面均书"大顺通宝"4 字，背面方孔下铸"户""工"或素面三种。这批货币对研究"大西"农民政权的政治、经济状况是有价值的实物资料。

425.成都发现一批"大顺通宝"

作　者：四川省文物管理所　刘廷璧

出　处：《文物》1977 年第 9 期

1975 年 4 月初，成都市南暑袜街道革命委员会沙石组，在外东三官堂（望江楼附近）府河中淘取沙石时，随沙石一起挖出一批"大顺通宝"铜币，共计 1500 余枚。现已全部缴送四川省博物馆保存。简报配以照片予以介绍。

张献忠于明崇祯十七年（1644 年）占领四川，在成都建立大西政权，以成都为西京，以蜀王府为宫，改用大顺年号，称西王。

大西政权建立后，开始制定一些规章制度。设置丞相、六部以下各官。设铸钱局，铸造"大顺通宝"。这次出土的"大顺通宝"直径均为 2.65 厘米，重 5 克。有三种类型：一、背面方孔下有一"户"字；二、背面方孔下有一"工"字；三、背面无背纹的。这批钱币的发现，对研究张献忠农民革命政权的政治、经济等状况是有帮助的。

426.四川省彭县南街酱园厂出土窖藏青花瓷器

作　者：彭县文化馆
出　处：《文物》1978 年第 3 期

1974 年 10 月，彭县南街酱园厂，在修理水塔挖基脚工程中，发现窖藏明代成化年制青花瓷器 48 件。这批瓷器是在距地表 1.8 米深处，由两口大约 70 厘米口径的铁锅装盖着，发现时铁锅已锈烂。

据简报介绍，这批窖藏瓷器，器形有碗、盘、碟、花插等。具体为：青花碗 14 件、青花盘 17 件、寿字碟 12 件、青花小碟 3 件、花插 2 件。简报称，这批青花瓷器，从造型和装饰风格看，具有明青花的特征。款识与明成化官窑款略有差异。从胎釉看，可能是当时江西景德镇民窑的产品。

427.成都凤凰山明墓

作　者：中国社会科学院考古研究所、四川省博物馆、成都明墓发掘队
出　处：《考古》1978 年第 5 期

成都凤凰山明墓，是 1970 年 2 月中国人民解放军驻成都某部在工程取土中发现的。考古人员于同年 4 月至 6 月发掘了这座墓。

这座明墓位于四川成都北郊 5.5 公里的凤凰山南麓。它是明初蜀主世子朱悦燫的墓。原来墓前的陵园等建筑，今已无存。至清代中叶以后，这里已变成平民的丛葬区了。朱悦燫葬于明永乐八年（1410 年）。明亡以后，此墓数次被盗，贵重随葬品皆已散失。但墓室巨大，装饰华丽，在目前发现的明代王侯墓葬中，以它的规模为最大，500 余件各类釉陶基本完整。此墓的主要情况简报分为：一、墓室的结构和

形制，二、陶俑，三、棺椁及其他随葬品，四、结语，共四个部分，作一简略报导，详细的内容将另在正式报告中发表，有照片、拓片。

据介绍，朱悦燫是明蜀王朱椿的长子。朱椿是明太祖朱元璋的第十一个儿子，洪武十一年（1378 年）封为蜀王，二十三年（1390 年）就藩成都。朱悦燫生于洪武二十一年（1388 年），卒于永乐七年（1409 年）六月，葬于永乐八年（1410 年）四月，若在死后才营建墓室的话，那就是仅用了不到 10 个月的时间便修建了这座规模巨大、装饰华丽的地下宫殿。

简报称，成都凤凰山明墓的发掘，不但为研究明朝初年的陵墓、衣冠制度等增添了新的内容，同时也为我国古代建筑史、雕刻艺术史的研究，提供了珍贵资料。这是明代考古工作中的重要收获之一。

428.蒲江县发现清代窖藏银锭

作　者：蒲江县文化馆　龙　腾
出　处：《四川文物》1989 年第 6 期

1988 年 3 月 6 日，蒲江县东北乡齐心村 2 组一户农民在修建房屋挖地基时，发现清代窖藏银锭 1 罐，内装白银 5 锭。每锭重 360 克，共重 1800 克。考古人员前往调查，收回白银 3 锭，均为半球状的元宝。简报配以照片予以介绍。

据介绍，蒲江出土的银两上有厘金局的钤印。证明乃是清代咸丰三年（1853 年）后的文物。"厘金局"创建于咸丰三年（1853 年），详见《清史稿》卷 125 和卷 422。出土地点原为当地一陈姓地主的房基。

429.蒲江出土明奉直大夫孙礼墓志铭

作　者：蒲江县文管所　龙　腾
出　处：《四川文物》1988 年第 6 期

1996 年 12 月，蒲江县鹤山镇蒲砚村四组出土明奉直大夫孙礼墓志铭。孙礼墓早年被毁，墓志铭石刻犹存。简报配以照片予以介绍。

据介绍，墓志 1 合，志文楷书，645 字，简报录有志文全文。据志文，孙礼生于弘治十五年（1502 年），嘉靖三十六年丁巳（1557 年）去世。据孙礼墓志铭，孙礼嘉靖十八年己亥（1539 年）曾任陕西庆阳府推官、政绩卓著，升任邠州知州。其兄孙仁（字鹤皋）嘉靖十三年甲午（1534 年）贡生，任云南沅江教授。其高祖孙志珉自洪武四年（1371 年）从重庆府荣昌县迁居蒲江县，孙氏家族从此在此地定居，仅孙礼即有 4 子 2 女，孙子 6 人，孙女 2 人，已传至第 7 代。至今孙姓仍聚居鹤山镇孙坝等地。这些都可补史志之阙。志盖上的地名，可考南宋魏了翁创办的鹤山书院所在地。

430.成都明代蜀僖王陵发掘简报

作　者：成都市文物考古研究所　翁善良等
出　处：《文物》2002 年第 8 期

蜀僖王陵位于成都市东郊龙泉驿区十陵镇的大梁村，在市中心以东约 14.5 公里处。此墓位于大梁山南麓，明代称之为"正觉山"。南面为一片开阔地，东西两翼有山丘环抱，陵园建筑已不复存在。1979 年 10 月，为配合基本建设，考古人员对其进行了发掘清理，历时 2 个月。简报分为：一、陵宫的形制与结构，二、出土遗物，三、结语，共三个部分，有照片、手绘图。

据介绍，因经费有限，当时对陵园仅作了简单的地面调查。陵园平面呈长方形，南北长约 275 米，东西宽 120 米。围墙厚约 1.5 米。园内中轴线上仍残存建筑遗迹，并散见琉璃建筑构件。地宫位于陵园中后部，已遭盗掘。平面呈长方形，底部距地表深 8.91 米。地宫由两个砖筑的纵列式筒拱券构成，全长 27.8 米。室内有仿木结构琉璃建筑，地面铺石板，其中两侧石板还下斜成沟，每道门地袱之下均设排水沟，沟内放木炭。大门外砌一堵金刚墙用以封门。因曾被盗，仅出土有家具、釉陶器等 500 余件。有墓志 1 方，楷书，计 245 字。简报未录全文。由志文知墓主为明代蜀僖王朱友壎，是四川第一代蜀王朱椿（献王）之孙。朱椿的长子未登蜀王位便夭折，于永乐八年（1410 年）葬于成都北郊凤凰山，其陵已在 1970 年被发掘。朱友壎，生于永乐七年（1409 年），宣德七年（1432 年）晋封为蜀王，宣德九年（1434 年）因风疾发作而终。宣德皇帝赐其谥为僖，第二年，葬于成都府华阳县积善乡正觉山之原。

简报称，在地宫的布局方面，僖王陵地宫以中轴线为基准，沿中轴线及两侧建造门楼、殿堂、庭院、廊房厢房，其主要建筑均可与亲王府宫的建筑相对应。地宫内的仿木琉璃建筑也与亲王府制近似。地宫内随葬 400 余件陶俑和数十件陶马，组成仪仗队伍，有将军、文官、武士、乐工、女官和侍女等。将军俑、武士俑手中所持的武器（如刀、矛、戟、天蹬、立瓜、卧瓜、骨朵、剑等），也与亲王府的仪仗制度近同。这一切均说明，这座"地下王府"的建筑格局与王陵地上亲王府相似。明蜀僖王陵是一座名副其实的地下宫殿，其陵寝制度是从地上亲王府宫制度浓缩、简化而来的。另外，《明史》和《华阳县志》皆称明蜀僖王为朱友壎，而出土的《大明蜀僖王圹志》称其为朱友壎。简报认为，应以后者为准。

431.成都市老西门明代桥址发掘简报

作　者：成都市文物考古研究所　张　擎、荣远大、程远福
出　处：《四川文物》2004 年第 6 期

2002 年 10 月，成都市在扩建青龙街至花牌坊街时发现古代桥梁路面，经研究表明此处是明代砖石结构的券拱桥梁遗址。明代桥梁实物资料不多见，对古代桥梁之研究有重要参考价值。简报分为：一、地层堆积，二、桥的形制结构，三、桥拱内冲积层，四、出土器物，五、结语，共五个部分，有手绘图、照片。

据介绍，此桥为砖石结构的券拱桥，由桥基、桥拱、桥面三部分组成，现存桥面总长 13.8 米，宽 7.75 米，现存桥高 5.1 米。方向 40 度。它的构筑方法是：在整个桥基（包括桥拱内）的砂砾层上平铺一层圆木，其上在券拱的两端底部位置上各砌一块长方形条石从而形成桥基。在条石基础上内收 15 厘米再砌三层石条，在石条之上开始用砖起券。券拱两侧的护砖墙即撞券是从侧桥基条石之上及外侧用砖往上逐层砌筑而成。券拱顶部用一层平砖铺成一条向东西两侧倾斜的砖面，即桥面的铺底砖。在铺底砖上用石料和砖铺成桥面。桥面上部建筑现仅残存其基础部分。出土有瓷片 128 片。结合文献记载，此桥应为明嘉靖年间四川巡抚刘大谟所修建的"浣花桥"，一直使用到清朝末年。

432.四川崇州万家镇明代窖藏

作　者：成都文物考古研究所、崇州市文物管理所　刘雨茂、易　立等
出　处：《文物》2011 年第 7 期

2005 年 4 月，四川崇州市万家镇开化村一村民在山上平整空地时，挖出一批瓷器和其他器物。考古人员赴现场展开调查。经查勘，这是一处古代窖藏，编号简称 J1。简报分为：一、窖藏出土器物，二、年代讨论，三、结语，共三个部分，有彩照、手绘图。

据介绍，该窖藏位于地表下约 1 米处，开口被乱石堆所覆盖，因村民取出部分器物后立即回填，窖穴的形制和大小不详。出土器物按质地分为瓷器、锡器、铜器三大类。其中瓷器 44 件，另有锡执壶 3 件、铜盆 1 件、海螺杯 1 件。瓷器以青花瓷为主，另有少量青釉、白釉、白釉褐彩等品种，器形包括碗、高足杯、碟、执壶、壁瓶、炉、人像等，绝大多数是景德镇民间窑场的产品，其年代为明代晚期，即万历中后期至崇祯年间，下限可能到清初。这批窖藏瓷器中，青花《赤壁赋》文碗、青花山水人物纹高足杯、青花桃果枝叶纹碟、青花团花竹石纹壁瓶、青花蕉叶人物

开光纹执壶、仿宋官窑青釉三足炉等制作精美，为研究明晚期瓷器提供了重要的实物资料。

简报称，窖藏中多数物品属于日常生活用具，且不少残留有使用或修补过的痕迹。结合明末社会和政治背景，可以推测，这些应是为了躲避战火、保护财物而形成的埋藏遗迹。值得注意的是，万家镇窖藏的出土地点邻近山上一座庙宇，当地村民称其为"朝阳庵"，据传系明代所建。

简报推测，万家镇窖藏内的遗物可能与朝阳庵或朝阳寺有一定的联系。

433.成都下东大街遗址明代早期遗存发掘简报

作　者：成都文物考古研究所　易　立等
出　处：《文物》2011 年第 7 期

下东大街遗址位于成都市内环城区东南部，西抵南纱帽街，西北与江南馆街唐宋遗址相望，东北与大慈寺毗邻，东南至油篓街为界，距岷江支流、原成都护城壕之一的府河约 200 米。该地点现为两处分隔的区域，中间有南糠市街纵向穿越。

2008 年 4～6 月，为配合成都某地产开发建设，考古人员对上述地块开展了考古发掘工作，发现西汉至明清时期的道路、砖墙、水井、灰坑等多处遗迹以及数量众多的陶器、瓷器、钱币等遗物。

简报分为：一、地层堆积，二、遗迹，三、出土遗物，四、结语，共四个部分，配以照片、手绘图，先行介绍一批较丰富的明代早期遗存。

据介绍，遗迹有灰坑 2 处，遗物多为瓷器。以景德镇窑瓷器为主，数量多，釉色品种丰富，且不少产品的制作工艺亦属上乘，同时伴出的遗物还包括一些龙泉窑青釉产品，表明当时成都市井百姓的日常用瓷已大量充斥着来自江西、浙江等地的外来产品。初步判断，瓷器的年代约相当于明初洪武、永乐、宣德时期，下限可能至正统、景泰、天顺时期。

简报称，此次出土的多数瓷器都有被长期使用的痕迹，结合文献记载，出土地点靠近明古大慈寺。大慈寺南（今东大街一带）自唐代以来就是成都集市包括夜市所在，这批瓷器或许与当时的酒肆食铺有关。

434.成都市青白江区明教寺觉皇殿调查报告

作　者：成都文物考古研究所　蔡宇昆、赵元祥
出　处：《四川文物》2011 年第 5 期

2010 年，成都文物考古研究所对位于成都市青白江区的明教寺觉皇殿进行了调查、测绘。该建筑虽经后世改建，但主体部分仍为明代木构，简报推测其建成年代不会晚于明成化元年（1465 年）。殿内的建筑彩画、彩塑及壁画亦为明代遗物，是研究成都地区明代建筑、佛教历史的珍贵实例。简报分为：一、历史沿革考略，二、现场测绘及调查，三、初步认识，共三个部分，有手绘图。

据介绍，明代觉皇殿的原貌为主体五间九架单檐歇山建筑，殿后接三间卷棚抱厦。简报对比文献和实物，认为现存的觉皇殿始建于明洪武初年（1368 ～ 1382 年）；天顺、成化时期（1457 ～ 1465 年）在原有建筑的基础上进行了修缮，建筑彩画和彩塑亦完成于明代；清代屡有修缮，但无大改动；1958 年，改建了五架梁以上的部分。至今全殿的主体结构仍为明代木构，其年代下限为成化元年（1465 年）。

简报称，明教寺觉皇殿距今已有至少 540 余年的历史，其大木结构、建筑彩画、雕塑及壁画均蕴涵着大量珍贵的历史信息，对研究明代成都地区的建筑、历史、宗教等都有非常重要的意义。期待这座珍贵的明代建筑能够早日得到全面、科学的保护，使它昔日的光彩能够早日重现于世。

自贡市

435.荣县乌龟颈明代墓群清理简报

作　者：荣县文管所　邵　彬
出　处：《四川文物》1992 年第 6 期

1992 年 2 月 12 日，荣县龙潭区莲花乡雷塥村村民打柴，发现古墓群并逐级反映。考古人员对墓群进行了考察清理。简报分为：一、墓群位置，二、墓葬形制，三、出土器物，四、结语，共四个部分，有照片。

据介绍，墓群分布在荣县龙潭区莲花乡雷塥村三组，当地人称"乌龟颈"的斜坡上，占地约 146 平方米。墓葬为连棺墓，从坡脚往上有三排：第一排 12 座编号为 M1 ～ M12；第二排 8 座编号为 M13 ～ M20；第三排 6 座编号为 M21 ～ M26；共 26 座。墓群由封土和墓室两部分组成。封土为赤黄色，其残存高度不等，一般为 0.45 ～ 0.75

米，最厚者 1.3 米。封土上有野草或荆刺。墓室全由大块板石和石柱组成平面长方形，内有正壁龛和左右壁龛。墓室底部均有棺床，三排墓室的长度、宽度、高度相差不大。这群墓葬被发现后，很快为村民扰乱破坏，经过清理仅得陶质三耳盘龙罐 2 件、陶质三耳五节罐 1 件、陶碗 1 件、瓦 4 件，还有部分锈蚀严重的棺钉等。部分器物被毁，部分下落不明。简报推断此为明代早期当地大户人家墓地。但从墓室的情况看，有三分之一明显有埋葬痕迹，有三分之二是空墓室。当时 26 座墓室应是一次性修成，似为一家族三房，按辈数大小依次排列为序。造成有些墓室未葬的原因是多方面的，也许是部分家族人员外迁定居，或死在异地无法运回原籍埋葬，便形成空的墓室。

攀枝花市

泸州市

436.泸县龙脑桥

作　者：李显文

出　处：《文物》1953 年第 10 期

四川泸县有一座雕刻精美的石桥，名为龙脑桥。该桥位于县城西北 45 公里的福集区大田公社龙华大队的九曲溪上，以石条叠砌作墩，石板铺面作梁，是一座石墩石梁式平桥。简报配以照片、手绘图予以介绍。

据介绍，整座桥梁用 14 个桥墩，分 13 个桥孔架设，总长 54 米。桥墩系用灰沙岩石条修建，桥面石板 30 块，桥上有石像、石麒麟等。该桥的年代，简报推断为明代早期。

437.泸县发现"熊文灿故里"石刻和"熊氏族谱"

作　者：冯天林、肖培林

出　处：《四川文物》1988 年第 1 期

1987 年 6 月中，考古人员在四川省泸县云锦乡东 2.5 公里群能村李山屋基岩壁上发现了与明代名将熊文灿有关的"熊文灿故里"石刻五字，还发现了牌位、族谱等相关文物。简报配以照片予以介绍。

据介绍，石刻为熊氏后人书于 1825 年。"家神牌位"发现于熊氏后人熊庆余家。族谱发现于熊氏后人熊绍洲家。族谱已献给国家，现存泸县文教局。

简报称，族谱由熊文灿始作于明万历年间（1573～1620 年），明末泸州城为清军攻破，熊氏后人将族谱装入陶罐，埋入地下。清代又加续修。据此谱，熊氏先祖系江西人，元末迁入四川，分八大房等。族谱确为研究熊文灿提供了第一手资料。

德阳市

438.张献忠大西政权的文物——"圣谕碑"

作　者：沈仲常、冯国定
出　处：《文物》1982 年第 6 期

圣谕碑，高 210 厘米，宽 101 厘米，厚 18.5 厘米，部分字迹略有剥蚀。1934 年，从四川省广汉县城郊一家农民茅屋的墙壁中发现。现存广汉公园。碑面四周刻饰龙纹；上部分刻楷书"圣谕"2 大字，复绕以龙纹；下部分有文字 3 行，共 31 字，简报录有全文并配以照片予以介绍。

明末农民大起义，张献忠所领导的农民起义军，于 1644 年第三次进入四川，8 月攻克成都，建立了农民政权，国号"大西"，改元"大顺"，改成都府为"西京"。所以碑上有"圣谕"2 字及"大顺"年号。简报据《蜀碧》卷三和《客滇述》所载，认为此碑为张献忠所刻无疑。简报认为这是大西政权所遗留下来的珍贵历史文物。

439.什邡县出土一副明代砝码

作　者：郑绪滔
出　处：《四川文物》1985 年第 3 期

1982 年 10 月，在什邡县政府机关的基建工程中距地面 40 厘米的地方，出土了 1 副刻有明神宗万历十八年（1590 年）纪年的青铜砝码。简报配以照片予以介绍。

据介绍，这副砝码大小共 6 枚，外表布满翠色铜锈，状似银锭，铸造精确，正背两面錾有颁行纪年和铸造官司的签记。它两端宽，腰部狭，成"亚"形，腰部有细微凿痕，说明是经过有司严格校勘、慎重审定的明代的标准衡器，是一件很珍贵的历史文物。简报讨论了每一砝码代表的重量，指出这是研究中国度量衡史与明代冶炼工艺的珍贵实物。

440.2004 年绵竹剑南春酒坊遗址发掘简报

作　者：四川省文物考古研究院、德阳市文物考古研究所、绵竹市文物管理所、
　　　　绵竹剑南春集团公司　陈德安、曾　俊、江　泉

出　处：《四川文物》2007 年第 2 期

剑南春酒坊遗址是一处分布面积大、布局配套、设施齐全、酿酒遗迹保存较为完整的、遗存特色鲜明的清代酿酒作坊群，其中"天益老号"等作坊数百年传世运转，现仍在生产。2004 年考古人员第二次对剑南春酒坊遗址进行考古发掘，清理出酒窖（发酵池）、晾堂、粮仓（晾曲房）、炉灶、水井、浸泡池等酿酒遗迹，还发现有房屋建筑基址以及大量瓷质酒具、食具。发掘出的作坊群遗迹反映出当时的生产规模庞大和酿酒业十分兴盛的情况。该次发掘成果丰富了中国城市工业考古的内容，同时为名优白酒剑南春的酿造历史提供了实物资料。简报分为：一、地层堆积，二、遗迹，三、遗物，四、结语，共四个部分，有手绘图、彩照。

据介绍，剑南春酒坊遗址位于绵竹城关外西的诸葛祠、茶盘街、棋盘街和滚子坡两侧，由西北向东南呈一线分布。为配合剑南春"天益老号"酒坊的扩建工程，2003 年 4 ~ 8 月，考古人员对以"天益老号"为中心的拆迁区内进行了清理和考古勘探，在"天益老号"酒坊西南侧发掘 300 平方米。2004 年 8 ~ 11 月，考古人员再次对该遗址进行了考古发掘，发掘面积 500 平方米。根据地层关系和遗迹平面布局的相互关系，简报推断，酿酒遗迹分为甲、乙两组，甲组遗迹使用至清末民国前后废弃，乙组遗迹的年代上限不会超清代早期，下限不晚于清代晚期，估计在清代中期。

441.四川广汉市南兴镇仁寿村明代瓷器窖藏

作　者：广汉市文物管理所　刘　军、徐　伟

出　处：《四川文物》2014 年第 5 期

2014 年 5 月中旬，广汉市南兴镇仁寿村一村民在自家自留地取土时，在距地表 40 厘米左右，挖到 1 块大石头，移开石块后发现下面有 1 口陶缸，缸内装有许多碗、碟等器物。考古人员迅即赶往现场，进行调查处理。简报分为：一、窖藏概况，二、出土器物，三、结语，共三个部分，有彩照、手绘图。

据介绍，广汉市南兴镇仁寿村发现的明代窖藏，出土瓷器 24 件，有碗、盘、碟等生活用具。简报称，这批窖藏器的出土为研究明代民窑制瓷工艺提供了较为丰富的实物资料。

442.四川什邡市蓥华山佛寺明代青花瓷器窖藏

作　　者：什邡市文物保护管理所　杨　剑、李　灿
出　　处：《四川文物》2014 年第 5 期

2014 年 5 月，四川什邡市红白镇村民在蓥华山顶挖草药发现明代青花瓷器窖藏。窖藏（编号 2014SDJ1）情况简报分为：一、窖藏概况，二、出土器物，三、结语，共三个部分，有照片、手绘图。

据介绍，窖藏共出土器物 50 件，地层情况不明。简报初步认为窖藏器物为本地窑制作佛寺日常饮食用具，时代有早晚之别，大体应在明代永乐至万历年间，窖藏系僧人或是来此参拜的佛教信众所为。简报称，该窖藏对研究明代蓥华山地区佛教文化活动及对后世影响具有较重要的作用，对研究明代川西地区本地民窑青花瓷器具有较重要的研究参考价值。

绵阳市

443.张献忠"大顺赤金"戒指

作　　者：赵树中
出　　处：《四川文物》1983 年第 1 期

1984 年 3 月，位于绵阳市北郊的朝阳机械厂在平整房基时，掘出 1 座古墓。考古人员赶赴现场，收回了玉圈、玉戒指、金戒指等文物。其中的一对金戒指具有重要历史价值。简报配以拓片、照片予以介绍。

据介绍，这对金戒指每只重 4 克，直径 1.7 厘米，经鉴定，含纯金 97%。戒指面部图案为一浅浮雕蝙蝠，面目清晰，展翅欲飞，造型十分生动。戒圈接头为活交口，可以随意调整内圈大小，甚至可以展为直条。戒圈内壁有烙制"大顺赤金"四字。应为张献忠大西政权遗物。

张献忠（1606～1646 年），字秉吾，号敬轩，陕西延安柳树涧人。1630 年，响应府谷王嘉胤，聚米脂县十八寨农民起义，成为起义军的重要领袖之一。1644 年 8 月攻入成都，在蜀王宫称帝，国号大西，建元大顺。1646 年 11 月，在北上抗清途中，于西充凤凰山与清兵猝遇，中流矢而殁。

简报说，绵阳一带是大西军活动的主要地区之一。

今有袁庭栋先生《张献忠传论》（四川人民出版社 1981 年版）、王纲先生《张献忠大西军史》（湖南人民出版社 1987 年版）等，均可参阅。

444.安县发现李调元手书碑文

作　者：卢　卫

出　处：《四川文物》1986 年第 2 期

考古人员发现了李调元在故乡留下的手书碑文。简报配以照片予以介绍。据介绍，李调元为乾隆进士，翰林院编修，晚年回到故乡（今四川安县宝林乡）隐居，著述立说，是清代著名的学者和文学家。这次发现的真迹，是嘉庆七年（1802 年）二月二十八日，李调元为友人杨世俊所书写的碑文。此碑距李调元故居"醒园楼"有 10 多公里，造型浑朴，字迹遒劲，保存完整，碑文除极少数的字已被风化，大都清晰可读。简报未录碑文全文。

445.绵阳市红星街出土明代窖藏

作　者：何志国、许　蓉、胥泽蓉

出　处：《四川文物》1990 年第 2 期

1986 年 11 月 20 日，绵阳市中区红星街房地产公司挖屋基时，出土青花瓷器 12 件。11 月 26 日，该工地又发现青花瓷器。经清理，发现两个长约 1.2 米，宽约 0.5 米，高 0.6 米的木箱，埋入直径 2 米，深 1 米的土坑中。木箱已朽，内装青花瓷器 351 件、紫砂陶器 1 件、铜器 8 件、锡器 4 件，共计出土文物 364 件，应为窖藏。简报分为三个部分，有手绘图。

据介绍，青花瓷器共 351 件。简报认为是民窑产品，有钵、罐、瓶、注子、盒、碗、高足杯、盘等。皆为白胎青花，釉料蓝色发灰。纹饰有花卉、山水、人物、弦纹等 20 余种。一些瓷器有"大明成化年制""成化年制""永乐年制""天顺年制"等年款。紫砂陶器为著名的大彬款紫砂壶。锡器已朽。简报认为，绵阳这批窖藏文物时代当属明代，其年代下限不会晚于明代中晚期。窖藏时间应为明末战乱时期。

绵阳市最珍贵的明代文物，或许是 20 世纪 70 年代在平武县古城镇火炬村发掘的王玺家族墓地出土的文物，王家为当地土司，出土的文物十分精美，但竟然一直没有发表。近年才有《四川平武土司遗珍——明代王玺家族墓出土文物选萃》（文物出版社 2018 年版）一书出版，使人们对其有了一个基本的了解。

446.北川县发现明代窖藏瓷器

作　者：绵阳市博物馆　赵义元
出　处：《四川文物》1989 年第 1 期

1985 年 3 月，北川县治城乡茨竹村农民刘正富在海拔 2000 米高的官竹林滑坡泥土中拾得瓷碗、锡壶 30 余件，第二天刘又在原处挖出 30 余件。由于器物出土地点距县城 100 多里，刘正富又不了解文物政策，所以未向有关部门报告，但刘将这批文物进行了妥善保护。考古人员闻讯后到现场进行了清理，计有出土物 63 件，其中青花瓷器 61 件，锡酒壶 2 件。简报配以照片予以介绍。

据介绍，这是 1 处窖藏。出土器物以青花瓷器为主，有碗、盘、盒等，器型皆为小件，胎质洁白，胎壁较薄，能透光。青花釉料淡雅，略有晕散，色泽素雅，纹饰主要为弦纹、花卉、山水人物、蔬菜、昆虫等。从器物造型纹饰绘制技法和内容以及款识来看，这是一批民窑制品，简报推断时代属明代中期。

447.三台县塔山镇发现明代窖藏

作　者：李清奇
出　处：《四川文物》1994 年第 3 期

三台县塔山镇发现明代青铜铸造的印玺、花瓶、水盅、法器和瓷碗等 6 个种类 10 件文物。

据介绍，1983 年 3 月 7 日，该镇忠孝办事处合江村二社农民熊天武，帮邻居魏绍礼在宅基地房取土筑墙。挖至土层 1 米深处，发现窖藏铜器。托本社另一农民带往外地找人鉴别处理。此情况被塔山公安派出所得知后，推测这些铜器是文物的可能性很大，前往现场查勘询问。跟踪追回全部出土铜器，及时移交县文物管理所，经有关部门正式鉴定为明代文物。

448.安县发现明代浮雕砖室墓

作　者：安县文物管理所　谢明刚
出　处：《四川文物》1998 年第 1 期

安县修安州大道时发现一座明代浮雕砖室墓，考古人员进行了勘察清理，抢救了一批文物。

据介绍，1996 年 6 月 20 日，安州大道鼓楼段施工时，推土机推土至 8 米深左右处发现1座浮雕式砖室墓。墓为东西向,平面呈长方形,有券拱。墓室长2.6米,宽1.8米,高1.43米。有头龛、壁龛。出土文物有:白瓷青花碗3件、白瓷青花碟2件、灰陶谷仓罐1件、灰陶浮雕式花砖20余块。

简报称,从墓葬型制、出土文物看,该墓应为一座明代浮雕式砖室墓。

广元市

449.明兵部尚书赵炳然夫妇合葬墓

作　　者:四川省博物馆、剑阁县文化馆　范桂杰、胡昌钰等
出　　处:《文物》1982年第2期

1979年8月,四川剑阁县城郊公社剑公大队二生产队农民在城北卧龙山麓发现明兵部尚书赵炳然夫妇合葬墓。四川省博物馆和剑阁县文化馆对此墓进行了清理。简报分为墓室结构和棺椁、随葬器物共两个部分,有照片。

据介绍,这座墓因后期扰乱,墓道的情况不明。距墓室南端15米处立一石墓碑。碑正面阴刻"诰赠太子少保兵部尚书赵恭襄公之墓",左边阴刻"诰封一品夫人王氏",右边阴刻"贡烈亚夫人杨氏"。墓室前2米左右有1方用大理石刻的墓志,盖上篆书"明资政大夫太子少保兵部尚书赠太子太保谥恭襄赵公墓志铭"。款署"大明万历十二年三月二十三日篆",简报未录墓志全文。M1与M2的椁,部分已朽坏,M3的椁已朽烂,M1棺保存完好,M2的棺除底部外,其余部分保存尚好。M1的骨架保存完整,仰身直肢,头发尚存。随葬器物基本上为金、银饰品,数量不多。

简报称,墓主人赵炳然,《明史》卷二百二有传,但不及墓志的详尽。墓志具体地记载了赵炳然的生卒年和一生的事迹,他在任河南道监察御史的时候,曾"劾罢大小不法吏若干人,宗室有与虏通谋不轨者,公复发之,抵重典"。这在当时还是难能可贵的。

450.剑阁发现明代禁止早婚石碑

作　　者:剑阁县文管所　母学勇
出　　处:《四川文物》1989年第4期

这块石碑位于剑阁至闽中的古驿道上,离县城约15公里,龙源镇北1公里处。碑高140厘米,宽63厘米,被一棵古柏树根环抱于怀,前上半部被青苔遮掩,下半

部被黄土堆积，幸免了自然和人为的破坏，非常完整地保存到了现在。简报配以照片予以介绍。

据介绍，碑文正书阴刻，从右至左竖行排列4行，46个字。全部内容为："都察院示谕军民人等知悉，今后男婚须年至十五六岁以上方许迎娶，违者父兄重则枷号，地方不呈官者，一同枷责。"题款为大明万历十三年（1585年）。这块石碑的发现，为研究明代婚姻法规提供了实物资料。

451.广元市元坝区樟树村明墓发掘简报

作　　者：四川省文物考古研究院、广元市博物馆、元坝区文物管理所　郑万泉、
　　　　　陈卫东、祁辰甫、张德如
出　　处：《四川文物》2014年第1期

为配合亭子口水电站建设，2012年10～12月，考古工作者对其淹没区范围内的四川广元市元坝区虎跳镇樟树村2座明代石室墓进行了清理。M1发掘情况简报分为：一、墓葬形制，二、墓内雕刻，三、结语，共三个部分，有彩照、手绘图。

据介绍，M1为并列双室墓。此次发掘的樟树村M1被盗扰严重，亦曾作为储物窖。虽无随葬品出土，但墓葬保存基本完好，墓内石刻装饰丰富。简报认为对四川明代墓葬的形制结构、丧葬制度等问题的研究都具有重要的学术价值。根据其形制结构、葬具和墓内装饰分析，该墓年代简报推断为明代中期的夫妻合葬墓，西室墓主为男性，东室墓主为女性。

遂宁市

内江市

452.内江市出土明代兵部尚书阴武卿墓志

作　　者：雷建金
出　　处：《四川文物》1987年第3期

1985年5月，内江市西郊14公里处的白马电厂在施工中，发现明代南京兵部尚书阴武卿夫妇3人合葬墓。简报配以照片予以介绍。

据简报介绍，墓顶距地表 0.6 米，方向正北。墓室呈"日"字形，前部分为墓道，后部为墓室。四室并列（自西向东，依次编号为 M1、M2、M3、M4），面积相等，均为长 2.5 米、宽 1.5 米、高 1.4 米。整个墓用 6 ~ 7 吨重的青石、夹砂石砌成。顶盖石上面还用一层石灰、河砂、混泥土加固保护。从墓志的内容和出土位置，可以确定 M1 为阴武卿的副室杨氏墓室，M2 为阴武卿本人墓室，M3 为他的原配刘氏墓室，M4 室空着，里面填土。据考查，阴武卿原娶"一妻二妾"，还有一位腾氏，M4 室是为她而建，据传此人后来未回内江。该墓已被盗过，棺木坍塌，人骨凌乱，随葬品除一些瓷片、铁饰片外几乎不存，最大收获就是墓志 3 合，即阴武卿本人及杨氏、刘氏墓志。简报未录志文全文。

简报介绍说，阴武卿（1527 ~ 1589 年），字定夫，号月溪，内江县黄石乡人。是历经明代嘉、隆、万的"三朝元老"。但查《明史》上无传，《内江县志》上有传与志文略有出入，有的略载或未载。墓上记载了阴武卿在"福建抗倭斗争"和镇压白莲教起义诸事，颇有史料价值。墓室中刻有铭文，云"万历十八年三月二十二日，圣驾亲临谕祭一次"。看来此人颇受皇帝宠幸，连疏于朝政的万历皇帝都亲至祭祀。

乐山市

453.井研县三江镇发现泸沙酒碑

作　者：乐山市文管所　唐安娜
出　处：《四川文物》1996 年第 4 期

乐山市井研县三江镇，发现石碑 1 通。简报配以照片予以介绍。

据介绍，1983 年泸沙酒厂扩建挖酒窖时，掘出前人酿酒遗址和泸沙酒碑。酒碑为石质。碑长 168 厘米，宽 75 厘米，厚 10 厘米。碑面阴刻隶书"泸沙"2 字。1993 年厂方因偶然原因，又从犍为县收购得木匾 1 方，长 160 厘米，宽 60 厘米，厚 25 厘米。阴刻楷书：泸沙酒店。上款：古镇大河街，下款：顺治壬辰（1652 年）。印章朱文：袁氏。此木匾与上述石碑文字其书风相同，款识一致。二者互为佐证。经考证断定泸沙酒碑为康熙十四年（1675 年）所作。泸沙酒碑是四川迄今发现专门记述酿酒业较早的碑记。经文物主管部门组织鉴定为国家三级文物，现由三江镇泸沙酒厂保护。

454.乐山发现明代大肚弥勒佛摩崖造像

作　者：乐山市文管所　帅秉龙

出　处：《四川文物》1999 年第 1 期

乐山大佛景区凌云山集凤峰处，有 1 尊大肚弥勒佛摩崖石刻造像，凿于明代，与我国各地常见左手持布袋、右手拿佛珠的赤脚大肚弥勒佛形象不同。简报配以照片予以介绍。

据介绍，这尊石佛凿于距地表 1.68 米的崖壁上，造像身高 2.68 米。两手抚膝，脚穿佛靴，已有风化现象。1984 年，当地文物部门进行了维修。

南充市

455.南充县出土明代窖藏

作　者：刘　畅

出　处：《四川文物》1985 年第 4 期

1980 年 12 月 4 日，南充县荆溪公社农民贾永杰修房挖排水沟时，在离表土约 1 米深的地下发现一批文物，5 日他将这批文物全部上交。考古人员对出土地点进行了调查，确定为 1 处窖藏。简报配以照片予以介绍。

据介绍，出土的全部器物装在 1 只大陶缸内，以锯屑塞缝，上用石板盖封，陶缸高 81.5 厘米、口径 59 厘米，内装瓷器、铜器共计 250 件。除 1 件铜器锈蚀过重已无法辨认外，其余基本完整。据其瓷器造型、胎质、釉色特点分析，产地不限一处窑口，少部分产于民窑。就其题款多样，绘画取材丰富及铜器，木杯、玉杯的型制、花纹、雕刻特点推断，简报推断时代应属明代中期。

456.西充县出土明代铜器窖藏

作　者：李南书

出　处：《四川文物》1985 年第 3 期

1984 年 7 月 16 日，西充县医药公司修建工地发现一铜器窖藏。这一铜器窖藏在距地表约 1.8 米深的一土坑内，共出土铜器 25 件，除锈蚀严重和残损的外，比较完整的尚有 13 件。

据介绍，窖藏中有八卦镜，经省文管会考古队鉴定认为，应是唐代文物，其余为明代制品和仿古制品。残件中有一些薄铜片用小五金工艺制成的器物。窖藏时铜器是零乱地放入土坑中的。简报推断，窖藏时间可能是明末清初。

457.西充县发现清代银锭窖藏

作　　者：李廷茂

出　　处：《四川文物》1988 年第 3 期

1982 年 4 月，西充县同德乡六村三组农民黄玉（女），在黄家湾窑地东割草时、在距地表面 30 厘米处发现 1 处银锭窖藏，银锭用 1 口灰陶缸盛装。内有多种清代银锭，元宝、中锭、翘角宝、福珠等共 50 件，重 7093 克。简报配以照片予以介绍。

据介绍，计有元宝 16 件、翘角宝 11 件、福珠 21 件等。银锭上有"咸丰六年""道光二十一年"等纪年铭刻，故知为清代遗存。

458.营山县发现明代窖藏瓷器

作　　者：营山县文化馆　刘　敏

出　　处：《四川文物》1988 年第 4 期

1987 年 5 月 3 日下午，营山县建筑公司在该县邮电局修建水池清理地基时，在距地表 0.7 米处，发现一批窖藏瓷器，共出土瓷器 30 余件。由于清基工人误以为基下有砖头石块，故用钢钎猛插数下，致使部分器物碎烂，经发掘出土后，仅存 10 件完整器物。简报配以照片予以介绍。

据介绍，这批出土瓷器，均属日常生活用具中的茶杯、碟、盘，分三叠首尾相衔，倒置于地。这批器物的特点是：釉色光莹如玉，器形小巧玲珑。其胎质洁白细腻，均为浆胎。从款式、形制、瓷胎、釉色等方面的情况来看，这批瓷器应为明代遗物，属民窑产品，窑口不详。

459.阆中出土的明代青花八仙罐

作　　者：阆中市文管所　张素芬

出　　处：《四川文物》1992 年第 6 期

阆中双龙乡四村农民李华章平整屋基时，在表土下 0.7 米处发现 1 块 140 厘米见方的石板，石板下有 1 瓷罐，出土时罐内盛满积水和 16 个青花瓷碗，考古人员前往察看，并将文物收回保存。简报配以照片予以介绍。

据介绍，瓷罐上绘有八仙顺序是：曹国舅、铁拐李、何仙姑、张果老、蓝采和、汉钟离权、吕洞宾、韩湘子，这种排法有别于他处，不常见。可能制作者是为某官家特制，有意把这位国舅排为八仙之首。瓷碗上有明成化年制铭文。应为明成化年间景德镇青花瓷，十分珍贵。

460.南充县出土明代窖藏

作　者：南充县文管所　覃海泉
出　处：《四川文物》1993年第2期

1984年10月7日，南充县荆溪乡桑树坝村5社村民刘祖元在包产地建房挖基取土时，掘出一批文物，他将文物取回家中存放后，到县文物部门进行了报告。考古人员立即前往调查，确定为1处窖藏。该窖藏在1980年12月南充县出土的明代窖藏（详见《四川文物》1985年第2期）西南23米，距地表深约1.2米。出土的青花瓷碗、杯、碟、罐、钵及翠绿釉陶盘、白瓷盘均装在一红陶缸内，共88件，粗糠塞缝，石板盖顶。简报配以照片予以介绍。

据介绍，计有红陶缸1件、青花瓷碗59件、青花瓷杯3件、青花瓷碟17件、青花带盖瓷罐1件、青花带盖瓷钵1件、白瓷盘3件、翠绿釉陶盘4件。应为明代不同窑口的民窑出品。

宜宾市

461.四川珙县洛表公社十具"僰人"悬棺清理简报

作　者：四川省博物馆、珙县文化馆
出　处：《文物》1980年第6期

四川宜宾地区珙县的"僰人"悬棺葬，是古代川南地区少数民族的遗存。1954年，四川省文物管理委员会进行了普查。省人大委员会于1956年正式公布为省级文物保护单位。1974年的7月下旬至9月中旬，考古人员赴珙县，清理了10具洛表公社麻塘坝的"僰人"悬棺，其中邓家岩7具，白马洞3具。简报分为：一、地理环境和悬棺形制，二、殉葬器物，三、结语，共三个部分，有照片、手绘图。

据介绍，洛表公社在珙县城南55公里，东接兴文县，麻塘坝距公社1.5公里，属团结、胜利两个生产大队。人迹罕至的岩壁上，散见为数不等的木棺，形如长匣。有在岩壁凿孔椽木，架棺于上；有利用天然岩穴，藏棺其中；有凿岩为穴，置棺于内三种情况。但以岩壁凿孔椽木架棺者居多。长期以来，由于自然和人为的破坏，大多数已坠落，现仅存悬棺100余具。悬棺的随葬器物不多，10具悬棺一共清理出40多件（衣服除外），多者6件（TM1），有的一无所有（BM2）。殉葬品的质量大体相似，差异不大。大多数已腐朽，少数保存完好。按质料可分丝麻织品、陶器、竹木器、瓷器、铁器、漆器、铜器等，以麻织品和竹木器为主，均系生活用品。另有丝织品2件、麻织品101件，大多保存不好。瓷器为景德镇明代中期民窑产品。

简报称，所谓"僰人"，先秦以来的史籍中不乏记述，但大多文字简略，简报认为应为今日白族的祖先。当然这个结论还有待探讨。简报推断年代为明代中期，早不过明初。10具遗体中6具有拔牙现象。说明《博物志》《新唐书》《炎徼记闻》《黔书》等文献记载有据。

462.四川筠连县费人湾一号悬棺清理简报

作　者：四川大学78级考古专业实习队、筠连县文化局
出　处：《考古与文物》1983年第6期

1981年，有关人员清理了位于政治公社跃进大队巷子生产队的1号悬棺。墓主人为一名30～40岁男性，随葬有牛角等。应为明代一位巫师、祭司之类人物。

463.兴文县出土铜鼓

作　者：丁天锡
出　处：《四川文物》1984年第3期

1983年10月，兴文县大坝区义和公社德应二队农民王宏甫修住房挖掘房基时，在离地面1米深的土层中发现铜鼓1面。简报配以照片予以介绍。

据介绍，铜鼓呈紫色，面径54.6厘米，高36.7厘米，腰略小，左右两侧各有双耳，鼓面中心为12条太阳芒的圆形阴纹图案，其他各部花纹均极细致。铜鼓现存兴文县文化馆。迄至目前，宜宾地区已收藏铜鼓12面。为研究宜宾地区古代少数民族和铜鼓提供了实物材料。此铜鼓应为明代少数民族都掌人遗物。《明史·刘显传》中有相关记载，可参阅。

464.四川宜宾市合江门出土明代铜炮

作　者：宜宾市文物管理所　秦保生
出　处：《考古》1987 年第 7 期

1978 年 3 月，重庆轮船公司宜宾分公司安装自来水管道时，在宜宾市合江门发现 1 尊铜炮。简报配以照片、手绘图予以介绍。

据介绍，铜炮全长 80 厘米，重 250 余公斤。由前膛、药室和尾銎三部分构成。铜炮没有铭文。

简报称，宜宾自古为兵家要地，现在三江口城内还残存着唐代的土城墙和明代靠土城墙砌筑的石城墙，并在岷江与金沙江的汇合处设合江门，借以控制水军。铜炮在合江门城门处出土，说明是当时守城控制水军而用的。

465.宜宾县草坪村明代郭成石室墓清理简报

作　者：四川省文物考古研究所　黄家祥、王朝卫
出　处：《四川文物》2002 年第 5 期

1999 年，考古人员为配合内昆铁路建设，在宜宾县柏溪镇清理了明代郭成石室墓。墓为石室结构，由 1 廊道（堂）和 7 个墓室组成。每 1 墓室的门楣有高浮雕仿木构建筑的斗拱，廊道券拱顶，出挑。墓室后壁有牌楼、二龙戏珠和牌位的浮雕图案，有的墓室有彩绘，剥蚀严重，不太清晰。出土四合墓志，有数千文字，内容丰富，涉及面广，对《明史》卷一百十二中郭成传有所补充，有重要的资料价值。简报分为：一、墓葬保存现状，二、工作方法，三、遗迹，四、墓室结构，五、出土遗物，六、结语，共六个部分，有照片、手绘图。

据介绍，该墓早在 1987 年就被盗墓分子用炸药炸开盗掘。仅存从村民手中征集来的陶罐 3 个，墓中有残坏头盖骨。最大收获是出土了 4 合墓志，简报均录有志文全文。此墓共有 7 个墓室，由一廊道串连，墓中埋有多少人已不确知，由志文知，有郭之生母鲁夫人（1524 ～ 1591 年），下葬于 1597 年。有郭之"思母"张淑人（1534 生），享年 42 岁，与鲁夫人相距 3 日迁葬于此。郭氏淑人邵氏（1552 ～ 1606 年），1607 年下葬，以及郭成本人。

郭成，《明史》有传，宜宾叙南人，明万历时为左将军。志文远比《明史》本传详尽。

466.四川宜宾喜捷槽坊头明代白酒作坊遗址发掘简报

作　者：四川省文物考古研究院、宜宾市博物馆　万　娇、王鲁茂等

出　处：《文物》2013 年第 9 期

　　槽坊头明代白酒作坊遗址位于四川省宜宾市宜宾县喜捷镇红楼梦村，现红楼梦酒厂酿酒车间北面。此处以前即为一酿酒作坊，当地村民称其为槽坊头。遗址分布在红楼梦酒厂新厂区扩建范围内，在基础建设工程中发现大量的青花瓷片。由于当地有此处为一老酒坊的传说，厂方主动向四川省文物考古研究院报告，希望进行发掘。2010 年 12 月，考古人员对现场进行调查，确认遗址面积约 3000 平方米，分为东区和西区。西区为遗址核心区，南部因厂房施工略有破坏。2011 年 2 ～ 4 月，进行发掘。简报分为四个部分进行了介绍，配有彩照、手绘图。

　　第一部分为"地层堆积"。

　　第二部分为"遗迹"。

　　第三部分为"出土器物"。有地基、烟锅、钥匙、品酒杯、窖池、石碾轮、石碾槽、石砝码等。

　　第四部分为"结语"，认为这应是一个生产性酒作坊，且是浓香型、酱香型白酒作坊。因其遗迹为泥底窖池，当为固态发酵场所，因为中国传统黄酒酿造是半固态发酵。而固态发酵中掺水较多，一般即使使用窖池，也会在窖池中放置陶缸。而浓香型、酱香型白酒均使用泥底窖池，窖泥在发酵过程中提供丰富的微生物群，使糖分在醇化过程中形成独特的香型。

　　从发掘现场种种迹象看，这一古代作坊至迟在明末已经废弃。

　　简报认为，槽坊头遗址是目前在四川东南部地区发年代最早、保存最好的一处白酒酿造作坊，为明代四川地区酿酒手工业作坊的研究提供了珍贵的实物资料。

467.宜宾地区古代酿酒作坊、遗址调查简报

作　者：四川省文物考古研究院、宜宾市博物院

出　处：《四川文物》2013 年第 4 期

　　宜宾作为四川白酒金三角地区之一，酿酒产业繁荣，有较多的古窖池、古遗址。2012 年 3 月，考古人员对宜宾 2 区 8 县 50 多个乡镇的古代酿酒作坊、遗址进行了初步调查。对于了解宜宾及四川地区古代酿酒作坊、遗址提供了第一手资料。简报分为：一、工作概况，二、工作方法，三、调查成果，四、初步认识，共四个部分，有照片、手绘图。

据介绍，考古人员对宜宾地区 2 区 8 县 50 多个乡镇的古代酿酒作坊、遗址进行了调查。工作方法为文献查找结合现场访问。共填写了调查表 72 份，最终确定了 29 处酿酒作坊和 30 处酿酒遗址，共计 59 处，涵盖了宜宾大部分地区。其中，明清时期作坊 10 处、遗址 2 处。其余作坊、遗址的年代均为民国时期至解放初期。从分布看，呈北多南少的特点。其中翠屏区代表了宜宾地区酿酒工艺的最高水平。

468.四川屏山县新江村明代石室墓发掘简报

作　者：四川省文物考古研究院、宜宾市博物院、屏山县文物管理所　李万涛、
　　　　金国林
出　处：《四川文物》2014 年第 3 期

新江村石室墓位于四川屏山县新安镇新江村三组，地处金沙江北岸四级台地。2009 年 3 月，考古人员对其进行了抢救性考古发掘，共清理 2 座石室墓，简称 M1、M2。2 座石室墓结构保存较为完整，发掘情况简报分为：一、墓室结构，二、出土器物，三、初步认识，共三个部分，有彩照、手绘图。

据介绍，新江村 M1 为双室墓，M2 为三室墓，两墓墓葬形制、构筑方法基本一致，墓室顶部均为模形石条垒砌而成的券顶。简报推断，这两墓的年代大致在明代晚期。

简报称，屏山境内目前发现的石室墓较多，但经过考古发掘并发表的材料没有。新江村石室墓的发掘为研究川南地区明代墓葬形制及葬制葬俗提供了新的材料。

广安市

469.广安县出土明代青花瓷器

作　者：李明高
出　处：《四川文物》1987 年第 3 期

1984 年 11 月 10 日，广安县委在改建房屋挖基取土时，掘出 90 多件青花瓷器，可惜的是多数瓷器已经挖烂，经修复得完整器物 32 件。简报配以照片予以介绍。

据介绍，尚完好的瓷器有带盖青花瓶、青花墩式碗、双凤青花碗、青花压手杯等。简报认为应是景德镇民窑产品。简报称，这批瓷器埋在离被拆房屋的下水道下面 70 厘米，此房建于清乾隆年间（1736 ～ 1795 年），瓷器被埋压的时间当早于此。此处

原为明天启年间（1621～1627 年）光禄大夫、户部尚书王德完的住宅，名曰"涵虚园"。清中期江西大商人王自修移居于此，因慕王德完声誉，更名"王德堂"。民国时为国民革命军 20 军军长杨森的官邸，更园名为"涵虚山庄"。1949 年后，为中共广安县委机关所在地。至于瓷器内外底部所有"周立"二字，从瓷器之精美分析，使用者周立可能属官宦或富豪人家，周立在此居住的时间应早于天启时的王德完，故埋藏时间应在明天启年间（1621～1627 年）以前。

470.岳池县双鄢乡出土铜器窖藏

作　者：岳池县文化馆　张道远
出　处：《四川文物》1990 年第 4 期

简报配以照片等，介绍了岳池县双鄢乡二村一处窖藏。

据介绍，共发现铜器十余件、锡器 1 件、钱币 1 枚。其中仿宣德炉 4 件、崇祯炉 1 件、鎏金蟠龙三足重香炉 1 件、鎏金铜瓶两件均保存完好。时代应是明末清初。窖藏地点靠近一道观，或为道士所埋。

另，据《四川文物》1991 年第 1 期介绍，1986 年 12 月，华蓥市高兴镇石门子村农民文贤伦，为其祖父挖掘墓穴时，在其曾祖父墓侧距地表约 80 厘米深处发现一陶罐（陶罐出土时已损坏），内盛有白银 28 锭，总重量为 6430 克。考古人员前往现场调查，并将这批银锭全部收回市文管所保存。简报配以照片予以介绍。

据介绍，高兴镇石门子村发现的这批窖藏银锭，系浇铸而成，其造型面底均为圆形或呈椭圆形元宝，背面似馒头形，其中有的背面呈蜂窝状麻面。银锭的重量、大小不等，最大的重 390 克，最小的重 120 克。这批银锭均铸有钤印铭文。铭文中有"绵竹县""犍为县""荣昌县""富顺县""沔县""岐山""长安""凤翔""泾阳""泾邑""礼泉""洋县""洛川""三源""郃阳""宝宫县"等邑县地名；有"裕""司前""永泰"等字样的（可能是商号或银楼的标记）；有"匠喻国良""黄桂""姜兴""周兴""王云""李云""张有""王润""王成""张玉""王有""吉元""王康""王桂""孙得权""王财""屈升""李桂""秦棣"等工匠姓名；有冠以"十五年地丁银""二十年""道光辛卯年足纹银"纪年的。简报称，这批银锭的铸造时间应是清代中期，下限为道光辛卯年，即道光十一年（1831 年）。这批窖藏银锭的出土，为我们研究清代的银两制度和银锭的铸造款式、字款、铸造地点等方面提供了新的实物证据。

471.岳池明墓清理简报

作　者：广安地区文化体育局　刘　敏
出　处：《四川文物》1996 年第 4 期

1993 年 12 月 25 日，岳池县九龙镇喜马办事处辖莲花寺村三社村民张某，于大坟山责任田耕作时，见其地坎垮塌，并发现一古墓。同日下午，全家将古墓石撬出用于建房。12 月 30 日，考古人员赶赴现场，发现古墓大部分已被损毁，残存 0.7 米，但墓室沉积淤泥还原封未动。12 月 31 日，进行了抢救性清理。共清理出土陶罐 2 件，陶碗 2 件，银耳环残件 1 件；系属明代墓葬。1993 年 12 月 27 日，岳池县花园镇高石梯村民王某，将其屋前侧 2 座常年暴露于地面的砖室墓拆毁，将墓砖用于建鱼池。考古人员对 2 墓进行了清理，共出土影青陶罐 2 件，墨釉青瓷碗 2 件，墨釉瓷碟 1 件，黑釉执壶残片数枚，花纹砖 20 余件。经鉴定，也属明代。

简报分为：一、高石梯明墓，二、大坟山明代墓，三、小结，共三个部分，有照片。

据介绍，这几座明墓中比较特殊的是大坟山明墓。墓葬位于岳池县城北门外 1 公里处的小土丘上，土丘高约 4 米，墓室距地表约 1 米，上为农耕地。墓为单室石室墓，束腰长方形。墓室长 2.2 米，两端宽 0.8 米，中间宽 0.7 米，此种形制以往少见。

472.广安文庙调查纪要

作　者：广安市文化体育局　刘　敏
出　处：《四川文物》2005 年第 5 期

广安文庙是近期发现的 1 处明清古建筑群，以其宏大的规模，大、小木作技术的使用，形成独特的建筑风格和地方特色。

简报分为：一、基本概况，二、建筑特色，三、两点认识，共三个部分，有手绘图。

据介绍，文庙，又称为孔庙，是纪念和祭祀孔子的祠庙，以山东曲阜孔庙建造的时代最早，规模最大。唐玄宗开元二十七年（739 年），封孔子为文宣王，因此改称孔庙为"文宣王庙"。明代以后改称"文宣王庙"为文庙。广安文庙始建于宋代，明代重建，后经多次维修。2003 年，公布为广安区文物保护单位。

简报指出，从这次调查和测绘的情况分析研究结果表明，广安文庙重建于明代的史实是成立的，仅以文庙大成殿的建筑为例。大成殿中斗拱的布局表现在以外檐四周分布为主，数量为 36 攒，屋高度与檐柱高度比等，均体现了宋代以后的特征。柱的细长比例、屋架举折比均体现了明清大式建筑的特色，为广安文庙的重建时代提供了充分的实物依据。

达州市

473.大竹出土明代铜器

作　者：余和平、邓章泉

出　处：《四川文物》1994年第1期

1987年1月19日，大竹县川主乡梯子村六组村民在承包地内小山丘上挖砖瓦窑时，出土一批窖藏铜器，考古人员赶赴现场调查，证实这是1处明代窖藏并将全部文物收回。简报配以拓片、手绘图予以介绍。

据介绍，出土地点位于县城东南隅8.5公里处，西距公路500米。窖藏坑呈长方形，长1.2米，宽0.6米，距地表2.5米，土质系红泥沙土。共出土铜器143件，其中铜爵129件，铜香炉14件，均保存完好。有的上有铭文，铭文中有明弘治年间纪年，均为仿商周器物制品。铸造较好，造型精致，反映出当时该地铸造工艺水平。特别是正殿爵，造型精美，腹上双龙，盘曲昂首，翔游云海，铸工精细，形态生动。

474.大竹县出土的明代铜器

作　者：大竹县文物管理所　余和平

出　处：《四川文物》2010年第4期

1987年1月，四川大竹出土了一批明代铜器，有铜爵128件，铜方炉15件，锡器3件。从铜器铭文可知，这批铜器是专门用以祭祀孔子、四配和十二哲人。明末文庙被毁，被人转移埋藏于此。简报配图予以介绍。

据介绍，此批文物系1987年川主乡梯子村村民取土制砖时发现，简报认为，该窖藏铜爵不是同一时期铸造，但铸造时间跨度也不应很大，应该在明代前期至中后期之间，所有铜器应出自同一作坊加工铸造而成。简报推测，这批铜器绝大部分是在明弘治乙丑年（1505年）大竹县知府刘永成主持铸造加工完成，至明末崇祯十七年（1644年）一直供奉陈列于文庙大成殿内，后被人秘密安全转移埋藏在这里。

眉山市

475.彭山县江口镇岷江河道出土明代银锭

作　者：冷志钧
出　处：《四川文物》2006 年第 1 期

2005 年 4 月，在彭山县江口镇岷江河道内进行引水工程施工过程中，由挖掘机在距离地表 2.5 米左右的地方挖出 1 筒银锭。简报予以介绍。

据介绍，出土银锭装于一筒内。7 件银锭分为 Ⅱ 式。7 件银锭重量都在 1800 克左右，面长在 12 厘米以上，腰宽 7 厘米左右。其中最重的达 1825 克，面长最长的达 14.9 厘米，腰宽最宽达 7.45 厘米。7 件银锭除 1 件无铭文外，其余 6 件都有铭文。

简报称，这 7 件银锭经省文物鉴定委员会鉴定为明代银锭，其中 6 件为二级文物，1 件为三级文物。出土银锭为研究明代历史、经济、文化提供了重要实物资料。简报认为，因张献忠与杨展在江口有过激战，一直以来都有"江口沉银"之说，此次江口岷江河道出土银锭也为张献忠在"江口沉银"之说提供了有力的物证。

雅安市

476.雅安市发现鼓形铨

作　者：余永恒
出　处：《四川文物》1993 年第 6 期

1991 年 1 月，雅安市政建设工程公司施工队，在雅安市区新桥河底施工时，挖掘出土一鼓铨。

据介绍，鼓铨，黄铜质，器为鼓形状。通高 7.3 厘米，盖径 9.1 厘米，鼓腹围径 35.5 厘米，底座 9 厘米，盖面双钩浅刻楷书"壹百两"字样，内装高 5 厘米、周径 6 厘米的铁质砝码和大小不等的铁、铅、镍砝码 15 个，用锡焊密封。

铨是古代衡量轻重的器具，此铨是在雅安首次发现的度量衡衡重标准器。系属清代圣祖康熙创制"营造尺库平制"度量衡器物，按清代末改进了的库平两为标准，即以营造尺 1 立方寸纯水重量作标准，库平 1 两等于 37.301 克，今用现代计量测定，重量为 3730.1 克，基本符合鼓铨 100 两的基本量值单位。此铨简报推断应为晚清度量衡砝码。另从它的库平 1 两单位考析，此铨应系作为当时称量金、银及贵重物品的计量标准器。

简报称，此次鼓铨的发现，对于丰富计量学的宝库和地方性资料汇集提供了实物资料。

477.雅安市发现三通地方戏曲史石刻碑

作　者：雅安市文管所　赵捷好
出　处：《四川文物》1995 年第 1 期

简报介绍了 3 通记载有雅安市地方戏曲史料的清代石刻碑，为研究戏曲史提供了实物资料。

据介绍，这 3 通碑，一为 20 世纪 80 年代末，在南郊乡皆村娘娘庙旧址发现了 1 通原文昌宫、惠泽宫清朝咸丰八年（1858 年）刻立的《重修台阁碑记》石刻，时被该村小学校作为旗杆石使用。二为在合江乡场上（乡政府基建施工中）又发现 1 通清朝乾隆二十八年（1763 年）刻立的《修戏楼碑记》。三为在蔡龙乡余家坝发现 1 通清朝乾隆三十一年（1766 年）刻立的《重修彩画戏楼碑记》石刻，时被乡民作为铺路石。简报仅节录部分碑文。

巴中市

资阳市

478.四川简阳出土明代道家用印

作　者：简阳县文化馆　方建国
出　处：《文物》1987 年第 11 期

1985 年 2 月，简阳县海螺乡万年村农民挖竹坑时挖得铜印 1 枚，现存简阳县文化馆。简报配以照片予以介绍。

据介绍，铜印长 6.5 厘米，宽 6.3 厘米，厚 0.6 厘米，矩形纽高 4.5 厘米。印面阳文篆书"道经师宝"。纽两侧刻阴文楷书，右为"正德三年"，左为"先天□□铸"。

简报称，正德为明武宗年号，正德三年为 1508 年。此印应为 1 方明代道家用印。

479.简阳县出土明代铜印

作　　者：方建国

出　　处：《四川文物》1988 年第 6 期

1985 年 2 月，简阳县海螺乡万年村五组农民黄明泽，挖竹坑时拾得铜印 1 方，现存简阳县文化馆。简报配以照片予以介绍。

据介绍，铜印长 6.5 厘米，宽 6.3 厘米，厚 0.6 厘米，钮高 4.5 厘米，通高 5.8 厘米。印钮两边刻有阴文楷书，右边有"正德三年"，左边有"老天□□□"等 9 个字，印钮正上方有 1 "上"字。印文汉字阴刻大篆"道经师宝"四字。根据印文分析，这是 1 枚明代信奉道教道士的铜印。这对明代道教的研究，提供了实物依据。

480.安岳名山寺摩崖造像

作　　者：安岳县文管所　唐承义

出　　处：《四川文物》1990 年第 6 期

名山寺，又名虎头寺，位于安岳县城东南 60 公里顶新乡民乐村的虎头山巅。山上古道壁立，环山佛像林列，十分雄伟壮观。该处现存造像 13 窟，共有摩崖造像 63 尊，圆雕石刻像 31 尊，其中 5 ～ 7 米的 8 尊，1 ～ 4 米的 50 余尊，石碑 19 块，石刻题记 4 处。简报配以照片予以介绍。

简报重点介绍了 1 号、2 号、3 号、5 号、8 号、12 号窟。据 8 号窟中清碑文推定，名山寺应始建于唐元和年间（806 ～ 820 年），从现在摩岩造像风格来看，应为北宋早期，其余圆雕石像为清代所刻。

481.简阳县发现明代瓷器窖藏

作　　者：方建国、唐朝君

出　　处：《四川文物》1991 年第 2 期

1988 年 4 月，简阳县东灌管理处建筑工程公司，在农行基建工地发现明代瓷器窖藏 1 处。窖藏位于县城小十字南侧 15 米处，距地表深约 2 米，瓷器重叠放于两口扣合的铁锅内。出土时铁锅破碎。简报配以照片予以介绍。

据介绍，该窖藏共出土器物 100 件，其中明代青花瓷器 94 件，明宣德炉 3 件，铜罐 1 件，宋仿商周铜鼎 2 件。该窖藏出土器物，以青花瓷器为主，青铜器次之。瓷器中有"大明成化年制""大明成化年制"款识的碗、杯、碟 34 件，占窖藏瓷器总数的 32%。还有部分"大明嘉靖年制""兴吾佳器""博古斋"款识的碗、杯，款式均为青花料书写。

简报称，从窖藏出土的器物来看，有宋仿商周铜鼎，明宣德炉，有"大明成化年制""大明嘉靖年制""兴吾佳器""博古斋"款式的青花瓷器。尽管瓷器均为实用器皿，但多数碗底黏有窑渣未脱，证明没有用过，简报怀疑窖藏的主人是一个古董收藏家，在明末将这批器物窖藏地下。这批瓷器、铜器的出土，为研究宋代、明代宣德铜器，以及明代成化、嘉靖的瓷器提供了实物资料。

阿坝州

甘孜州

482.甘孜州发现大西农民政权的一方鎏金铜印

作　者：扎西次仁
出　处：《四川文物》1984 年第 4 期

有关人员在清理甘孜州文化馆收藏的原德格土司家部分藏品时，发现 17 世纪 40 年代张献忠领导的大西农民政权颁发的"援剿营总兵官关防"鎏金铜印 1 枚。简报配以照片予以介绍。

据介绍，此印长方形，长 10.4 厘米，宽 7.3 厘米，厚 1.5 厘米，长圆柄。印文篆书"援剿营总兵官关防"。印背镌刻"援剿营总兵官关防""礼部造，大顺二年十二月日"。侧镌刻"大字一千二百四号"。"援剿营总兵官"即德格土司，此印正是大西农民政权授予德格土司的。此印原藏德格土司家庙八邦寺。后收藏于甘孜州文化馆。简报顺带提到四川省博物馆收藏的"离八寺官司印"，也是张献忠领导的大西农民政权授予甘孜州道孚县离八寺的铜印。有印文篆书"离八寺长官司印"7 字，印背镌刻"离八寺长官司印""礼部造，大顺二年正月□日"，侧镌刻"大字六百六十二号"。简报称，"援剿营总兵官关防印"和"离八寺长官司印"均表明，当时藏族聚居区的甘孜藏族自治州境内已经建立了地方行政机构。大西农民政权对这些地方行政机构颁发官印，足见大西农民政权同甘孜州藏民族之间有着密切的关系。这 2 方大西农民政权的铜印，为我们研究张献忠领导的农民起义的历史及其与甘孜州藏民族间的关系，提供了重要资料。

483.四川石渠县松格嘛呢石经城调查简报

作　者：故宫博物院、四川省文物考古研究院、罗文华、姚　军等

出　处：《文物》2006 年第 2 期

2005 年 7 月，考古人员对四川省甘孜藏族自治州重要的文物和主要的文化点进行了综合考察。简报分为"地理位置""嘛呢石的内容及采样分析""石经城的时代和价值""松格嘛呢石经城基本调查""相关问题的初步探讨"等几个部分，有彩照、拓片、手绘图。

据介绍，位于石渠县的松格嘛呢石经城为此次的重点考察对象之一。松格嘛呢石经城由东、西两部分构成，全部用刻有文字和图像的石片层层砌筑而成。文字以咒文和祈愿文为主，图像主要是格萨尔题材和佛教题材。现在观察到较早的为 18 世纪的作品，即清朝时期。

简报指出，嘛呢石文化是藏区很普遍的一种宗教文化，其最常见的表现形式是嘛呢堆，但在石渠县境内在 17 世纪末至 18 世纪出现了如松格嘛呢城和巴格嘛呢墙这样大规模的嘛呢石堆积却是不常见的现象。从现存的三座大的嘛呢堆积来看，青海省玉树的嘉纳嘛呢堆（最大的嘛呢石堆，始建于 1715 年）、石渠县的巴格嘛呢墙和松格嘛呢石经城，三者既相似又有不同。相似点是均以嘛呢石堆成，但相对而言，无论是从嘛呢石堆积的保存情况、文化内涵和艺术水平来看，松格嘛呢石经城都是其中最好的。巴格嘛呢墙在"文化大革命"中遭到破坏，基本不存在重要的原始堆积现象，其中一些石刻虽然艺术价值和文化内涵也比较丰富，但数量不多。由于近年来一直处在堆积状态中，整个嘛呢墙新构的色彩比较重。嘉纳嘛呢堆以规模巨大而著名，但基本不见任何早期堆积，甚至早期石刻。仅凭这些简单的比较，我们就会感受到松格嘛呢石经城的异常珍贵之处。

凉山州

484.凉山发现明"播州营"石刻碑记

作　者：李绍明

出　处：《文物》1975 年第 3 期

关于"播州土司"在我国西南地区的活动史书上很少记载。1974 年 2 月，考古人员在四川省凉山彝族自治州美姑县发现的明"播州营"石刻碑记，对于了解这方

面的历史是一个很好的材料。

据介绍，这块石刻碑记发现地点在美姑县侯布区甲谷公社八千大队的一块大石上，上面刻着"播州营碑记"。碑文记载了明万历十六年（1588 年）的一段历史事件。关于这次事件，史籍记载不详，仅见清光绪年间编刊的《越嶲厅全志》卷六之二"武功（上）"。由此可知，当时的"播州土司"曾配合明代封建王朝的"官兵"参与了对凉山彝族的武力镇压。简报称，这块碑记就是他们的一个罪证。

485.四川西昌县发现"大顺"城砖

作　者：四川西昌地区博物馆　黄承宗
出　处：《文物》1977 年第 5 期

最近，在四川省西昌县城西北一所民房内发现有"大顺"二字铭文的 1 方残砖，长 28 厘米、宽 17 厘米、厚 6.5 厘米。这方残砖原来是砌在西昌城墙上的。简报配以照片予以介绍。

简报介绍，据文献记载，张献忠于 1646 年牺牲，但其余部仍然坚持斗争。1648 年，张献忠旧部刘文秀的部队曾占领过西昌，并修建过西昌城。因此，这方残砖应是当时遗物，是我们研究张献忠领导的农民起义军历史的重要文物。这方"大顺"残砖现在保存在四川省西昌地区博物馆。

486.四川冕宁县出土明代彩绘陶罐

作　者：四川省西昌地区博物馆
出　处：《文物》1979 年第 8 期

1977 年 11 月，四川省冕宁县城关公社幸福大队农民平整土地时，在县城北山边缘发现塌毁明代砖室墓 1 座；出土墓志铭 1 合，彩绘陶罐 1 个。简报配以照片予以介绍。

简报介绍，据墓志铭记载，该墓下葬于明正统七年（1442 年）八月十五日。彩绘陶罐短颈、卷唇、鼓腹内收小平底。器形具有明代陶器一般特征，唯通体施一层白粉后再用红、绿、黑三色绘有红牡丹花 4 朵；笔触流利，线条明快连贯，布局适当。简报称，这种施白粉的彩绘陶罐在明代出土器物中少见，可为研究明代绘画提供参考。

487.会理县发现清代禁止赌博碑

作　　者：廖廷畅

出　　处：《四川文物》1988年第4期

1987年文物普查时，在会理县彰冠乡张古凉桥原蔡家祠堂（今为小学）发现了4块清代同治年间石碑，其中之一即为"禁止赌博碑"。简报配以照片予以介绍。据介绍，碑的正文共有21行，直书。内容有前言、后语，更主要的是赌博的十大罪过。总计731字，楷书，简报录有全文。

488.凉山州出土的明代买地券

作　　者：凉山州彝族奴隶社会博物馆　黄承宗

出　　处：《四川文物》1997年第5期

凉山州在基本建设中，曾出土了数量比较多的买地券。从时间上看，目前已发现的资料，主要是明代的，质地是当地所产的石头。墓主人的身份有官吏或其家属，也有一般富人绅士。从券文形式看，其铭文内容大体相同，大约有四种不相同的格式。简报配以照片予以介绍。

据介绍，简报介绍了明天顺、成化、万历年间不同格式的买地券4方，均录有全文。简报称，从凉山州境内历年出土和发现的资料来看，买地券主要属于明代，这可能与明代大量迁入汉民族居住有直接关系。从凉山出土的明代初期买地券的形制、券文的格式，与中原地区基本相同；但是到了明代后期，则多"村巫"语言和刻画符篆等习俗，甚至长期停丧在堂，并由堪舆阴阳术士择地点穴才能安葬。

贵州省

贵阳市

489.贵阳北横巷清代银锭窖藏

作　者：贵州省博物馆考古队　宋世坤

出　处：《考古》1985 年第 7 期

1980 年 7 月，贵阳市中华北路北横巷居民在院坝一侧修墙挖地基时，挖出一批银锭，当即将银锭送交派出所。考古人员前往调查。据了解，这批银锭出土于地表以下 0.3 米深处的一个陶罐中。据此，简报推测这是一批窖藏银锭。简报配以拓片予以介绍。

据介绍，这批银锭计 31 件，总重量为 41.2 斤。形状有马蹄形、长方束腰形、方斗形和圆形 4 种。除 1 件外，其余皆有铭文。铭文内容包括地名、商号、工匠姓名、重量和纪年等。贵阳市北横巷出土这批银锭的年代，最早者为同治二年（1863 年），最晚者为光绪元年（1875 年），据此推测，下窖时间可能晚于光绪元年（1875 年）。

简报指出，尤为珍贵的是：铭文中有"桃源""新关""安化""衡山""芷江"十几个商号；有"匠朱兴"等工匠姓名；还有"同治二年""同治三年""同治七年""同治十二年""光绪元年"等纪年。像这样数量多，且有地名、商号、工匠名、纪年等铭文的银锭出土，在贵州省尚属首次。简报称，它们的出土，为研究清代货币史提供了一批重要的实物资料。

六盘水市

遵义市

490.贵州道真县出土南明将军印

作　者：道真县文化馆　王其珍、潘言敏

出　处：《文物》1985 年第 8 期

1979 年 4 月，贵州道真县顺河公社青坪大队尖峰生产队出土一颗铜印。现重 1406.7 克，虎纽高 8.7 厘米，工艺精美。印背右、上、左方阴刻铭文，凡 34 字。右方 2 竖行："永历二年十一月奉""圣旨礼部造以铜代银"。正上方："永字第一千一百三十九号"。左方："规秦将军之印"。印面竖行阳刻柳叶篆文"规秦将军之印"6 字。

简报称，南明永历政权偏处南方一隅，永历二年（1648 年，清顺治五年），朱由榔驻广西桂林，四川、贵州等地的明室遗臣及部分少数民族首领遥尊朱明，臣服永历，以抗御清军。今道真县南明时期隶遵义军民府，属四川管辖，为黔北入川的要道之一，是南明、清军、张献忠遗部以及"摇黄十三家"各种武装力量的重要活动地区。明制武臣受重寄者方能佩用柳叶篆文虎纽银印。此规秦将军印有"以铜代银"字样，应属措置一方的武将佩带无疑。它为考正当时川东、黔北一带的军事状况，提供了实物资料。

491.播州杨氏墓葬

作　者：宋世坤

出　处：《考古与文物》1986 年第 4 期

贵州省遵义系唐代播州。唐末，南诏攻陷播州。唐僖宗乾符三年（876 年），山西太原人杨端应募入播州，"历五代，子孙世有其地"。明万历二十八年（1600 年），播州宣慰使杨应龙叛，明王朝命李化龙率师讨灭之。万历二十九年（1601 年），"分播地为二，属黔者为平越军民府，属蜀者为遵义军民府"，从此，结束了杨氏对播州的统治。自唐末杨端入播至明末杨应龙叛亡，杨氏共传二十九世，统治播州长达 755 年。1949 年以来，考古人员在古代播州中心地遵义县（市）境内，先后发现播州杨氏墓葬 10 余座。其中，能够指其名者仅杨粲、杨文、杨升、杨纲、杨辉、杨爱、杨烈 7 人的墓葬，除杨辉和杨烈墓外，其余均已发掘。简报分为：一、皇坟嘴杨粲

墓，二、高坪杨文、杨升、杨纲、杨爱墓，三、流水堰杨辉墓，四、洪江杨烈墓，共四个部分，介绍了这批墓葬的有关资料，有照片、手绘图。

据介绍，1953 年，贵州省博物馆在遵义县龙坪区永安乡皇坟嘴发现大型石室墓葬 1 座。1957 年，对该墓清理后，证实了这座墓葬系南宋时期播州安抚使杨粲夫妇的墓葬。杨粲墓虽早年盗扰严重，随葬品所剩无几，但该墓规模宏大，系由 496 块白砂岩条石建成，全墓石刻 190 幅。随葬品仅有残墓志 1 方、断碑 2 块、铜鼓 2 件、铜镜 1 件、影青瓷碗 4 件及铜钱等，对研究古代播州的民族关系和阶级关系，以及我国古代石刻艺术，都具有重要的科学价值。

杨粲字文卿，生卒年不详，南宋嘉泰年间为播州安抚使。1954 年，考古人员在遵义县高坪镇考古调查中，于该镇西约 1 公里的珍珠山北麓之衙院，发现大型石墓 2 座。1972 年春，考古人员在发掘这 2 座墓葬时，又于紧邻衙院南侧的地瓜堡发现石墓两座，当即一并清理。从出土的残碑、墓志铭、修墓题记等，进一步证实了它们分别是杨文、杨升、杨纲、杨爱四人的墓葬。高坪杨氏墓葬尽管早年被破坏，出土文物不多，但其规模宏伟，结构复杂，雕刻精美，系贵州省明代石墓中佼佼者。尤其是出土的碑、志，记载了播州杨氏和杨文、杨升、杨纲等人的事迹，弥补了文献的记载，确是一批难得的资料。

杨辉墓位于遵义县团溪区白果乡西 1 公里。封土高约 4 米，有三通碑。此墓尚未发掘。杨辉字廷章，号退斋，播杨二十四世杨纲之子。生于明宣德八年（1433 年），卒于成化十九年（1483 年），享年 51 岁。正统十四年（1449 年），其父杨纲老疾，杨辉遂袭任播州宣慰使之职。这时，镇远一带爆发了苗族起义，杨辉镇压起义十分卖力。

杨烈墓，位于遵义县新蒲新区新蒲村。尚未发掘。

今有颜丙震先生《明后期黔蜀毗邻地区土司纷争研究》（人民出版社 2018 年版）一书，可参阅。另有《〈明史·贵州土司列传〉考证》（贵州人民出版社 2008 年版）一书，也颇可读。

492.义团溪明播州土司杨辉墓

作　者：刘恩元

出　处：《文物》1995 年第 7 期

杨辉墓位于贵州省遵义县团溪镇白果村西约 1 公里的流水堰，北距遵义市约 50 公里。墓葬封土呈圆形，直径约 29 米，高 4.2 米，面积 800 余平方米。墓前立有石碑 3 通，墓碑前 50 米处有巨型石柱 2 根，现存 1 根，上刻云龙飞凤纹，柱前为拜台，墓西北约 400 米有寺庙 1 座，为杨辉祠，名曰雷音寺。杨辉墓在 1987 年初连续三次被盗。1988 年 5 月，考古人员进行了清理，编号为 M10。简报分为：一、墓葬结构，二、出土遗物，三、结语，共三个部分，配以照片予以介绍。

据介绍，杨辉墓由护墙、前室和后室三部分组成。出土文物有陶、骨、铅、铁、漆器等共 87 件，另外，墓前立有石碑 3 通，简报未录全文。

据碑文及相关文献，知此处为播州土司杨氏家族墓地。播州土司自唐代杨端始至明代杨应龙，共传 29 世，历时 700 余年。杨辉生于宣德八年（1433 年），卒于成化十九年（1483 年），其父杨纲、其子杨爱均葬于遵义高坪，1972 年已发掘。此墓应为杨辉与其妻田氏、俞氏合葬墓。

493.贵州遵义市海龙囤遗址

作　　者：贵州省文物考古研究所、遵义市汇川区文体广电局　李飞、周必素、
　　　　　彭万等

出　　处：《考古》2013 年第 7 期

海龙囤是 1 处宋明时期的羁縻土司城堡遗址，位于贵州省遵义老城西北约 40 里的龙岩山顶，又称龙岩囤，属遵义市汇川区高坪镇海龙囤村双龙组。遗址三面环溪，一面衔山，地势险要，《明史·四川土司二》称其为"飞鸟腾猿不能逾者"。

遵义旧属播州，9 ～ 17 世纪，杨氏世守其土长达 724 年，至末代土司杨应龙时，共传 29 代，30 人先后出任播州统领。结合文献记载和考古发现，海龙囤始建于杨氏第 15 世杨文主政播州时的宋宝祐五年（1257 年），毁于明万历二十八年（1600 年）的平播之役。1982 年，海龙囤被列入贵州省文物保护单位，2001 年晋升为全国重点文物保护单位，2012 年被列入"中国世界文化遗产预备名单"。后人对海龙囤的寻访，至迟自清中期便已开始。清儒郑珍曾在道光年间 4 次登囤。对海龙囤科学、全面的考古调查始于 20 世纪七八十年代。1999 年秋，贵州省文物考古研究所、遵义县文化局等组建考察队，对海龙囤及周边诸囤进行了较为系统的调查，并对"新王宫"和"老王宫"遗址进行了小规模试掘，是在海龙囤进行的第一次考古试掘。通过调查与试掘，已探明环囤有约 6 公里长的石墙，依山势逶迤延伸，围合面积达 1.59 平方公里。囤东有铜柱、铁柱、飞虎（三十六步）、飞龙、朝天、飞凤（五凤楼）六关，囤西有后关、西关、万安三关，均大石筑就，巍峨雄壮。囤东朝天、飞龙两关遗有杨应龙手书榜额，知其分别建于万历二十三年（1595 年）和万历二十四年（1596 年）。囤西三关之间围合成的两座瓮城分别称为土城、月城。囤顶平阔，"老王宫"和"新王宫"是海龙囤两组最大的建筑群，面积均约 20000 平方米。此外尚有金银库、四角亭、采石场、校场坝和绣花楼等遗迹。此前的调查还大致摸清了海

龙囤与周边诸囤的关系。海龙囤周边数里内养马城、养鸡城、养鹅池等同期遗存，共同构成庞大严密的军事防御体系。

2012年4月至2013年1月，考古人员再次对海龙囤遗址展开大规模科学发掘，取得了重要收获，简报分为：一、遗址和发掘概况，二、"新王宫"遗址，三"老王宫"遗址，四、窑址与采石场，五、结语，共五个部分，着重介绍了这次发掘，有彩照和手绘图。

简报指出，"老王宫"应为宋代遗存，"新王宫"有明确的中轴线，大堂居中，格局为前朝后寝，为明代建筑群。从出土遗物看，在嘉靖、万历时期达到鼎盛，毁弃于万历年间的大火。修建所需石材、砖瓦等材料均就近取用。

简报指出，海龙囤集关堡山城与土司衙署于一身。本是在抗蒙背景下由南宋朝廷和播州杨氏共同修建的防御工事，却在明末成为地方势力对抗中央王朝的大本营。从南宋中期开始，穆家川（今遵义老城）一直是杨氏统领播州的政治中枢，不久之后修建的海龙囤与之并存，前者为平原城，偏重于政治；后者为山城，偏重于军事。共同构成了播州杨氏完备的城邑体系。海龙囤遗址是中国西南地区规模最大、保存最好、延续时间最长的土司城堡，对中国西南同期以及以后的同类建筑产生了深远影响。

安顺市

494.贵州省普定县出土古铜钱

作　者：郑剑琴

出　处：《考古》1989年第9期

1984年夏，普定县城关区营业所在基建中发现一堆古铜币。这堆铜钱埋在离地表约1.5米深墙基下，出土时铜钱有细铁丝穿孔成串，铁丝全部锈断。这批铜币共25斤，钱文清晰可辨，其中有"兴朝通宝""永历通宝""崇祯通宝"3种，以"崇祯通宝"为最多。简报配以拓片予以介绍。

据介绍，"兴朝通宝"和"永历通宝"两种铜币，曾于1647年前后在云南、贵州两省流通。1652年，永历皇帝移住安龙时，曾分别在贵阳、遵义云南等地铸造"永历通宝"。"兴朝通宝"是1647年，孙可望称东平王以"兴朝"为国号时命令铸造的。"兴朝通宝"大的1分，小的5厘。这次发现的正是1分和5厘的两种，但和其他资料介绍不同的是，1分的"兴朝通宝"又有两种，大小和重量均不相同。同为一分铜币，大、厚、重都不相同，是否是铸造地点不同，原因尚待进一步研究。

铜仁市

495.贵州思南明代张守宗夫妇墓清理简报

作　者：贵州省博物馆　刘恩元
出　处：《文物》1982 年第 8 期

　　张守宗夫妇墓位于贵州思南县河东公社万胜山顶，乌江河东岸，与思南县城隔河相望。地面残存一石围土冢，冢前清理出残碑和浮雕人像数块，地面存石华表 2根（1 根已残断），华表顶端有石狮。1980 年 3 月，农民平整土地时发现该墓。考古人员进行清理，清理结果简报分为："墓葬结构""出土器物""几点认识"三个部分予以介绍。

　　据介绍，墓分男女 2 室，男左女右。墓室后壁和左、右 2 壁各用 1 块长石板砌成，墓室顶部各用 6 块长条石覆盖。墓室从外向内有 4 层密封设施，墓底各铺三行方砖，男室砖下再铺 1 层 15 厘米的生石灰，男女葬具均用 1 棺 1 椁，椁为楠木。女墓室棺内尸体保存完好，尸体身上衣服 9 件、裤 3 件、裙 7 件、鞋 1 双；身上横系丝带 7 道，上覆丝绸提花被，脚下塞棉布 5 匹，这种葬式当地俗称"登山"。尸体四周填塞衣物。男女均为仰身直肢葬，尸骨、随葬品均浸在棺液中。棺液无色透明，渗出棺椁外呈暗红色，并有极浓的香味。女尸出土后，肌肉萎缩，皮肤棕褐色，四肢关节能活动。头发花白，螺髻。指甲尚存，部分牙齿松动，牙冠部分磨损。推测死者年龄为 50～60 岁。出土器物丝织品有衣服、裙子、袖套、鞋等 37 件、被子 13 件、其他织物 11 件，棉织品共 17 件。墓碑 1 块，碑身阴刻、阳刻，有全文简报录文。浮雕 2 件、买地券砖 1 件，铭文为朱笔楷书，共 19 行，行 18 字，能辨认的 60 余字简报有录全文。镇砖符砖 4 件，文字均为朱书，简报录有全文；无花果 2 枚。金环 2 件。银发簪 2 件。

　　据墓碑题记及史料记载，墓主为张守宗，水德司（今昆南）人，明嘉靖二十八年（1549 年）举人，嘉靖二十九年（1550 年）进士，历任户部山西司员外郎。据买地券砖铭文，知墓主张守宗卒于万历三十一年（1603 年），享年 78 岁。由此推算张守宗当生于嘉靖五年（1526 年）。该墓右室的女性墓主，依夫妻合葬之制，当为张守宗之妻。

　　简报称，女尸历经 370 余年而不腐，原因为尸体长期在酸性的棺液中，尸体易于保存。由于深葬和密封，墓室内保持相对稳定的低温、缺氧，细菌不能生存，尸体得以不腐。香料和药物具有挥发性，穿透力强，能起到杀菌防腐的作用。另张守宗夫妇墓出土的大量纺织品，经初步鉴定，它具有明显的民间纺织工艺特色，是研究我国古代纺织科学技术的实物资料。出土的买地券砖，形式别致，铭文每行正倒相间，内容除叙述墓主简历外，还具有浓厚的道教色彩，说明明代道教在贵州已十分盛行。

毕节市

黔西南州

黔东南州

496.贵州苗族和侗族起义军的三件武器

作　者：牟应杭
出　处：《文物》1963 年第 9 期

贵州省博物馆搜集到苗、侗起义军当年使用的几件较为特殊的武器，简报配以照片予以介绍。

喇叭口大枪搜集于黔东南苗族侗族自治州的从江贯洞，其形式与一般步枪同，但主要机件结构部分，均按旧式的火铳做法。作战时内装火药与铁砂，由火咀处引火发射。据说这种枪的射程不远，但杀伤面很宽。因此，侗军每与敌人接仗时，多用它来扫射敌人，此枪没有出土地点。

铁挡叉于黔东南苗族侗族自治州的雷山县的雷公坪出土，同时出土的还有梭镖和砍牛刀等武器。它是一种带有长柄的直刺兵器，但除木柄上端的刺具外，还有一个如牛角形的长枝。上有长约 13 厘米的挂齿 4 个。因此，在作战时，除作为刺具使用外，在更多的情况下，则是作为拦挡敌人刺杀的一种防御武器。

在苗族聚居区的台江县还搜集到 1 件叫"三元炮"的武器。这件武器形式特殊，炮身仅为长约 12 厘米的铁筒 3 个，用两道铁圈箍束在一起，炮身口径仅 3 厘米左右，由接柄处引火发射，其下为一长约 150 厘米的木柄。据说这种武器不直接用于作战，而是苗族起义军的首领等升帐时，用作礼炮来燃放的。此炮简报没有说明出土地点。

黔南州

云南省

497.滇西白族火葬墓概况

作　者：李家瑞

出　处：《文物》1960年第6期

云南西部，北起丽江县的九河，南至凤仪县的江西村，还保存着相当多的宋、元、明三代的白族火葬墓群，考古人员调查发掘过的有19处，都在白族乡村附近，最远的离乡村也不出2公里。有些墓迄今还有后人奉祀香火，其人都是白族，从墓主姓名上看，也是白族祖先。简报择要予以介绍，有手绘图、照片。

据介绍，宋代白族火葬墓有两处：一为丽江县九河吐娥村西白族火葬墓群，应为大理国段姓、高姓抵抗蒙古军队阵亡的将士墓。二为楚雄县北门外莲花池，也发现了高家的火葬墓1处，只存有高生福的墓幢。墓幢四面刻汉文，文中记"仁寿四年"，是大理国段智祥的纪年，相当于南宋理宗端平、嘉熙年间（1237～1240年）。这里的火葬墓附近，没有白族聚居，但高生福是高智升的后裔，是白族的统治者，此墓虽没发掘，推测为火葬墓。元代火葬墓，已发掘的有剑川县丁卯城南20多冢，墓砖上有梵文。明代火葬墓甚多，剑川县中科山赵士官家墓地、剑川县西庄龟山，和龟山隔湖相望的上河村墓地，墓幢上全是梵文。鹤庆县城西箐口高土司家墓地、大理县苍山麓一带明代火葬墓也很多。清代初年，地方官吏严禁火葬，火葬墓甚少。

简报指出，从现在白族词汇来说，棺葬墓的各部分名称，如棺材、含口、墓圹、碑心、帽券、海底板等，都没有白族语名字，可知棺葬是学汉人做的。白族地区现在存在的古墓，也没有保存着明朝以前的，所以明朝以前的棺葬墓，大多数都是随沐英来的官兵及其后代。最近大理县文化馆在苍山中和峰麓清理了明嘉靖时韩政夫妇墓1座，随葬品相当多。据墓志，韩政就是明朝的武德将军，他的墓的形制，就是白族地方明代棺葬墓的代表。另外，明代墓有墓碑的相当多。石钟先生辑有《大理弘圭山明代墓碑录》，几乎全是火葬墓碑。调查中所见一些碑文，也颇有价值。

昆明市

498.云南呈贡王家营明清墓清理报告

作　者：云南省文物工作队　张增祺
出　处：《考古》1965 年第 4 期

呈贡王家营位于昆明东南 20 公里的一处高原上，为昆明郊外的风景区。这批墓葬坐落在王家营原上的龙山东侧，共 6 座，均有高大的封土堆。据墓志和封土中碑文得知，其中 3 座系沐氏墓（墓 1 ~ 3），2 座为郭氏墓（墓 4.5），另 1 座（墓 6）虽无明确记铭，但就墓室结构、位置及随葬品观察，也可能是郭氏墓。沐英的墓曾于 1949 年后在南京江宁县的观音山发现过，并加清理（见《考古》1960 年第 9 期）。这次呈贡的发掘又增添了关于沐氏镇守云南的一些史料。这 6 座墓中，墓 1 于 1956 年时先由当地农民发现，墓内随葬品已被取出，唯墓室尚完好，后收集回一部分器物，但原来位置已不清。其余 5 座墓于 1963 年底被农民掘开。简报分为：一、沐氏墓，二、郭氏墓，三、结语，共三个部分，有拓片、手绘图。

据介绍，沐氏墓 3 座包括沐详夫妇合葬墓、沐崧夫妇合葬墓和沐绍勤夫妇合葬墓。

沐详墓包括墓道、前室后室。据初发现人谈，两后室一葬男子另一葬两女子，根据室内铺地砖情况看，右室中可能是沐详，左室为其二妻。出土有金器、银器、铜铁器及铁甲片 209 片等。出土有沐详墓志、其妻吴氏墓志、庶妻刘氏墓志。知沐详的高祖即是沐英。此人《明史》无传。

沐崧墓也已遭破坏，考古人员只在墓坑中拣到少数几件器物，而且位置也被扰乱。计有：金冠顶 1 件，铜镦 1 件，铜镜 1 面，锡壶 1 件和锡盘 14 件等。出土有沐崧墓志、沐崧妻徐氏墓志 2 盒。沐崧志文由明代著名学者杨慎所撰。

沐绍勤墓早被破坏，墓地具体位置也无法搞清。1956 年，收集到墓中出土的 2 盒墓志，即沐绍勤墓志与其妻李氏墓志。以上 7 方墓志，简报均未录志文全文。

郭氏墓包括郭弘巍墓和郭宗汾夫妻合葬墓 2 座。前者出土遗物主要为铅器。有买地券 1 张，计 21 行楷书，简报未录全文。由券文知墓主人郭弘巍，卒于 1660 年，吴三桂称帝后赠上柱国、留守将军等衔。可能是吴三桂部下留守大将军郭壮图的父亲。

郭宗汾及其妻吴氏合葬墓曾被盗，在墓门上侧发现有盗洞，随葬品已被盗一空。棺木、骨架全被扰乱，但仍能看出郭宗汾为一大棺，吴氏为骨灰小棺。据《庭闻录》记载，清军入滇后，留守大将军郭壮图与其子郭宗汾举火自焚。简报怀疑无铭记一墓或许就是郭壮图的墓。

简报指出，吴贡王家营，明初为军屯地区（迄今当地村名仍多以某某营命名，如吴家营、王家营、鲍子营等），后为沐氏家族的庄田和茔地。清初吴三桂入滇后，原沐氏庄田又归吴占有。《庭闻录》《平定三逆方略》等书曾载，康熙七年（1668 年）吴三桂向皇帝请田，后以原沐氏庄田 700 顷并入圈内。郭氏为吴周大臣，与吴三桂又有亲属关系，所以现在王家营一带发现的大墓都是沐氏和郭氏的墓地。此次发掘对于研究云南历史当有帮助，志文也可补史书之阙。

499.云南昆明虹山明墓发掘简报

作　者：云南省博物馆文物工作队　黄德荣
出　处：《文物》1983 年第 2 期

1980 年 11 月初，昆明市房管局修缮公司三队在西站虹山新村施工过程中，发现 2 座明墓，考古人员进行了清理。简报配以照片、手绘图予以介绍。

据介绍，2 墓位于昆明市西郊黄土坡，接近虹山山顶，墓顶距地表约 4 米。为夫妇异穴合葬砖室墓，无墓道，墓顶已塌。两墓共出土随葬品 70 件，有金器、银器、铜饰、铁方、玉器及墓志 2 盒、买地券砖 2 块。由墓志知 M1 为傅氏墓，M2 为潘得墓。简报末录志文全文。

据墓志，墓主潘得，维扬（今扬州）人，洪武二十五年（1392 年）到云南，任云南右卫中所副千户，卒于永乐元年（1403 年）。傅氏卒于永乐八年（1410 年）。两墓为夫妻异穴合葬墓，墓室应是一次建成。志文中提及与所谓"夷寇"的战争，可补《明史·云南土司传》之不足。

500.云南昆明五华山出土明代官印

作　者：云南省文物考古研究所　萧明华
出　处：《文物》1999 年第 7 期

1992 年 4 月 19 日，在云南省昆明市市中心的五华山西南坡建筑工地的施工中，出土了一批明代官印。这些文物出土时无伴随物，距地表约 2 米，据现场观察，当是有意藏埋于地下。明代末期，五华山是南明政权的所在地，出土官印当是永历帝西逃时所藏。清光绪三十三年（1907 年），在五华山南部修建两级师范学堂时，就曾发现南明政权永历皇帝玉玺"敕命之宝"1 方。此次是第二次发现。简报配以照片等予以介绍。

简报称，1644 年，清王朝建立，此时，南方一朝官吏、将领以拥护明王室后裔为号召，打起了抗清旗帜，建立起南明政权。公元 1646 年，瞿式耜等在广东肇庆拥立桂王朱由榔为帝，1647年改元为永历。后清兵南逼，永历帝迁广西、贵州，永历十年（1656年）迁至云南昆明，驻五华山，称滇都。永历十三年初（1647年），清军进逼云南，永历帝逃向滇西。永历十四年（1660年），逃入缅甸，被缅王骗擒。永历十六年（1662年），缅王将其交降清明将吴三桂，吴将永历帝及其子绞死于昆明五华山西侧的金蝉寺。此次出土官印计54方，其中1方为万历四十三年(1615年)制，1方为崇祯八年(1635年)制，1方为永历三年(1649年)制，3方是永历四年(1650年)制，其余48方均是永历十年（1656年）七月至永历十二年（1658年）十月在昆明称滇都后所制。制作这么多官印，而未颁发出去，这与南明政权颠沛流离有直接关系。

简报介绍说，这批南明官印多达54枚，形状分为方形和长方形两种，其纽呈椭圆柱形或圆柱形。其职官和机构有监察御史、府、州、县、宣慰司、宣抚司、同知、经历司、审理所、理刑厅、儒学、驿、副将、将军、总兵、千户所、游击、守备、旗鼓官等。印制分为印、记、条记和关防4种。印文有刻有铸，均是阳文九叠篆体字。印文中所涉及的地点，除少部分不明其地外，大多数均有文献记载，所涉职官除少数为南明始设外，大多承明制。所出全部官印印背均有铭文，铭文为楷书竖行刻字。简报逐个说明了官印的印文并予以简单的解说。萧明华编著有《云南少数民族官印集》（云南民族出版社1989年版），可参阅。

《文物》2001年第8期载有龙腾先生《云南昆明五华山出土明代官印之研究》一文，指正萧文错讹甚多，亦可参阅。该文还梳理了永历政权铸印的时间，指出：永历十二年（1658年）十二月十五日，永历帝撤离昆明，这54方官印被窖藏于五华山。这些官印的铸造、埋藏史，是一部生动的永历政治、军事、经济、文化史，具有重要的历史价值。

曲靖市

玉溪市

501.云南玉溪发现古瓷窑址

作　者：葛季芳

出　处：《考古》1962年第2期

1960年12月，考古人员到玉溪专区进行文物普查前夕，发现瓦窑村有2座可能是古墓的土堆。经调查，是2座古窑址，只要扒去外层泥土，内里全是瓷片和窑具。

另外有一座窑址完暴露于野，瓷片窑具皆见。简报配以照片予以介绍。

据介绍，窑址位于玉溪县城东南2公里的瓦窑村附近。先后发现3座，1座在村东，当地人称之为"平窑"，遍地皆是瓷片和渣饼。另2座在村南，一为"上窑"，被现代窑压住了部分窑址；一为"古窑"，在囡囡山山脚，上面压有山上滚下之石子泥土。这3座窑的瓷片、窑具形制完全一样。从残瓷器的胎土、花纹、色釉、器形观察，可分二种。一种胎土紧密，深灰色。均青釉，有深浅二色，深者近于豆青，浅者近于影青而略发黄，有开片。花纹主要是印花和划花，印花的花纹有简单的和较复杂的月季、茶花、缠枝等，多属影青釉器；画花多是几束小花草，几笔云纹和水波纹，线条较活泼。也有不少瓷器上不施花纹。器形有固足的碗、盘、杯和平足的碟子之类，也有口作葵瓣形的。窑具有渣饼和支钉。曾发现一陶缸，缸底部沾满瓷器的残足，由此推想，烧造时是将所烧瓷器先置于大陶缸内，再送入窑内烧成。另一种胎土与前者一样，深灰色，但土质稀松。釉色灰青，画青花，花纹简单粗壮，器形更多是大型的碗盘之类。时代可能晚到明末清初。这3座窑址发现后，经制陶厂老工人的介绍，当地因有质好的胎土，历代开窑烧瓷，据说开始是泥条垒筑法，后来才从四川传入了轮制法。但有关云南烧陶瓷记载不多，十几年来，在云南的考古调查中也始终未发现古代窑址，这还是首次，为研究云南陶瓷业的烧造历史增加了资料。

保山市

502.云南腾冲出土杨升庵楷书石刻

作　者：杨复兴、彭文位
出　处：《四川文物》1988年第5期

1986年11月，云南腾冲县出土明代状元、著名学者杨升庵书写的《方田子郑国秀墓志铭》。简报配以照片予以介绍。

据介绍，此墓志铭，出土于县城东南1公里的来凤山东侧，绮罗乡两位农民在基建施工中掘出。该地属明清墓葬地，其西为古代大型火葬墓群。郑国秀墓系券顶砖石结构墓，坐西向东。地面墓丘早已夷为平地。伴随墓志铭出土的，还有1方墓志盖。这是云南首次出土杨升庵石刻精品，为研究杨氏书艺、谪滇晚年行踪，提供了珍贵的实物资料。两文2000余字，简报未录全文。

简报称，杨升庵（1488～1559年），四川新都人，明代著名文史学家，24岁中状元，37岁遭谪充军云南永昌府（今保山），72岁病亡于永昌，归葬新都。

昭通市

503.云南昭通文物调查简报

作　者：云南省文物工作队
出　处：《文物》1960年第6期

1960年1月，考古人员到昭通作了一次短期调查，重点调查了1处土城址、1处古代文化遗址和最近发现的10多座墓葬，同时并对几年以来零星出土的一些文物进行了了解。简报分为：一、土城故址，二、闸心场遗址，三、古墓葬，四、出土文物，共四个部分，有照片、手绘图。

据介绍，简报重点介绍了土城故址。土城在昭通城西南约3公里的小丘陵上，其地名"天梯梁子"，故此城又名"天梯城"。城不知建自何时（一说建于明嘉靖年间），清雍正八年（1730年），县治徙居今城，这座土城遂废弃。根据实地勘查，现在土城的东、西、北三面还保留着断续的城垣，城门的位置也约略可寻。全部城墙都是版筑的，城内中央还有一段土墙，据当地农民说，是当时土司衙门的遗迹，俗称"内罗城"。城址内除有一些近代墓葬外，其余全为耕地，未见任何遗物，推测此城建筑的年代不会太早，可能是元明以来的遗迹。简报还介绍了昭通城北约20公里的新石器时代遗址闸心场遗址，位于洒渔河区的22座古墓，大多为东汉墓。还介绍了零散出土的石棺1件、画像砖2件、铜摇钱树残片、小铜人、小铜杯各1件、铜案1件等。

简报还提到在闸心场街子后面，有清嘉庆十九年（1814年）彝族陆米勒及其妻龙氏合葬墓1座，墓碑是彝汉两种文字合刻的，碑文中叙述了陆氏祖先由东川徙居贵州威宁，又由威宁迁居小梁山和昭通的经过。这是一块目前所知时代较早的彝文碑刻，对于研究彝族历史和彝文的演变很有用处。

504.云南威信金竹石室墓发掘简报

作　者：云南省文物考古研究所、昭通市文物管理所、威信县文物管理所　肖明华、余腾松
出　处：《四川文物》2010年第1期

云南威信县石室墓的发掘在滇东北地区尚属首次，测定数据显示的年代为明代晚期至清代初期。墓内多出陶罐、陶瓦等器物，简报分为：一、墓地位置，二、墓

葬形制及结构，三、随葬器物，四、结语，共四个部分，有手绘图。

据介绍，2006 年 2 月，考古人员对威信煤电一体化项目建设区进行了考古调查。在项目建设区内的金竹电厂区内发现石墓 6 处。2006 年 12 月至 2007 年 1 月，对建设区内的墓葬进行了抢救性发掘。两座出土随葬品的墓，其出土物少而俭，出土的陶器制作工艺较普通，而 4 座墓完全没有随葬品。简报推断：这批墓当是一般平民的墓葬，这批墓葬的年代为明清之际墓葬。

简报称，威信地区汉族村民葬俗中，现在仍有用双罐装五谷，用瓦作枕垫于死者脑后的习俗，由此可见这种葬俗从明清以来就存在。

丽江市

505.丽江壁画调查报告

作　者：云南省文物工作队　孙太初
出　处：《文物》1963 年第 12 期

考古人员到丽江纳西族自治县做了一次古代壁画及土官府建筑群的调查。简报分为：一、历史背景，二、壁画现状，三、壁画的年代，四、结束语，共四个部分，有照片。

据介绍，丽江壁画分布于漾西之万德宫、大研镇皈依堂、寒潭寺、束河大觉宫、崖脚木氏故宅、芝山福国寺、白沙琉璃殿、大宝积宫、护法堂、大定阁、雪松村之雪崧庵等处。其中万德宫、寒潭寺、木氏故宅、雪崧庵四处已于 1949 年前全部毁坏。这些壁画的年代均为明、清时期，内容上最大特点是多种宗教揉合。

506.云南永胜县他鲁人城堡与坟林考察

作　者：宋豫秦
出　处：《文物》1996 年第 5 期

永胜县地处云南省的西北部，属滇西高原与横断山脉的结合带，海拔多在 2000～3000 米。该县乃西南诸少数民族的世居之地，由于明代自洪武以来曾推行"屯民实边""寓兵于农"政策，内地湘、赣等省大批军士被"调卫入永"，目前以汉族人口为多，少数民族主要有傈僳族、彝族、纳西族、傣族、白族、壮族等。被划归彝族支系的他鲁人，主要聚居在该县东南部的他鲁河沿岸，属六德乡管辖。

他鲁人过去自称"他鲁苏",现多自称"他留人"。他们没有文字,语言同周围汉族和凉山彝族有显著差异。就社会发展阶段而言,虽于1949年前已进入初期封建地主经济阶段,然其婚姻家庭形态却依旧处于极不稳定的双系制对偶婚阶段。在社会组织、经济生产、宗教观念、精神文化等方面,也长期保持着不少较原始的特点。1962年秋,汪宁生先生首赴永胜重点调查他鲁人的婚姻习俗,1982年发表了调查报告。1991年5月,本文作者遵汪宁生先生嘱再赴他鲁人聚居地调查,感到他鲁人的婚姻形态应是处在由对偶婚向一夫一妻制的过渡阶段,在国内尚属罕见。此次调查期间,本文作者了解到,在该乡境内至今仍保留着明清之际他鲁人修筑并聚居的城堡和氏族墓地两处颇具规模的文化遗存,当地分别称之为"他留营盘"和"他留坟山"。此两处遗存未见文献记载,已罕有人知。经地、县两级核查后,已于1992年公布为县级文物保护单位。简报分为:一、城堡,二、坟林,三、结语,共三个部分,有照片。

据介绍,他鲁人城堡与坟山南北相连,坐落在县城东20余公里的崇山峻岭之中,地属玉水行政村的营盘自然村("营盘"即军营驻地意)。这里在明清时期曾经是大理通往永胜、华坪两地和四川凉山的唯一通道,清末此道废弃,人烟稀少。有房址、墓葬、墓碑等遗存。碑文皆为汉文,楷书。依碑文墓葬区有成、兰、海、王四大姓,占他鲁人占90%左右。

简报称,由于城堡与坟林南北相连,可以判定坟林乃城堡毁弃之前城内居民的族葬地。再联系墓碑所载世系,知二者始建年代大体在明末清初。坟林中不少墓碑记载其先祖于明初洪武年间调卫入永,又于明末清初"迁流东郊",定居在城堡之内。由于有些墓碑记载死者生前曾具五品、六品军功,城堡本身也具有军事防御性质,结合《明史》《永北直隶厅志》等文献记载,可以初步确定,今他鲁人的明代祖先中,包括部分内地调卫军人。这或许正是墓碑碑文所显示的他鲁人大量吸收内地汉文化的原因之一。另外,每年正月十五和农历六月廿四日是他鲁人的盛大民族节日,是日各户均携带摆成塔形的糯米粑粑,在巫师"多系"(或译为"录锡")主持下,通过用松枝搭成的彩门,涌向由360棵松枝组成的敬献台。据称这360棵松树即代表初到此地的360军户。他鲁坟林也隐含着若干历史之谜。例如,墓碑对联和一些碑文均表明他鲁人在明清时期已具备浓厚的汉文化色彩,这在其节日(如过春节和正月十五)、葬礼等方面也多有体现。尤其是不少碑文明确称其先祖由湘、赣等省迁来,似乎与内地汉族有一定的血缘关系。但他鲁人不通汉语,而属彝语支,并且至今仍不与汉族通婚。其虽被划归彝族,却又不通彝语,与凉山彝族世代敌对,更不许通婚。因此,对他鲁人的族源问题尚待作深入的探讨。又如,从坟林所葬多一夫一妻同穴来看,他鲁人在明清时已建立牢固的父系家庭。然而到了20世纪60年代乃至更晚,却仍保留着强烈的双系制(母系和父系)对偶婚特点,如自主择偶,离异随己。至于坟林墓碑上的精美石雕和文言辞令，与当代他鲁人识字者寥寥的现状形成强烈反差，其原因尚有待做深入的调查和研究。

简报又称，杜文秀反清时他鲁人曾参与抵抗杜文秀军的战事，其城堡于战败后被杜军烧毁，坟林也随之荒弃。

今有简良开先生《神秘的他留人》（云南人民出版社 2005 年版）一书，可参阅。

普洱市

507.云南发现明代永乐"元江军民府印"

作　者：黄桂枢

出　处：《考古》1990 年第 2 期

云南明代"元江军民府"是永乐三年（1405 年）元江傣族土官那荣进京朝贡后，由"元江知府"改名而来的。永乐皇帝当年曾颁授过"元江军民府印"。但 25 年后的宣德五年（1430 年），元江军民府官署被焚而府印也被焚。此事，明代朝廷历史文献及地方史志均有记载，多年无人再过问此印，更不知此印的下落如何，成了一桩已有定论的历史死案。

1987 年 2 月，考古人员据有关线索，专程赴墨江县作过有关此印的考察。6 月，此枚明代永乐"元江军民府印"终于在界茅地区墨江县发现，作了验证鉴定。根据实物及有关历史文献综合研究。简报分为：一、永乐"元江军民府印"的发现经过，二、永乐"元江军民府印"的现状鉴定，三、元江傣族土官朝贡与永乐帝赐升授印的历史事实，四、永乐"元江军民府印"失落的原因及有关问题，五、永乐"元江军民府印"的历史价值，共五个部分，有拓片。

据介绍，明代永乐"元江军民府印"在思茅地区墨江县发现，证实了明代洪武、永乐年间土司制度在云南元江府的发展演变史实，从而提供了研究古代百越民族后裔的傣族，明代时在滇南哀牢山红河流域一带，世袭统治数百年的实物依据。明代永乐"元江军民府印"，经考古人员鉴定，确系明永乐三年（1405）秋七月，元江知府傣族土官那荣进京朝贡时，永乐皇帝明成祖授予的铜质官印。铜印印背所刻铭文、年号、颁印年月日期与朝廷《明实录》记载完全相符。授印史实情况与《明史》、《新纂云南通志》、清康熙《元江府志》完全吻合。

今有江应樑先生《明代云南境内的土官与土司》（云南人民出版社 1958 年版）一书，可参阅。

临沧市

文山州

红河州

508.云南石屏发现文征明行书《西苑诗》手卷

作　者：苏伏涛

出　处：《文物》1985年第2期

1975年7月，云南省石屏县的1个清朝墓葬中，出土一卷明代文征明行书《西苑诗》手卷真迹。简报配以照片予以介绍。

简报介绍，此件为绢本，已略有残损，呈赭褐色，长360厘米、阔23厘米。绢上有细如发丝的墨线画直行格，全卷尚存718字。手卷内容为文征明所书《西苑诗》10首。此诗是他54～57岁在京中任翰林院待诏时，游览北京太液池（今首都北海）的写景抒情游记诗。署款是："丙辰十二月既望书旧作，征明时年八十有七。"款左下侧钤三方印。知此卷是文征明去世前3年所书，与此卷同时出土的还有1副清康熙时进士汪士铉所书对联，联语为："高才盛文雅，逸兴满炯霞。"

简报称，墓葬主人姓陈名沆，字存庵，号湖亭，云南石屏人，清雍正甲辰进士，曾任湖南常德府武陵县知县，后升为衡州府知府和吏部稽勋司员外郎。平生喜收藏古籍书画，善作诗文。终年82岁。

509.云南建水窑的调查和分析

作　者：葛季芳

出　处：《考古》1987年第1期

云南建水窑以烧造刻填打磨细陶而著称，民国《云南新纂通志》《建水县志》对其工艺皆有记载。但从何时开始烧造，却不清楚。20世纪60年代中期，考古人员曾到建水县碗窑乡进行过调查。据当地工艺美术陶厂介绍：建水窑分上、中、下窑，上窑烧石炭，中窑烧细陶，下窑烧土器。细陶的烧造可能在明末清初兴起。但是在村里的张家沟后山散布着许多青花器，时代上看，比刻填打磨细陶的时间早。于是又到张家沟进行了考察，发现村子附近及后山有不同历史时期的窑址废墟、窑具、青花瓷片的堆积，唯不见刻填打磨细陶的遗迹。由于地面的标本既丰富又复杂，在短时间内不可能调查清楚，计划再进行深入考察。1980年，中央工艺美术学院杨大申先生到建水调查，收集不少青花标本，后来杨大申先生在《关于禄丰县元墓出土青花瓶的一点看法》一文中提出，禄丰元墓出土青花瓷瓶是建水窑的产品，因此又到建水复查。简报分为几个部分，介绍了调查的情况。

据介绍，建水窑位于建水县城西北约3公里的碗窑乡张家沟，依后山傍泸江，从自然条件看，是一个烧窑的理想地方。张家沟村口的小学校，有一通清康熙四十一年（1702年）十一月十五日立的《奉本府清政府明文碑》，是清政府在康熙年间判决碗窑乡上下窑争讼课税的碑刻，虽未明确上下窑烧陶或瓷，但为我们提供了烧窑地区和产品种类的线索。张家沟范围内分布着不同历史时期的窑址群，有的暴露于地面，有的为沙土掩埋，有的相互接壤，有的新旧窑址叠压，关系比较复杂。从整个情况看，早期的窑址规模小、数量多、比较分散；晚期的窑址规模大、数量少、主要分布在村子附近。从瓷片的堆积层分析，这里烧窑也许曾经历过兴起、衰败、复兴。后在袁家沟又发现了元末烧瓷遗存，明代窑址未发现，仅在洪家窑发现了一些青花碗、盘。

简报指出，在建水等地古窑调查中，发现一个相同的情况，即明代窑址尚少，其产品不如元代制作的。联系云南全省各地明墓出土的青花瓷，明早期是以云南青花陪葬，明中期以后，除边远民族地区外，在交通发达的昆明、楚雄、大理、保山、腾冲、屏边等地的明墓以景德镇明青花盘、碗随葬，改变了元代以当地陶瓷随葬的情况。这给我们一个启示：云南在明以前，在当时交通不便的情况下，与内地联系时疏时密。朱元璋统一云南后，逐渐将之纳入封建中央集权制的轨道，并加强云南与内地的经济文化往来，于是景德镇瓷器也随之进入云南的市场。景德镇瓷器在工艺和实用上，对当地的制瓷业有一定的影响，所以明末清初灰土窑、建水窑、华宁窑烧陶的兴盛不是没有原因的。

西双版纳州

楚雄州

大理州

510.清末云南哀牢山区各族农民反对清朝统治斗争的文物调查

作　者：云南省博物馆

出　处：《文物》1963 年第 12 期

正当太平天国定都南京、誓师北上的时候，地处边陲的云南，也爆发了以杜文秀为首的回、汉各族人民反清斗争。在杜文秀起义军占据大理后的两个月，即清咸丰六年夏四月（1856 年 5 月），又有以彝族农民李文学为首的哀牢山区各族农民反清斗争。李文学在哀牢山上段的弥渡县瓦卢村后山天生营誓师起义后，随即率众直趋当地大地主聚居的密滴村，杀了村里的几家大庄主，没收其地土、财产，并即在密滴村设立了起义军的最高领导机构——帅府。李文学被推为"夷家兵马大元帅"，建立了哀牢山区的农民政权。下辖 8 个都督，坚持了 20 多年，1876 年失败。留下不少遗迹、遗物。1962 年，考古人员前往调查。

简报分为：一、征集到的起义军遗物——武器，二、纪念起义军领导的供像、碑刻和大司庙，三、与起义军有关的重要遗址，四、其他纪念遗址，共四个部分，有照片。

据介绍，征集有鸣火枪等武器，发现有纪念起义军将领杞彩顺的布卷人像，纪念李文学的石碑，纪念起义军的大司庙等。考察了起义军誓师与扎营地点——天生营，在今弥渡县木掌公社瓦卢村后山。起义军的帅府所在地——密滴（今牛街），在今弥渡县牛街公社牛街大队。据史载，李文学是在同治十三年（1874 年）春三月在此被凌迟处死的。起义军开办有盐厂、铁厂和硝洞等。有关人员还考察了起义军的八都督府。其设立地区为：蒙化（今巍山）猫街都督府（今猫街属南涧县），景东鼠街都督府，景东者干都督府，镇南（今南华）阿雄（今名大马街）都督府，元江因远都督府，双柏碍嘉都督府，新平夏洒都督府，镇沅新抚都督府。考古人员去了阿雄、猫街、鼠街、者干、因远五个都督府所在地，但这些地区，除了还保留着一些有关起义军的传说之外，遗迹已经无存。考古人员还去拜谒了《哀牢夷雄列传》一书作者夏正寅的故居。夏为一个汉族地主，17 岁加入起义军，入帅府为幕友。故居位于南华县弥高大队的大青树村，考古人员去时，其孙子还在。

511.云南大理县苍山明墓清理

作　者：大理县文化馆　杨益清

出　处：《考古》1966 年第 4 期

1965 年 10 月，大理县西门公社十三生产队在城西苍山中和峰发现古墓 1 座。考古人员前往进行清理。墓葬所在地东距大理县城约 4.5 公里，高出洱海海面约 200 米，在中和峰半山腰，上距中和寺约 800 米。墓前约 0.5 米有一葫芦形山谷，长约 1000 米。墓深距地表约 0.17 ~ 0.6 米。简报分为：一、墓室结构，二、随葬器物，共两个部分，有照片、手绘图。

据介绍，该墓为双室双穴合葬砖墓，有墓室两间南北并排，略成 "八" 字形。两墓室的后部相连，两室之间有一高 0.43 米、宽 0.41 米的孔洞相通，洞距墓底 0.58 米。两墓室结构相同，葬具及人骨均已朽。出土陶俑 41 件、锡器 24 件、金饰 19 件、银饰 4 件等。买地券 1 方，已破成数块，上有朱书 "显妣李氏" 等字，其余的字迹已不能辨认。此外，还发现有残绢、丝综及珠饰等物，均残毁。据砖买地券看，该墓南室死者为女性，北室应为男性。由墓室结构及所出器物看，此墓当为明墓。

512.云南大理苍山明墓

作　者：大理市博物馆　杨益清等

出　处：《文物》1989 年第 7 期

1987 年 7 月，地质部门在云南省大理市西南 2 公里的苍山玉局峰下施工时，发现 1 座古墓。考古人员闻讯后赶到墓地时，墓圹已被毁坏，随葬品亦被取出。后就有关墓葬结构及遗物放置情况等向施工人员作了调查了解。简报分为：一、墓葬概况，二、随葬遗物，三、结语，共三个部分，有照片、拓片、手绘图。

据介绍，墓葬所在地自元明以来即为丛葬区。墓圹之上地表原有封土堆，双室，二室形制、大小相同，墓壁用石条单层砌筑，双室间以石条砌出幅墙，底部有一方孔相通。东西两壁及北室北壁均有一龛。墓顶以石板封盖：南室盖 2 块，纵向排列；北室盖 3 块，横向排列。室底均置 2 石条，纵向并列。上置棺木，均已槽朽。棺内尸骨头西向，仰身直肢。北室北龛置彩绘陶牵马武士俑 1 件。其余 4 龛内放锡供器，均已毁。南室棺木北侧并排放置彩绘陶侍俑 10 件，因被施工者取出，原排列顺序不详。南室顶部石盖板上置墓志 1 合。简报未录志文全文。

此墓为夫妻合葬墓，男墓主叫李俊，女墓主为赵氏。据赵氏墓志，其生于明成化十年（1474 年），卒于明嘉靖七年（1528 年），嘉靖八年（1529 年）下葬于玉局峰下。根据墓志出土位置判断,赵氏当葬于南室。北室所葬应系其夫李俊。从志文分析,似李俊先于赵氏下葬。

简报称,明代大理白族普遍实行火葬,而自中原迁入的汉族则实行棺殓土葬。近年大理地区发现的棺殓土葬墓多系男女合葬,其中平民墓多随葬陶十二生肖俑,下级官吏多以陶侍俑随葬。从墓志知赵氏之父赵熙官至通判。据《明史·职官志》载,明代府设通判,秩正六品。赵氏墓志虽未明言其族属、祖籍等,但从当时大理丧葬通例分析,赵氏家族当为白族化了的汉族人。墓中所出陶俑,具有浓厚的中原色彩。

513.云南大理市苍山玉局峰发现一座明代石室墓

作　者:大理市博物馆　杨益清、杨长城
出　处:《考古》1991 年第 6 期

1989 年 1 月 8 日,在距大理县城 2 公里的苍山玉局峰山脚,龙龛村茶场西南角,因建蓄水池,在距地表 0.6 米处发现 1 座明嘉靖年间的夫妇合葬墓。考古人员赶到时该墓左(东)圹仍存,但尸骨、随葬品已无存。右圹已拆毁,所出瓷器、陶俑、墓志已拿回场内。考古人员据当事者提供的情况并测量了墓穴尺寸,并把随葬品收回。简报分为:一、墓葬结构,二、随葬器物,三、结语,共三个部分,有手绘图。

据介绍,该墓墓穴已被破坏,结构不详。二石室正南北向,东西并列,两穴石壁间距 24 厘米,中用泥沙充填。墓室用人工凿成的石条砌成。墓顶原有封土、墓碑等物,早已被毁。东墓室完整,唯尸骨、棺及随葬品已被人掏空。西墓室被拆毁,随葬器物即出该墓室。两室结构相同。随葬品有陶俑、陶罐、青花瓷罐、素面瓷罐、瓷碗等及墓志 1 合。志盖志铭各一,大理石。志盖篆书刻"明段竹垣妻李氏墓志"9 字,志文楷书,16 行,行 16 字。在茶场院内,还征集到一合段颙之祖段显才大理石墓志 1 合,其墓地已不详。志文称该地为段姓祖茔,其墓当在段颙夫妇墓上(南)方,早已为人所掘毁。盖石楷书 4 行 15 字:"明故将仕郎医学正科段公府君之墓",志文楷书 12 行,行 15 字。简报未录两志文全文。

据志文,知此墓墓主为段竹垣及其妻李氏。该地为段氏祖茔所在。志文称段氏家住苍山门内北街。明代大理西门名苍山门,北街即今城内博爱路北段(自四牌坊口至大水沟的一段)。段显才、段纯、段颙祖孙三代皆从医,其中段显才还得授将仕郎散衔(九品),段纯、段颙两代并任大理府医学正科之职,可知段氏三代皆为当时良医。明代墓葬大理发现不少,属于医药人物的仅段氏之墓。简报称,明代以陶俑随葬的石圹木棺墓已发现不少,其年代多在明嘉靖时期,此墓亦如此,可知此类墓葬流行于这一时期。使用陶俑的墓多为府一级官吏,县一级的尚未发现。

514.云南宾川发现明代铜权

作　者：大理州文物管理所　孙　健
出　处：《文物》2000 年第 11 期

1991 年 10 月，云南省大理白族自治州文物管理所在宾川县境内征集到 1 件明代铜权。铜权保存较完好，环纽，中空。权体呈上小下大的六面体，近底部束缩，形成一周凹槽。权身铸阳文，阳刻，从正面开始，六面从右至左依次直书："建文二年大理府造□八号大字。"通高 4.2 厘米，纽高 0.7 厘米，穿径 0.4 厘米。简报配以照片予以介绍。

据介绍，铜权在大理地区尚属首次发现。铜权的征集为我们考证同类器物提供了可靠的依据。大理地区曾存在过南诏国（唐）、大理国（宋）两个独立的地方政权。元代大理地区的政权仍被大理国王后代段氏总管掌握，所以在明朝前大理地区政治、经济、文化相对独立。明洪武十五年（1382 年）明将傅友德、沐英率军攻破大理。为了加强中央集权，巩固对边疆的统治，实现政治、经济、文化的大一统，采取了把段氏总管押迁南京，在大理地区设官立卫，实行军屯、民屯，焚烧地方史书典籍等一系列措施。建文二年（1400 年）铜权的发现，为研究这一时期大理地区的历史，尤其是经济制度史提供了实物佐证。

德宏州

怒江州

迪庆州

西藏自治区

拉萨市

515.布达拉宫东侧的四处清代摩崖刻铭

作　者：西藏文管会文物普查队　件君魁、达　嘎
出　处：《文物》1985 年第 11 期

1984 年 12 月，在拉萨市文物普查中，在布达拉宫所在的红山东侧断崖上发现了 7 处清代摩崖刻铭。其内容与清朝政府在西藏地区的用兵有关。其中 2 处被后人刻画，年款及大部分内容已难以辨识，1 处雍正七年（1729 年）刻铭内容过于简单。简报配以拓片，介绍了其他 4 处摩崖刻铭，录有全文。

据介绍，这些碑文和摩崖刻铭，记述了清朝政府对西藏地区几次用兵的情况。康熙五十八年（1719 年）和五十九年（1720 年）的第一、二次进兵西藏，是为了驱除侵入西藏的准噶尔部。尽管第一次进兵遭到失败，但清政府于次年又发大兵进藏，直到驱逐外侵、平定内乱、安抚了西藏以后才撤兵。雍正六年（1728 年）第三次发兵西藏，是因为西藏地方贵族发生内乱，噶伦颇罗鼎求援于清政府。清军进藏后，颇罗鼎已抓获了元凶，基本平定了内乱。乾隆五十三年（1788 年）和五十七年（1792 年）的第四、五次发兵西藏，一是因为廓尔喀部侵占西藏济咙、聂拉木、宗喀等地，大肆抢掠。第四次进兵因主将巴忠等人未给廓尔喀侵略者以有力的打击，反而主谋调停贿和，答应给廓尔喀赔银近三万两，廓尔喀部遂撤兵。不久廓尔喀部因未得到足够的银两，去而复来，清政府马上又派大军第五次进藏，收复失地，驱除入侵，而且追杀到其首都——阳布附近，直到廓王反复认罪乞降后，才班师凯旋。从此西藏在较长的时间内未受侵扰。

简报指出，这几处刻铭和碑文，反映了清政府对西藏地方进行管理，并保障西藏不受外族侵略、维护基本地方社会安定的政策。

相关背景，可参阅苏发祥先生《清代治藏政策研究》（民族出版社 2001 年版）一书。

516.拉萨磨盘山关帝庙

作　者：何财德、袁长江

出　处：《文博》1986 年第 5 期

关帝庙在我国汉族聚居地相当普遍，但在少数民族地区却比较少见。西藏保存下来的只有拉萨磨盘山关帝庙 1 座。其建筑风格、丰富的文物，都是非常宝贵的历史资料。简报配以照片予以介绍。

据介绍，磨盘山关帝庙位于布达拉宫西约 1 公里的孤山岗上，因山"形如磨盘"，一般称为磨盘山。关帝庙建在山的顶部，建筑面积约 800 平方米，坐北朝南，整个建筑处于两层不同的水平面上。从南面的长石台阶进大门有一方形小庭院，东西两边为一层楼房，底层是僧舍，楼上是接待办公用房。在庭院左边还立有庙碑，从庭院北边正中登上长石台阶，便是关帝庙正殿和文殊殿。正殿宽 12.5 米，进深 9.7 米，有明柱 4 根。殿前有檐廊，券顶花望板。殿内梁架为抬梁式结构，瓜柱雕刻成宝瓶形状。房顶为硬山式建筑，上覆红琉璃瓦，正脊两端及垂脊四角均有套兽，完全属汉式建筑风格。正殿有关羽、张飞、周仓的泥塑像。关羽塑像身材魁伟、手持大刀，十分威武，而张飞则黑面狰狞，与西藏民间传说的英雄格萨尔王相差无几，所以藏族百姓往往误认为关帝庙所供的是格萨尔王。该庙创建时间，据庙前碑文在清乾隆五十八年（1793 年）。

今有李帅先生《以文治边：文物考古视阈下明朝对西藏的经略》（社会科学文献出版社 2021 年版）一书，可参阅。

517.拉萨哲蚌寺藏明清瓷器

作　者：王望生

出　处：《文博》1988 年第 4 期

1984 年 12 月，考古人员在哲蚌寺进行文物普查时，发现一些明清时代瓷器。简报配以照片予以介绍。

据介绍，计有明成化折枝桃绿瓷碗、清康熙五子夺莲瓷撇口杯、清乾隆狮子小瓷碟、清乾隆粉彩菱形莲牡丹瓷碗、清乾隆唐僧取经白瓷碗、清乾隆狮球撇口瓷碗、清乾隆松下老人瓷碗。

简报称，除成化、康熙的两件瓷器外，其余为乾隆时制造。时当清代社会发展的鼎盛时期，瓷器的数量或质量都达到了历史的顶峰，造型精美，瓷质精细图案新颖。这几件瓷器无论从胎型，还是彩釉或图案纹饰、工艺要求都很严格，这对研究当时西藏和内地的关系提供了不可多得的实物资料。

昌都地区

山南地区

518.西藏加查县达拉岗布寺曲康萨玛大殿遗址发掘简报

作　者：西藏自治区文物保护研究所、山南地区文物局　杨　曦、罗布扎西、
　　　　多布杰

出　处：《考古》2014 年第 8 期

达拉岗布寺位于西藏自治区山南地区加查县加查镇计村的达拉岗布山南坡，地处雅鲁藏布江北岸。2010 年 9 ～ 11 月，考古人员对该寺曲康萨玛大殿进行了发掘，发掘面积约 1500 平方米，并对寺院内其他建筑进行了初步调查和测绘。本次发掘简报分为：一、历史沿革和建筑情况，二、曲康萨玛大殿遗址，三、出土遗物，四、结语，共四个部分，有彩照、手绘图。

据介绍，根据本次发掘遗迹现象分析，曲康萨玛大殿至少经历了早晚两个时期，两期在平面布局上有较大的不同，并在一定程度上具备每一时期佛教建筑的时代特点。简报初步推断曲康萨玛大殿晚期建筑至迟可在 19 世纪、20 世纪上半叶，但也不排除早至 17 世纪、18 世纪；曲康萨玛大殿出土器物，最早可溯至公元 8 世纪、9 世纪，最晚可至近现代。

日喀则地区

519.西藏江孜县白居寺调查报告

作　者：中国文化遗产研究院　张纪平、丁　燕、郭　宏

出　处：《四川文物》2012 年第 4 期

2008 ～ 2010 年，考古人员对位于西藏江孜县的白居寺进行了调查测绘。白居寺修建年代为 1418 ～ 1436 年，历时 18 年，寺内建筑构架、彩画、彩塑、壁画均为明代遗构，是研究西藏地区明代建筑、佛教历史的珍贵实例。简报分为：一、概况，二、

建筑形制，三、壁画，四、结语，共四个部分，有照片、手绘图。

据介绍，白居寺位于西藏江孜县年楚河东畔宗山城堡西山脚下，背靠山冈，东与宗山抗英遗址建筑群相邻，形成犄角之势。海拔4120米。寺院建在U形的山坡地及山前平地上，2米厚的夯土围墙围绕寺院东、北、西3面，隔一段距离设1座明楼。整个寺院由措钦大殿、吉祥多门塔、札仓、明楼、寺门、围墙等组成，总占地面积123256平方米，现存建筑总面积38659平方米。已被公布为全国第四批重点文物保护单位。

那曲地区

阿里地区

520.西藏阿里东嘎佛寺殿堂遗址的考古发掘

作　者：四川大学中国藏学研究所、四川大学历史文化学院考古系、西藏自治
　　　　区文物事业管理局　霍巍、张长虹等
出　处：《文物》2008年第8期

西藏阿里札达县境内的东嘎·皮央遗址，是两处紧相毗邻的包括古墓葬、佛教石窟以及地面华寺、佛塔遗迹在内的大型遗址，已经过多次调查与发掘。1999年7～8月，考古人员对这两处遗址再次进行了考古发掘。简报分为：一、东嘎华寺殿堂建筑遗址的清理，二、各殿堂出土遗物，三、结语，共三个部分，配以彩照、手绘图，先行介绍了东嘎华寺殿堂遗址考古发掘的有关情况。

据介绍，在其中1处殿堂遗址出土了大量彩绘泥塑残件，是迄今在西藏西部通过考古发掘获得的数量最大的一批佛教泥塑艺术品。殿堂遗址的年代，简报推断为15世纪后期至16世纪，大致相当于明代。

林芝地区

陕西省

西安市

521.陕西发现的两通有关明末农民战争的碑石

作　者：周伟州

出　处：《文物》1974 年第 12 期

近年来，陕西省博物馆对全省的碑石作了几次普查，这里介绍两通有关明末农民战争的碑石：《新建安善团记碑》和《总督孟少保碑》。简报分几个部分，有照片。

据介绍，《新建安善团记碑》立于陕西户县东南有名的草堂寺（又名栖禅寺）内。正文共 18 行，370 余字。碑文文字已不很清楚，但尚可辨认。简报录有全文。据乾隆四十二年(1777年)修《户县新志》卷一，此碑立于崇祯庚辰，即崇祯十三年(1640年)。

《总督孟少保碑》立于西安小雁塔内，正文 380 余字。孟少保，即孟乔芳，号心亭，河北永平人，生于明万历二十三年（1595 年），卒于清顺治十一年（1654 年）。崇祯三年（1630 年），他以罢职居家的明副总兵身份投靠清军，与农民军作战，此碑未见著录。碑文中有关于农民军等史料十分珍贵。

522.明末郑成功所造铜炮

作　者：朱捷元

出　处：《文物》1981 年第 1 期

1953 年，临潼县人民政府将放在原城楼上的 1 件南明铜炮送交陕西省博物馆。炮系青铜所铸，弹膛中部为砂石堵塞并生锈。炮身后部铸铭文 3 行："钦命招讨大将军总统使世子大明永历乙未仲秋吉旦造藩武督造守备曾懋德。"简报配以照片予以介绍。

简报称，1647 年由明两广总督丁魁楚、广西巡瞿式耜拥立明宗室朱由榔（神宗孙）在两广建立南明政权，启用"永历"年号。此炮铸于永历乙未年，即清顺治十二年

(1655 年)。1646 年由唐王朱聿键在福建中部建立的隆武政权被清军消灭后,郑成功移师南澳,继续抗清,自称"忠孝伯、招讨大将军罪臣朱成功","朱"系赐姓。永历政权建立,1649 年,郑成功派陈士京等奉表朝贺。永历帝封郑成功为威远侯,并仍将他称作"世子"。考永历及隆武两朝,除皇太子外,还有所谓"两宫世子"。这些"两宫世子"均未见有受封"招讨大将军、总统使、世子"掌兵权者。据上所述,可知"招讨大将军、总统使、世子"乃是郑成功的名号,此炮应是郑成功所铸。200多年以后,清同治五年(1866 年),左宗棠从闽浙总督调任陕甘总督,郑成功所造的铜炮,很可能是左宗棠从福建运到陕西,安置在临潼县城楼上的。

523.西安城西南角出土李自成"永昌通宝"钱

作　者:王九刚
出　处:《考古与文物》1988 年第 5、6 合刊

1987 年 3 月 31 日,考古人员在西安城内西南角迎春巷征集了"永昌通宝"铜钱148 枚,钱面楷书"永昌通宝"4 字,背素面无文。简报配以拓片予以介绍。

据介绍,李自成于 1644 年建都西安,国号大顺,改元"永昌",曾铸"永昌通宝"钱,据记载种类有当五、当十、当百大钱及小平钱,这次出土的铜钱正是李自成大顺政权的遗物,钱值可能是当五或当十钱。这次出土的铜钱,是在该地改造旧住宅处理地基时发现报告给市文物处的,铜钱出于 1 眼废弃的井内,出土时大部分铜钱锈在一起,水井在铜钱未投入前就已废弃了。将那些锈后黏接紧密的铜钱掰开,之间无绿锈,钱面沾有一层很薄的细沙粉沫,呈紫红色,显系铸造痕迹。看来这些铜钱铸出来后不久,还未经使用,就因李自成农民起义军的失败,清军入侵西安,铜钱的主人心里害怕,匆忙将它扔进废井中去了。

524.西安净水厂明清墓发掘简报

作　者:陕西省考古研究所配合基建考古队　郑洪泰、吕智荣、韩国河、侯宁彬
出　处:《文物》1988 年第 7 期

西安净水厂位于西安市南郊。1987 年,在工程中发现大批古墓。经发掘,共清理汉墓 41 座,唐墓 16 座、明墓 3 座、清墓 4 座。简报分为"明代墓葬""清代墓葬"两部分,先行介绍明清墓,有手绘图、拓片。

据介绍,发掘的 3 座明墓,根据墓志铭文记载,简报称为"管氏家族墓"。3 座墓均被盗,仅发现墓志和少量铜钱。简报录有志文全文。由志文知,管氏家族世代

有人为官，是陕西咸宁大族。3 墓均为斜坡带天井洞室墓，石椁木棺。均为夫妇合葬，有的男左女右，有的男右女左。可见男左女右的风俗至少在明代并不严格执行。简报有管氏世系表，管氏《明史》无传。

清代墓葬 4 座（M36-1、M35-1、M35-2、M60）。有的已被盗。M60 为"甲"字形墓，葬具为 1 棺 1 椁，为夫妇合葬。M36-1、M35-1、M35-2、M60 均有墓志出土。此 4 墓应均为乾隆、嘉庆年间墓葬。

据 M36-1 墓志铭文记载，该墓是清朝荣禄大夫云南楚姚、蒙景等处地方总兵都督柳中斋之墓。柳中斋，名时昌，号中斋。陕西蓝田人，是唐代名臣柳公权之后裔。清康熙五十五年（1716 年），被武昌鄂公提为武官；五十六年（1717 年）被陕西将军额伦特提调为千夫长，同年随额伦特征驻西宁；五十七年（1718 年）又随征藏，行师于穆鲁乌素河，在哈喇乌素遭遇叛贼围困，在内无粮草、外无援兵的情况下，额伦特阵前身亡，柳中斋领残兵收殓将军尸体，后受到康熙皇帝赐尚方衣物和记头等功的嘉奖。雍正初年，柳中斋被举授为山西马路参将，后又授升为云南永北镇等地方总兵，先后参加过平定甘肃庄浪番夷和云南楚姚等地的少数民族叛乱，此中有些史实《清史》未载。据墓志铭文，柳中斋生于清康熙十六年（1677 年），卒于乾隆七年（1742 年），享年 66 岁。

据 M35-1 墓志铭文，该墓是柳中斋之子清朝考授儒林郎柳伯超之墓。伯超为字，名英。柳伯超为中斋元配张夫人所生。

据 M35-2 墓志铭文，该墓是柳伯超妻吴大君墓。吴氏本系长沙都司吴光喜之女，生于清康熙三十四年（1695 年），卒于清乾隆二十三年（1758 年）三月二日，年 64 岁。

据 M60 墓志铭文，该墓是清朝例赠儒林郎布政司理问厅乡半山原老人墓，墓主姓陈，名效寔，字懋华，自号半山原老人。金乎沱村人（即今西安市南郊金乎沱村），生于清乾隆十二年（1747 年）八月，卒于嘉庆二十二年（1817 年），年 77 岁。墓志为生前自撰。

525.新出土的几方明秦藩王宗族墓志

作　者：张鸣锋
出　处：《文博》1989 年第 4 期

20 世纪 80 年代初期，陕西师范大学校内及其附近在基建中出土的几方明代秦藩王府宗族及其妻室的墓志。简报配以拓片予以介绍。

据介绍，计有四志：

一是朱诚澍圹志铭。此墓志于20世纪80年代在陕西师范大学校内基建中出土，有盖有志，均为正方，志铭为正书，共22行，每行23字，该志立于明正德九年（1514年）五月初十日。据《明史》列传记载：明太祖朱元璋有二十六子，分封全国各地，以屏王室，其二子朱爽乃高皇后所生，洪武三年（1370年）封为秦王。朱诚澍虽然不是嫡派子孙，但为秦藩王府另一支脉，墓志所载与《明史》列传所记完全相符。他生于明成化七年（1471年）六月初四日，卒于明正德四年（1509年）三月十八日，享年29岁。

二为朱诚澍妻郭氏墓志。郭氏墓志与其夫朱诚澍为合圹墓志，于20世纪80年代初同时出土，墓志规模大小和诚澍墓志基本相同，四周刻有卷云几何形图案，正书共24行，每行31字。郭氏比诚澍小两岁，诚澍去世时29岁，郭氏28岁，三子一女早逝，郭氏一直过着孀居的生活，达54年之久。她生于明成化九年（1473年），卒于明嘉靖三十三年（1554年），享年82岁。

三为朱秉枏墓志。朱秉枏迁葬墓志20世纪80年代在陕西师范大学基建中出土。因系皇明宗族，墓的四周有龙和卷云几何图案。正书，全文30行，每行29字。朱秉枏系太祖高皇帝七世孙，秦慜王六世孙。朱秉枏生于正德十五年（1520年），卒于明嘉靖三十四年（1555年），享年36岁。

四为朱惟焚妻李氏墓志。李氏墓志铭盖于20世纪80年初在陕西师范大学附近基建中出土。李氏为咸宁李凤之次女，母为张氏，生于明嘉靖庚子十九年（1540年），卒于嘉靖壬戌四十一年（1562年），享年23岁。李氏幼年，不恃玩戏，及长精于女红，即精于剪裁刺绣之事，为人进退容止，皆有法度，人罕见其有喜愠之色，是一位非常有教养的闺中少女。朱惟焚比她年龄大，受封镇国中尉，奉例选婚，遍历关中无所获，时间将及1年之久，朱惟焚之父奉国将军宾山翁为朱惟焚问名于李家，聘礼已定，择吉亲迎。古代婚礼分为六个过程，一纳采，二问名，三纳吉，四纳徵，五请期，六亲迎。李氏婚后，对"纷华盛丽，一无所好"，操持家务，井井有条，孝敬舅姑，对待家中老小婚丧嫁娶之事，无不咸宜。是以惟焚全力供职，无后顾之忧。后李氏染疾，延医治疗无效，溘然长逝，年仅23岁，遗子一，女二。

以上各志，简报均录有志文全文。

526.西安净水厂明清墓发掘简报

作　者：陕西省考古所

出　处：《考古与文物》1990年第4期

1987年发现并发掘，简报先行介绍了明墓3座、清墓4座的发掘情况。发现的明墓3座均已被盗，仅发现墓志3合及少量铜钱。据墓志可知为管氏家族墓，墓为斜坡带天井的洞室墓，全国首见。简报附有M58的志文全文。清代墓亦均有墓志，文可补《清史稿》陕西将军额伦特传文。简报未录志文全文。

527.西安丈八沟发现宋伯鲁书清牛允诚墓志

作　者：杨兴华
出　处：《文博》1988年第6期

1987年10月在雁塔区丈八沟北村发现清牛允诚墓志一合，盖已碎为数块，志为正方形，边长69厘米，厚15厘米。字文35行，满行36字，共计1131字。简报配以拓片予以介绍。

据介绍，武功耿钟麟撰文，礼泉宋伯鲁书丹并篆盖。宋伯鲁（1854～1932年），字子纯，号芝田，礼泉县人，曾任翰林院编修、山东监察御史、清政府掌印御史等职，戊戌维新时极力倡言和推行立宪图强，是杰出的维新志士和著名学者。牛允诚（1850～1908年），字毅臣，安徽宿县人，官提督镇守总兵，清咸、同之际镇压捻军以功擢守备，赏戴花细翎出名，光绪间至西北地区镇压回民反清斗争有功，授总兵加提督巴里坤镇总兵加头品顶戴，旋赏额腾依巴图鲁勇号。该志的发现为研究太平天国和西北回民反清斗争提供了宝贵的实物资料。简报录有墓志全文。

528.明秦王府布局形式及现存遗址考察

作　者：景慧川、卢晓明
出　处：《文博》1990年第6期

明朝时的西安城是朱元璋的二子秦王朱樉的治所。秦王府就建在城内地势高昂的东北区。王府建造规格，按中书省在洪武四年（1371年）的议定：王城高二丈九尺，下阔六丈，上阔二丈，女墙高五尺五寸。城河宽五丈，深三丈。正门前、后殿、四门城楼饰以青绿点金，廊房饰以青黑。四门、正门以红漆金涂铜钉。宫殿窠拱攒顶。中画蟠螭，饰以金边，画八吉祥花，前后殿座，绘红漆金蟠螭。帐用红绢金蟠螭。座后壁画蟠螭彩云（后改为龙）。立社稷、山川坛于王城内之西南，宗庙于王城内之东南。亲王所居，前殿名承运，中曰圆殿，后曰存心。四城门，南曰端礼，北曰广智，东曰体仁，西曰遵义。亲王宫殿、门庑及城门楼，皆覆以青色琉璃瓦。建成的秦王府有房863间，大小门楼46座，水井16眼，全部修造资金不下万两白银。除朝廷拨给1500两营建金外，不足的均由地方摊派。秦王府的整体规划，是按古制设计的，却又不拘泥先人。建筑的空间组合和立体轮廓两者达到统一之中有变化，严肃之中现活泼。尤其是苑内含英咀华的建筑群，经过巧妙地组合，与地形、池水花草树木相配合，创造出一种富丽堂皇而饶有变化的建筑。秦王府的建筑群展示出较清新的建筑风格，成为全国众多亲王府建筑中的佼佼者。简报分为：一、明秦王府布局形式，二、现存遗址考察，三、结语，共三个部分，有手绘图。

据介绍，考古人员对现存较完整的南墙西南端做了认真的考察研究，对秦王府的军防设施及明初的建筑工程技术有了初步的认识。秦王府规模宏伟，城门洞可供两辆宽1.8米的车同时出入，建筑质量也高于同时建造的明西安城墙。可惜今日只存遗迹。

529.西安城内出土一批明代窖藏文物

作　者：王长启、陈安利、李军辉
出　处：《文博》1992年第1期

1988年6月，西安市建工局在院内施工时，发现一窖藏，出土瓷器、法器及铜菩萨像等文物共22件，分别收藏于陕西省博物馆和西安市文物管理处。窖为口小底大的袋状坑，坑底距今地表2.8米，坑深1.1米，底部直径0.9米，坑口因被破坏，口径无法测量。同时出土的还有"宣德通宝""弘治通宝""嘉靖通宝"等古铜币。

窖藏文物简报分为：一、出土器物，二、几点看法，共两个部分，有照片、拓片。

据介绍，该窖藏出土于西安市建工局院内，距新城北门不远，在西安城墙内。西安城是唐长安城的一部分，长安城在唐末遭受战争破坏，重筑时，缩小原长安城为"新城"。简报推断此窖藏埋葬的时间，最早不过明代嘉靖年间。该窖藏出土的法器较多，其工艺水平较高。法器为陶胎，施低温釉，以孔雀绿或紫为主，还有黄白及孔雀蓝等色。法器的烧造是在琉璃器的基础上发展起来的，元代已有制作，明代开始增多，明代中期以后在晋南一带特别盛行。烧制地点除山西外，还有景德镇。山西是以陶胎为主，一般都是小件的香炉、动物、人物、瓶罐之类。

窖藏法器从釉质、胎体、造型及道教色彩为内容的纹饰看，简报推断应是明代嘉靖、万历时期山西烧制的。

简报称，这批窖藏瓷器、法器等文物，是在明代嘉靖、万历时期，由于社会动荡，城内的富户为了逃避兵乱而埋藏的。

530.西安三爻村出土明马景魁墓志铭

作　者：韩雅丽、王李娜
出　处：《考古与文物》1994 年第 6 期

1994 年春，考古人员在西安市南郊三爻村征集到明马景魁墓志石 1 块，现收藏于陕西省考古研究所资料室。简报配以拓片予以介绍。

据介绍，墓志铭无盖。志石呈方形，全文共 668 个字。简报录有墓志铭全文。马经其人，《明史》无传，据志文可知，字景魁，生于明宣德四年（1429 年），卒于明孝宗弘治九年（1496 年），享年 68 岁。据志文称，马公为汉代将军马援之后，自幼知书达理，与邻里和睦相处，乐于施善助人。特别是明宪宗成化年间，关中大饥，时马景魁带头拿出谷物接济众人，其美德被人们所称颂。其妻申氏，先他 10 个月而卒。马景魁死后，两人合葬于西安城南韦曲祖茔。

531.明代秦王府遗址出土残瓷

作　者：刘恒武、宋远茹、呼林贵
出　处：《考古与文物》1999 年第 4 期

1995 年 4 月，在明代秦王府北门遗址（今陕西省政府北门）东北侧华翔房地产公司劳动服务综合楼建筑基坑发现 1 处明代遗迹，遗迹大部分已于基坑开挖时被破坏，仅余基坑东边和南沿 200 多平方米的小部分面积。该遗迹的地面以下 1.2 ~ 2.7 米内灰土中夹杂着大量瓷器残片、陶器残片和动物骨头。在基坑东侧壁沿塌坠处的灰土中采集到大量遗物标本，包括明代景德镇瓷器残片、釉陶器皿残片、骨制用具和建筑瓦件，其中采集到的明代景德镇瓷器残片数量种类多，时间跨度长，是研究明代瓷器的很好资料，简报配以照片予以介绍。

据介绍，这批瓷片的出土地点在明代秦王府北门（广智门）遗址以北约 50 米，标本中带有"典膳所造"和"秦府典膳所造"款字的占有相当比例，与瓷片共存的遗物还有明代琉璃龙纹瓦当、琉璃筒瓦和板瓦以及大量的畜禽头，简报判定该地点应为明代秦王府的一个弃物堆积地点。其中出有"典膳所造"和"秦府典膳所造"款字的标本，简报认为应属秦王故物。

简报称，这一批带款标本值得注意，其中干支纪年款就有 5 种，时代跨万历前、后期至天启、崇祯，是明晚期瓷器年代判定的珍贵文物。

532.明秦王府北门勘查记

作　者：陕西省考古研究所北门考古队　宋远茹、刘恒武、呼林贵
出　处：《考古与文物》2000 年第 2 期

1995 年 3～5 月，为配合省政府机关事业管理局北门改建工程，考古人员对位于省政府北门的明代秦王府北门残存墩台进行了考古调查清理工作。这次工作的收获简报分为：一、地理位置和历史沿革，二、遗迹，三、出土遗物，四、结语，共四个部分，有手绘图、拓片。

据介绍，明秦王府，位于明西安城的东北部，呈南北长方形，长 671 米、宽 408 米，周长为 2158 米。现在仍可以看到四周残存的夯土墙。府城的东、西、南、北四面各开一门，东为体仁门，西为尊义门，南为端礼门，北为广智门。现在仅广智门东墩台残存。明秦王府北门东墩台是四门中唯一残存的遗迹。出土遗物有戳印方砖、纹砖各 2 块，墙标标本 6 件，石柱础 1 个，铜狮 1 对。另外还有少量青绿色的琉璃瓦残片，筒瓦、鸟头及兽头。

简报指出，从明秦王府城墙和明西安城包砖墙的建造时间看，明秦王府城墙是洪武三年（1370 年）开始修建、洪武九年（1376 年）营建完毕。石地袱的铺设，外墙包砖及中心夯土是一次完成。清理过程中，没有发现有二次或多次修建的痕迹，史料中也没有多次修建的记载，而明西安城墙据史料记载，在 1374 年只修了夯土墙，到 1568 年明陕西巡抚张祉为加固城墙，在城墙的外壁和顶面砌了青砖，1635 年又加修四关城墙，直到 1787 年，清陕西巡抚毕沅在原城墙底围用石块加厚了城墙外壁的砖面，至此西安城墙才和明秦王府城墙在建筑结构上达到一致。这说明明秦主府城墙的建造比西安城包砖墙早 200 年左右，进而说明明秦王府墙在建筑方法上也高于明西安城墙。

简报称，此次清理的明秦王府墩台遗迹，为研究明代城墙的建筑方法和结构提供了科学依据，也为研究陕西地方史提供了宝贵的考古资料，为典籍中有关秦王及秦王府的记载补充了新的内容。

533.西安南郊皇明宗室汧阳端懿王朱公镪墓清理简报

作　者：西安市文物保护考古所　王久刚、程林泉、王　磊、袁长江
出　处：《考古与文物》2001 年第 6 期

皇明宗室汧阳端懿王朱公镪墓位于西安南郊雁塔区曲家乡金呼沱村。1999 年 8 月 3 日晚，该村农民反映有人在村西田地里盗掘古墓，市文物保护考古所及当地派

出所即刻派员赶赴现场处理。所盗古墓位于村西约 1 华里处，地势较高。据当地农民讲，地面原有封土，20 世纪 60 年代平毁。现地面已无任何遗迹。盗洞从地面直通墓室，正对墓室内棺床中间部位。墓主为皇明宗室汧阳端懿王朱公镠。现场截获已盗出的陶俑 18 件。为确保墓室内遗存文物的安全，先将墓内 80 多件易提取的文物取出，随后于 8 月 16 日至 23 日对该墓进行了抢救性清理发掘。

简报分为：一、墓葬形制与葬式葬具，二、出土器物，三、结语，共三个部分，有手绘图、照片。

据介绍，该墓坐北面南，平面呈长方形，由墓道、墓门、墓室三部分组成。出土器物共计 111 件。其中墓志 1 合，志文阴刻，共 18 行，简报录有墓志全文。明洪武三年（1370 年）朱元璋封其第二子朱樉为秦愍王，十一年（1378 年）就藩西安，前后共传 11 代，16 位秦王。墓志记汧阳王公镠为秦王宗室，秦康王第三子，正统元年（1436 年）正月二十四日庶生，母亲潘氏。简报录有墓志全文。朱公于弘治八年（1495 年）六月八日因病死亡，享年 60 岁，在汧阳王位 50 年。按明制冠服视为一品。

534.西安财政管理干部培训中心明墓发掘简报

作　者：西安市文物保护考古所　张全民等
出　处：《文博》2002 年第 6 期

1997 年 2 月 18 日至 5 月 18 日，考古人员为配合西安财政管理干部培训中心的基本建设，在西安市雁塔区长延堡街道办事处瓦胡同村东清理古墓 56 座。其中，明代墓葬 7 座，分别为 M2、M3、M21、M25、M28、M29、M49。除 M2、M3 之外，其余均为秦藩郃阳王家族成员墓葬，它们坐北朝南，东西向排列。简报分为：M2，M3，M21，M25，M28，M29，M49，共七个部分予以介绍，有拓片、照片、手绘图。

据介绍，M2 是 1 座 3 人合葬土洞墓，由墓道、墓室两部分构成，已被盗扰。3 具尸骨保存完好，头向均朝北，仰身直肢。经初步鉴定，中棺所葬为男性，即墓志盖上所记的"柳庄孟先生"。其余均女性，其中至少有一位即墓志盖上所记的"杨氏"。M2 由于被盗扰，出土随葬品较少，主要有钱币、戒指、墓志。

M3 为 1 座 2 人合葬土洞墓，由墓道、墓室两部分组成，已被盗过。木棺已朽，尸骨保存较差，但仍可看出为仰身直肢。M3 虽经盗扰，仍出土一些随葬品，主要有钱币、瓷罐、金币、买地券砖等。买地券已漫漶不清。

M21 是明秦藩郃阳安僖王与妃刘氏的合葬墓，为长斜坡墓道双室砖墓，由墓道、甬道、前室、后室组成。墓室前室长 2.1 米，后室长 3.84 米，宽均为 3.32 米。应为 1 棺 1 椁，骨架已朽。M21 由于被盗扰，随葬品出土不多，计有瓷缸、瓷碗、棺椁饰件、圹志等。该墓出土的圹志 2 合，1 为明郃阳安僖王圹志，计 242 字，简报录有全文；另 1 为其王妃刘氏圹志，计 211 字，简报亦录有全文。据圹志记载，郃阳安僖王名秉橄，生于成化二十年（1484 年），正德三年（1508 年）十二月十八日准袭郃阳王，之后 8 天就死去，未能接受正式册封，王位系追封。正德五年（1510 年）葬于咸宁县韦曲里洪固原祖茔之傍（今西安市雁塔区长延堡街道办事处瓦胡同村东台地），享年 25 岁。刘氏生于弘治戊申（1488 年），正德甲戌（1514 年）册封为郃阳王妃，卒于嘉靖己亥（1539 年），享年 52 岁。嘉靖癸卯（1543 年）埋葬。

M25 是座墓主人不明的郃阳王家族某成员墓，早年被盗，后作为村里的贮藏室，平整土地时又被垫平，使其遭到极大破坏。M25 为长斜坡墓道砖室墓，由墓道、甬道、墓室组成。应为某代郃阳王或妃子的墓葬。

M28 是明秦藩郃阳惠恭王夫人雍氏之墓，为长斜坡墓道单室砖墓。由墓道、甬道、墓室构成，已被盗扰。1 棺 1 椁，葬式不明。出土有瓷缸、钱币、圹志等。圹志 1 盒，计 253 字，简报录有全文。据圹志记载，雍氏生于宣德壬子（1432 年），景泰二年（1451 年）选配郃阳惠恭王，卒于明正德四年（1509 年），享年 78 岁。正德五年（1510 年）葬于咸宁县洪固原。

M29 是明秦藩郃阳惠恭王妃钱氏之墓，为长斜坡墓道砖室墓。由墓道、前庭、前室、甬道、后室构成。应为 1 棺 1 椁，葬式不明。M29 的随葬品虽经盗扰，但仍出土有瓷缸、木俑、泥俑、铜匙、铜饰、钱币、圹志等。圹志共 316 字，简报录有全文。据圹志记载，钱氏名洲慧，生于明宣德五年（1430 年），成化十八年（1482 年）诰封为郃阳惠恭王夫人，卒于成化二十年（1484 年），享年 55 岁。成化二十一年（1485 年）祔葬于郃阳惠恭王之圹。

M49 是明秦郃阳惠恭王朱公镗之墓，早年被盗，后又因当地百姓取土，使其暴露于断崖上，随葬品一无所存。

据村民白文利讲，他曾目击过此墓出土的圹志，并将其抄录。志盖阴刻篆书"大明宗室郃阳惠恭王圹志铭" 4 行 12 字。志文阴刻楷书，共 424 字。简报录有全文，因系转抄，仅供参考。

简报称，这次发掘的 7 座明代墓葬，有 5 座是明秦藩郃阳王家族成员墓，4 座的墓主人身份清楚，包括 2 位郃阳王和其妃或夫人，为研究明代郡王及王妃的墓葬制度提供了新材料。据《明史·诸王世系表》记载，郃阳惠恭王是第一代郃阳王，为秦康王庶四子。而圹志上记载为第二子，和史书所记不符，二者可以互为补证，弥补不足。《诸王世系表》对于郃阳王家庭成员的记载非常简约，这次发掘出土的 4 合圹志和抄录的志文则涉及多名成员，且关系清楚，对于复原明秦藩郃阳王家族的世系有至关重要的作用。

535.明嘉靖陕西《创建军器局记》碑简释

作　者：陕西省文物局、陕西教育学院　侯养民、穆渭生
出　处：《文物》2003 年第 10 期

1995 年冬季，在西安市南门内湘子庙街的一处基建工地上，掘出一巨型石条。民工不知此为文物，欲将其填入坑中砌筑地基。有旁观者看到了石条上的篆书字迹，疑其为古代石碑，遂将消息告知一贯热心保护文物的西安市大清真寺马良骥阿訇。直到深夜，才将这块大石碑运回西安市化觉巷大清真寺保存。简报分为：一、出土与收藏，二、内容简介与考释，共两个部分，有照片。

据介绍，此碑题额为两行阴刻篆书：创建军器局记。碑体竖形，青石质，缺底座，高 269 厘米，宽 89 厘米，厚 23 厘米。碑首圆形，题额两旁饰以云纹。碑文正楷 22 行，每行最多 56 字，除空格外共 1129 字（其中残缺 4 字）。四周边框饰以蔓草纹，碑侧与碑阴素面无饰。碑文标题为：《军器局记》。中国军事博物馆的一位专家指出，这可能是我国仅见的 1 块记载古代军器制造史实的碑刻。简报录有碑文全文。碑文记载了参与建局和立碑的官员职务、姓名以及时间、地点，介绍了陕西等四镇创建军器局的时局背景，叙述了地方省、镇军器局内部的组织管理情况，是研究明代历史的难得史料。据碑文，此碑为明嘉靖六年（1527 年）所立。

536.西安城墙西门城楼内部隔断遗迹考古调查报告

作　者：西安西门城楼考古调查组　梁晓青
出　处：《文博》2005 年第 5 期

2001 年，考古人员对西安城墙西门城楼内隔断遗迹进行了考古调查。简报分为：一、概况，二、遗迹剖析，三、结论，共三个部分，有彩照。

据介绍，城楼内部面阔七间，进深两间，四周绕有回廊，分楼上楼下两层。据史料记载，建于明代初年。隔断位于城楼一层，尤其是南隔断墙保存较好，至今已600 年，有一定保护价值。

537.西安明代秦藩辅国将军朱秉橘家族墓

作　者：陕西省考古研究所、西北大学文博学院　肖健一、孙安娜、段　卫、毛秉均等

出　处：《文物》2007年第2期

2004年3月至2005年4月，考古人员在西安市南郊（市广电中心工地）发掘清理了42座汉墓和4座明墓，出土各类器物400余件。其中4座明墓的墓葬形制完整，砖券墓室和砖砌门楼保存较好，尤其是出土的木棺，描金彩绘，颜色艳丽，绘画精细，具有较高的艺术价值。简报分为：一、地理位置，二、墓葬形制，三、葬具，四、出土遗物，五、结语，共五个部分，配以彩照、拓片、手绘图，先行介绍了这4座明墓。

据介绍，明代秦王及其家族墓葬主要分布在今西安市小寨东路以南、长安南路以东，南至雁塔区、长安区的范围内。此次发掘的朱秉橘家族墓，位于西安市雁塔区庙披头村东南，正在这一范围内偏北的位置。有3座墓出土有墓志。据墓志可知，M14的墓主人是秦王的辅国将军朱秉橘及其夫人，其他3座墓的主人是其后嗣及家属。这些墓有保存较好的砖砌门楼和祭台，M24、M26还出土了精美的髹漆彩绘木棺。上述明墓的发现，为研究明代藩王制度和葬俗提供了实物资料。简报未录志文。

据墓志记载，M14的墓主是辅国将军朱秉橘及其夫人王氏。朱秉橘生于明成化二十三年（1487年）八月十六日，正德十二年（1517年）六月十四日以疾卒。王夫人生于弘治元年（1488年），正德十年（1515年）以疾卒。正德十四年（1519年）正月，2人合葬于咸宁县鲍阪里鸿固之原。王夫人生子2人，名惟熠、惟炟。

M26有墓主3人，是奉国将军朱惟熠及其两位夫人（赵淑人、仲淑人）。朱惟熠字光甫，自号鹤山主人，生于正德五年(1510年)三月二日，卒于万历十三年(1585年)正月十五日，是年十二月葬于咸宁县韦曲祖茔。赵淑人是咸宁县籍直隶凤阳府判邦宪次女，生于正德四年(1509年)，以疾卒于嘉靖十年(1531年)，嘉靖十二年(1533年)下葬于韦曲祖茔。赵淑人生子怀墝，怀墝被封为镇国中尉，娶李氏。李氏被封为恭人，生男女各一。仲淑人乃朱惟熠的续弦，咸宁名家女，生于正德七年（1512年），嘉靖三十一年（1552年）因生子而逝，次年祔葬赵侧。仲淑人生子3人，俱未封。仲氏又生2女，长封紫云乡君，次未封。朱惟熠在仲氏死后，再娶刘氏。

M25的墓主是辅国中尉朱敬锑与夫人张氏，朱敬锑生于嘉靖二十八年（1549年）七月十七日，卒于天启元年（1621年）七月二十日。其父为镇国中尉怀墝。张宜人生于嘉靖三十年（1551年），卒于万历四十四年（1616年）。天启三年（1623年）葬于韦曲祖茔。

M24没有发现墓志，但出土了“万历通宝”铜钱，其下葬年代应为明神宗万历时期（1573～1620年）。根据M24木棺纹饰并结合墓主的性别推断，此墓主人可能就是M26男主人（朱惟熠）三娶的夫人刘氏。

538.长安“社公爷”石雕考察

作　者：田荣军

出　处：《文博》2007年第4期

2004年11月，考古人员在西安市长安区子午街道办事处一带考察民间艺术时，发现在田间供奉着1种石雕的人头像，当地老乡称之为“社公爷”。在以往的民间美术普查中，这一类石雕尚未引起人们注意，简报配以彩照、手绘图予以介绍。

据介绍，“社公爷”（石雕）共9尊，分布于长安区南部的一些村庄里，其范围为：东至王家庄乡曹村，西至子午镇南斗角村，南至子午镇子午东村，北至黄良乡东古城村。这些村庄是：南斗角、子午东、甫店、递午、张村、西湖、曹村、东古城。石雕主体的造型遵循统一的范式：头戴冠，冠后部凸起，并配有两支“V”形帽翅；冠下沿与头部相接处整刻一圈棱边，棱边正中刻一圆形饰珠。面部表情多威严庄重，甚至凶狠狞厉。五官也颇有特色：双眉粗长，眉梢上扬，呈倒卧的“S”状，皱眉肌凸出；双眼圆睁，鼓出眼眶，眼角上翘；鼻头宽大，鼻翼线深陷，呈对称的“S”状延伸至嘴角及腮部；唇上浅刻有几道胡须；嘴角微翘；双耳紧贴于头侧，造型简洁，带有写意性。石雕主体的雕刻方法也很丰富，圆雕、浮雕、线刻兼施。简报认为应属明清时期作品，是民间用来祭祀的用品。

539.西安南郊明上洛县主墓发掘简报

作　者：陕西省考古研究院　段　毅、王啸啸

出　处：《考古与文物》2009年第4期

2007年6月至8月间，考古人员为配合工程建设发掘了44座古墓，其中1座为明上洛县主墓，系明代秦藩王家族成员墓，规模较大，保存较完整，出土遗物丰富，特别是20余件彩绘木俑的出土是近年来明藩王墓葬又一重要发现。简报分为：一、地形概貌与地层堆积，二、墓葬形制及葬具，三、出土遗物，四、结语，共四个部分，有手绘图、照片。

据介绍，该墓位于西安市南郊杜陵东路与雁南路交汇点东北。该墓葬总体略呈“甲”字形，由阶梯状斜坡墓道、墓门、甬道、墓室组成，墓室底距地表7.6米深。

甬道以后为砖砌,其筑法是甬道以前部分直接在土壁上开挖,甬道和墓室部分系先开挖一南北长72米、东西宽约6米的竖穴土坑,然后以砖砌筑甬道和墓室。葬具为棺、椁,已受破坏,棺内有头骨,葬式不明。该墓曾被盗,出土遗物共计67件,其中彩绘木俑24件、木器残件8件、木碗1件、铜钱3件、铜铆钉1件、丝织品碎片1件、陶瓷器3件、瓦当28件、石墓志1合、幽堂(买地)券1方。其中彩绘木俑较重要。简报录有志文、券文全文,中有缺字。依据出土墓志可知,墓主人为保安王嫡长女,生于明景泰丙子(1456年),成化己丑(1469)年封上洛县主,卒于明成化庚寅(1470年),享年仅15岁,明成化七年(1471)葬于今发掘地,时称咸宁县洪固乡珠珠之原。

简报称,"县主"是明代的一种封语,明制"……郡王女曰县主"。"上洛"为地名,其地位于今陕西商州市一带。依据史书与墓志资料,可以排出上洛县主五代世系。

540.周至佛坪厅故城遗址一期考古调查简报

作　者:西安市文物保护考古所、周至佛坪厅故城保管所　张小丽、田清梅、
　　　　任　茂

出　处:《文博》2010年第5期

2006年11月,考古人员对周至县佛坪厅故城遗址进行了一期考古调查。简报分为:一、地理位置、历史沿革及保存现状,二、故城遗址一期考古调查收获,三、结语,共三个部分,有照片。

据介绍,该故城建于清道光五年(1825年),民国14年(1925年)因匪患废弃。2002年,公布为省级文物保护单位。故城遗址保存基本完好,平面呈东南部外凸的不规则长方形,现存城墙墙基为汉白玉石条砌筑,墙体白灰沙土混合夯筑,外砌大卵石。城墙西、南、东中部设城门3座,均为汉白玉条基,夯土砌筑,外包青砖,门上原有谯楼,现已无存。西门丰乐门保存较好,东门景阳门和南门延薰门部分塌毁,后经维修。

城内完整建筑仅存城中部偏东主街北侧的荣聚站1处,已在原基址上照旧重修,其余建筑上部被破坏殆尽,仅存基址于民房下或耕地中,诸多建筑构件如汉白玉石条、柱础石已被村民用于自家房中,现仍可见许多石条和柱础石暴露于耕地中。城内碑石多被搬移集中于文庙内,碑石内容以记功德者居多,但也有部分碑石具有较高的史料价值,或记重修文庙之事,或记修建义学之事,或记环境保护之事。简报称,故城是清朝中期关中通往陕南交通枢纽,是少有的保存比较完整的北方山区城址。

铜川市

541.陕西铜川清代炭窠碑刻

作　者：禚振西、卢建国
出　处：《文物》1979 年第 6 期

铜川旧称同官，位于陕西"渭北黑腰带"的中心。为研究这里古代煤炭业的发展，考古人员对该地区的明清炭窠（煤窑）遗址进行了多次调查。除发现一些采煤竖井、采煤工具、矿工尸骨坑和窑神庙外，1975 年又在富家坡中学（原窑神庙旧址）发现有关清代炭窠碑刻六通。简报配以拓片予以介绍。

简报介绍，六通碑刻为：

1.《重修四圣庙碑记》，嘉庆二十一年（1816 年）。

2.《窑神庙买地碑》，道光九年（1829 年）六月。

3.《新立赛神会并合社及禁丐乞盗窃碑记》，道光二十七年（1847 年）菊月。

4.《窑规碑》，道光二十八年（1848 年）十月。

5.《同官县令告示碑》，咸丰元年（1851 年）十二月。

6.《创修五圣宫碑记》。

简报称，这些碑石和有关文物遗迹的发现，对了解铜川地区清代煤矿业的发展，提供了重要的历史资料。

542.陕西耀县出土明嘉靖酱釉描金孔雀牡丹纹执壶

作　者：王明泉、卢建国
出　处：《文物》1979 年第 12 期

1959 年底，陕西耀县寺沟出土的 1 件酱釉描金孔雀牡丹纹执壶，是明代嘉靖时期江西景德镇彩瓷中金彩瓷器的典型佳作。简报配以照片予以介绍。

简报介绍，这件执壶分壶身与壶盖两部分。壶身为喇叭口，直唇，细长圆颈，扁腹，圈足。颈间安有对称的细长流和扁把。盖有子口，顶部隆起，盖纽为一蹲坐小兽，作回首张望状。内壁与圈足内施青白釉，有"富贵佳器"四字铭文。

简报称，这件执壶是研究我国瓷器金彩装饰工艺发展演变的重要实物，也是我国古代丰富的陶瓷器珍品中一件十分珍贵的佳作。

宝鸡市

543.陇县发现了一批明代石刻

作　者：田　野

出　处：《文物》1959 年第 5 期

1954 年，陇县新集川乡修建乡人民委员会，在掘地 2 尺许时，发现了数十块石刻。1958 年 8 月，又掘出数块。文物普查时陕西省博物馆将其中的一部分作了拓印、拍摄和登记。

据介绍，这批石刻，有的上面雕刻卧牛和卷云，有的雕刻跑马和卷云，有的雕飞凤和卷云，还有雕狮子与卷云或龙。其中有数十块被破坏埋入土中。另外在新集川小学门前还发现 1 只碑头，上浮雕四螭圭。圭的顶部浮雕二龙戏珠，圭上正面楷书"敕赐"，背面仅 1"记"。据当地百姓说，碑头和石刻是一坑所出，出土地为原佴章公祠的旧址。

从画像石出土地点及风格来看，简报推断这批石刻是明代的。

544.明王纶墓清理简报

作　者：罗西章

出　处：《考古与文物》1981 年第 4 期

1973 年冬，扶风县城关公社北庵生产队在平整土地时发现了古墓 1 座，出土石刻墓志 1 合。1979 年 7 月，考古人员对这座古墓进行了清理发掘。简报分为：一、墓葬形制，二、随葬器物，三、对志文中几个史实的考证，共三个部分，有照片、拓片、手绘图。

据介绍，古墓在县城北 1 里许的北庵村西北隅，距村 150 米处。从墓志记载可知，此墓系明代嘉兴府知府王纶及其妻党氏、魏氏三人的合葬墓。

王纶，字汝言，号岐东，扶风天度镇人。生于明天顺八年（1464 年），卒于嘉靖二十八年（1549 年）。生前曾授真定知县、巡按御史、嘉兴府知府等官。《明史》无传，但在《明史·刘瑾传》《明史·洪钟传》中都提到了他。《扶风县志》说他葬于天度镇，记载有误。王纶为官正直，不畏权势，当时有"铁胆御史""真御史""黑面王""扫地王"之称。墓志中用了"避骢强项""召父杜母"的词藻来称颂他，把他比作光武帝时的著名官吏董宣、西汉时廉吏召信臣和东汉时廉吏杜诗。

此墓由墓道、墓室两部分组成。墓道呈梯形，竖穴式。有盗洞，墓中原应有棺木，仅剩一些头盖骨、下肢骨。仅发现铜钱、黄金口含、木机等少量遗物。墓志1合，简报未录志文全文。志文涉及《明史》中有传的刘瑾、许进、洪钟等人史实，还涉及嘉靖七年（1528年）关中的旱情。

545.明兵部尚书阎仲宇夫妇合葬墓

作　者：肖　琦

出　处：《文博》1993年第3期

1973年3月下旬，陕西陇县城关乡祁家庄村农民在浇地时，发现1座古墓。该墓位于陇县城西约1公里处，北靠小山，前面为一片与县城相连的开阔平原，南北现各修有陇天公路和宝平公路，在距墓地约300米处有阎仲宇之兄、进士、吏部考功郎阎仲实所建的汧山书院遗址。4月中旬，考古人员对此墓进行了抢救性发掘。简报分为：一、墓葬形制，二、葬具，三、随葬器物，共三个部分，有拓片、手绘图。

据介绍，该墓坐北朝南，原有封土堆已被平掉，现墓距地表深6.30米，为1座3室并列的夫妻合葬墓，无墓道。有盗洞。三室均为柏木双棺，尸体已腐烂。随葬品仅有劫余的金簪1件、金钱7枚、玉带片20块等。出土有墓志3合。一为明太子太傅兵部尚书阎仲宇墓志，计1195字；二为阎仲宇夫人仲氏墓志；三为阎氏夫人袁氏墓志。简报录有三志全文。

简报称，西墓室葬阎仲宇先配、淑人仲氏，系山西广昌守御所仲千户之四女，成化丙申（1476年）正月十四因病而亡，时年32岁。东墓室葬继配、光禄大夫夫人，诰封一品太夫人袁氏，系武邑袁太仆之四女，卒于嘉靖二十五年（1546年）九月二十九日，时年87岁。从发掘情况及墓志内容看，3个墓室系一次修成，但三者埋入的时间不同，首先葬入者为阎仲宇和先配仲氏，其中仲氏系异地迁入，时间均在正德七年（1512年），后葬入者为袁氏，时间为嘉靖二十五年（1546年）。墓志的镌成与各自埋葬的时间相同。

简报指出，阎仲宇虽说官至兵部尚书，但史料对其记载很少，《明史》无传，只有5处记载，所以对其生平事迹难以知晓。据《陇州志》及阎仲宇及其夫人墓志载，在明代中后期，阎氏家族比较兴盛，从成化五年（1469年）至万历二十三年（1595年）有6人中进士，举人、贡生亦为数不少，步入仕途者也较多，最后一名进士阎溥官至云南布政使。这次阎仲宇墓葬的发掘，特别是三合墓志的出土，不仅对研究阎仲宇的生平提供了重要资料，而且参考其子、户部主事阎倬墓志（材料另发）及其他史料可将阎氏家族的世系大体排列下来，这对地方名人的研究及地方志的编写不无益处。

据阎仲宇墓志，其致仕是因为宦官刘瑾专权，使其不能居官为正，《明史》中记载有关阎仲宇与刘瑾党羽的事有两件：一件是武宗时期，刘的党羽朱晖等冒功，兵部侍郎阎仲宇查勘不实后力争，以败而终。第二件也是武宗时期，刘的党羽朱瀛冒功，兵部尚书阎仲宇许之。其墓志中也载，阎仲宇为尚书后"有权贵求为蓟州总兵，公峻词拒之"。这里的权贵者亦可能指的是刘的党羽。由此看来，阎仲宇既想做一个为政清廉的清官，又不得不屈从于权贵的势力，听许他们假功冒赏，以保全自己。最后不得不在任兵部尚书半年后以辞官来解脱，这对研究明代中期朝廷士宦斗争提供了重要资料。

今有宗韵先生《明代家族上行流动研究》（华东师范大学出版社 2009 年版）一书，可参阅。

546.凤翔三岔村发现清代窖藏瓷器

作　　者：凤翔县博物馆　赵丛苍、周志富等
出　　处：《文博》1989 年第 2 期

1986 年 11 月，位于陕西凤翔县城东南 5 公里的三岔村机砖厂取土时，在地表深 3 米处发现一瓷器窖藏，共挖得瓷器等文物 45 件，后由凤翔县博物馆收藏。据获得者言，瓷器出土时是装在一粗瓷坛中，坛口用一石板盖严。简报配以照片予以介绍。

据介绍，有调色盒 18 件、方盒 1 件、盒 3 件、酒杯 1 件、铜器托 2 件等。简报称，这批瓶器，有几件器物上有"同治年制"款识，此窖藏系清代无疑。器物种类以绘画用具为最多，如调色盒、方盒、瓶等，推测该窖藏的主人可能为一画师。从装饰方法言，有青花、画彩、描金等，青花虽不为官窑所烧，但制作之精可与名窑产品相比美。画彩瓷器是这一窖藏中的主体，无论从刻画人物、花卉的抽象、简练手法和大红大绿、对比强烈的着色特点看，均与久已留传在凤翔的木版年画、彩绘泥偶、剪纸等民间美术的特色十分相似。这批瓷器的发现，对于了解当时民间瓷窑的烧制技艺、瓷器种类和特点，以及凤翔民间美术的研究，都有较重要价值。

547.陕西扶风县出土明代《重修法门寺大乘殿记》碑

作　　者：扶风法门寺文化研究会　林培民等
出　　处：《考古》1997 年第 4 期

1992 年 12 月 27 日，在扶风县法门寺重建大雄宝殿的工程中，于原大殿前平台

中央基部深 1 米处挖出一破裂为许多残块的明代石碑，简报配以拓片予以介绍。

据介绍，这通石碑勒于弘治十八年（1505 年）四月八日，现存法门寺院，文 22 行，行 52 字，正书。碑阴镌有功德主名谱，先僧后俗，僧按法门寺明代二十四院排列，俗依村落住处署名，亦为正书，字形较小。

法门寺大乘殿即今大雄宝殿前身（位置偏南数丈），明弘治元年（1488 年），法门寺僧人曾发起重修，历五年而成。弘治十八年（1505 年），为纪念发起重修僧人的功德，特"请文于石"，因以有碑。

简报称，《重修法门寺大乘殿记》碑在以往史料中虽偶有提及，但因未找到碑身，碑文亦无著录，故仅知当时修大乘殿事而不了解详情。简报认为，这通石碑的出土，为法门寺历史、佛教及考古等方面的研究提供了重要的实物依据。

咸阳市

548.乾县出土明贵州按察副使李寥莪墓志铭

作　者：田亚岐、高　发
出　处：《考古与文物》1992 年第 4 期

1990 年春，乾陵博物馆在乾县南门外北仁村邱家堡征集到保存完好的明代墓志 1 合，题为《明诰赠中宪大夫贵州按察司副使寥莪李公墓志铭》。据了解，北仁村以北 1 公里处为明清时期李氏家族墓地，早年因浇水灌溉，部分墓室出现坍塌。近年来，农民在此处取土时，发现了这合墓志铭。简报配以拓片予以介绍。

据介绍，该墓志为石灰岩质料制成。志文位于志石正中，系楷书，34 行，满行 40 字，共计 1059 字。字体规范，排列有致，简报录有志文全文。

墓主李寥莪，《明史》无传。原籍为乾州（今陕西乾县），生于明嘉靖三十六年（1557 年）十二月二十六日，卒于天启三年（1623 年）七月十四日，享年 67 岁。早年举于乡业，因其聪明才学，被吏部选派到山西布政司汾州府宁永州下辖的乡宁县任职，因"治行超群"，被提升到四川市政司的夔州府（治所在今四川奉节）任职，后又到贵州任职。明代在全国设 13 个布政司（即省制），贵州原隶属四川布政司管辖，后因贵州"去省窎远，莫能控制"（《明史·四川土司》），明永乐十一年（1413 年），撤销北平布政司，增加贵州布政司。与布政司平行的官职还有按察司和都指挥使。它们的职权范围分别是：布政司掌一省之民政，按察司掌一省之刑狱，都指挥使掌一省之兵权，合称"三司"。明代对云、贵、川、广地区的统治，继续沿用元代的"土司"

制度,即布政司以下的府、州、县官职均参用当地的土官。李寥裒在贵州时曾领兵守城,平息当地的"叛乱"。

549.咸阳北杜大铜佛

作　者：刘晓华
出　处：《文博》1989 年第 3 期

咸阳市北约 15 公里北杜镇福昌寺,为宋嘉定年间所创建。原供大型铜佛 1 尊,后殿被毁,佛像被移出,今藏咸阳市博物馆。简报配以照片予以介绍。

据介绍,该佛像系用青铜铸成,中空,高达 220 厘米。原寺中有明万历十八年（1590年）太监杜陵修造的铁塔 1 座,佛像也应在此时修造。

550.明阎本家族墓志铭

作　者：杨忠敏
出　处：《文博》1992 年第 6 期

1969 年冬,陕西省彬县永平公社（现改为车家庄乡）阎家堡大队在平整土地时,出土了明宪宗户部右侍郎阎本的墓志铭,由阎家堡村农民阎忠善保存。

1982 年 9 月至 1989 年 4 月,在彬县县城东南的凤凰山下,县建材厂先后又发现了阎本的 2 个儿子夫妻、1 个孙子夫妻与 1 个玄孙的 6 合墓志铭。简报配以拓片予以介绍。

据介绍,阎本（1424～1479 年）,字宗元。先世扶风人。元末祖世安,徙居邠州西原孟村（今陕西彬县车家庄乡阎家堡村）,世以农事为务。高祖世安,曾祖郡卿,祖德,父绅。母亲是新平里卢氏,生二子,长名举,次即本。阎本由郡庠中乡榜。景泰五年（1454 年）30 岁时,登进士甲科,历任户部山东司主事、户部广西司郎中、都察院右佥都御史、起擢户部右侍郎,掌管土地、户籍、赋税、财政等事务。夫人吕氏,保定束鹿人,太常少卿之女。阎本家五辈人的简况与墓志铭简报有抄录。

简报称,以上 7 合墓志铭,计 9500 余字,较为详细地记述了阎本家族从明永乐、洪熙至隆庆、万历 160 多年间的家世演变、功名仕途及家居生活的有关情景,内容丰富,文字洗炼,同时涉及当时的政治、经济、文化艺术、社会风俗等有关事迹,为研究工作提供了翔实的历史资料。

渭南市

551.陕西韩城西门大顺永昌元年城额

作　者：周伟州

出　处：《文物》1976年第10期

陕西韩城西门城门上最近发现1方李自成农民起义军所修砌的大顺政权永昌年号城额。城额中间楷书四个大字"梁奕西襟"，左有"大顺永昌元年孟冬吉旦"的字样，并有"□□□□修砌"的题款，周围有一圈龙纹。简报配以照片予以介绍。

据介绍，"大顺永昌元年孟冬吉旦"，即1644年（崇祯十七年）11月。这时，李自成起义军已撤出了北京，从山西返回陕西。韩城在陕西东部，隔黄河与山西接界，战略地位十分重要。上述城额的题款，说明当时起义军曾对韩城城墙进行了修砌。这显然是为了抵御清军从山西渡河进攻陕西而采取的措施之一。城额上书"梁奕西襟"4个大字。按"梁"指韩城西北90里的梁山，"奕"，是高大的意思。"西襟"是说这里是向西的通道和门户。

552.韩城市发现乾隆嘉庆皇帝三方寿匾

作　者：白有道

出　处：《考古与文物》1987年第4期

考古人员在清乾隆军机大臣、东阁大学士、太子太保王杰祠堂正厅（今韩城市民政局所在地）发现乾隆、嘉庆皇帝御赐寿匾3方。寿匾分别长2.68米和2.57米，均宽1.35米。现收藏于韩城市博物馆。简报配以照片予以介绍。

据介绍，3方寿匾中，1方是乾隆四十九年（1784年），清高宗为王杰60寿辰亲题。另2方匾是嘉庆九年（1804年）九月二十四日王杰与夫人八旬双寿时清仁宗御赐的寿匾。其中之一为诗二首。简报录有全文。王杰，《清史稿》有传。

553.丰图义仓调查记

作　者：杨　政、秦建明、魏叔刚
出　处：《考古与文物》1995 年第 6 期

丰图义仓是我国目前所存无几的清代大型粮仓建筑之一，该仓位于陕西省大荔县朝邑镇南寨子村旁，西距大荔县城 17.5 公里。丰图义仓始建于清光绪八年（1882 年），历时 4 年，至光绪十一年（1885 年）竣工，倡修者为朝邑籍的清廷东阁大学士闫敬铭。闫氏有感于县中（时朝邑县）旧设常平仓之种种弊端和储粮之易朽，而"仿照苏州丰备义仓及陶文毅公义仓各章程，于县城另设丰图义仓。一面废止常平，改官仓为民仓，永归并于丰图，由官督而绅办之"（《朝邑县志》）。当时，由邑绅霍勤勋、杨炳恺等督工兴筑。筑成后曾绘图呈奏清廷，被朱批为"天下第一仓"。自 1885 年竣工至今，这座古老的丰图义仓已历 100 余年风风雨雨，而依然保存完好，并一直被用于储藏粮食，发挥着储粮的功能。

1993 年 5 月，考古人员对大荔丰图义仓进行了调查。有关调查情况简报分为三个部分，有手绘图。

据介绍，丰图义仓的主体建筑是 1 座以砖结构为主的窑群式仓城，外观酷似一城堡。仓城外又围有土筑寨墙，墙外有壕沟。仓寨占地总面积约 4.5 万平方米。丰图义仓可以作为 1 个调节库，丰年入，歉年出，此仓满囤 1 仓可储粮 18 万斤，58 仓则可储粮近 1000 万斤，古称积粮达 300 万石。这样多的粮食，依灾年青黄不接时人均配给 100 斤，则可活人 10 万。作为旧时 1 个县治中的大仓，其作用是不可低估的。

简报称，丰图义仓自 1949 年后一直作为粮库沿用至今，基本保持原有格局，所储粮食基本不坏，事实证明，设计是合理的。

今有吴四伍先生《清代仓储的制度困境与救灾实践》（社会科学文献出版社 2018 年版）一书，可参阅。

554.华县赤水出土的一批佛教铜像

作　者：吕宝玲、刘安宏
出　处：《文博》2000 年第 1 期

1985 年 12 月，陕西省华县赤水罗家堡农民在窑场取土时，发现一明代铜像窖藏。窖藏发现于窑场取土的约 6 ～ 7 米高的土崖边。华县文管会得到报告后，立即赶赴现场，征集到 47 尊铜像及部分铜像残件，其中有一定代表性及有较高价值的佛像。简报分为：一、佛像，二、菩萨像，三、天王及其他像，四、小结，共四个部分，有照片。

据介绍，佛像共有 14 尊，菩萨像有 4 尊，另随出土的还有 1 尊石质白玉观音菩萨、天王及其他像 6 尊。在出土的铜像中，有 1 尊城隍像背有铭文，有竖刻"万历十二年三月制"字样，由此简报推断制造这批铜像的年代为明万历十二年（1584 年）。

555.西岳庙角楼发掘简报

作　者：陕西省考古研究所、西岳庙文管所　吕智荣、刘　帆
出　处：《文博》2000 年第 5 期

西岳庙位于华山之阴的华阴市岳庙镇，南距华山约 5 公里。西岳庙是古代封建王朝谒祭华山之所，自汉代以来距今已有 2000 多年的历史。到 20 世纪初，这座皇家庙宇逐渐荒废倾颓，大部分古建相继被毁。1949 年后，又先后被地方单位和部队占用，部分建筑又遭破坏。1987 年，西岳庙被列为全国重点文物保护单位，1994 年下半年又被文物部门接管。国家和省文物主管部门及地方政府对岳庙的修复工作极为重视，考古人员对庙内已毁的古建基址进行考古发掘。1997 年 10 月 24 日至 1998 年 3 月 3 日，对城墙四隅的角楼基址进行了发掘。现将东北、西南角楼予以介绍，简报分为：一、角楼基址保存概况，二、西南角楼，三、东北角楼，四、出土遗物，五、结语，共五个部分，有手绘图。

今西岳庙的外城垣建于明代成化年间（成化十五至十八年，1479～1482 年）。角楼被毁、修多次，现存基址是清代乾隆年间（乾隆四十四年，1779 年）在明代角楼基础之上增扩而成的。角楼基址上的堆积土中含有大量的木炭灰烬，有的柱石和垫石上存有黑红色火烧痕迹，有的柱石和垫石被火烧裂。从这些遗物和遗迹得知，角楼均毁于火灾。在基址上的堆积中出土的黄色龙纹琉璃瓦、滴水与现存的灏灵殿灵星门屋檐上的黄色龙纹琉璃瓦当形制和纹饰风格相同。简报据《华阴县志·修万寿阁记》所载分析，角楼被毁时间当在清王朝灭亡前后。曲尺型三出三级式角楼，在国内现存的古城角楼中似乎未见。简报称，西岳庙四隅的曲尺三出三级阙式角楼反映出了封建社会西岳庙在国家级庙宇中的地位。

556.陕西大荔八鱼二号石室墓发掘简报

作　者：陕西省考古研究所　田亚岐、金宪镛、王李娜、宋俊荣、孙安娜
出　处：《文博》2002 年第 4 期

八鱼村地处陕西省大荔县西南约 15 公里的八鱼乡政府所在地，北距著名小镇——羌白镇仅 2 公里。2001 年 2 月中旬至 6 月中旬，考古人员对位于八鱼村村北一片平

整开阔地内的清代李氏家族墓地进行了大规模勘探，并对基本位于整个墓园西南角被破坏较为严重的 5 座石室（编号分别为 M1、M2、M3、M4、M5）进行了抢救性考古发掘。这 5 座墓中，其中 M3 位于 M2 的东北方 2 米处，而距 M4、M5 较远。简报分为：一、墓葬形制，二、石刻图案，三、墓志，四、出土文物，五、结语，共五个部分，配以手绘图等，先行介绍了 M2 的发掘情况。

据介绍，M2 平面呈不规则的"凸"字形。原有封土堆。由院、庭、室三个部分组成。其中墓室为券顶形洞室，拱 3 个。此墓的多数石质构件上都有石刻内容，从雕刻手法上可分为圆雕、减底刻、阴刻和阴线刻等；从雕刻内容上可分为人物、博古图、花草、飞禽和文字楹联等。随葬品有铜器、玉器、铁器、瓷器、石墓志等，共计 34 件。出土墓志，楷书，简报录有志文全文。根据墓志铭记载，3 号墓系李树德（字滋亭）与其原配夫人吕淑人、继配夫人马宜人之合葬墓。李树德的事迹，史料阙记。由志文知，李树德，生于清嘉庆九年（1804 年），卒于清同治八年（1869 年），享年 66 岁。他是 1 号墓主李怀谨（字子瑜）之子，3 号墓李天培（字介侯）之父。

简报指出，李滋亭墓志铭的出土，除了了解墓主人个人生平事迹、家室、谱系外，还记载了重要的历史背景材料，如清代的捐官和封阶制度、西北回民起义等。它对研究清代当时社会制度等，都具有非常重要的学术意义。

557.陕西大荔八鱼村三号清代石室墓发掘简报

作　者：陕西省考古研究所　回亚岐、金宪铺、王李娜等

出　处：《文物》2003 年第 7 期

大荔县位于关中东部、黄河西岸，属渭南市。八鱼村古称"八女井村"，地处大荔县西南约 15 公里，是八鱼乡政府所在地。2001 年 2 月中旬至 6 月中旬，陕西省考古研究所对八鱼村村北的一片清代墓地进行了勘探，并对墓地西南角破坏较严重的 5 座石室墓（编号 M1 ～ M5）进行了抢救性发掘。其中，M3 是 5 座墓中规模最大的一座。简报分为：一、墓葬形制，二、随葬器物，三、石刻，四、墓志，五、结语，共五个部分，配以彩照、拓片、手绘图，先行介绍 3 号墓的发掘情况。

据介绍，该墓为竖穴土圹，平面呈葫芦形，坐西朝东。墓建成之后先被暂时封埋，后在正式安葬时重新开启。石室墓自东向西依次为墓道、院落、中庭、南北厢房、北中南 3 个墓室。出土随葬器物 268 件，包括金器、铜器、铅器、玉器、铁器、木器、瓷器、石构件等。墓内的石刻图案丰富多彩，制作精良，尤以山水人物画和花草图轴最具特色。

该墓出土有墓志，盖文篆书，为"皇清诰封资政大夫赏戴花翎候选郎中介侯李公暨配扈夫人、李夫人合葬墓志铭"。志文楷书，35 行，每行 32 字。简报未录志文

全文。据志文，墓主李天培，字介侯，生于清道光十年（1830 年），卒于光绪元年（1875 年），享年 46 岁。他是 2 号墓的主人李树德之长子，而 1 号墓的主人李子瑜系李天培的祖父。其夫人扈氏、李氏、淡氏皆早于介侯而辞世，光绪元年（1875 年）在安葬介侯时，才将这三位夫人合葬于该墓内。发掘时在中墓室发现 1 套葬具，在北墓室内发现 3 套葬具。南墓室却空无葬具，估计这是有意留给当时尚未辞世的第四位继配夫人葛氏的，后因时世之变，葛氏未得入葬。

558.西岳庙一号琉璃瓦窑址发掘简报

作　者：陕西省考古研究所、西岳庙文物管理处　吕智荣
出　处：《考古与文物》2005 年第 6 期

在 1996 年至 2002 年的西岳庙的复修工程中，庙内共发现了 8 座古窑址，其中除 Y2 是 1 座烧制石灰的窑址外，其余 7 座为烧制琉璃瓦件的窑址，这次只对 Y1 至 Y5 进行了发掘。在此，将 Y1 的情况简报分为：一、窑的形制与结构，二、出土遗物，三、结语，共三个部分，有手绘图、拓片。

据介绍，Y1 是 2000 年 3 月发现的，考古人员于 2001 年 4 月对该窑址进行了全面清理。该窑址位于庙的内城外东北角，南距内城北垣 11 米，东距外城东垣约 15 米。Y1 是由 6 座窑炉和 1 条主巷道组成，占地面积 100 多平方米。出土有残琉璃瓦件和未施釉的素烧瓦件、脊兽等建筑材料近百件。简报推断，Y1 的时代属于明代时期，建筑时代可能要早到明成化年间修庙之时或者更早。

简报称，从在庙内发现的有关遗迹和遗物看，庙内不仅仅是这 8 处窑址群，可能还有明、清时代和唐宋时代的窑址，由于庙内的建筑、树木、花草所碍，未能对庙内作全面勘探，具体情况尚不能全面了解。

延安市

559.洛川发现李自成、吴三桂时货币

作　者：左　正
出　处：《文博》1987 年第 3 期

最近，洛川县博物馆从百益、土基两乡征集到 3 枚珍贵货币，"永昌通宝""昭武通宝"和"利用通宝"。

"永昌通宝"是李自成 1643 年建立大顺国时所铸造的。据《洛川县志》记载，李自成拒清兵亲至洛川，据关中时又派大将刘宗敏率兵数万，攻榆林时几经洛川，这枚货币可能是农民起义军的遗物。"利用通宝"是吴三桂在康熙十二年（1673 年）称周王前铸造。"昭武通宝"是吴三桂称周王后铸造的，均较罕见。

560.陕西省志丹县发现藏传佛教密宗泥塑彩绘欢喜佛

作　　者：刘合心、袁继峰
出　　处：《文博》1991 年第 2 期

1989 年 10 月 30 日，考古人员去志丹县永宁乡马家河千佛洞考察砖塔，在千佛洞内西侧一间的洞壁上，从众多的描金彩绘泥塑佛像中，发现两尊藏传佛教密宗供奉的佛像——欢喜佛。简报配以照片予以介绍。

据介绍，欢喜佛，原为印度古代传说中的神，即欢喜王，后来形成欢喜佛。欢喜佛梵名为"俄那钵底"（Ganapati），意为"欢喜"，汉语意为"无碍"。欢喜佛有两类：一是单体的，一是双体的，我国西藏黄教特别尊崇的大威德金刚就是单体的，胜乐金刚就是双体的，密宗称双尊像，呈拥抱交媾状。所谓欢喜佛"欢喜" 2 字，并非指男女淫乐而言，而是指佛用大无畏大愤怒的气概、凶猛的力量和摧破的手段，战胜"魔障"而从内心发出的喜悦的意思。这次在志丹县永宁乡马家河千佛洞发现的两尊彩绘泥塑欢喜佛，都是双体的，呈拥抱交媾状，头部和双腿均已残损，双臂手腕部戴有描金装饰的钏。泥塑彩绘欢喜佛像残高 14 厘米。简报称，陕西省关中、延安、榆林的一些地县，过去虽然发现有个别数量的铜欢喜佛造像，但都是馆藏文物。这次在志丹县永宁乡马家河千佛洞内新发现的这两尊涂金彩绘泥塑欢喜佛，在陕西省现存的密宗佛教寺院、石窟中，还是首次发现。这为我们研究明清时期，我国藏传佛教密宗的活动分布和传播等提供了可靠的实物例证。

561.延安明杨如桂墓

作　　者：姬乃军
出　　处：《文物》1993 年第 2 期

1987 年 5 月，陕西省延安市柳林乡王家沟村村民在修建石窑挖地基时，发现 1 座砖室墓。考古人员进行了抢救性清理。根据墓中出土的墓志，可知墓主人为明代山西陵川县知县杨如桂。简报分为：一、墓葬形制，二、随葬器物，三、小结，共三个部分，有照片、拓片、手绘图。

据介绍，墓葬位于王家沟村村内，墓葬为砖结构，平面略呈方形。顶为覆斗形，墓底铺砖。墓室后部以砖砌成棺床，棺床前为一石质供桌，桌前置墓志1合。棺床上有棺椁5具，正中葬杨如桂，两侧分别为其妻妾王氏、高氏、董氏、王氏。骨架头均朝西，仰身直肢。墓道部分未做清理，情况不详。出土的随葬器物有小件金器11件、铜器4件、铜镜8件、铜钱14件、瓷器13件及紫砂壶1件。其中紫砂壶为"大彬"款提梁紫砂壶。"大彬"指时大彬，为宜兴紫砂工艺大师。该墓出土有石墓志1合，楷书，共34行，满行41字。简报未录全文。简报称，杨如桂墓未发现被盗迹象，但出土随葬器物不多。据记载，自明天启五年（1625年）起，陕北和延安一带大旱，饿殍遍野，饥民纷纷揭竿而起，延安一带的名门望族朝不保夕，惶惶不可终日，因此不可能厚葬。

562.西延铁路甘泉段明清墓清理简报

作　者：陕西省考古研究所、延安地区文管会、甘泉县文管所
出　处：《考古与文物》1995年第2期

1991年4月，西延铁路道镇至延安段在施工过程中，于甘泉县城附近的鳌盖峁、太平梁以及丈子沟沟口发现了一批古墓葬。考古人员对这批古墓葬进行了抢救性清理，共清理汉唐及明清墓葬19座。其中6座明清墓的清理情况简报分为：一、概况，二、明代墓葬，三、清代墓葬，四、小结，共四个部分予以介绍，有手绘图、摹本。

据介绍，鳌盖峁位于甘泉县城西北，甘泉县中学的后面，西临洛河，东傍涝山沟，因状似鳌盖而得名。3座明代墓葬（M3、M17、M19）分别位于鳌盖峁、太平梁和丈子沟沟口处，3座清代墓葬（M11、M12、M13）均在太平梁甘泉隧道南口处。这3座明墓出土器物均较少，仅有瓷器5件，方砖买地券2件以及残漆器1件。3座明墓中，有两座出土朱书买地券，由券文可知：M3的年代为明弘治九年（1496年），墓主为张姓。M19年代为明隆庆六年（1572年），墓主为王姓。M17未出买地券，其具体年代不详。简报录有M19、M3买地券朱书券文全文。

3座清墓均有朱书买地券出土，但只有M11出土的1件，字迹保存稍好，其年代为清康熙六十一年（1722年）。M12、M13出土的券砖字迹脱落严重，具体年代不明。但从3座墓的埋葬较集中、方向一致的情况看，其年代差距似不会太大，可能为同一家族的墓葬。

简报称，从买地券的内容及形式看，明清两代基本相同，只是清代的券文较简略。这反映了明、清两代道教文化在这个地区的普及，至今延安地区仍有以券砖、券瓦随葬的习俗。

563.洛川土塔调查

作 者：洛川县博物馆 刘忠民
出 处：《文博》2006年第1期

陕西省洛川县中部塬区的石泉乡槐柏镇内有用黄土夯筑而成的土塔8个，当地村民称之为冢子疙瘩。1987年，文物普查资料仅收录了石泉乡上兰庄1个、下兰庄1个、西石泉2个。2004年，博物馆组织的专题调查中又发现了4个。土塔的发现，将宝塔的构建材料又扩大了，填补了一项空白，弥足珍贵。简报分为：一、土塔基本情况，二、土塔的用途，三、土塔的建筑年代，共三个部分，有彩照。

据介绍，洛川土塔群包括石拉乡上兰庄1个，下兰庄2个，东石泉2个，槐柏镇东头村2个，桃坡村1个。根据调查得出，洛川土塔大多数都修建在地势较低、距沟很近、正对村庄的位置。结合在调查中村民的介绍，根据陕北地区的民风民俗，一个家庭的大门不能正面对沟，也忌讳门前空旷，正因为这样，要在门前立一个照壁挡视线。一个村庄也是如此，假如大路直经过村庄，则要在村子的另一端修一个过洞或一座庙宇。如果村庄的一头距沟太近，则要修一座戏楼，而另一头也距沟较近或是地势太低，则要修建土塔，用于弥补村中的风水。洛川土塔建筑年代，简报推断年代应为清代。

564.陕西富县新发现明代道士墓塔

作 者：陕西师范大学历史文化学院、陕西省富县高级中学 赵克礼、陈邦年
出 处：《文博》2009年第1期

陕西富县新发现明代嘉靖年间道士墓塔1座，是目前已知的陕西境内最早的道教塔。该塔铭记叙了明代一位马姓道士的主要活动，为研究明代道教发展提供了有价值的参考资料。其落款中的丰富内涵，也为了解明代地方道教组织的内部结构提供了重要的实物资料。该塔建造风格具有佛、道文化融合的诸多特征，反映了明代工匠在将佛教文化移植到道教过程中的智慧与创造性。简报配以照片予以介绍。

据介绍，新发现的古塔位于富县茶坊镇岔口村，从富县县城出发，沿309国道向西北行约10公里，即可到达。塔位位于公路右侧台地上。古塔早年完全埋没于地下，2008年初因盗墓者盗掘而被发现。古塔发掘时，顶部已残失，现存部分通高1.73米，如果将弃于旁边的华盖部分加上，则高度近2米。简报收录了塔上铭文全文。由铭文知此塔建于明嘉靖二十五年（1546年），上有"道会司""道正司"等道教组织名称和"正一法官""护道会司印""道正司护印道人"等不同等级的道官及道士称谓，

并列有"门徒""师孙"等道士 16 人的姓名。涉及道士、功德施主、生员、居士、石匠、木匠等各种身份的人，为研究明代道教活动提供了依据。

汉中市

565.汉中市出土明清青花瓷片

作　　者：杜凤鸣

出　　处：《文博》1985 年第 1 期

1983 年 11 月下旬，人们在汉中市莲花池东南部取土时，发现不少青花瓷片。考古人员对瓷片进行了整理。

据介绍，从这些破碎的青花瓷中片，可以看出器型有：碗、盘、杯、盅、盒、瓶、罐及祭祀时用的礼器等。白釉泛青，青花色泽深沉并呈现中国水墨写意画特有的渲染效果。应为明、清遗物。

根据瓷片的胎、釉色泽，花纹装饰等特征，简报认为这批瓷片系江西景德镇民间瓷窑烧造的。对于研究明、清两代景德镇民间瓷窑的烧造工艺、产品特征及其分布增添了可贵的实物确证。

566.勉县发现"王军门碑"

作　　者：陈显远

出　　处：《考古与文物》1986 年第 1 期

1981 年，在陕西勉县继光小学（原王公祠），发现了 1 通残碑，残高 79 厘米、宽 72 厘米，下截已断佚。计 28 行，满行 23 字，共约 900 字。碑额右行横书"王军门碑"四字。它记载了清代白莲教农民起义军的活动，现已移置勉县"武侯祠"加以保护。简报配以拓片予以介绍。

据介绍，"王军门"名叫王文雄，系清朝的固原提督，是一个残酷镇压白莲教农民起义军的刽子手。清嘉庆五年（1800 年）七月，被起义军击毙于陕西西乡县法宝山王子岭。清政治将所谓的"死难官兵"埋在那里，叫作"官兵坟"。因为王文雄就歼前，曾在沔县（今勉县，东距西乡 300 多里，同属汉中地区）驻防。他死后，河县的地主士绅为他修了 1 座"纪念祠堂"，取名"王公祠"（今继光小学的东院），于嘉庆五年（1800 年）立了这 1 通"王军门碑"。简报录有全文，中多缺字。

榆林市

567.绥德县出土的明五彩饕餮纹瓷方鼎

作　者：朱捷元
出　处：《文物》1984 年第 6 期

1973 年，在绥德县城北 2 公里处温家原落雁眨山顶，当地百姓在平整土地时，发现了清康熙年间马如龙夫妇合葬墓，出土器物较为丰富。其中有 1 件五彩饕餮纹瓷方鼎，是很少见的珍品，现由陕西省博物馆收藏。

简报介绍，这件五彩饕餮纹瓷方鼎呈长方形。此器上的青花色泽淡而均匀，不似康熙时期的青花那样明亮清澈。故它应是明万历时，或万历以后烧造的釉上彩瓷器，简报推断为明代器物。

简报称，这件五彩饕餮纹瓷方鼎，应是景德镇窑的产品。墓主人马如龙，据《绥德州志》记载，生前曾任户部江西司员外、刑部山东司郎中、浙江杭州知厅、江西巡抚等职。康熙四十年（1701 年）时卒于官，迁归葬于绥德故里。

简报推测，这件五彩瓷方鼎，很可能是马氏在江西任户部江西司或江西巡抚时收集得到的。

568.定边县发现一件明代铁铳

作　者：罗宏才
出　处：《文博》1988 年第 4 期

1987 年 6 月，文物普查时在定边县姬原乡辽阳村村东 1 处古城址内，发现 1 件铁铳，后交榆林地区文管会收藏。简报配以拓片、照片予以介绍。

据介绍，这件铁铳呈圆筒状，无铭文，瞄准具并耳轴，有固箍。表面锈蚀较甚。重 5 公斤，长 33 厘米、铳口直径 7.5 厘米，口沿厚 3 厘米。分为前膛、药室、尾銎三部分。出土地点为一明代古城遗址。据《定边县志》，未见有辽阳城之记载。但明成化时，曾修筑东起清水营（陕西府谷西北），西至花马池（宁夏盐池西）的一段长城，长达 1700 多里。此段长城横跨定边县境，辽阳城位于其西南内侧，正当通往该段明长城的要道。因此，它很可能是与明长城配套的一处军事要塞，其建筑年代似应在明成化年间。

569.靖边县发现一座明代砖拱桥

作　者：陕西省考古研究所　丁　岩、李炅旻
出　处：《考古与文物》2005 年第 1 期

陕西省靖边沙漠腹地 1 座古代砖拱桥，近年被省文物考古工作人员基本确认建筑于明代，距今 400 年左右。

2004 年 6 月下旬，考古人员对靖边县城东约 40 公里的高家沟乡清坪堡古代遗址进行了考古调查。该城堡已被沙丘掩埋，尚有城墙断续暴露在外，城堡的东、南、北三面环沟，西部与起伏的沙地相连接。这座砖桥就位于城南的沟道里，绿树掩映，流水湍湍。该桥在《靖边县志》中有简略记载，名为东门沟桥，修建时间无考。

简报介绍，现场勘察，该东门沟砖桥仅券有一个拱洞，桥面长 11 米、宽 5 米、总高约 11 米，桥拱顶部厚 12 米，拱洞总高约 10 米，跨径长度约 8 米。依据古桥所在位置以及周围地貌判断，该桥所处是清坪古城堡南向内外交通的咽喉所在，可谓一夫当关，万夫莫开；站在桥头高处南、北望去，曾经险要的道路还依稀可见。

简报初步推断，该桥与古城堡大致为同时期建筑，修建于明代。

570.陕西府谷县明代孤山堡古城考古收获

作　者：陕西省考古研究院、榆林市文物保护研究所　闫宏东
出　处：《考古与文物》2010 年第 6 期

孤山堡古城遗址位于府谷县孤山镇中心街以北的孤山山岗上，现古城圈内的小村称城内村。城脚下镇中心以南即为稍偏西南走向的孤山川。调查发掘前，古城部分城墙及北门和西门尚存，但城墙包砖大部分已被拆走。为了配合神朔铁路的修建，考古人员于 2002 年 7 月 30 日开始，对古城进行了为时一月余的全面普查勘探和发掘，取得了翔实的第一手资料。

简报分为：一、古城的文化堆积，二、古城的总体布局，三、城墙与排水设施，四、城外的砖瓦窑群，五、结语，共五个部分，有手绘图、照片。

据介绍，孤山古城依山势而建，城东西墙外为沟壑。西城南北最长处为 650 米，东西宽 180～235 米，形状类似 1 只瘦长的茄子。城四面各辟 1 门，其中南北 2 门有瓮城，现仅存北门瓮城，东门现已不存，西门保存较好。城内自北门到南门有 1 条稍偏西部、纵贯全城的道路，将全城分为不很对称的两半。现存的古建和古遗迹有城西偏北的城隍庙，城南部跨于中心道路上的戏楼，城东偏北的水井（现已干枯）。

其中城隍庙正殿横梁上墨书建造年代为明万历年间。经调查，城北部跨于中心道路上原还有一古建——鼓楼，下部为拱形门洞，与南部的戏楼结构和年代相同（戏楼下部现已改造成宽阔的平顶方形通道），上限不晚于明末。城内还有不少清代或民国以后的庙堂建筑遗迹，在北门附近的路东有土帝庙，古井之西有火神庙，城南路东有观音殿。还有一些是由明代的防御性建筑改造而成，如位于城东南角，由原明代的角楼改造成的魁星楼，由西城墙马面楼台改造成的大仙庙等。在古城外西、北方，尚有一道现存平面呈"L"形的夯土墙，是为外城墙。

简报称，孤山堡古城最初是 1 座军事防御性质的城池，是明长城线上的军事重镇之一。从文献记载和调查发掘的情况看，明末清初是它的兴盛期，后来逐渐转化为一般性的居住城，清代以后城内城外广修庙宇，香火旺盛。此城在民国期间还进行过一次修葺，遭到严重破坏始于"文化大革命"以后。

相关背景，赖建诚先生《边镇粮饷：明代中后期的边防经费与国家财政危机（1531～1602）》（台湾联经出版事业股份有限公司 2008 年版）一书，专论明嘉靖十年至万历三十年（1531—1602 年）史实，颇可读。

安康市

571.旬阳县发现千佛洞

作　者：李启良

出　处：《考古与文物》1981 年第 1 期

1978 年 9 月间，旬阳县文化馆鲁继享先生报告说旬阳县发现"千佛古洞"，安康地区群众艺术馆即派员勘查现场。

据介绍，"千佛古洞"位于大巴山主峰北麓七里公社香炉沟。石窟坐东向西，是在页岩上凿成的直进石穴。经清代整修，石灰粉壁上有墨书"千佛古洞"四字。石窟，平顶，顶部和地面皆为矩形，纵深 13.8 米，宽 5.7 米，口部高 3.37 米，后部高 3.75 米。地面上有几个渗水的石窝。整个窟内现存多类造佛八百零六尊。石窟口外部壁上有几个榫眼和几道水槽，可知以往在窟口外还有过建筑物。外边地上有明清时期的残断碑碣，多为彰扬当地缙绅捐资维修"千碑古洞"的谈辞。

简报称，"千碑古洞"在地方志中无记载，内外亦无任何材料可佐证其雕凿时代。几通清代中晚期的碑刻也称不知石窟创建于何时。从雕塑风格看，壁上千佛时代可能早不到宋金时代，几个主尊可能系明清时代的。

572.旬阳发现的几方近代碑石墓志

作　者：张　沛

出　处：《文博》1989 年第 4 期

旬阳县在收集、整理文物志资料的过程中，发现了一批反映近代经济、军事、政治及社会情况的碑石墓志，其中大多数有较高的历史价值。简报配以拓片予以介绍。

据介绍，这些碑石墓志计有：

一、咸丰六年（1856 年）洞儿砭拘粮税规碑；

二、同治六年（1867 年）杨泗庙洵阳知县严禁埠头讹索船户告示碑；

三、光绪八年（1882 年）杨泗庙船行公议水手遇难善后章程碑；

四、光绪六年（1880 年）庙子垭铺公议乡规碑；

五、同治十一年（1872 年）《重修朝阳古洞志》铭；

六、光绪元年（1875 年）黄州馆罗姓卖房还账碑；

七、光绪八年（1882 年）青山寺徐姓捐房献地碑；

八、道光二十九年（1849 年）祝方厚墓志。

以上种种，简报均录有全文并给出了碑石墓志的出土地点、现存地点。

573.秦岭深处的一通清代严禁烧山毒河告示碑

作　者：陕西咸阳市教育局　张　沛

出　处：《农业考古》1993 年第 1 期

1988 年 11 月，考古人员在调查陕西安康地区石刻文献时，于宁陕县西北部的秦岭深处，发现了 1 通清代严禁烧山毒河告示碑。碑为平首方趺，身首一体。额镌"告示"2 字，现仅存"告"字下部。碑残高 129 厘米、宽 67 厘米、厚 14 厘米，正体左行竖书，刊光绪九年（1883 年）正月宁陕抚民分府为严禁烧山毒河发布的告示。碑存于宁陕县柴家关乡政府院内。碑面因遭人为破坏，字多残缺。简报录有碑文全文。

此碑所在的柴家关位于秦岭中高山区，北与今陕西省宁西林业局林区相连，林业资源极为丰富。自清代乾隆、嘉庆以来，随着秦巴山区的大规模经济开发，该地人口骤增，遗留的刀耕火种、烧地驱兽以及烧火粪等落后耕作习惯，经常导致森林火灾，加以居民艰于生计，时常有人炮制有毒的植物（如生黄姜和麻柳树叶等）在河中毒鱼，以致河水屡遭污染，人畜久蒙其害。此碑所刊严禁烧山毒河告示，即是在这种情况下，由当地绅首郑涛恩出面请求宁陕厅通判发布的。

简报称该告示碑，说明由官府出面保护自然资源，这在我国已有悠久的历史。

574.女娲山 • 女娲庙 • 女娲墓碑的发现

作　者：平利县文化文物局　黎盛勇

出　处：《文博》2005 年第 6 期

陕西平利女娲山，又名中皇山，民间也称女华山，方圆 60 平方公里，属巴山余脉，山系庞杂，沟壑繁复，位于平利县中北部，坝河、黄洋河之间，最高海拔 984 米。山下周围有新石器遗址 4 处，两汉及南北朝墓葬数十处，属省级重点文物保护单位。简报配以照片，介绍了当地女娲庙、墓碑的情况。

据介绍，《新唐书·地理志》卷四《华阳国志·汉中志》《元丰九域志》等史书均有关于女娲山、女娲庙的记载。现女娲庙遗址位于女娲山乡女娲山村。占地 2000 多平方米，为三进寺院。原有房屋 80 余间，古塔 1 座。古塔毁于 1957 年，古寺在 20 世纪 60 年代已改为学校。平利文管所藏有该寺三级以上文物 70 余件。其中清代水陆道场画一组 42 幅，唐宋贴金石佛造像 3 尊较为珍贵。另有道教造像 4 尊，明清铜佛造像 6 尊，宣德炉 10 余只，刻、抄经卷 240 余册等。清道光二十年（1840 年）三台寺告示碑 1 通，现立于女娲庙址上，遗址上散见不同规格的砖 20 余种。2004 年维修大殿时，又发现石碑 2 通，石碣 1 块。碑为清碑，石碣落款为清光绪三十年（1904 年）。从碑文看，当时奉朝廷之命在女娲庙附近修有女娲墓，该墓尚未找到。民间传说与西太后垂帘听政有关。

商洛市

甘肃省

兰州市

575.兰州市黄河岸挖掘出明代浮桥铁柱四根

作　者：吴怡如
出　处：《文物》1959 年第 3 期

兰州市在收集废铜烂铁支援工业建设时，在兰州市黄河南北两岸挖出了埋在地下多年的 4 根铁柱。

简报介绍，柱顶有 3 根是桃形，下有一周覆莲瓣，其中 1 根有洪武九年（1376 年）年号，1 根是圆珠形顶。北岸的 2 根 1954 年在黄河铁桥加固工程中曾经挖出，但后又被埋在地下。据记载，铁柱是明代时在黄河上驾设浮桥系铁缆用的。其中两根是明洪武五年（1372 年）卫国公邓愈造；另两根是洪武九年时宋国公冯胜造。后因河床变迁，邓愈造的一根沉到河底，以木桩代替，道光二十二年（1842 年）总督布彦泰又补造了 1 根，估计即现在发现的圆珠顶的 1 根。

简报称，据记载，兰州浮桥又名镇远桥，桥是在黄河两岸树立 4 根铁柱和 6 根木桩、再在河中排 24 只木船、用两根长 120 丈的铁索和绳子串连起来的。船上搭的木板，两旁加木柱，桥可以随水位高低起落。桥冬天要撤，春天再架，共使用了 250多年，直到 1909 年修造了兰州黄河铁桥后才停用。

576.兰州市明代砖室墓

作　者：甘肃省文管会
出　处：《文物》1959 年第 3 期

1957 年 9 月间，考古人员在兰州市的东南方家庄清理了明嘉靖时刘漳夫妇合葬砖室墓 1 座。简报配以照片予以介绍。

据介绍，墓为券顶单室，分墓门、甬道、室门及墓室各部。墓门和室门均为拱形，有封门砖。室内有两木椁,木椁在过去被盗掘时已破坏。女棺为红漆素面,男棺黑漆地,上绘缠枝花卉及图案,色彩鲜艳。室南壁中部有墓志铭1块。男棺内有残补服3块、木梳2段、银杯1个、铜带饰13件、折扇1件及残木筷等。简报未录志文全文。

据地方志,刘漳字永济,兰州人,正德十二年(1517年)进士,曾任河南开封知府、四川按察使、山东左布政使、副都御史、巡抚等职。

577.兰州市上西园明墓清理简报

作　者：甘肃省博物馆　赵之祥
出　处：《考古》1960年第3期

1958年10月,考古人员在兰州市郊上西园,清理了1座砖室墓。简报分为:一、墓室结构,二、器物分布,三、随葬品,共三个部分,有手绘图等。

据介绍,该墓由墓门、甬道、主室、耳室四部分组成,木棺2具已朽,东为男棺,西为女棺。两棺所绘花相同,均用红漆涂地,两侧绘二龙戏珠花纹,龙身施金,棺前后两端亦绘赤金盘龙宝珠,颇为富丽。男棺两旁各置铜刀1把,长1米;女棺东旁也置铜刀1把,长60厘米。男棺骨架已腐朽,棺内随葬品亦少,头部有金碗、金筷、金发簪等,腰部有玉带饰、金钱等。女棺内骨架也已腐朽,仅存腿骨,随葬金饰异常丰富,头部有凤冠,已腐朽,金饰尚存有珍珠宝石镶嵌的各种金耳坠、金凤钗、金簪等。腰部附近有玉带、数珠、金戒指、金香囊、金玉镶嵌的各种佩饰物等。另有货币900多枚、买地券1张,可惜字迹大部脱落。

该墓的年代,简报推断为明代。

578.永登出土明代青花瓷器

作　者：苏裕民
出　处：《文物》1994年第1期

1989年5月,甘肃省永登县百货公司基建施工中,在距地表约4米深处的1个圆形土坑内发现4件青花瓷器。土坑已被破坏,形制不明。4件青花瓷器经修复已由县文化馆收藏。简报配以照片予以介绍。

简报介绍,4件瓷器为:青花人物月梅碗、青花人物高足碗、青花菊花团莲碗和青花菊花折腹盘。简报推断4件青花瓷器属明代中期的民窑产品。

579.兰州市兰工坪明戴廷仁夫妇墓

作　者：甘肃省文物考古研究所

出　处：《文物》1998 年第 8 期

1988 年 9 月 29 日，甘肃省筑路机械修造厂在厂区建职工住宅楼时，发现 1 座明代墓葬，考古人员进行了清理。简报分为：一、墓葬形制与墓室情况，二、出土文物，三、小结，共三个部分，有照片、拓片。

据介绍，该墓为长方形竖穴土坑砖圹墓，圹内双棺，棺外彩绘，男西女东。仰身直肢，棺已朽。有墓志两合出土。简报未录志文全文。由志文知，此墓为戴廷仁夫妇合葬墓。戴廷仁生于嘉靖四年（1525 年），早年曾随父在扬州参加抗倭战斗，后随肃庄王来兰州，卒于万历二十七年（1599 年）。夫人柴氏，卒于万历三十五年（1607 年），同年与夫合葬。

戴氏墓志计 1683 字，其夫人墓志计 1071 字，志文多可补史书之阙。

580.甘肃榆中明肃庄王陵墓调查

作　者：南开大学考古学与博物馆学系　刘　毅

出　处：《中原文物》2012 年第 3 期

明太祖第十四子肃庄王朱楧墓（1 号墓），在今甘肃榆中县来紫堡乡黄家庄村，陵园建筑早已无存，其墓室（玄宫）曾被挖开。该墓为青砖拱券结构，共有 5 个墓室、前后 2 道石门。简报配以照片、手绘图予以介绍。

据介绍，在当地府县方志记载中的 11 座肃王墓，目前有 6 座封土已被夷平，当地村民尚能指认原墓所在位置。在存留封土的 5 座墓中，1 号墓所在地现为果园，地面、地下的遗迹和遗存保留最多，其余 4 座散布于村中，封土都有不同程度的破坏。考古人员于 2003 年 8 月、2009 年 7 月曾两次前往调查，重点都是 1 号墓的陵园遗迹和玄宫结构。据调查，1 号墓封土高约 11 米，南北通长 24 米，宽 10 米，其上可俯视整个村子。此墓的墓室（玄宫）为大青砖砌成，拱券结构，坐北朝南，分为前、中、后、左、右 5 个墓室。1 号墓室被打开后，遗物、遗迹没有得到有效的保护，加之早年曾经被盗，有价值的资料不多，连墓主人尸骨也已不见。访问文保员及年龄较大的其他村民得知，该墓中曾出土有灰色陶俑若干，还有一些陶器，都已经毁坏。有 1 件高约 1 米的大缸（估计是点长明灯的油缸），现存于榆中博物馆。后室中原有石棺 1 口，棺内无骸骨，只有淤土，村民因而怀疑本墓是"疑冢"，但简报认为实应为肃庄王朱楧之墓。

嘉峪关市

金昌市

白银市

天水市

武威市

581.甘肃天祝县出土大型铜牦牛

作　者：武威地区博物馆　钟长发
出　处：《文物》1981 年第 11 期

1980 年 10 月，天祝藏族自治县文化馆从废品收购站收到大型铜牦牛 1 件。据了解，这是本县哈溪公社友爱大队窑沟生产队农民在一个坡地里平田时发现的。

铜牦牛造型逼真，表现了草原上牦牛强劲有力的身姿。保存十分完整，基本上没有锈蚀。牛身上未带铭文，简报估计铸造年代不晚于明代初期。

简报称，藏族牧民把牦牛当作草原畜牧生产中的力量象征。铜牦牛作为具有浓厚的民族艺术特色的精美文物，已在天祝县文化馆文物陈列室展出。

582.甘肃省天祝县石门寺发现两件石刻佛像

作　者：钟长发
出　处：《文物》1983 年第 12 期

1983 年，甘肃省天祝藏族自治县石门寺发现两件石刻佛像。简报配以照片予以介绍。

据介绍，两件石刻佛像一为释迦牟尼坐像，位于石门寺右面 1 座崖壁上，佛面部已毁坏，简报认为是明代作品；另一为"光明佛母"像，为一老喇嘛献出，背面有汉文记载刻于明永乐十七年（1419 年），有藏文铭文，译为"光明佛祖"。简报称，石门寺是六世达赖住过的地方。

张掖市

583.张掖整理保存一批明代藏经

作　者：中共张掖县委员会　王宗祺
出　处：《文物》1963 年第 11 期

简报介绍，这批古本藏经是在张掖县城区卧佛寺土塔塔院楼洞里发现的。据初步清理，共有 354 种，3584 卷册。根据经卷上的纸质、装潢和文字记载，所题时间是明代正统五年（1440 年），官版印经。其中有正统初期，镇守陕甘御马太监兼尚宝太监鲁安公王贵集士用泥金书写的六百卷《大般若波罗蜜多经》《华严经》《滕王经》《报恩经》《圣教目录》等，《大般若波罗蜜多经》《华严经》等均有短缺，已不完整。在印本经卷中也杂有少数墨写仿宋明版大字抄本经。在清理期间，还从收藏保护者佛教徒木觉处获得保存的正统十年（1445 年）英宗皇帝颁赐这批经卷给卧佛寺的敕书，它说明了这批经卷的来源。经卷的文字全部为汉字。

584.明代天地会资料的新发现

作　者：马世长
出　处：《文物》1996 年第 8 期

天地会研究的不断深入与天地会起源年代诸说的提出，皆与天地会史料的发现相关，因而天地会起源年代问题的最终解决，亦必然要依靠新资料的发现。马世长先生因一意外机遇，在甘肃河西一座佛教石窟中，发现一则明代天地会资料，简报配以照片予以介绍。

简报称，1994 年夏，作者配合在肃南裕固族自治县马蹄寺石窟的千佛洞区第二窟测量与记录时，发现该窟明代重妆壁画时留下的 1 方墨书题记。榜记写在预先设计好的横长形的题榜上，其墨书文字大意是说李明堡的一群佛教信徒集资、购买黄金以妆銮佛像。明万历二十八年（1600 年）九月，集资工作完成，所购黄金已办妥，估计已将此金送至石窟，故请人于壁上题写了集资经过与参与人。集资的人士中除已具名者外，还有天地会会众20人。这20人并未写明姓氏，是施舍数量不多，抑或是另有别的原因，耐人寻味。

简报指出，张掖马蹄寺千佛洞发现的这则明人题记清楚地表明，至迟在明万历年间，河西甘州附近已有名曰"天地会"的民间结社组织。该组织已具有相当规模，设有若干分会，其分会一会之众至少有20多人，成员主要是农民。从会众集资舍金重妆佛像，说明这里的天地会是佛教信徒的结社组织。这种民间结社除了从事佛事活动外，其他活动的内容和性质尚不能详知，有待进一步研究。河西明代之天地会与东南沿海地区天地会名称之完全一致，恐非偶然，其间似乎存在某种联系。因而，在探讨天地会之起源时，不应仅限于闽、粤沿海一带。

今有施列格《天地会研究》（河北人民出版社1990年版）、赫治清《天地会起源研究》（社会科学文献出版社1996年版）等书，均可参阅。

平凉市

酒泉市

庆阳市

585.甘肃庆阳地区境内长城调查与探索

作　者：李红雄
出　处：《考古与文物》1990年第6期

有关庆阳地区境内长城的记载，曾散见于一些史籍和方志中，但都很简略。在考古调查中，也曾调查过一些长城遗址的局部地段，但对于长城在庆阳地区境内的走向和全貌，仍然不得而知。为此，考古人员决定对本区境内的长城作一次系统的全线调查。

1985年5月初，庆阳地区博物馆组成长城调查小组，对本县境内长城进行了调查工作。

1983年春，考古人员沿着长城西行，先后途经了华池县的元城乡、乔川乡进入环县的㮲川、环城、西川、虎洞，何坪、合道、演武，再入镇原县的三岔、马渠、武沟等 12 个乡镇，于 6 月 10 日完成本区境内长城的全城徒步调查，历时 35 天。初步调查区境长城 242 公里，保存好的地段有镇原县的白草坝、高嵝岘，环县晴天梁、长城原，华池林沟梁等处；长约 109 公里，明显可辨的城障遗址 10 处；保存颇好的墩台 97 处。简报分为：一、调查经过，二、长城的走向，三、长城沿线主要遗迹与遗物，四、长城的建筑特点，五、长城的时代，共五个部分，有手绘图、照片。

简报介绍，据这次调查的资料看，今华池县境内的长城，从贺家湾至营盘梁直至营嵝岘这一段属明代复修。据《明史·余子俊传》记载，明成化年间，余子俊在延庆、绥鄜一带加强军事防务，多次修筑长城，当然在今华池一带的秦长城旧址上复筑边墙也属顺理成章之事。他们可能把这道边墙作为第二道防线，以作为清水营至花马池这段长城的后盾或补充。明代从开国到中期前后共修筑长城多达 18 次，在一些地段往往有内、外两道长城，今华池县境的长城可能属"内长城"这个防御体系。

586.甘肃庆阳发现明李梦阳之母高氏墓志铭

作　者：刘得祯、王　春
出　处：《文物》1993 年第 10 期

1949 年前夕，甘肃省庆阳县城关镇十里坪村西农民在马莲河左岸台地内挖出 1 座古墓，据说出土有彩绘陶俑等多件器物，均已散失、毁坏，唯存有一方墓志，1990 年 5 月交送县博物馆收藏。简报配以照片予以介绍。

据介绍，墓志为陕西富平青石质，合口式，正方形，边长 50 厘米，厚 6 厘米。志盖内打磨平整，阴刻篆书 3 行 9 字"明故李母高氏之圹志"。底内平整，刻楷书共 27 行，满行 26 字。简报录有志文全文。由志文知，志文由李梦阳为其母高氏所书，得知李梦阳曾祖名李恩，曾入赘河安扶沟王聚之家，冒王姓。洪武初年以军户转戍庆阳，家属亦随军屯戍，家居府城（今庆阳县城）。后来王恩在战斗中阵亡。祖父王忠初为商人，后遭人陷害，含冤死于狱中。王忠有 3 子，长名刚，次名庆，皆随王姓；三名正，即梦阳父，始复李姓。李正 9 岁丧父，依兄成长。21 岁娶妻庆阳赤城高成之女，35 岁成贡生，出任河北阜平县学训导，后起为河南封丘温和王教授。在任 10 年，卒后与妻高氏葬于庆阳县城南十里坪。梦阳 10 岁随父居开封，19 岁在开封娶妻，次年偕妻左氏回庆阳，又次年，即弘治五年（1492 年）应陕西乡试，以第一名中举，弘治六年（1493 年）登进士第，观政于通政司。不久，父母相继去世，他又回庆阳守制，其间因"盗警"而避居华池县将近 3 年。弘治十一年（1498 年），梦阳守制期满，起任户部主事。

简报指出，这方墓志的出土对考究李梦阳的家世及增补正史之不足均有重要的价值。

明代讲究父母等恩，应同样孝敬。详见萧琪先生《父母等恩：〈孝慈录〉与明代母服的理念及其实践》（东方出版中心 2019 年版）一书。

定西市

587.甘肃岷县发现一方象牙印

作　者：杨益民

出　处：《考古与文物》1987 年第 1 期

1983 年，岷县西江乡政府交来原大崇教寺遗物象牙印 1 方，此印系明宣德年所造。简报配以照片、拓片予以介绍。

据介绍，印通高 11 厘米。下部正方形，长宽均 7 厘米。制作精巧，雕刻细腻。印的上部为一法轮，其下为两个并在一起的象头，象鼻向上，鼻尖向下卷曲。印的中部，雕刻有两层莲瓣。印文笔法流畅字体为九叠篆文，上书"灌顶净觉佑善国师西天佛子"12 个字。

据《岷州志》载，此印系明代宣德皇帝封赐给大崇教寺法王的。造型独特，实为少见的艺术珍品。

588.甘肃定西出土明代管形火器

作　者：杜　蔚

出　处：《文物》1994 年第 6 期

1990 年 5 月，甘肃省定西县李家堡乡农民取土时，在距地表 1.5 米深处挖出明代铜质火铳和火炮各 1 件。实物今为定西县文化馆征收。简报配以照片予以介绍。

据介绍，铜火铳，药室外凸，剖面呈椭圆形，两头均呈箍状，靠后有一火门，尾銎中空，呈喇叭形。尾銎外壁镌有"永乐柒年玖月□日造""天字柒千贰佰伍拾伍号"铭文 2 行。简报推断，此铳为 1409 年铸造。

铜火炮，前膛呈节状，药室外凸，剖面呈椭圆形，靠后有一火门口。尾銎中空，呈喇叭形。尾銎外壁镌"旋风炮壹千陆百肆号""嘉靖丁酉年兵仗局造"铭文四行。知为嘉靖十六年（1537 年）所造。

　　简报称，铜火铳使用时在尾銎装上木柄，以供手持发射。铜火炮铸造于1537年，据史料记载，明代的火炮类型多达四五十种，定西出土的"旋风炮"系其中较小型一种。

陇南市

临夏州

甘南州

青海省

西宁市

589.西宁南滩明祁秉忠墓清理情况

作　者：青海省文物管理委员会
出　处：《文物》1959 年第 11 期

西宁市南滩是明、清的墓葬区，1957 年西宁市人民委员会征用该滩土地，考古人员于同年 12 月对该墓进行了清理。清理结果简报配以手绘图、照片予以介绍。

据介绍，陵园平面南北长 98 米，西宽 49 米，东宽 41 米，略呈梯形，周围为板筑夯土墙，围墙大部已坍塌。陵门在东面，仅存有门槛及墙基。墓为券顶，有墓门、甬道、明堂、耳室、主室。主室内葬祁秉忠，右室葬妻王氏，左室空无一物。棺椁都被打破揭开，已腐朽。这座墓葬曾经被马步芳盗掘，原有器物已被盗一空，仅残存木质烛台 2 个、砖质买地券 1 方、墓志 2 方，共 2400 字，简报未录全文；王氏墓志，志铭楷书，计 1080 字，简报未录全文。由券文和志文知，祁氏卒于天启三年（1623 年）。

简报称，关于祁氏事迹在《明史》卷二百七十一列传第一百五十九罗一贯传略中有记载，是与清兵作战时阵亡的，与墓志所载大体相同，因此这座墓葬的发现是研究明代的边境军事防御的可靠资料。

590.青海乐都瞿昙寺调查报告

作　者：张驭寰、杜仙洲
出　处：《文物》1964 年第 5 期

乐都在青海省西宁市东，湟水北岸，自古称作"湟中"。汉代开始在这里设县；5 世纪南凉时曾以此作为都城；明初置碾伯卫，洪武十九年（1386 年）移卫于西宁后，乐都遂改为右所。这里在古代曾是通往西域的交通要道，与内地接触比较频繁，是海东经济文化荟萃之区，因此，至今还保留着不少明代寺院。1960 年春，考古人员听说这里有 1 座明代大寺院，叫作瞿昙寺，规模宏大，建筑壮丽，因时间所限，对各殿结构未作详细测绘。简报分为：一、历史沿革，二、建筑总体布局，三、单体建筑介绍，共三个部分，有照片。

据介绍，寺建在乐都城南 40 里瞿昙堡城中，南向。城前岗峦起伏，后有高山屏障，滚滚湟水流经其间，景色清幽。城堡略呈方形，分内外 2 城。外城为居民宅巷，内城为瞿昙寺和僧侣房舍。城墙用黄土夯筑，城门瓮城建筑在河岸高地上，曲折通进，形势颇险固。

简报称，瞿昙寺，据文献记载，始建于明太祖洪武年间，清代又曾修补，明清 500 多年未遭大的破坏。简报还特别介绍了山门、钟鼓楼、带壁画的东西回廊等。

591.青海省大通县出土一方明代官印

作　者：陈　荣

出　处：《考古与文物》2002 年第 5 期

1999 年 6 月，青海省大通县文管所依法征集到 1 方铜印。这方铜印是当地农民在宁张公路 31 公里路标附近的农田挖沙时，在距地表 1 米左右的沙砾层中挖出的，铜印通体附着坚硬的水垢和铜锈。简报配以拓片予以介绍。

据介绍，铜印呈正方形，印文为减地阳文九叠篆书。在印钮的左侧楷书镌刻着"西宁卫千户所管军印"，右侧，从里至外楷书镌刻着"礼部造、洪武六年正月日"等字。简报认为这无疑是 1 方明代的官印。

"管军"是怎样的一个职务呢？《明史·职官》记载："凡千户，一人掌印，一人佥书，日管军。……其掌印，恒以一人兼数印。"印信是权力的象征，朝廷对官员授予印信，也就授予了官员一定的职权。"佥书"是负责管理来往公文信函等，也是管理军队的重要工作。因此，简报认为既然千户掌握着印信，管理着公文信函，只是为了相互制约，牵制对方，才有"一人掌印，一人佥书"的分工，那么"管军印"也就是千户所衙署的官印了。"西宁卫千户所管军印"也就是西宁卫千户所衙署的官印。《明史·舆服志》载："正五品，从五品，俱铜印，方二寸四分，厚四分五厘。"大通县出土的这方"西宁卫千户所管军印"的大小与上述尺寸基本吻合，也表明这方铜印是官居五品的千户长掌握的官印。

简报称，这方铜印的出土，印证和丰富了《明史》中的有关记载，为我们研究明代的职官，以及当时青海的社会、政治、军事、历史文化等提供了珍贵的实物资料。

海东地区

592.青海民和发现"永昌通宝"

作　者：民和县人民文化馆　赵存禄
出　处：《文物》1979 年第 3 期

1977 年 10 月 15 日，青海省民和县第二中学的师生在校院内挖土时发现了一批文物。有瓷狮子 2 件，1 件被砸坏，1 件完整；铁铧 1 件；铜镜 1 件；还有宋代的"天禧通宝""天圣元宝""明道元宝"和明代的"嘉靖通宝""天启通宝""崇祯通宝"等钱币。在铜钱中还发现了 2 枚珍贵的明末李自成农民革命政权的钱币"永昌通宝"。简报配以照片予以介绍。

简报介绍，明朝末年，李自成率领的农民起义军，在 1643 年 4 月攻占襄阳，改襄阳为襄京，初步建立了农民革命政权。10 月又一举攻克西安，并在第二年正月初一，改西安为西京，正式宣布建国"大顺"，年号为"永昌"。

简报称，这次民和发现的"永昌通宝"，背为素面，说明了当时青海地区已建立了农民政权，民间曾使用新铸的货币。

海北州

黄南州

海南州

果洛州

玉树州

海西州

宁夏回族自治区

银川市

593.宁夏灵武市古长城调查与试掘

作　者：宁夏文物考古研究所、内蒙古鄂托克前旗文化局、灵武市文物管理所
　　　　陈晓桦、于国强

出　处：《考古与文物》2006 年第 2 期

2004 年，考古人员对灵武市境内古长城进行了调查与试掘，简报配以手绘图进行了介绍。

据介绍，保存在灵武市境内的明长城，是俗称河东横城"大边"（也称"河东墙"）的一部分。古长城的时代其实可分为隋、明两代，但隋长城基本已被明长城叠压，只残存很短的两小段。试掘地点在临河镇横山村、水洞沟遗址东南约 2.5 公里的红山堡城址北约 700 米的长城缺口。考古人员重点考察了烽火台、墩台、红山堡城址及北侧地道，以及长城内侧的壕堑、"品"字形绊马坑等。

石嘴山市

吴忠市

594.宁夏同心县出土明庆王圹志

作　者：牛达生

出　处：《考古与文物》1981 年第 4 期

"庆王圹志"是宁夏博物馆陈列品之一，是朱元璋之子朱栴的圹志。他的墓在

宁夏同心大罗山下韦州公社周庄大队境内。墓室早期被盗。1968 年，当地农民平地发现圹志。简报配以拓片予以介绍。

据介绍，明庆王为明太祖朱元璋第十六子，生于洪武戊午年（1378 年），卒于正统三年（1438 年），享年 61 岁。简报录有全文。因明成祖要将建文帝父朱标抹去，故此圹志中称其为朱元璋第十五子。有人还据此"纠"《明史》之误。简报指出，边荒碑刻可纠正史之失，然而也有例外，"庆王圹志"便是一例。这告诉我们，地下出土的金石资料，也是一个特定时代的产物，必然受到当时政治形势的影响，有可能出现隐此扬彼、有意篡改历史之事。对此，必须注意。

固原市

595.宁夏固原出土明代砖刻

作　者：许　成、韩兆民
出　处：《考古与文物》1982 年第 4 期

1979 年 6 月 9 日，在已倾圮的固原内城墙壁面出土 1 件刻有文字的方砖。简报配以照片予以介绍。

据介绍，砖正面刻文字，共计 324 字。字迹工整，清晰可辨，唯右上角稍有损坏，约八至九字不清。简报录砖刻全文。砖刻是在明景泰二年（1451 年），修筑固原内城工程完毕时所刻，内容涉及兴定三年（1219 年）固原地区发生的强烈地震。兴定三年（1219 年）固原地区连续两次发生的大地震，《中国地震目录》一书，只记载有金兴定三年（1219 年）四月的一次，未载六月十八日巳时发生的大地震，砖刻内容可补其缺。

596.宁夏彭阳明代砖塔

作　者：彭阳县文物管理所　陈凤娟
出　处：《文物》2010 年第 11 期

理珞宝塔位于宁夏彭阳县东北部冯庄小湾村牛湾队，是宁夏南部山区仅存的一座砖塔。该塔建于嘉靖三十年（1551 年），是明代固原卫人张侃为"发心功德"而建的文昌塔，分别于 1988 年、1995 年被自治区人民政府和彭阳县人民政府公布为区、县两级重点文物保护单位。简报配以照片，予以介绍。

据介绍，理珞宝塔为仿木结构单檐楼阁式砖塔，共分7层。通高（不计塔刹）20米、每边长1.6米，底座周长与不计塔刹的高度相等，边长均为12.4米。塔东辟有高1米、宽0.52米的券门，面向7个山。塔三、六、七层正中南北对应开3窗。窗孔为一尺见方，主要用来通风采光。塔室西南面约4米处设有一尺见方的佛龛1个。塔顶内部的八面收分处按"乾、坎、艮、震、巽、离、坤、兑"琢有八封图。塔内为空筒形，上下贯通，设木板楼层结构，原有木梯现已朽毁。1991年，县里在清理过程中在塔西南处发现一寺庙遗址，此寺庙出土建筑材料与宝塔相同，二者当有一定联系。

简报称，理珞宝塔经400余年，历数次大地震仍存，塔顶内部的八卦图为研究古代宗教在我国西北地区的发展提供了一定线索。

中卫市

新疆维吾尔自治区

乌鲁木齐市

克拉玛依市

吐鲁番地区

哈密地区

和田地区

阿克苏地区

喀什地区

克孜勒苏柯尔克孜自治州

巴音郭楞蒙古自治州

昌吉回族自治州

597.新疆吉木萨尔高昌回鹘佛寺遗址

作　　者：中国社会科学院考古研究所新疆工作队　孙秉根、孟凡人、陈　戈
出　　处：《考古》1983 年第 7 期

1979 年夏，考古人员在新疆吉木萨尔县一带进行考古调查时，于县城北约 12 公里的北庭古城之西发现一座高昌回鹘佛教寺庙遗址。随后作了两次发掘，揭露出寺庙的南面和东面；寺庙的正殿及其北面和西面部分未作全面发掘，只揭出它们的范围。简报配以手绘图予以介绍。

据介绍，佛寺平面呈长方形，南北长约 70.5 米，东西宽约 43.8 米。地面以下是夯土台基，地面以上全部用土坯砌筑。整个遗址可分为南、北两大部分：南面是残高约 0.2 米～4 米的庭院、配殿、僧房、库房等建筑群；北部是残高约 14.3 米的正殿，其四周环筑洞窟。这两大部分紧密衔接，构成一整体。简报结合文献记载，认为此佛寺应为王室寺院而非一般的佛教建筑。实际上，北庭本是高昌回鹘的陪都，回鹘王每年盛夏都要来这里避暑。高昌回鹘的都城吐鲁番之外，吉木萨尔是又一个政治中心和佛教中心。

据史载，高昌王在 1275 年与海都、都哇的战争中阵亡。1283 年，高昌回鹘王室被迫迁往甘肃永昌。随着回鹘王室的东迁，这座佛教寺庙的地位也就远非昔比了。至于其最后的废弃年代，从遗址的破坏程度看，或许是伊斯兰教在此地占统治地位之时。约在 1346 年，秃黑鲁帖木尔立为察合台汗，他是新疆地区第一个信奉伊斯兰教的蒙古汗。1383 年，其子黑的儿火者任别失八里（即吉木萨尔）的察合台汗时，对吐鲁番地区进行"圣战"，强迫其民信奉伊斯兰教，这表明在此之前别失八里已被伊斯兰教所统治。该座佛教寺庙的最后毁弃时间当不会晚于 1383 年。简报指出，这座佛教寺庙遗址的发现和发掘，为我们研究高昌回鹘的佛教文化及与之相关诸问题提供了极其重要的实物资料。

博尔塔拉蒙古自治州

伊犁哈萨克自治州

塔城地区

阿勒泰地区

石河子市

阿拉尔市

图木舒克市

五家渠市

香港特别行政区、澳门特别行政区、台湾省

598.香港九龙寨城发掘简报

作　者：香港古物古迹办事处　李浪林等
出　处：《考古》2007 年第 6 期

　　九龙寨城（简称寨城）遗址位于香港特别行政区九龙半岛东北部，面积有 30000多平方米。寨城依山而筑，北部海拔高度为 36.4 米，南部原地面海拔约为 6.4 米。寨城原靠近海边，南城墙距海岸仅约 150 丈，昔以海路往来为主。20 世纪 90 年代，九龙寨城被拆除，改建公园。考古人员于 1993 年至 1994 年 7 月对寨城进行考古发掘，发现寨城的城墙、道路、排水沟、东门、南门和房屋等建筑遗存，并出土了一些瓷器等遗物。简报分为：一、历史沿革，二、考古调查与发掘，三、建筑遗存，四、出土遗物，五、结语，共五个部分，有彩照、手绘图。

　　据介绍，九龙寨城建成于 1846 年，20 世纪 40 年代寨城的城墙被完全拆毁。香港古物古迹办事处于 1993 年 11 月至 1994 年 7 月对九龙寨城进行了考古勘察，发现石墙、石板路、排水道、东门和南门等遗迹，还有两块分别刻有"南门"和"九龙寨城"字样的石额及一些陶瓷用品。

　　九龙寨城是依山而筑，城门不居中，似无护城河。九龙寨城发掘是香港首次在市区进行考古发掘。由于此次发掘的重要发现，1996 年在古物咨询委员会的建议下，香港将寨城南门遗迹等宣布为法定古迹，还将南门等遗迹原址进行保护并向公众开放。

参考文献

一、参考文献分为上编、中编、下编。

二、上编收录本书收录的考古核心刊物（以《北京大学中文核心期刊目录》2011 年版考古学科为准，略加调整）。中编系非核心刊物及以书代刊的连续出版物、某一地区考古成果汇编等举要。下编是面对非考古专业读者的相关书籍。

三、上编依《北京大学中文核心期刊目录》2011 年版给出顺序排列；中编依通行的省市自治区直辖市顺序排列。省市自治区下排列不分先后。

上 编

1.《文物》

创刊于 1950 年，国家文物局主管，文物出版社主办。初名《文物参考资料》，1959 年改为《文物》。1971 年曾停刊一年。现为月刊。

2.《考古》

创刊于 1955 年，由中国社会科学院考古研究所主办。1955～1959 年，用《考古通讯》的刊名，1955～1957 年为双月刊，此后改为月刊，1966 年 6 月至 1971 年 12 月停刊，1972～1982 年为双月刊，1983 年至今为月刊。有《考古（1955～1996 年）》《考古（1997～2003 年）》两张全文检索光盘出版。2007 年 3 月起，实行双向匿名审稿。

3.《考古学报》

创刊于 1936 年 8 月，由国立"中央研究院"历史语言研究所主办，刊名《田野考古报告》，列为专刊之十三。第二册（1947 年 3 月出版）更名为《中国考古学报》，至 1949 年共出版四册。第四册出版于 1949 年 12 月，由中国科学院历史语言研究所主办。1950 年 8 月 1 日，中国社会科学院考古研究所成立（当时为中国科学院所属研究机构），继续主办，于 1950 年 12 月出版第五册。自第六册（1953 年 12 月出版）更名为《考古学报》至今。1954 年变更为半年刊，1956 年变更为季刊，1960 年又变更为半年刊，1978 年起改为季刊，每年 1、4、7、10 月的 30 日出版。2007 年 3 月起，实行双向匿名审稿。

4.《考古与文物》

1980 年创刊，陕西省考古研究所主办，季刊。1982 年改为双月刊。该刊曾编有若干期《考古与文物》辑刊，多为研究性文章；还编有《考古与文物丛刊》，为不定期刊物，有少许发掘报告，但内容较宽泛，古文字学、古人类学等方面文章均收。

5.《中原文物》

河南省博物馆主办，1977 年创刊时名为《河南文博通讯》，1981 年改名《中原文物》，季刊。2000 年改为双月刊。有《〈中原文物〉十五年叙录（1977～1992）》一书。

6.《北方文物》

黑龙江省考古研究所、考古学会主办，1981 年创刊，初名《黑龙江文物丛刊》，季刊。

7.《华夏考古》

河南省考古研究所、河南省文物考古学会主办，创刊于 1987 年，季刊。

8.《四川文物》

四川省文物局主办。1984 年创刊，双月刊。出版有《〈四川文物〉二十年目录索引（1984 ～ 2003）》。

9.《江汉考古》

1980 年创刊，先以不定期形式共出了五期（至 1982 年底为止）。从 1983 年第 1 期（即总第 6 期）起改为季刊，向国内外公开发行。1989 年第 3 期起，由湖北省文物考古研究所主办。

10.《农业考古》

1981 年创刊，为国内外唯一的专门发表有关农业考古学研究成果的大型学术刊物。原主办单位为江西省博物馆、江西省中国农业考古研究中心。1985 年由江西省社会科学院历史研究所和江西省中国农业考古研究中心主办；1994 年起由江西省社会科学院和中国农业博物馆联合主办；2003 年起由江西省社会科学院主办。双月刊。

11.《文博》

1984 年 7 月创刊，陕西省考古研究所主办；陕西省博物馆、秦始皇陵兵马俑博物馆参办。双月刊。

《文博》虽未列入 2011 年版《北京大学中文核心期刊目录》，但考虑到该刊的质量及陕西省作为文物大省的地位，此次仍然予以收录。

中 编

1. 北京市

《考古学社社刊》

北京燕京大学考古学社编，1934 年创刊，1937 年停刊。

《考古学集刊》

中国社会科学院考古研究所主办，1981 年创刊，科学出版社出版，年刊。自第 16 期开始以专业论文为主。

《考古学研究》

北京大学考古文博学院、中国考古学研究中心编，16 开平装，科学出版社、北京大学出版社不定期出版。

《北京文物与考古》

1983 年创刊。

《北京文博》

北京市文物事业管理局主办，1995 年创刊，季刊。

《北京考古》

北京市文物研究所编，北京燕山出版社 2008 年始不定期出版。

《三代考古》

中国社会科学院考古研究所夏商周考古研究室编，16 开平装，科学出版社不定期出版。

《中国道教考古》

线装书局不定期出版。

《中国古陶瓷研究》

紫禁城出版社出版的连续出版物。

《石窟寺研究》

中国古迹遗址保护协会石窟专业委员会编，文物出版社不定期出版。

《中国大遗址保护调研》

中国社会科学院考古研究所文化遗产保护研究中心编，科学出版社 2011 年始不定期出版。

《文物研究》

科学出版社连续出版物。

《九州》

商务印书馆连续出版物。

《古脊椎动物学报》

中国科学院古脊椎动物与古人类研究所主办。1957 年创刊时为英文版，季刊，1959 年创刊中文版。1961 年英文、中文版合并，1966 年停刊，1973 年复刊。

《文物资料丛刊》

《文物》编辑委员会编，文物出版社不定期出版。

《古代文明》

北京大学中国考古学研究中心编，文物出版社不定期出版。

《古代文明研究》

中国社会科学院考古研究所、古代文明研究中心编，文物出版社不定期出版。

《中国盐业考古》

科学出版社不定期出版。

《科技考古》

中国社会科学院考古研究所编，科学出版社不定期出版。

《水下考古》

国家文物局水下文化遗产保护中心编，上海古籍出版社 2018 年出版第 1 辑。

《中国国家博物馆馆刊》

创刊于 1979 年，初名《中国历史博物馆馆刊》。原为半年刊，一年两本。1999 年改名《中国历史文物》，2002 年改为双月刊，2011 年改为《中国国家博物馆馆刊》，并改为月刊。

《首都博物馆丛刊》

首都博物馆主办，北京燕山出版社 2007 年始不定期出版。

《中国文物报内部通讯》

1991 年 7 月创刊，不定期出版。

《陶瓷考古通讯》

《玉器考古通讯》

《古代文明考古通讯》

以上三种"通讯"，均由北京大学文博学院主办。

《青年考古学家》

北京大学文物爱好者协会会刊，1988 年创刊。科学出版社出版。每年一册。

《故宫博物院院刊》

故宫博物院主办，1958 年创刊，双月刊。

《中国文物科学研究》

国家文物学会、故宫博物院主办，2006 年创刊。

《中国历史文物》

国家博物馆主办，双月刊。

2.天津市

《天津博物馆集刊》

天津博物馆编，天津人民出版社出版，1998 年第一辑出版。

《天津考古》

天津市文化遗产保护中心编，16 开精装，科学出版社不定期出版。

《天津博物馆论丛》

科学出版社不定期出版。

《天津文博》

天津市文物博物馆学会编，1986 年创刊。

3.河北省

《文物春秋》

河北省文物局主办，创刊于 1989 年，双月刊。

《河北省考古文集》

河北省文物研究所编，科学出版社不定期出版。

4.山西省

《三晋考古》

山西省考古学会、山西省考古研究所主办，1994 年创刊。年刊，现由上海古籍出版社出版。

《山西博物馆学术文集》

山西人民出版社不定期出版。

《晋中考古》

文物出版社不定期出版。

《运城地区博物馆馆刊》

运城地区博物馆主办。

《北朝研究》

中国魏晋南北朝史学会、大同平城北朝研究会编，16 开平装，科学出版社不定期出版。

《文物世界》

山西省文物局主管，1987 年创刊，双月刊。

5. 内蒙古自治区

《内蒙古文物考古》

内蒙古文化厅、内蒙古考古博物馆学会主办,1981 年创刊,半年刊。

《草原文物》

内蒙古自治区文化厅、内蒙古考古博物馆学会主办,1984 年创刊,1997 年由年刊改为半年刊。

《鄂尔多斯考古文集》

伊克昭盟文物工作站 1981 年创刊。

《内蒙古包头博物馆馆刊》

内蒙古包头博物馆主办,2000 年创刊。

6. 辽宁省

《辽宁文物》

辽宁省博物馆主办,1980 年创刊。

《辽海文物学刊》

1986 年创刊,辽宁省博物馆、文物考古研究所主办,半月刊。

《辽宁考古文集》

辽宁省文物考古研究所编,16 开平装,科学出版社不定期出版。

《辽宁省博物馆馆刊》

辽海出版社不定期出版。

《沈阳故宫博物院院刊》

沈阳故宫博物院主办,1995 年创刊,半年刊。

《沈阳考古文集》

沈阳市文物考古研究所编,科学出版社 2007 年始不定期出版。

《大连文物》

科学出版社不定期出版。

7. 吉林省

《东北史地》

吉林省社会科学院吉林省高句丽研究中心主办,2004 年 1 月创刊。

《博物馆研究》

吉林省博物馆学会、吉林省考古学会主办,季刊。

《边疆考古研究》

吉林大学连续考古研究中心编,科学出版社不定期出版。

《亚洲考古》

吉林大学边疆考古研究中心编，科学出版社出版。该刊为英文版。

8．黑龙江省

《黑龙江文物丛刊》

1985年创刊，季刊，现已改名为《北方文物》。

《昂昂溪考古文集》

科学出版社2013年版。

9．上海市

《上海博物馆馆刊》

创刊于1981年，上海人民出版社出版。后改名《上海博物馆集刊》，年刊。

《上海文博论丛》

上海博物馆主办。2002年创办，季刊。

《文物保护与考古科学》

上海博物馆主办，1989年创刊，现为双月刊。

《出土文献》

清华大学出土文献研究与保护中心编，2010年创办，每年一辑。

10．江苏省

《东南文化》

南京博物院、江苏省考古学会主办，1975年创刊时名为《文博通讯》，1985年改为《东南文化》。

《南京博物院集刊》

南京博物院主办，文物出版社出版。

《无锡文博》

1990年创刊，季刊，原名《无锡博物馆通讯》。

《扬州文博》

扬州市博物馆主办，1990年创刊，1992年停刊。

《江淮文化论丛》

扬州市博物馆编，文物出版社不定期出版。

《徐州文物考古文集》

徐州市博物馆编，科学出版社不定期出版。

《苏州文博论丛》

苏州市博物馆编，文物出版社不定期出版。

《文博通讯》

江苏省考古学会编。1975年创刊，1985年改名为《东南文化》。

《江阴文博》

江阴市文物管理委员会编，半年刊。

《常州文博》

常州市博物馆编，1993 年创刊，半年刊。

11. 浙江省

《东方博物》

浙江省博物馆主管，创刊于 1997 年，季刊。

《杭州文博》

杭州出版社不定期出版。

《浙江省文物考古所学刊》

科学、文物出版社不定期出版。

《宁波文物考古研究文集》

宁波市文物考古研究所、文物保护管理所编，科学出版社不定期出版。

《东方建筑遗产》

宁波报国寺古建筑博物馆编，科学出版社的连续出版物。

《绍兴市考古学会会刊》

绍兴市考古学会编，不定期出版。

12. 安徽省

《安徽省考古学会会刊》

安徽省文物考古研究所、考古学会编，16 开平装，1985 年创刊，为科学出版社出版的连续出版物。

《安徽文博》

安徽博物院、安徽省博物馆协会主办，1980 年创刊。年刊。

《徽州文博》

黄山市博物馆协会主办。

《文物研究》

安徽省文物考古研究所编，科学出版社不定期出版。

13. 福建省

《福建文博》

福建省博物馆主办，1979 年创刊，半年刊。

《东南考古研究》

厦门大学出版社不定期出版，涉及东南亚国家考古成果。

14．江西省

《南方文物》

江西省文化厅主办，江西省博物馆、江西省考古研究所编辑出版。原名《江西文物》，1992 年改称《南方文物》，季刊。

《江西省博物馆集刊》

江西省博物馆主办，文物出版社不定期出版。

15．山东省

《东方考古》

山东大学东方考古研究中心编，16 开平装，为科学出版社推出的连续出版物。

《齐鲁文物》

山东省博物馆编，科学出版社不定期出版。

《海岱考古》

山东省文物考古研究所编，科学出版社不定期出版。

《胶东考古》

《齐鲁文博》

齐鲁书社不定期出版。

《山东省高速公路考古报告集》

科学出版社不定期出版。

《济南考古》

济南市考古研究所编，为科学出版社的连续出版物。

《青岛考古》

青岛市文物保护考古研究所编，为科学出版社出版的连续出版物。

16．河南省

《河南博物馆馆刊》

1936 年创刊，河南博物馆编辑出版，16 开，计已出版了 11 册。除了考古成果，还收录了动物、植物、矿物等方面的成果。

《中原文物考古研究》

大象出版社不定期出版。

《河洛文化论丛》

北京图书馆出版社不定期出版。

《动物考古》

河南省文物考古研究所编，文物出版社不定期出版。

《文物建筑》

河南省古代建筑保护研究所编，科学出版社不定期出版。

《郑州文物考古与研究》

郑州市文物考古研究院编，科学出版社不定期出版。

《郑州商城考古新发现与研究》

河南省文物考古研究所编，中州古籍出版社出版。

《洛阳考古》

洛阳市文物考古研究院编，中州古籍出版社出版的系列出版物，2017年以来已出版十余册。

《洛阳文物钻探报告》

洛阳市文物钻探管理办公室编，文物出版社不定期出版。

《开封考古发现与研究》

开封市文物工作队编，中州古籍出版社1998年出版。

《开封文博》

开封市博物馆主办，1990年创刊，半年刊。

《殷都学刊》

安阳师范学院主管，1980年创刊，季刊。

17. 湖北省

《楚文化研究论集》

荆楚书社不定期出版。

《荆楚文物》

荆州博物馆编，16开平装，科学出版社2013年始不定期出版。

《襄樊考古文集》

襄樊市文物考古研究所编，科学出版社2007年始不定期出版。

《鄂东北考古报告集》

湖北科学出版社1996年版。

《三峡考古之发现》

湖北科学技术出版社推出的连续出版物。

《湖北库区考古报告集》

国务院三峡工程建设委员会办公室、国家文物局编，科学出版社2003年始不定期出版。

《武汉文博》

武汉市文物管理处研究室编，1988年创刊，季刊。

《清江考古》

湖北省清江隔河岩考古队、湖北省文物考古研究所编，科学出版社 2004 年出版。

《湖北南水北调工程考古报告集》

科学出版社不定期出版。

《葛洲坝工程文物考古成果汇编》

武汉大学出版社出版。

《长江文物考古简讯》

长江流域规划办文物考古队编，1958 年创刊，月刊。

18．湖南省

《湖南省博物馆馆刊》

岳麓书社不定期出版。

《湖南考古辑刊》

岳麓书社不定期出版。

19．广东省

《广东文物》

广东省文化厅、广东省文物博物馆学会主办，1996 年创刊，半年刊。

《广东文博》

广东省文物管理委员会主办，1983 年创刊，不定期出版。

《艺术史研究》

中山大学艺术史研究中心编，中山大学出版社出版，每年一本。

《华南考古》

广州市文物考古研究所等编，文物出版社 2004 年始不定期出版。

《羊城考古发现与研究》

广州市文物考古研究所编，文物出版社 2005 年始不定期出版。

《广州文博》

广州市文物局等编，1985 年创刊，文物出版社不定期出版。

《珠海考古发现与研究》

广东人民出版社 1991 年版。

《深圳文博论丛》

深圳博物馆编，文物出版社不定期出版。

20．广西壮族自治区

《广西考古文集》

广西文物考古研究所编，文物出版社不定期出版。

《广西文物考古报告集》

广西壮族自治区文物工作队编，广西人民出版社 1993 年出版的一册汇集了 1950～1990 年的考古调查、考古发掘报告等。

21．海南省

《海南省博物馆研究文集》

科学出版社不定期出版。

《西沙水下考古》

中国国家博物馆水下考古研究中心、海南省文物保护管理办公室编，科学出版社不定期出版。

22．重庆市

《长江文明》

中国三峡博物馆主办，2008 年创刊，季刊。

《重庆库区考古报告集》

重庆市文物局、重庆市移民局编，科学出版社出版，大体每年一卷。

《大足学刊》

大足石刻研究院编，重庆出版社不定期出版。

23．四川省

《四川考古报告集》

文物出版社不定期出版。1998 年出版第 1 集。

《南方民族考古》

四川大学博物馆、成都民族文物考古研究所编，1987 年创刊，中间因故停刊，2010 年复刊。科学出版社不定期出版。

《成都文物》

成都文物管理委员会主办，季刊。

《成都考古发现》

成都市文物考古研究所编，科学出版社出版，大体一年一册。据称自 2001 年以来，20 年间发表了 425 篇报告。

《四川古陶瓷研究》

四川省社会科学院主办，不定期出版。

《川南文博》

四川省宜宾市博物馆主办，1985 年创刊。

24．贵州省

《贵州省博物馆馆刊》

贵州省博物馆主办，1985 年创刊，1988 年停刊，1992 年与《贵州文物》合并，改名《贵州文博》。

《贵州文物》

贵州省文管会主办，1982 年创刊，1992 年停刊。

25．云南省

《云南文物》

云南省博物馆主办，1973 年创刊，1987 年停刊。

《云南考古文集》

云南民族出版社出版。

《茶马古道研究集刊》

云南大学出版社不定期出版。

26．西藏自治区

《西藏文物考古研究》

西藏自治区文物保护研究所编著，平装 16 开，科学出版社 2014 年始不定期出版。

《西藏考古》

四川大学出版社 1994 年始不定期出版。

《西藏文物通讯》

西藏自治区文管会主办，1981 年创刊。

27．陕西省

《周秦文明论丛》

三秦出版社不定期出版。

《西部考古》

三秦出版社出版的连续出版物。

《史前研究》

陕西省考古研究院、西安半坡博物馆主办，1986 年创刊，季刊。

《秦文化论丛》

西北大学出版社出版的连续出版物。

《陕西省历史博物馆馆刊》

西北大学出版社出版的连续出版物。

《陕西博物馆馆刊》

三秦出版社不定期出版。

《宝鸡文博》

1991 年创刊，不定期出版。

《秦陵秦俑研究动态》

秦始皇兵马俑博物馆主办，1986 年创刊，季刊。

28．甘肃省

《敦煌研究》

《西北民族研究》

《陇右文博》

甘肃省博物馆主办，1996 年创刊，半年刊。

《简牍学研究》

西北师范大学、甘肃省文物考古研究所编，甘肃人民出版社 1997 年开始出版。

29．青海省

《青海文物》

青海省文化厅主办，1988 年创刊。

《青海考古学会会刊》

青海省文化厅文物处、青海省考古学会主办，1980 年创刊，1985 年停刊。

30．宁夏回族自治区

《宁夏社会科学》

《西夏学》

宁夏大学西夏学研究院主办，半年刊。

31．新疆维吾尔自治区

《新疆文物考古研究所丛刊》

《新疆考古》

新疆社会科学院考古研究所主办，后改为《新疆考古研究资料》，不定期出版。

《新疆文物》

《西域文史》

北京大学中国古代史研究中心、新疆师范大学西域文史研究中心合办，16 开平装，由科学出版社不定期出版。

《吐鲁番学研究》

吐鲁番地区文物局编。

32．香港特别行政区、澳门特别行政区、台湾省

《香港文物》

香港古物古迹办事处出版。

《香港考古学会专刊》

《"国立"台湾大学考古人类学刊》

1953 年创刊，年刊。

《台湾省博物馆季刊》

创刊于 1948 年，现存 4 期，已停刊。

《故宫文物月刊》

台湾"'国立'故宫博物院"出版，1983 年创刊。

下　编

欲了解最新的考古成果、考古文献，有两套书是必须知道的：一套是《中国考古学年鉴》，自 1984 年以来每年一册，欲了解上一年度（如 2019 年出版的年鉴，反映的是 2018 年的信息）的考古成果、考古书籍、考古论文等，这是最权威的工具书之一；另一套是《中国重要考古发现系列》，这套书的优点是图文并茂，反映的就是书名所示年度的重要考古发现。如 2013 年出版的《2012 年中国重要考古发现》，说的就是书名所示 2012 年的事情。这两套书，均由文物出版社出版。

更深入一些的书籍，有三套书应该提到：

第一套是文物出版社出版的《中国文物地图集》，这套书按各省市自治区分册，如重庆分册、河北分册等。优点是将考古发现与地图结合，可以直观地看到某一地区考古发现的多少，但欲进一步了解，仅靠此套书是无法解决的。所以正确的使用方法是：将此书与其他书结合起来阅读。

第二套是《中国考古集成》（中州古籍出版社 2006～2007 年版），此书实际上就是将散见各处的考古文献汇集一处，这对使用者而言当然是极为便利。不过窃以为如改为《中国稀见考古文献集成》，或许更实用一些。

第三套是《中国考古学》，此为集中全国专家编写了十余年之久的国家项目，专业性较强。计划分为 9 卷，目前"新石器时代卷""秦汉卷""两周卷""三国两晋南北朝卷""夏商卷"等册已出版。全套书要出齐恐怕尚待时日。《考古》杂志 2011 年第 7 期有相关书评，有兴趣的话可以找来看看。

如果没有时间去浏览这些大套书的话，先看一些概述、综述性质的书是一个不错的选择。这里仅介绍国家文物局主编的《中国考古 60 年（1949～2009）》（文物出版社 2009 年版）一书。这部书是按省市自治区分开叙述的，囊括了 1949 年后几乎全部重大考古发现，有文有图，执笔者多为各省（自治区、直辖市）的考古专家，文简意赅，缺点是没有给出参考文献，无法以此为线索扩大阅读。当然，依照以往的惯例，可以预料日后会有《中国考古 70 年（1949～2019）》一类的书出版，希望那时会有所改进。文物出版社 2009 年出版的《中国文物事业 60 年》一书，或可视作《中国考古 60 年（1949～2009）》一书的姐妹篇，也可参阅。书中除了港澳台以外，各省（自治区、直辖市）均列有专节。另外，国家博物馆编、中华书局 2012 年出版的《文物史前史·彩色图文本》等，已出齐 10 册，几可视为中国考古的图片专辑。

陈淳先生的《考古学研究入门》（北京大学出版社 2009 年版）、李朝远先生的

《青铜器学步集》（文物出版社2007年版）、刘凤翥先生的《遍访契丹文字话拓碑》（华艺出版社2005年版）等，当为比较专业的"入门"类书。四川文物考古研究院编过一本《少儿考古入门》（文物出版社2013年版），那是明言给中小学生看的。其实，一些大家写的集子，可读性颇强，不妨也当作入门书来读。如严文明先生的《足迹：考古随感录》（文物出版社2011年版）、苏秉琦先生的《中国文明起源新探》（辽宁人民出版社2009年版，三联书店2019年新版）、李零先生的《入门与出塞》（文物出版社2004年版）、赵青芳先生的《赵青芳文集·考古日记卷》（文物出版社2011年版）、罗宗真先生的《考古生涯五十年》（凤凰出版集团2007年版）、石兴邦先生的《叩访远古的村庄》（陕西师范大学出版社2013年版）、杨育彬先生的《考古人生——杨育彬回忆续录》（科学出版社2021年版），等等。一些考古工作者亲力亲为的记载，也十分生动有趣。如王吉怀先生的《禹人絮语——考古随笔记》（中国社会科学出版社2017年版）、罗西章先生的《周原寻宝记》（三秦出版社2005年版），等等。事实上，此类书几乎已成为近几年的一个出版热点。如《了不起的文明现场：跟着一线考古队长穿越历史》（三联书店2020年版）、《我在考古现场：丝绸之路考古十讲》（中华书局2021年版）、《考古中国——15位考古学家说上下五千年》（中信出版集团2022年版）等，均很受欢迎。

这里要特别推荐李伯谦先生《感悟考古——写给青年学者的考古学读本》（上海古籍出版社2015年版）一书，这是考古大家唯一一本明言写给青年学者的考古学入门读本。另外，李学勤先生的《李学勤讲演录》（长春出版社2012年版），也是深入浅出的大家之作。陈洪波先生《中国科学考古学的兴起：1928～1949年历史语言研究所考古史》（广西师范大学出版社2011年版）、《中国文物研究所七十年（1935～2005）》（文物出版社2005年版）、《记忆：北大考古口述史》（北京大学出版社2012年版）、《考古研究所编辑出版书刊目录索引及概要》（四川大学出版社2001年版）等是众多考古机构类书籍中最值得推荐的几本。读此会对中国最高考古机构及最早的考古教育院系有一个基本了解。文物出版社2010年还出版过一本《春华秋实：国家文物局60年纪事》，读一读，对中国大陆最高文物考古行政部门，也会有所了解。学术史、研究史方面的书自也不应忽视。这方面的书籍应提到陈星灿先生的《中国史前考古学史研究：1895～1949》（三联书店1997年版）、《20世纪中国考古学史研究论丛》（文物出版社2009年版）、黄继秋先生的《百年中国考古》（江苏人民出版社2013年版）、李学勤先生的《20世纪中国学术大典·考古学、博物馆学》（福建教育出版社2007年版）等。最新的书籍，当然是王巍先生主编的《中国考古学百年史（1921～2021年）》（中国社会科学出版社2021年版）共12册，据称共有276名专家参加了此书的写作。

　　有几部书较有特色，但很难归类：一是国家文物局第三次全国文物普查办公室编的《三普人手记：第三次全国文物普查征文选集》（文物出版社 2009 年版），可一见奋战在文物普查一线的文保工作者的酸甜苦辣；二是中国文物保护基金会编的《天职——从"文保市长"到"文保书记"》（文物出版社 2009 年版），可了解地方官员的无奈与奋争；三是何驽先生的《怎探古人何所思：精神文化考古理论与实践探索》（科学出版社 2015 年版），不是讲考古的思想史，而是从考古材料出发研究思想史；四是《梁带村里的墓葬：一份公共考古学报告》（北京大学出版社 2012 年版），它是从一个村庄微观角度，讲述考古学。

　　最后应介绍文献学及工具书方面的书籍。首先应提到张勋燎、白彬先生编著的《中国考古文献学》（科学出版社 2019 年版）。至于工具书，有《中国考古学文献目录（1949～1966）》（文物出版社 1978 年版）、《中国考古学文献目录（1971～1982）》（文物出版社 1998 年版）、《中国考古学文献目录（1983～1990）》（文物出版社 2001 年版）等，虽说尚未构成一个完整的考古文献"数据库"，但总算有胜于无。期待着国家文物局相关数据库建设早日完善。还有一些小型的更专业的书目，如叶骁军编的《中国墓葬研究文献目录》（甘肃文化出版社 1994 年版），赵朝洪先生的《中国古玉研究文献指南》（科学出版社 2004 年版）。这些书目都很不错，但如不及时修订容易过时。史前方面，还有几部研究史和文献目录应该提到：吕遵谔先生的《中国考古学研究的世纪回顾——旧石器时代考古卷》（科学出版社 2004 年版）、严文明先生的《中国考古学研究的世纪回顾——新石器时代考古卷》（科学出版社 2008 年版），是很好的研究史专著。缪雅娟先生的《中国新石器时代考古文献目录（1923～2006）》（中州古籍出版社 2014 年版），为我们提供了该领域的专业目录。后两书的内容，从时代看有的已进入夏商甚至更晚的时期。

　　辞典方面，仅介绍三部：一部是上海辞书出版社 2014 年出版的《中国考古学大辞典》，由中国社会科学院考古研究所所长王巍先生主编。条目拟定者多为相关领域专家，历时 7 年编成。正文收有条目 5000 余条，附录中有"中国考古学大事记（1899～2012）"等也都很实用。这部辞典，可以看作是考古学领域的"牛津双解辞典"，颇具权威性。另一部是罗西章、罗芳贤父女二人编著的《古文物称谓图典》（百花文艺出版社 2013 年版）。李学勤先生在序中称此书"别出心裁，与众不同，是一部新颖又有重要应用价值的著作"。共收录各类文物（图）3553 件（组），下分 20 大类，再依时代排列。此书的图片印制等尚有提升空间，期盼第三版时会更臻完善。第三部是文物出版社 2012 年出版的《常见文物生僻字小字典》，很实用。

　　报纸方面，应提到国家文物局主办的《中国文物报》周报。当然，最快捷的还是互联网。较权威的有中国社会科学院考古研究所的中国考古网（http：//kaogu．

cn）、中国考古网微信（zhongguokaogu/ 中国考古网）、中国考古网新浪微博（http：//e.weiho.com/kaoguwang）。

各地区也有一些不错的考古史及考古丛书等。

如北京市，推荐宋大川先生主编的《北京考古发现与研究（1949 ~ 2009）》一书，科学出版社 2009 年版，上、下两册。如觉此书太厚，可参见同一作者的《北京考古史》（上海古籍出版社 2012 年版）一书。另外，上海古籍出版社 2011 年出版的《北京考古工作报告（2000 ~ 2009）》，计 12 册，可视为北京考古事业的一个大型文献数据库。《北京考古集成》（北京出版社 2005 年版）15 卷也已出齐。

河北省，推荐河北省文物研究所编著的《河北考古重要发现 1949 ~ 2009》（科学出版社 2009 年版）一书。分旧石器时代、新石器时代、夏商周、秦汉、魏晋北朝、隋唐五代、宋辽金元明，共七个部分进行介绍。另有《河北文物考古文献目录》（河北人民出版社 2020 年版）。

山西省，山西是文物大省。相关书籍不少。从非专业人员阅读兴趣考虑，首先推荐《发现山西：考古人手记》（山西博物院、山西省考古研究所编，山西人民出版社 2007 年版）一书。该书 16 开一册，仅 175 页厚，插图 213 幅，记叙了山西省芮城县西侯度、清凉寺，吉县柿子滩、沟堡，绛县横水墓地，曲沃县羊舌墓地，黎城县西周墓地，侯马市西高祭祀遗址，大同市沙岭北魏壁画墓，太原市北齐徐显秀墓的考古发掘始末。读此一书，对山西省比较重要的考古发现，都会有一个初步的印象。《有实有积：纪念山西省考古研究所六十华诞集》（山西人民出版社 2012 年版）也可参考。

内蒙古，有《辽西区青铜时代考古文献选编：回眸药王庙、夏家店遗址发掘六十周年》（科学出版社 2020 年版）一书，把相关的考古发掘报告及研究论文集中于一书，使用起来当然很方便，何况收入的考古发掘报告又做了修订。

黑龙江省，可参阅黑龙江省文物考古研究所编《考古·黑龙江》（文物出版社 2011 年版）。

上海市，张明华先生《考古上海》（上海文化出版社 2010 年版）、上海博物馆编《上海市民考古手册》（北京大学出版社 2014 年版）等均可一阅。

浙江省，可参阅浙江省文物局编《发现历史：浙江新世纪考古新成果》（中国摄影出版社 2011 年版）一书。马黎先生的《考古浙江：历年背后的故事》（浙江古籍出版社 2021 年版），用浅白有趣的文笔，讲述了近十年来浙江省的考古工作，正好可与上一本书在时间上衔接起来。《浙江考古（1979-2019）》（文物出版社 2020 年版）汇集了相关最新成果。

安徽省，可参阅《流金岁月——安徽省文物考古研究所 50 年历程》（安徽省文物考古研究所 2008 年版）。

山东省，山东省文物考古研究所编《山东 20 世纪的考古发现和研究》（科学出版社 2005 年版），可作为了解山东省考古事业的一部入门书，但缺点是缺少近十年来的内容。

河南省，河南省是文物大省。可以推荐的书不少。如文物出版社 2011 年出版的《历程：洛阳市文物工作队三十年》，读来并不枯燥。同类书尚有《岁月如歌——一个甲子的回忆》《岁月记忆：河南省文物考古研究所 60 年历程》，均由大象出版社 2012 年出版。国家图书馆出版社 2009 年出版的《洛阳古墓图说》一书，以图解方式介绍了新石器时代至明代的古墓。《河南文博考古文献叙录（1986 ～ 1995）》（中州古籍出版社 1997 年版）、《河南新石器时代田野考古文献举要（1923 ～ 1996）》（中州古籍出版社 1997 年版），虽稍显过时，但仍不失为两部有价值的文献目录。

北京图书馆出版社 2005 年始陆续出版的《洛阳考古集成》，为 16 开多卷本，已出版"原始社会卷""夏商周卷""秦汉魏晋南北朝卷""隋唐五代卷"及"补编"等，汇集了近五十年来相关考古资料，可视为考古重镇洛阳的一项大型文献基本建设。

湖北省，楚文化研究会早在 20 世纪 80 年代即编有《楚文化考古大事记》，可作为工具书使用。

湖南省，文物出版社 1999 年出版有《湖南省考古五十年》一书，可参阅。

广东省，广东省文物局编《广东文物考古三十年》（暨南大学 2009 年版）一书，附有"广东省文物考古调查发掘简报、报告目录（1978 ～ 2008）"，可以视作广东省考古文献的入门目录之一。文物出版社 1999 年出版的《广东省考古五十年》一书也可参看。

近年来，不少经济大省纷纷推出本省文物、考古的集大成丛书，广东省自然也不例外。科学出版社近年所出《广东文化遗产》，下分"古墓葬卷""塔幢卷""石刻卷""近现代重要史迹卷""古代祠堂卷"等，广东相关文献，几乎全部囊括在内。

广州市文物考古所有《广州考古六十年》（广东人民出版社 2013 年版）一书，可了解广州市考古工作的情况。

重庆市，文物出版社 1999 年出版的《重庆市考古五十年》一书，可作为入门书来看。此后的考古发现，可参阅《重庆文物考古十年》（重庆出版社 2010 年版）。

四川省，比较值得推荐的有《巴蜀埋珍：四川五十年抢救性考古发掘纪事》（天地出版社 2006 年版），此书为四川省文物考古研究院编著，读者阅后对四川省 1949 ～ 2005 年间重大考古发现会有一个总体的印象。

贵州省，今有贵州民族出版社 1993 年版《贵州田野考古 40 年》一书，可参阅。

西藏自治区，夏格旺堆先生的《西藏考古工作 40 年》（文物出版社 2013 年版），是了解西藏自治区考古工作的一部综述类著述。

陕西省，陕西省是我国文物大省，从出版角度看，2006 年成立的陕西省考古研究院在全国各省市自治区中可以说是做得最好、最有规划的。该院已出版的丛书计有：

——"陕西省考古研究院田野考古报告丛书"，已出版五六十部；

——"陕西省考古研究院学术专题研究丛书"；

——"陕西省考古研究院专家学术研究丛书"；

——"陕西省考古研究院文物精品图录丛书"；

——"陕西省考古研究院译著丛书"。

陕西省考古方面的书籍众多，在此仅介绍《三秦 60 年重大考古亲历记》（三秦出版社 2010 年版）一书，此书 16 开，554 页厚，收文 71 篇，图文并茂，还有一些专业名词解释等小贴士，便于初学者阅读。读后对 20 世纪 50 年代的半坡遗址、60 年代的蓝田猿人、70 年代的秦兵马俑坑和周原遗址、80 年代的法门寺地宫、汉唐帝陵和陪葬墓、90 年代的汉阳陵陪葬坑、周公庙遗址、梁带村芮国墓地等均会有所了解。文章中不乏考古人员的发掘过程、生活细节、真实想法等，读来颇为生动、形象。陕西省文物局、考古研究院编《留住文明：陕西"十一五"期间基本建设考古重要发现（2006～2010）》（三秦出版社 2011 年版）当然是更专业的综述了。尹申平、焦南峰先生主编的《薪火永传：纪念陕西省考古研究院 50 周年（1958～2008）》（三秦出版社 2008 年版），读后对陕西省考古最高学术机构陕西省考古研究院会有一定了解。罗宏才先生的《陕西考古会史》（陕西师范大学出版社 2014 年版），也可参阅。

工具书方面，《陕西考古文献目录（1900～1979）》仍有一定使用价值。《陕西文物年鉴》（陕西人民出版社）是少数几个出版有文物年鉴的省、市中最为实用的。

甘肃省、青海、宁夏，有李怀顺、黄兆宏著《甘宁青考古八讲》（甘肃人民出版社 2008 年版），介绍了甘肃、宁夏、青海从旧石器时代到明代的考古情况。另有《青海考古 50 年》（青海人民出版社 1999 年版）一书，也可参阅。

新疆维吾尔自治区，2015 年由新疆美术摄影出版社、新疆电子音像出版社、美国克鲁格出版社联合出版《西域文物考古全集》一书，共有"研讨与研究卷""精品文物图鉴卷""不可移动文物卷"三大卷 39 分册，是新疆维吾尔自治区文物局完成的对近万处文物资料的整理汇编，是以新疆 88 个县、市的不可移动文物资料为基础，融汇了多年来新疆文物考古取得的主要成果。按照古遗址、古墓葬、古建筑、石窟寺及石刻、近现代重要史迹及代表性建筑、文物等类别的体例依次汇编。这些细致的工作，不仅为新疆不可移动文物保护规划的制定、进一步的考古发掘提供了科学依据，更为西域古代文化的研究提供了全面和系统的资料。

香港特别行政区，商志（香覃）、吴伟鸿先生的《香港考古学叙研》（文物出版社2010年版）在回顾香港考古发现、考古发掘的过程中，不时加入自己的研究观点，可作为了解香港特别行政区考古事业的首选书。

澳门特别行政区，郑炜明先生的《澳门考古史略》（澳门理工学院2013年版）是了解澳门特别行政区考古事业的一部好书，只是在中国内地不太好找。

台湾省，有陈光祖先生主编、臧振华先生编著的《台湾考古发掘报告精选（2006～2016）》。又有李匡悌先生编著的《岛屿群相：台湾考古》（台湾"中央研究院"历史语言研究所2018年版）一书，分章叙述了台湾的考古学史、史前考古、田野考古、环境考古、科技考古、动物考古、历史考古、水下考古等。

中国考古学会有《中国考古学年鉴》，已如前述。河南等地考古机构也有《考古年报》，一年一册。博物馆方面，有《中国国家博物馆年鉴》《中国博物馆年鉴》。

后 记

考古发掘报告，包括前期的勘察报告、调查报告、钻探报告、航拍报告、试掘报告，中期的清理报告、发掘报告，后期的实验报告、整理报告、保护报告等，是我国几代考古工作者辛勤劳动的结晶，是我们认识考古学术成果的唯一文字凭证。考古发掘报告，反映的是祖先留下的珍贵遗产，而考古发掘报告本身，也已成为一座取之不尽、用之不竭的学术宝库。这座宝库，应该说不仅仅属于考古学界，甚至应该说不仅仅属于学术界，而应属于全体国民，属于人类文明。

然而，令人遗憾的是，多年以来，国人对考古发掘报告的了解和利用实在是太有限了。考古学"是20世纪中国学术界成绩最突出，对人类历史贡献最大的学科之一"。（陈星灿著《考古随笔（二）》，文物出版社2010版，第251页），历史学号称与考古学的关系"特别密切和重要"（赵光贤著《中国历史研究法》，中国青年出版社1988年版，第29页），但《中国古代史史料学》（安作璋主编，福建人民出版社1994年版，第91页）一书，对古代陵墓、建筑遗址、遗迹及相关实物等考古材料不还是以一句"因涉及考古学的专门知识，这里不再作介绍"交代了吗？究其原因，主要在于考古发掘报告专业性强，佶屈聱牙。考古学家俞伟超先生甚至说，他当年对斗鸡台的考古报告都"很难看得懂"，直至1954年"在陕西宝鸡发掘时，在当地琢磨才明白的"（曹兵武编著《考古与文化续编》，中华书局2012年版，第330页）。考古名家尚且如此，遑论其他？唯其如此，如果有一部通俗易懂而又信息量大的集中介绍考古发掘报告的工具书，不是多少能解决点问题吗？我个人以为，这一工具书最好是有提要的，仅仅是一部考古发掘报告的书目、篇名目录，对"数据"的"发掘"程度是不够的。人们需要了解：在哪儿、什么时候、发现或发掘出什么、这些遗迹或遗物有何特别之处、有何重要意义等基本信息。只有通过对这些基本信息的揭示，人们才会对考古发掘报告有一个大体了解，才谈得上去进一步利用。但这么多年了，却未见这样的工具书问世。诚如章培恒先生所言："要踏踏实实地、系统地研究某一门学问，非有这方面的较为完整的目录书指示门径不可。倘若没有呢? 那就得自己动手去编。"(《日本现藏稀见元明文集考证与提要·序》, 岳麓书社 2004 年版) 这, 也正是我们编纂《中国考古发掘报告提要》这一工具书的初衷和目的。如果说, 《四库全书总目》囊括了大部分古典文献; 那么, 《中国考古发掘报告提要》则涉及主要的考古发现与考古发掘, 只有既掌握了古典文献的基本内容, 又了解了考古发掘的基本事实, 才有可能真正融会贯通, 将王国维先生的"二重证据法"落到实处。从这一角度看, 将《中国考古发掘报告提要》视为"地下的《四库全书总目》提要"似无不可, 尽管二者的作者水平与学术地位不可相提并论。

在工作开始之前, 征求了多位不同学科、不同专业的专家、学者们的意见。有意思的是, 持反对意见的人主要集中在考古圈内, 考古圈外的人却大多表示赞同。反对的意见主要出自三点考虑:

一是"网上都有"。的确, 不少刊物现已在网上可查全文。但经过逐刊、逐年、逐期的查寻发现, 并非"网上都有", 有的刊物网上查不到, 有的刊物缺年少期。更重要的是, 仅在网上浏览, 是无从享受纸本工具书的解说、集中、分类、检索等功能的。从务实的角度说, 上网查询, 毕竟是要产生费用的, 有时一篇文章反复翻阅, 既不方便, 也不经济。这时恐怕即使是考古圈内的人, 也会想要有一部工具书, 有个基本了解后再有目的地上网查找相关文献, 线上线下, 相辅相成, 岂不是事半功倍?

二是"大多知道"。这里所说的"大多知道", 是指某一地区的考古人员, 对本地区的考古文献是很熟悉的。比如北京市的考古人员, 对北京市这一亩三分地都挖出过什么, 可以说是如数家珍。即便如此, 仍然会让人产生以下推论: 一是就算是对本地区的考古文献烂熟于胸, 有一部工具书辅助查寻, 又有什么坏处呢? 二是谁真能保证当地考古人员人人都能对本地区的考古文献十分熟悉呢? 三是考古这门学问和别的学科一样, 少不了比较, 仅仅是熟悉本地考古文献, 是做不了什么大学问的。王巍先生不就讲过: "考古资料如汗牛充栋, 不仅业外人士很难了解其全貌, 就连从事考古学研究的学者, 对自己研究领域之外的考古成果也往往知之不多。"(《中国考古学大辞典·前言》, 上海辞书出版社 2014 年版) 四是考古圈以外的人, 当然不可能做到"大多知道"。

三是"量太大了"。认为考古报告成千上万, 编起来不胜其烦。其实不正是因为太多太繁, 才有必要编纂相关工具书吗? 马云讲未来的资本不是土地, 不是金融, 而是"大数据"。从做学问的角度讲, 只有掌握了某一门学科的"大数据", 才有可能做出大学问。

与考古圈内形成鲜明对比的是, 考古圈外的人却大多表示赞同, 认为有这么一部工具书, 对于查找和理解考古发掘报告是颇有益处的。北京大学李零先生早就谈到: 考古圈内人"除了'报告语言'就不会说话", 而"圈外人看考古报告又如读天书,不知所云，不但不知道怎样找材料，也不知道怎样读材料和用材料"（《说考古"围城"》，载《读书》1996 年第 12 期）。复旦大学葛兆光先生则说："当外行人读他们的报告时，要么觉得他们的话让人难懂，要么觉得他们是在自言自语。""考古可以不断地挖出新的遗址，发现新的文物，但是无论如何，这只是学科内的事情。"（《槛外人说槛内事》，载《读书》1996 年第 12 期）其实这些学者，还是很关注考古发掘的。例如文献学家周勋初先生，就说他"喜欢看考古发掘方面的介绍"（《艰辛与欢乐相随——周勋初治学经验谈》，凤凰出版社 2016 年版，第 3 页）。但喜欢是一回事，能否真正看懂又是一回事。许宏先生不就讲过："考古学给人以渐渐与世隔绝的感觉。甚至与这个学科关系最为密切的文献史学家，也常抱怨读不懂考古报告，解读无字天书的人又造出了新的天书。"（王巍主编《追迹：考古学人访谈录 II》，上海古籍出版社 2015 年版，第 170 页）如果说，《四库全书总目》提要让人们对那些陌生的古代文献有了一个基本了解；那么，《中国考古发掘报告提要》也不过是想让人们对这些号称"天书"的考古发掘报告有个大致印象，仅此而已。

对于编纂《中国考古发掘报告提要》的看法不同，或许也是因为考古圈内、圈外对于考古发掘报告的关注点不一样：

首先，考古圈内更关注的是相关考古报告何时发表，是否规范。如郑嘉励先生指出："就考古工作者的职业道德而言，积压的考古资料必须适时发表。"（《浙江汉六朝墓报告集·后记》，科学出版社 2012 年版）张文彬先生也谈到："在我看来，客观、完整、及时将重要的考古资料公布于世，让学界鉴赏、研究，这是文物、考古工作者的天职，也是文物考古界的职业道德。恪守这个职业道德，对于我国考古学研究水平的提高乃至整个考古事业的发展，都是十分重要的，切不可等闲视之。"（《鹿邑太清宫长子口墓·序》，中州古籍出版社 2000 年版）而考古圈外更关注的，主要是已出版、发表的考古发掘报告如何利用。

其次，考古圈内更关注史前及夏商周三代考古，现在不少大学还是史前、三代考古各设一个教研室，其后的各朝各代统设一个"汉唐宋元考古教研室"。这是因为中国考古学诞生于 20 世纪 20 年代那个落后、屈辱的时代，"中国考古学一开始的主要工作，就是要寻求中国人类繁衍不息，中国文化源远流长，中国文明连接不断的证明"（王煜主编《文物、文献与文化——历史考古青年论集·序言》第一辑，上海古籍出版社 2017 年版）。以求重建民族自尊心和自信心。加之中国考古学源自欧洲，而欧洲"考古学要解决的主要是人类起源、农业起源、文明起源这三大问题"。（同前引文）不要说中世纪及近现代考古，就是古希腊、古罗马，在很长一段时间都"显然不是欧洲考古学的主要阵地，甚至更多的关注来自艺术史的学者"（同前引文）。这对中国考古学不可能没有影响。所以考古圈内不少人对战国以后的所谓"历史时期考古"兴趣不大。而考古圈外呢，自然更关注与自己搞的那一段所谓"断代史"有关的史料。

这么说，并不是说考古圈内的人都反对这个事，考古圈外的人都赞成这个事——不是这样的。考古圈外有的也颇不以为然，考古圈内的人也有的认为很有必要。如老考古人苏秉琦先生神骥出枥，指出考古学"新趋势的特点是向多学科、大众化发展。考古学的发展需要多学科素养的人来参加，社会上各行各业的人都能从这门学科中找到他们感兴趣的知识或材料，事实上还远远没能做到这一点，这主要是由于我们的工作还有许多薄弱环节"（《苏秉琦文集》（三），文物出版社2009年版，第113页）。苏秉琦先生这里所说的"我们"，应该是指考古学界。而自说自话、外人难读的考古发掘报告，理应属于"薄弱环节"之一，既然是薄弱环节，当然就有待改进和提高了。否则的话，就如同另一位老考古人张勋燎先生所指出的："如果搞其他学科史的人感到我们的历史时期考古对解决他们的问题完全没有帮助，那我们就是在玩古董，而不是研究考古了。"（《中国历史考古学论文集》下册，科学出版社2013年版，第261页）

不过，考古圈内和考古圈外在一个问题上的看法却惊人地一致：那就是都认为考古发掘报告花费了这么多的时间、精力和金钱，不好好利用，实在可惜。李伯谦先生曾讲过："我深知一部考古报告的诞生十分不易，从田野调查、发掘到室内资料整理、编写报告，一环扣一环，不知有多少人为此付出了辛劳和汗水。"（《大冶五里界·序》，科学出版社2006年版）。郭德维先生也曾谈到："凡整理过报告的人都知道，这是一项极其繁杂、十分琐碎的工作，既费神又费力，且短期难以完成，如果不是有很强的事业心，不下狠心用很长时间坚持做，是绝对做不好的。"（《随州擂鼓墩二号墓·序》，文物出版社2008年版）。宋建忠先生则感叹："常言道：巧妇难为无米之炊，但考古工作的现状常常是'好米难遇巧妇'，现在是物欲横流的时代，考古发现层出不穷的时代，人心浮躁不安的时代，现实的情况往往是'发掘抢着做，报告无人理'。因此，即使是一个重要的考古发现，报告的出版也常常是遥遥无期"。（《汾阳东龙观宋金壁画墓·序》，文物出版社2012年版）安金槐先生更直言："考古报告的出版是个大问题""编一本考古报告是要费大劲的""所以编考古报告要有点吃亏的精神"（曹兵武编著《考古与文化续编》，中华书局2012年版，第359～360页）。考古发掘详报时隔一二十年甚至更长时间才得以出版的例子比比皆是。如张忠培先生在《元君庙仰韶墓地》一书封三上写道："一九五九年写成初稿，二十四年后才贡献给读者。"（高蒙河《张忠培先生六十年学术论著要目编纂札记》，载《庆祝张忠培先生八十岁论文集》，科学出版社2004年版）王益民先生在《丁村旧石器时代遗址群》一书后记中，开篇即说此书费时20年。然而，好不容易有人不计名利将报告写了出来，又费尽千辛万苦申请到了经费，总算幸运地得以出版，命运又如何呢？除了图书馆、博物馆采购一些外，大都流往图书大集，成了打折书。北京大学陈平原先生讲："就拿我来说，明明知道正在削价出售的考古报告很有学术价值，可就是没有勇气把它们抱回家，原因是读不懂。"（《文学史家的考古学视野》，载《读书》1996 年第 12 期）季羡林先生也曾讲道："往往有这种情况，中国考古工作者发掘的某个地方，经过艰苦的劳动和细致的探索，写出了发掘报告，把发掘的情况和发掘出来的实物都加以详尽、准确、科学的描述，有极高的水平，但是往往不把这些发掘结果应用到历史研究上来。结果给外国的历史学家提供了素材。他们利用了这些素材，证之以史籍，写出了很高水平的历史专著。"（转引自张保胜《张懋夫妇合葬墓·序》，科学出版社 2017 年版）然后国内学界再"出口转内销"。这实在是一件令人深感悲哀的事情。

说完了考古圈内外关于考古发掘报告及《中国考古发掘报告提要》的看法，再来说说考古发掘报告本身。关于这一问题，比较令人感触的有两点：一个是"量"与"质"，一个是"繁"与"简"。

先说"量"与"质"。先说"量"。自 20 世纪 20 年代至今，究竟有多少考古发掘报告，谁也说不清楚。不仅考古圈外的人说不清，考古圈内的人也说不清，王巍先生曾谈到，1949 ~ 2009 年这 60 年，"公开出版的考古发掘报告已达 300 余部"（《新中国考古六十年》，载《考古》2009 年第 9 期）。可也有人说如今"每年出版的考古报告多达百册以上"（《新世纪的学术期刊的繁荣发展——纪念〈考古〉创刊 50 周年笔谈》，载《考古》2005 年第 12 期）。以书的形式出版的考古详报并不算多，都有不同的数字，更不用说以文章形式发表的考古简报了。

《中国考古发掘报告提要》收入的考古发掘报告，从收录标准看是偏宽的，不是仅收狭义的"考古发掘报告"，从篇幅来看，既收动辄几十万字的考古详报，也收几千字上万字的考古简报，还有几百字的所谓"微简报"。之所以连"微简报"也尽量予以收录，有两个原因：一是考古发现（发掘）本身就比较简单：或许只是发现了一件青铜器，或许就是发掘出一处窖藏；二是正是因为考古发掘过程简单，很大可能仅有此一介绍，除此再无音讯。但即使是这种"微简报"，也有可能蕴藏着丰富的信息（如某种文化的"边疆"在哪）。金泥玉屑，不可小视。

《中国考古发掘报告提要》收录了以书的形式出版的考古详报和在核心期刊（以《北大中文核心期刊目录》2011 版考古学科为准，略加调整）发表的考古简报、微简报共计 13000 多种。在非核心期刊和以书代刊的考古文献上发表的考古报告，估计还有四五千种，公正地说，这部分发掘报告的学术价值大多略逊一筹，计划日后以《中国考古发掘报告提要·补编》的形式出版。如此，仅是 20 世纪 20 年代末至

2015 年，已出版和发表的考古发掘报告，就几近 20000 种，差不多是《四库全书总目》所收书的一倍了。这个数字看似可观，其实仍只是我们这个五千年文明古国考古成果中的一部分。众所周知，祖先留下的遗迹、遗物，已发现的只是其中的一部分；对这一部分进行了清理、发掘的又只是其中的一部分；已发掘的这一部分中，写有考古发掘报告的又仅是其中的一部分；写有考古发掘报告能正式发表的，又只是其中一部分。不是有学者指出，"十个考古发掘项目中，只有四五个发表了简报或者报告"吗？甚至一些名列"全国十大考古新发现"的考古发掘，也尚未发表考古报告。（张庆捷《考古发掘报告积压的问题》，载 2011 年 9 月 23 日《中国文物报》）所以我们今天能够看到的考古发掘报告，看似珠渊瑶海、宏富之极，其实已是经过层层递减，实在是弥足珍惜。

再看"质"。既然是中国考古发掘报告，自然和别的事情一样，必定会带有中国特色。其表现之一，就是质量参差不齐。不像发达国家，考古报告的整体学术水平相对比较整齐。质量不一的一个重要原因，是时代造成的。张在明先生曾讲过："我们干考古时间长了，也有一种自豪感，我们是文科里边，理工科因素最多，科学性最强、最严谨的一门学科。比起哲学、文学、历史，还是比较自豪的。"（张在明《科学的态度，历史的真实——在全国文物普查培训班上的发言》，载《文博》2008 年第 1 期）但从事这一"科学性最强"的人又如何呢？不去提中华人民共和国成立初期留用的盗墓人员（参见《长沙砂子塘西汉墓发掘简报》，载《文物》1963 年第 2 期），也不提"大跃进"时由 8 位刚从中学毕业的姑娘组建的"刘胡兰"考古队（参见《河南南召二郎岗新石器时代遗址》，载《文物》1989 年第 7 期），"文化大革命"后期和改革开放之初的"亦工亦农学员"（参见《河北磁县东魏茹茹公主墓发掘简报》，载《文物》1984 年第 4 期），就是到了 20 世纪 80 年代末 90 年代初文物普查时，张在明先生不还在说，"中国就是这样的现实，大部分普查队员就是这样一个业务水平。当时陕西省上了 1000 多人，省上真正业务好的，懂考古的，上的人并不多"，甚至出现"照出来的胶卷大部分废了"，因为有时"镜头盖没打开，照完了，回来一冲是空的"，以致陕西省"90% 以上文物点都没有照片"（同前引文）。文物大省陕西省尚且如此，别的省区可想而知。近一二十年，考古队伍中的高学历人员多了许多，考古报告的质量有所提升，但仍然存在诸多问题。比如董新林先生谈到的"有意无意加以取舍，不按单位发表资料，使得资料零散"的问题，恐怕就不在少数（"期刊建设与考古学的发展暨纪念《考古》创刊 500 期学术研讨会"纪要，载《考古》2009 年第 5 期），而"资料完整不完整，是评判考古报告的质量高低的第一标准"（李伯谦《郑州大师姑·序》，科学出版社 2004 年版）。看来，的确如张忠培先生所言："中国考古学的成长史，离不开整个社会条件的制约。"（《中国考古学：走近历

史真实之道》，科学出版社 1999 年版，第 43 页）

应该指出，考古发掘报告在近年来有很大的进步，从量来说，取得国家专项资金支持得以出版的考古发掘详报越来越多，当然印量都不高，甚至有的书已出，考古圈内都不太了解（参见《考古》2011 年第 7 期载《中国考古学》一书书评），从质来说，海外学者曾批评："中国大陆在考古研究上不会问问题，即使问，也问得有限。有资料与有问题是两回事，如果只有资料而没有或问不出好的问题，资料也失去意义。"（许倬云《历史分光镜》，上海文艺出版社 1998 年版，第 297 页）而近年来出版的考古发掘报告，应该说已越来越善于问问题了。

再说"繁"与"简"。早在 20 世纪 80 年代，尹达先生就曾提出考古发掘报告"太简化，简化到史学家不能使用的程度"（《尹达同志谈考古学研究》，载《中原文物》1982 年第 2 期）。黄宽重先生则抱怨：考古发掘报告"偏重于墓葬结构、形制、出土陪葬物品的种类式样，如漆器、瓷器、石器等，特别着重于器物、墓室形制的描述，并讨论其意义。报告中虽然也注意到买地券，以及考订墓葬年代等等问题，却多忽略墓志资料"（《宋代的家族与社会》，国家图书馆出版社 2009 年版，第 15 页）。而墓志又恰恰是治史之人最需要的，着实令人恼火。王益人先生也指出已发表的旧石器时代考古发掘详报："可读的信息量实在太少，一个遗址出土几千件标本，读者只能看到十几件甚至一两件石器标本的插图和照片。难道这些标本就能代表这个遗址的所有信息吗？这绝不是我们想要的，也不能再走这样的老路了。"（《丁村旧石器时代遗址群：丁村遗址群 1976～1980 年发掘报告·代后记》，科学出版社 2014 年版）如此看来考古发掘报告似乎是越全、越厚越好。而当下 80、90 后的网友，又大多认为如今的考古发掘报告太过繁琐，不忍卒读。如有一位名叫王悦婧的网友提到初读考古发掘报告的印象："在刚开始阅读时，我深刻体会到了阅读的艰难，很多专业术语一知半解，而且有很多的疑问和不理解。"（王悦婧《阅读考古发掘报告的几点心得体会》，载 http：//www.do-cin.com/D-8333.6897.htm1）似乎考古报告越通俗，越简单为好。

那么，考古发掘报告的量与质的问题、繁与简的矛盾是否能有一个兼顾呢？我个人认为，撰写提要，恰恰就是一个比较好的解决方案。只有通过撰写提要，才能为考古发掘报告算一总账，知道还有哪些重大考古发掘迟迟未出报告，以致国家文物局不得不将其列入"限期整理"名单（参见《长治分水岭东周墓地》文物出版社 2010 年版，第 4 页）；只有通过撰写提要，才能分辨出哪些报告已不堪使用，需要出版修订本、增订本（参见霍东峰、华阳《也谈考古报告的编写》，载《内蒙古文物考古》2007 年第 2 期）；也只有通过撰写提要，才能使"繁"与"简"的矛盾得以平衡，需要更多信息的读者，可以沿着提要的线索去查找更多的资料；需要一般了解的读者，或许阅读几百几千字的提要就得以了解相关信息了。

尽管考古发掘报告尚存在着这样那样的问题，但诚如有学者指出："从某种意义上说，现今研究中国的古代历史和文化，如果离开考古学及其研究成果，是很难进行的。"（张之恒主编《中国考古通论》南京大学出版社 2009 年版，第 38 页）而对考古学成果的利用，抛开考古发掘报告，也是不现实的，同样是很难进行的。《輶轩语》曰："无论何种学问，先须多见多闻，再言心得。"欲了解考古成果、考古材料，一本一本、一篇一篇地去读考古发掘报告，当然是一个办法，但先行阅读考古发掘报告提要，也应不失为一种事半功倍的选择吧？如袁珂先生所言："积累应当说是做学问的基础，没有积累，任何学问也做不起来。"（《袁珂神话论集·代序》，四川大学出版社 1996 年版）《中国考古发掘报告提要》，只能说是考古发掘报告"提要学"的最初一点积累吧。也算是为贯彻习近平总书记提出的"建设中国特色、中国风格、中国气派的考古学"的指示，所做出的一点努力吧。

至于编纂此书的难处，先抛开编者的学术水平等主观因素不说，客观上的困难至少有三：

一是几无借鉴。此书的编纂属于首创，考古发掘报告的提要怎么写，谁也不知道；这么多提要依照什么原则进行编排，谁也没干过。只能是摸着石头过河，摸索着干。王杰先生曾指出："万事开头难，前人没有做过，第一次来做此事，自然就难。"（《楚都纪南城复原研究·序》，文物出版社 1992 年版）确是深知甘苦之言。而只要是首创之举，恐怕都难称完美。这在目录学史上不乏其例。比如《书目答问》，被称作是首部"面向广大读书人的，把书目与读者的密切关系放在首位"的杰作，但"《答问》体例不一，仓促之迹比比皆是"（《增订书目答问补正·前言》，中华书局 2011 年版）。这里要提到张在明先生在谈及考古文物普查图集时曾引用过的一个外国笑话，说是一个火车站火车老晚点，旅客们埋怨说，要列车时刻表有什么用？站长说，没有列车时刻表，你怎么知道列车晚点多少？张先生说："可是我们 50 多年了，连个列车时刻表都没有。文物事业的火车，就是在没有时刻表的情况下，跑了 50 多年。"（同前引文）蠡测其意，张先生意思是说，文物普查图集，也是类似列车时刻表这么一项基本建设。而《中国考古发掘报告提要》，不也应算是一项基本建设吗？何况是出于编者少数人之力，错讹肯定是还要超过文物普查图集，但正如张先生所言，"有了文物图集至少有了靶子，有靶子可打呀，没有文物图集，你连靶子都没有"（同前引文），编者不揣简陋，编纂《中国考古发掘报告提要》，实在是任重才轻，操刀伤锦；也不过是想给学界提供一个"靶子"吧，甚望高明缺者补之，误者正之，日后也有类似《四库全书总目提要补正》《中国丛书综录补正》一类专著问世，使其更趋完善，更便使用。

二是工程浩大。工作量有多大，可有个参照。《〈中原文物〉创刊十五年叙录（1977～1992）》（河南省博物馆 1993 年 6 月自印本）一书收录了 1500 余条 25 万字，每条都有提要。该书前言称："《中原文物》编辑部的全体同志，在完成自己繁重的本职工作之余，为编写这本书，不辞劳苦，牺牲了业余时间，经过一年的艰苦努力，克服经费上的困难，自筹资金，终于使此书出版发行了。"《中国考古发掘报告提要》所收是《中原文物》提要数倍，且参编人员也均为利用业余时间工作，这么一对比，其工作量之大，即可思过半矣。

原稿堆积如山

三是经费紧张。《中国考古发掘报告提要》是在未及申报任何项目，没有一分钱科研经费的情况下干起来的，经费之紧张自不待言。中国科学院院士叶大年先生常常开导学生们，要记住拿破仑的名言："先投入战斗，然后见分晓。"（日新编著《听大师讲学习方法》，天津社会科学出版社 2004 年版，第 126 页）这件事也是"先投入战斗"，困知勉行，干起来再说。

或许正是因为有这些难处，才会留下诸多遗憾：

从"量"来说，未能一步到位，收录的书籍肯定有遗漏，收录的文章更是缺少了非核心期刊和以书代刊这一块。估计还会有几千种。计划仿照《四库全书存目丛书》的先例，以补编形式出版。

从质来说，未能更臻完善。记得曾在《北京晚报》上看到北京大学考古系的同学写的文章，将发掘的先民住宅用今天的"两居室""三居室"来打比方。我们这部提要虽说也尽量往"浅白有趣"努力，但似乎尚无法做到如此直白。另外，不少重要的学术信息，也实在是无暇一一查找对应到位，这都只能是留下遗憾了。

这么一部有着诸多遗憾和不足的资料，为什么仍要野人献曝、布鼓雷门呢？这实在是因为我坚信考古发掘一定会有着学界急需的营养。诚如陈星灿先生所言："考古学是一门让人难堪的学问。它的发展日新月异，足以动摇被世代奉为金科玉律的东西。"（《考古随笔（二）》，文物出版社 2010 年版，第 149 页）不要说三星堆、红山、陶寺等足以改写上古史的考古发现，就是中古史，不少考古发现也一样会促使我们重新思考以往的一些"定论"。比如胡宝国先生就注意到："根据传统史料，到处都是豪族，到处都有豪族的影响，但在造像记中，我们又几乎看不到豪族的踪影。"（胡宝国著《将无同：中古史研究论文集》，中华书局 2020 年版，第 383 页）这至少会促使我们重新审读以往的文献记载，以求更加贴近历史真相。

还有几点需要特别说明一下：

一是大的原则是依时间排列。征求了不少人的意见，都愿意从最便利的途径得知某一朝代（如汉代）已发现了多少手工业遗址，已发现了多少皇陵。《中国考古学》系列，倒是依时间排列的，但那是考古学的专业书，圈外人看起来还是费力，何况还未出齐。

二是附录中的"参考文献"，列举的是一些最基本的书刊，注明的也是一些考古界最熟知的事实，算是照顾考古圈外的普通读者吧。

三是总主编刘庆柱先生统筹全局，负责大政方针的把控，已是千钧重负，尽管先生向来虚己以听，闻过则喜，但作为后学，已然兼葭倚玉，何忍再让先生推功揽过，分损谤议。故而收录之遗漏、分卷之可议、校读之疏忽等种种具体问题，理应由本人引咎自责，抉误补阙。

四是本《提要》总索引，待《补编》《续编》《外编》等出齐后，再统一编一个涵盖整个《提要》系列的总索引。

最后想说的是：编纂过程虽然充满艰辛，但好在有许多前辈、朋友的支持和帮助，大家一起来克服困难。要感谢中国社会科学院考古研究所、北京大学文博学院、北京大学图书馆、首都师范大学图书馆、文物出版社、科学出版社、中国大百科全书出版社、中华书局以及河南、山西、陕西等地考古部门的支持与帮助，要感谢傅璇琮前辈的肯定与提携，要感谢中国文史出版社的各位领导，各位编辑、印制、发行老师和项目负责人窦忠如先生，要感谢关心此书出版的范纬女士、卢仁龙先生，还有许多师友，恕不一一列举大名了。没有大家的支持和鼓励，这件事情是不可能做成的。

丁晓山

2016 年 8 月于首都师范大学

2021 年 10 月改定